# DAKOTA EDITIONS

# LE GUIDE DU
# JOB-TROTTER

## (2ème édition)

Jean-Damien LEPERE
Stéphane MAYOUX

**COLLECTION GUIDES TRAVELS - CIDJ**

# SOMMAIRE

Les stages pour les ingénieurs et les scientifiques : *IAESTE, ORSTOM* • Les stages dans les organisations internationales : *Banque mondiale, Conseil économique et social, ESO, FMI, Parlement européen, Nations unies.*

**Le service national à l'étranger • P 93**
Partir en coopération • Etre volontaire Globus.

- Les organismes qui facilitent vos recherches sur place.
*Les jobs centres, les agences de travail temporaire, le centre Charles-Péguy, un petit tour chez les Kiwis, les careers services, divers.*

- La presse et les ouvrages à consulter.
- Les secteurs qui embauchent.

## Trouver un stage • P 173
- Des organismes pour vous aider en Angleterre.
- Les organismes de stages clés en main.
*Aigles, HOET, Eagle UK, Proeuropa, BHTA, CEI UK division.*

# L'ALLEMAGNE                                         181

## Des organismes pour vous aider • P 183
*Centre d'information et de documentation de l'ambassade d'Allemagne, ambassades et consulats, le CIDJ, l'Office national allemand du tourisme, le DAAD, l'AFASP/DEFTA, l'Institut Gœthe, la Maison de Heidelberg, librairies allemandes.*

## Des revues à consulter • P 185

## Les joies de l'administration • P 186

## Trouver un logement • P 187

## Trouver un job • P 190
- Les organismes qui facilitent vos recherches sur place
*La ZAV, les agences pour l'emploi, les agences d'intérim, les Jungendinformationszentren, les journaux à consulter.*

- Les secteurs qui embauchent.

## Trouver un stage • P 206
Des organismes pour vous aider.
- *L'Office franco-allemand pour la jeunesse, JTM, Eurodyssée, AFS Vivre sans frontière, International Dialog, la Chambre franco-allemande de commerce et d'industrie, les Chambres de commerce et d'industrie allemandes, les fédérations professionnelles, le Comité consulaire emploi-formation.*

# ESPAGNE                                             213

## Des organismes pour vous aider • P 213
*L'Office du tourisme espagnol, la Chambre de commerce d'Espagne.*

## Les joies de l'administration • P 215

## Trouver un logement • P 216

## Trouver un job • P 217
- Des organismes utiles sur place.
- Les journaux à consulter.
- Les secteurs qui embauchent.

**information jeunesse cidj**

# L'Espace Voyages du Cidj

## des prestations adaptées aux jeunes

◆ transports aériens et ferroviaires aux prix les plus bas

◆ billets d'autocar internationaux

◆ formules week-ends

◆ vacances classiques ou insolites

◆ séjours sportifs et culturels

◆ séjours linguistiques
   ... et tout voyage personnalisé pour individuels et groupes

Dans le hall du Cidj du lundi au vendredi
de 10 h à 13 h et de 14 h à 18 h
101, quai Branly – 75015 PARIS
Métro : Bir Hakeim – RER : Champ de Mars
*Agrément tourisme n° 275048*

# COMMENT VOUS SERVIR DE CE GUIDE ?

• Lorsque vous contactez un employeur, pensez à bien suivre les modalités de candidature indiquées (CV, lettre de motivation…). L'envoi de coupons réponse internationaux (vendus dans les bureaux de poste) est recommandé lorsque vous écrivez à des organismes de pays à faible niveau de vie.

• Les numéros de téléphone à l'étranger incluent entre parenthèses l'indicatif régional. Pour appeler depuis la France, vous devez composer au préalable le 19, suivi du code international du pays (voir tableau en fin d'ouvrage).

• Pour augmenter vos chances, nous vous conseillons de commencer long-temps à l'avance vos démarches. En début d'année pour un job l'été suivant par exemple.

• Vérifiez bien par vous même toutes les conditions d'embauche (salaire, horaires, contenu du travail, logement éventuel…). Les données communiquées par les employeurs peuvent être adaptées à votre cas personnel, notamment en ce qui concerne la rémunération.

• Les prix et les salaires mentionnés sont la plupart du temps dans la monnaie du pays. Pour les convertir en francs, reportez-vous au tableau ci-dessous :

## Taux de change

- Afrique : 100 FCFA = 1 F
- Allemagne : 1 DM = 3,4 F
- Australie : 1 AUS$ = 3,7 F
- Belgique : 100 FB = 16,6 F
- Canada : 1 C$ = 3,67 F
- CEE : 1 ECU = 6,44 F
- Espagne : 100 pes = 4,05 F
- Etats-Unis : 1 US$ = 4,96 F
- Finlande : 1 FIM = 1, 13 F
- GB : 1 £ = 7,66 F
- Grèce : 100  GRD = 2,07 F
- Hong Kong : 1 HK$ = 0,64 F
- Italie : 1000 lires = 3,12 F
- Inde : 100 INR = 18,78 F
- Japon : 100 yens = 4,66 F
- Norvège : 100 NOK = 77,5 F
- Nlle-Zélande : 1 NZ$ = 3,2 F
- Pays-Bas : 100 fl = 304 F
- Suède : 100 SKR = 74,7 F
- Danemark : 1 CD = 1,38 F

*Taux au mois de janvier 96*

# PARTEZ AUX 4 COINS DU MONDE

## EUROPE • ETATS-UNIS • AUSTRALIE • CANADA

## et découvrez d'autres cultures
avec

## LA LIGUE DE l'ENSEIGNEMENT
## et VACANCES POUR TOUS

## En séjours linguistiques

Le meilleur moyen de mettre l'accent sur les langues.
Des stages et séjours "sur mesure" pour étudiants,
en immersion totale ou en école internationale.

## Lors de vacances évasion

Le choix de l'aventure ! Longs et moyens courriers
vous emmènent à la découverte de nouvelles
sensations… lors de circuits exceptionnels.

# o.s.e.
## LE CLUB ETUDIANT
OFFICE CENTRAL D'ACCUEIL ET DE SERVICES ÉTUDIANTS

# *Etudiants !*
# *Partez assurés à l'étrange*

# *S.2.i*

**STUDENT**
**INTERNATIONAL**
**INSURANCE**
*For Medical Coverage*
*and Assistance*

- Prise en charge des soins
- Prise en charge des hospitalisations
- Assistance et rapatriement médical
- Assistance juridique et administrative
- Responsabilité civile
- Assurance individuelle en cas d'accident

**Informations et souscription à O.S.E.**
**157, rue Jeanne d'Arc - 75013 PARIS**
**Tél. : 16 (1) 45 35 69 10**

# TROUVER UN JOB

Si le champ des jobs à l'étranger semble illimité (rien ne vous empêche d'espérer devenir pêcheur de perles dans l'Océan Indien ou guitariste mariachi dans les bars de Cancun), la réalité est hélas moins exotique. Bien sûr, vous rencontrerez toujours le petit veinard qui a piloté des bimoteurs au dessus des atolls polynésiens ou l'intrépide qui a conduit des cyclo-pousses dans les rues surpeuplées d'une ville indienne. Vous découvrirez au fil des pages de ce guide des jobs insolites, qui font rêver ou sourire. Mais la plupart des emplois que nous vous décrivons tournent autour des quelques secteurs suivants :

- Le **tourisme** : là où passe un touriste, il y a un job pas loin. Un touriste aime manger, dormir, s'amuser et se cultiver. Vous pouvez sûrement l'aider à réaliser l'un de ces objectifs.

- L'**agriculture** : pour les vendanges ou la cueillette de fruits, les machines ne remplaceront jamais l'expertise de l'œil humain. Idem pour l'élevage. Alors pourquoi ne pas profiter d'un voyage pour apprendre à tondre un mouton ou vacciner une autruche ?

- L'**enseignement** : si vous nourrissez des complexes sur votre niveau en langues étrangères, dites-vous que vous avez au moins un atout : vous parlez français. C'est moins utile que l'anglais mais ça fait de vous un professeur en puissance.

- Les **séjours au pair** : des enfants à accompagner à l'école le matin, à promener l'après-midi et à garder le soir, c'est le lot de nombreuses familles dans le monde. Les jeunes filles (ou jeunes hommes) au pair sont alors indispensables.

- Le **commerce** : on dit parfois que les Français n'ont pas la fibre commerciale. Mais pour vendre des beignets sur une plage ou des encyclopédies en porte-à-porte, votre sourire "made in France" peut faire des miracles.

Nous avons également choisi de traiter dans ce chapitre les possibilités de **travail bénévole** offertes par les organismes de chantiers. Ceux-ci proposent des activités à l'étranger liées à la protection de l'environnement, l'aide aux populations défavorisées ou la rénovation de bâtiments sociaux (crèches, écoles...). Il ne s'agit pas réellement de jobs, puisque votre travail n'est pas rémunéré. Les activités proposées n'en sont pas moins enrichissantes. Nous traiterons aussi (brièvement) du volontariat dans les organismes humanitaires français. Les postes concernent surtout des personnes qualifiées.

Il reste bien sûr tous les autres secteurs, toutes les opportunités qui peuvent surgir au hasard des rencontres et des trajets. Certains Job-trotters se sont découverts des vocations dans l'import-export. D'autres ont su mettre à profit leurs talents d'artiste de rue. D'autres encore ont su faire d'un hobbie comme la voile, une activité lucrative comme le convoyage de bateau. Bref, à vous d'être à l'affût et inventif... l'imagination n'a pas de frontière.

# Améliorez votre bagage avant de partir

Prenez un voyageur polyglotte, bricoleur, cuisinier à ses heures perdues, sportif, ayant la main verte, un bon trait de crayon et quelques chansons des Beatles dans sa guitare. Rajoutez-lui des permis de conduire auto, moto, poids lourd, bateau... et une bonne dose d'humour. Vous obtenez le Job-trotter idéal !

Avant de partir bille en tête, essayez de perfectionner certaines de vos compétences. A commencer par la maîtrise d'une langue étrangère (l'anglais surtout). Nous ne pouvons recenser ici toutes les possibilités de cours dispensés en France. Sachez que les Centres d'information jeunesse (CIJ) diffusent des fiches détaillées sur de très nombreuses formations (voir adresses des CIJ page 98).

Les services des municipalités sont une des pistes les plus intéressantes. La plupart des villes offrent des cours du soir dans un grand nombre de disciplines, à des prix imbattables. Ils sont ouverts à tous. A titre d'exemple, la ville de Paris propose :

- un an de cours de langue (90 heures) pour 465 francs
- deux ans de mécanique auto (10 à 13 heures par semaine) pour 1030 francs
- un an de cours de dessin (6 heures par semaine) pour 600 francs
- un an de cours de cuisine traditionnelle (3 heures par semaine) 620 francs

Ne comptez pas sur la remise d'un diplôme final : il vous sera juste délivré une attestation de présence. Mais les techniques acquises vous ouvriront bien des portes à l'étranger. Vous pouvez trouver les programmes des cours du soir dans votre mairie. Attention, étant donné leur coût ridiculement bas, les cours, surtout de langues étrangères, sont pris d'assaut. Pour être sûr d'avoir une place, inscrivez-vous dès le 1er septembre.

Dans le sud de la France, la Fédération des Maisons pour tous vous donnera l'adresse d'un centre d'enseignement près de chez vous. La Fédération vous conseille d'écrire pour recevoir une plaquette, la liste des Maisons ainsi que les formalités d'inscription.

✉ *Fédération des Maisons pour tous - Mairie de Montpellier - 1, place Francis Ponge - 34064 Montpellier Cedex 2 - Tél. : 67 34 73 62*

## *Les différents permis de transport*

### Le permis de conduire international

Le permis de conduire international est parfois décisif lors d'une candidature pour un séjour au pair (aux Etats-Unis notamment) ou pour des jobs de livreur ou coursier. Son obtention est une simple formalité. Rendez-vous dans une préfecture avec votre permis de conduire national, deux photos, un justificatif de domicile, une pièce d'identité et 17 francs en espèces. Sa durée de validité est de 3 ans. Pour tout séjour de plus de 6 mois dans un même pays, il vous faudra soit échanger votre permis pour un permis local, soit le repasser.

Deux points importants :

- N'oubliez pas d'emporter avec vous votre permis français, sans lequel le permis international n'est pas valable.

- L'usage du permis de conduire international est plus limité qu'on ne le croit. Certains pays (le Japon par exemple) n'ont établi aucun accord avec la France. Vous ne pourrez y prendre le volant qu'après avoir repassé le permis local. Renseignez-vous auprès de l'ambassade du pays où vous vous rendez.

## Le permis poids lourd

Pour passer ce permis en France, vous devez déjà être titulaire du permis voiture. Vous pouvez alors tenter le permis moins de 28 tonnes. La formation se déroule en général sous la forme d'un stage de 3 semaines. Elle coûte autour de 9000 francs. Le permis français est valable dans la Communauté européenne et aux Etats-Unis. Pour les autres pays, vous devez obtenir un permis international (procédure identique à celle du permis voiture).

## Le permis bateau

Il existe deux réglementations régissant le permis bateau : la législation du pays dont le pilote est originaire et la règle du pavillon. Ces deux systèmes ne sont pas encore harmonisés.

En France, pour piloter un bateau à moteur, vous devez posséder un des quatre permis bateau. Le plus complet est le permis hauturier, que vous pouvez passer en un mois et pour 4000 francs. Il permet de naviguer partout sous pavillon français. Mais si vous louez un navire à l'étranger, vous serez soumis à la règle du pavillon sous lequel vous naviguez : il vous faudra très certainement passer un permis local.

Concernant la navigation à voile, tout le monde peut piloter un voilier en France. Ce n'est le cas ni en Espagne ni en Grèce. Renseignez-vous avant de partir !

# Le BAFA

Pour partir au pair, s'occuper de mineurs ou être animateur en village-vacances, le BAFA est devenu une référence incontournable. Le BAFA, c'est le Brevet d'aptitude aux fonctions d'animateurs de centres de vacances. Il s'obtient en trois sessions se déroulant pendant les vacances scolaires : une formation générale de 8 jours, un stage pratique en centre aéré ou en colonie de vacances d'une durée minimale de 14 jours et une session d'approfondissement qui s'étalera sur 6 ou 8 jours. Vous avez au maximum 30 mois pour enchaîner ces trois sessions (dans l'ordre), sachant qu'entre la formation et le stage pratique, il ne doit pas s'écouler plus de 18 mois. Si vous entamez votre formation à 17 ans, sachez que de nombreuses associations ne vous prendront pas en stage avant votre majorité. Faites donc bien attention à ne pas dépasser la limite de temps. Vous devriez recommencer votre formation ! Si vous êtes pressé, il est possible d'obtenir votre BAFA en y consacrant trois périodes de vacances scolaires consécutives, entre février et l'été par exemple, ou encore de Pâques à la Toussaint.

Le BAFA fait actuellement l'objet d'un vif engouement. Conséquence, il devient de plus en plus difficile de trouver un stage pratique étant donné le nombre croissant de candidats chaque année. Voici quelques conseils qui vous permettront de gagner du temps :

- Adressez-vous à des organismes de formation reconnus possédant des services de placement pour les stages.

- Essayez de trouver un stage pratique avant même de vous inscrire. A ce propos, rien ne vaut le bouche à oreille. Les relations personnelles sont souvent bien plus efficaces que les fichiers des organismes de formation.

- Sachez vous montrer disponible : les demandes de stages sont deux fois plus nombreuses en juillet qu'en août.

- Acceptez de partir avec des enfants même si vous préférez les camps d'adolescents.

- Choisissez de travailler en centre de loisirs (centre-aérés) plutôt qu'en centre de vacances (colonies de vacances). Les centres de loisirs concentrent en effet les 2/3 des offres de stage. De plus, ils rémunèrent davantage les animateurs : de 200 à 350 francs par jour contre 130 francs par jour en centre de vacances (une fois le BAFA en poche). Bien sûr, une expérience en centre de vacances est souvent plus attractive : c'est l'"aventure", le dépaysement, une relation étroite et permanente avec les jeunes durant le séjour. En comparaison, les centres de loisirs font figure de "garderie" : à 17h chacun rentre chez soi...

Côté financier, prévoyez au minimum 4000 francs, rémunération du stage pratique non comprise, pour les trois sessions. Des aides peuvent être obtenues auprès des Directions départementales de la jeunesse et des sports.

Il n'existe pas de diplôme équivalent au BAFA à l'étranger. Vous pouvez cependant le faire figurer sur votre CV, la valeur de cette formation étant reconnue hors de nos frontières.

Vous pouvez vous procurer la liste des associations qui font passer le BAFA auprès de votre Direction départementale de la jeunesse et des sports. A Paris, l'UFCV (Tél. : (1) 44 72 14 14) et l'Afocal (Tél. : (1) 42 96 14 14) proposent de nombreuses sessions pendant l'année.

# Le brevet de secourisme

En France comme à l'étranger, il est utile de connaître les gestes de base à opérer en cas d'accident.

La formation élémentaire est l'AFPS (Attestation de formation au premier secours). Ouverte à tous, elle apprend à donner l'alerte en cas d'accident, à placer un blessé en position latérale de sécurité ou encore à effectuer des gestes de réanimation (bouche à bouche, massage cardiaque). Elle se déroule en 10 modules de 1 heure 30 chacun. Si vous les passez tous, vous recevrez une attestation écrite, reconnue en France et à l'étranger. De nombreux organismes en France préparent à l'AFPS (Croix-Rouge, Ordre de Malte, ligues régionales de la Fédération française de sauvetage et de secourisme...). Vous en obtiendrez la liste complète et les coordonnées en contactant la préfecture de police de votre région. Les tarifs varient en fonction des organismes. A titre d'exemple, la ligue parisienne de la Fédération française de sauvetage et de secourisme demande 400 francs pour les 10 modules.

Les titulaires de l'AFPS ont la possibilité de suivre des formations plus poussées, comme le BNPS (Brevet national de premier secours). Renseignez-vous auprès de votre préfecture de police ou d'un organisme préparant à l'AFPS.

# Le Brevet de surveillant de baignade (BSB)

Si vous rêvez de pays chauds et de soleil, le BSB peut également vous ouvrir les portes des centres de vacances et de loisirs à l'étranger. Le surveillant de baignade a un double rôle :

- Avant la baignade, il prépare les animations autour de l'eau.

- Pendant la baignade, il surveille les participants.

Sa responsabilité est importante puisqu'il doit intervenir dès le début d'une noyade. Il minimise les risques d'accidents pour autrui, en rappelant régulièrement les consignes de prévention. A ce titre, les titulaires du BSB sont très recherchés.

L'obtention de ce brevet passe par la réussite à un examen organisé 2 à 5 fois par an, comprenant 4 épreuves éliminatoires (par exemple, lancer de ballon dans une cible à 12 m, nage de 50 m avec un mannequin) et 3 épreuves cotées (soins de première urgence, prévention des noyades...).

Pour s'inscrire, il faut avoir au moins 18 ans (l'AFPS est souhaitée, non obligatoire). Vous suivrez alors un enseignement dispensé par un maître-nageur-sauveteur, le tout sous le contrôle de la Fédération française de sauvetage et de secourisme (FFSS).

Le coût de la formation s'élève à 800 francs. Pour tout renseignement complémentaire contactez la FFSS.

✉ *FFSS - 28, rue Lacroix - 75017 Paris - Tél. : (1) 46 27 62 90*

## A ne pas oublier...

Emportez avec vous le plus de références possibles : lettres d'employeurs, photocopies de diplômes... Si vous avez travaillé dans des restaurants ou des cafés parisiens, vous devez absolument en posséder la preuve. C'est une carte de visite prestigieuse. Si vous avez étudié à la Sorbonne, n'oubliez surtout pas d'emporter une carte d'étudiant ou un diplôme. A l'étranger, la Sorbonne est le seul établissement français d'enseignement supérieur connu. Cela impressionnera plus votre interlocuteur que si vous avez fait conjointement l'ENA, HEC et Polytechnique !

Mais toutes vos compétences et références seront inutiles si vous ne savez pas vous vendre. Tous les Job-trotters insistent sur la nécessité d'être souriant, sympathique et de soigner son look. Ça semble aller de soi, mais n'hésitez pas à en rajouter un peu.

# Le tourisme

L'industrie du tourisme et des voyages est le premier secteur d'activité dans le monde. Elle emploie directement ou indirectement plus de 200 millions de personnes. C'est dans ce secteur que vous avez le plus de chances de trouver un boulot, surtout si vous n'avez pas de qualification particulière. Les restaurants, bars, hôtels, clubs de vacances, centres sportifs, boîtes de nuit, tavernes et autres pubs sont avides de main-d'œuvre. Le label "France" constitue un avantage certain. Nous vous indiquons dans les chapitres par pays les meilleures pistes pour accroître vos chances sur le terrain.

Vous avez aussi la possibilité de trouver un job depuis l'hexagone. En consultant la presse par exemple. L'hebdomadaire *L'Hôtellerie* (vendu en kiosque, 18 francs) inclut de nombreuses petites annonces sur l'étranger pour des postes de cuisiniers, commis de cuisine, commis de salle, serveurs...

Autre possibilité que nous allons détailler ici, les jobs offerts par les organisateurs de voyages. Si vous avez un bon contact avec les enfants, connaissez un pays comme votre poche ou si la vie de Thierry Lhermite dans Les Bronzés vous fait rêver... vous devriez être intéressé.

Nous avons classé les voyagistes en deux branches, les Tour-opérateurs (TO) et les organisateurs de séjours linguistiques.

- Chez un TO, vous serez accompagnateur (guide culturel, chargé de l'organisation du voyage...), personnel d'accueil (hôtesse...) ou animateur (one-man-show, responsable du club pour enfants, professeur de sport...).

- Les organisateurs de séjours linguistiques auront besoin de vos services si vous êtes étudiant dans la langue du pays. Vous accompagnerez le voyage et assurerez la coordination sur place, seul ou sous la responsabilité d'un membre de l'organisme.

# Les Tour-opérateurs

Le plus dur avec les TO, c'est d'y rentrer. La concurrence sera rude tant que vous n'aurez pas fait vos preuves. Voici quelques conseils pour réussir vos premiers pas.

## Quand poser votre candidature ?

La saison d'été varie selon l'emplacement des villages. En général, elle se déroule de mars à octobre. Commencez vos démarches en tout début d'année, en envoyant un CV, une lettre de motivation et deux photos en pied. Les TO les plus importants recrutent en janvier et début février. Les entreprises plus petites s'y prennent plus tard, parfois jusqu'en avril-mai. Thierry, animateur pendant 2 ans et demi en Bulgarie, au Maroc, en Tunisie et en Espagne conseille d'être persévérant :

*"Il faut écrire aux TO en novembre. Votre lettre sera classée, mais vous serez parmi les premiers sur les rangs. Si vous n'avez rien reçu après un mois, passez un coup de fil. Il faut faire le forcing pour décrocher quelque chose. Pour la saison d'hiver, il n'y a quasiment aucun espoir. Les TO reprennent les gens avec qui ils ont travaillé l'été et dont ils sont satisfaits."*

Si vous postulez plus tard dans l'année, vos chances s'amenuisent. Mais les voyagistes ont parfois besoin de muscler leurs effectifs en mai, juste avant le départ.

Sachez enfin que les probabilités d'être embauché sur place sont faibles. Les dossiers passent en général par le siège et les responsables des clubs ne peuvent vous recruter sans en référer en France. Vous pouvez tout de même espérer une défection de dernière minute.

## La rémunération

Les TO qualifient l'accompagnement et l'animation de séjour "au pair" : vous êtes nourri, logé, blanchi et transporté. Votre salaire est fonction de votre expérience. Pour un débutant, il ne dépasse jamais le SMIC. Faites attention, il n'est pas impossible que l'on retienne certains avantages en nature sur votre salaire. En revenant de vacances, vous risquez de vous apercevoir dans le bureau de la comptabilité que le SMIC promis s'élève en fait à 2600 francs net (salaire pratiqué par de nombreuses sociétés). C'est donc un point important à faire spécifier sur votre contrat. Une fois sur place, il est trop tard. Voilà l'avis de François, vieux routier de l'animation :

*"En général, il faut compter un salaire de 4500 francs net, sachant que vous en dépenserez toujours un peu sur place. Vous devez négocier vos contrats. Les TO ont tellement de choix qu'ils ont tendance à exploiter les animateurs ! Combien sont partis "au pair", séduits par l'idée de passer des vacances tous frais payés et se sont retrouvés coincés, logeant à deux ou trois dans la même chambre ou dormant là où il y avait de la place, c'est à dire dehors quand le village est surbooké. N'acceptez jamais de contrats locaux. Vous êtes très peu payé et les monnaies ne sont pas toujours convertibles."*

## Le job d'accompagnateur

Être accompagnateur suppose de bien connaître le pays de destination. Non seulement sa culture et son histoire, pour rendre le voyage intelligent, mais également ses aspects pratiques pour sortir les voyageurs du pétrin. Des diplômes d'art ou d'histoire se rapportant au pays seront très appréciés, mais rien ne remplace la connaissance du terrain. Si vous avez bourlingué deux ans en Turquie, il serait étonnant que votre candidature n'intéresse personne.

Lors de l'entretien, ce sont vos qualités humaines qui feront la différence. Disponibilité, débrouillardise, goût des contacts et patience sont essentiels pour être recruté. Une fois dans le milieu, les accompagnateurs travaillent souvent en free-lance pour plusieurs TO. L'exemple d'Éric, diplômé d'une école de tourisme, est très représentatif :

*"Je tourne sur les circuits Turquie, Mexique, Guatemala et Tunisie, avec le Club Aventure, Nouvelles Frontières et Voyageurs au Mexique. J'ai été pris parce que je connaissais bien la Turquie et le Mexique. J'ai découvert les autres destinations en doublant des accompagnateurs. Parfois, l'accompagnateur est libre de tout organiser. D'autres fois, on se contente d'accompagner un guide local. Il faut alors surtout s'occuper des voyageurs. L'essentiel est de faire preuve de débrouillardise pour parer à toutes les situations. Après quelques voyages, tout est bien plus facile. On fonctionne avec les mêmes compagnies. Je travaille maintenant 6 mois par an et gagne jusqu'à 650 francs d'indemnisation par jour."*

## Le job d'animateur

L'animation, des vacances au soleil tous frais payés ? Pas vraiment. Les animateurs avec lesquels nous nous sommes entretenus décrivent l'animation comme *"une formidable école de la vie"* et en gardent d'excellents souvenirs. Mais ils insistent bien sur le fait que c'est épuisant moralement et physiquement. Voici le témoignage d'un animateur (qui préfère rester anonyme) :

*"Le travail d'animateur, c'est celui d'un assistant social. La secrétaire qui s'est fait engueuler un an par son patron et qui part recharger ses batteries n'a pas besoin de grand chose pour que ses vacances de rêve soient gâchées. Une*

*baguette trop cuite, un retard d'une demi-heure et elle pique une crise. Ça tourne un peu à la colonie de vacances pour adultes. Beaucoup n'ont pas la patience de supporter les vacanciers et craquent au bout d'un mois."*

Mais si vous avez une âme de Saint-Bernard et de l'énergie à revendre, le job vous plaira. Marie, 26 ans, originaire du Cantal et titulaire d'une maîtrise de sciences politiques, travaille depuis 5 ans comme animatrice chez FRAM. Elle raconte une journée dans un Framissima :

*"On se lève pour saluer les clients et faire un jogging vers 8h. Puis c'est le petit déjeuner. Après, organisation de tournois sportifs pour les plus actifs et "jeux-apéritifs". On déjeune tous dans la salle de restaurant, avec ensuite les "jeux-cafés" : trivial poursuit, etc. En milieu d'après-midi, viennent les tournois de sports collectifs et de cartes. Il faut ensuite organiser la soirée, le spectacle et après avoir tout rangé, on fait le programme du lendemain..."*

Les exigences pour devenir animateur ne sont pas trop strictes. En général, on ne vous demandera pas de diplôme, à l'exception du BAFA quand il s'agit de s'occuper d'enfants et un diplôme d'Etat pour les moniteurs sportifs. Les anima-teurs ont pour la plupart un niveau d'étude Bac+2. Mais certains ont quitté l'école en cinquième. C'est sur les qualités humaines que le choix s'opère. Les langues ne sont pas non plus un facteur déterminant. On vous demande de savoir vous débrouiller en anglais. Certains profils sont particulièrement recher-chés : régisseur, chorégraphe, responsable son et lumière, costumier, décora-teur, disc jockey, animateur sportif (surtout tennis et voile).

La difficulté qui guette l'animateur, c'est le retour. Il est difficile de décrocher. Surtout si l'on n'est pas sûr de retrouver un emploi en France. Isabelle, 27 ans, enseignante diplômée d'éducation physique, part régulièrement pendant les vacances scolaires avec Nouvelles Frontières. Elle témoigne :

*"Les animateurs ont une moyenne d'âge de 20-25 ans. Ils restent environ 3 ans dans l'animation. Après, ils se rendent compte qu'il faut arrêter, que s'ils conti-nuent, ils n'en sortiront pas. Se réadapter à un rythme normal de vie après trois ans sous les cocotiers est très difficile. Un animateur est un dieu pour le client, un grand frère, un pote... En France, il se retrouve seul. C'est pour cela que je déconseille de partir pour fuir, et qu'il vaut mieux avoir un diplôme en poche avant de se lancer dans l'animation. Sinon on est trop tenté de rester, de repousser le départ tous les ans d'une saison."*

Comme vous touchez votre salaire en France et que vous vivez tous frais payés, vous pouvez rentrer avec un bon capital. Thierry, au bout de deux ans, avait 50 000 francs sur son compte en France et des souvenirs plein la tête. Certaines destinations sont plus rémunératrices que d'autres. Dans les pays à forte tradi-tion culturelle, comme la Turquie et le Maroc, les animateurs touchent des commissions (habituellement 5%) sur les excursions qu'ils vendent aux clients. Cela permet de gonfler un salaire de base jusqu'à 8000 ou 9000 francs par mois.

## Personnel d'accueil dans les hôtels et bureaux à l'étranger

Le rôle de ces personnes, nommées pilotes-vacances ou hôtesses, est d'accueillir les clients, assurer le transfert entre l'aéroport et l'hôtel ou le club, régler les problèmes administratifs (réservations, locations...), organiser les excursions... Les TO cherchent en général des gens un peu plus âgés que les animateurs : entre 25 et 30 ans. On demande aussi plus d'autonomie et d'expérience. Il est souhaitable de maîtriser la langue locale car, à la différence des animateurs qui vivent en milieu relativement fermé, vous aurez beaucoup de contacts avec les organismes locaux. Le permis de conduire est lui aussi obligatoire. Madame Pailleux, ancienne hôtesse et responsable du recrutement des hôtesses à Vacances Héliades, insiste sur l'expérience des candidates :

*"Nous recrutons nous même nos hôtesses pour nos bureaux en Grèce. Sur 30 postes, 20 nécessitent de parler le grec. Pour cela nous sommes prêts à recruter des Françaises bilingues. Nos hôtesses doivent être autonomes, expérimentées et efficaces en cas d'événement imprévu. Contrairement aux animateurs qui sont en groupe et restent beaucoup dans le village, les hôtesses circulent plus et sont seules responsables de la structure."*

Vous pensez pouvoir remplir brillamment l'un des rôles décrits ci-dessus ? Voici une liste de TO qui nous ont fait part de leurs besoins en recrutement. Cette liste n'est pas exhaustive. N'hésitez pas à contacter les autres compagnies en vous servant des annuaires du tourisme comme *Qui fait quoi ?* ou *Icotour*. Ces annuaires sont en consultation dans les CDT (Comités départementaux du tourisme). Pour obtenir la liste des CDT, envoyez une enveloppe timbrée à une des adresses suivantes :

✉ *Direction des industries du tourisme - 2, rue Linois - 75015 Paris*
*Tél. : (1) 44 37 36 00*

✉ *Maison de la France - 8, avenue de l'Opéra - 75001 Paris*
*Tél. : (1) 42 96 10 23*

# Les TO qui recrutent

(liste non exhaustive)

## Légendes

G : guide accompagnateur
A : animateur
PA : personnel d'accueil
Le nombre de postes indiqués est le nombre total de postes offerts chaque année, mais l'on peut estimer que les deux tiers des places sont occupées par des anciens.

### •Club Aquarius

| POSTES | A, PA |
|---|---|
| PLACES | 800 |

DEMANDES     4000

DESTINATIONS  Canaries, Caraïbes, Tunisie, Egypte, Grèce, Espagne, Portugal.

PROFIL       Voir Club Méditerranée (Club Aquarius est une filiale du Club Med).

RÉMUNÉRATION Basée sur le SMIC, la déduction des avantages en nature est de 800 francs.

RECRUTEMENT  Adressez CV et lettre de motivation à Elisa Jovanaska à l'adresse ci-dessous.

✉  ***Club Aquarius - 113, avenue de Verdun - 92441 Issy-les-Moulineaux - Tél. : (1) 41 09 09 78***

## • Club Aventure

POSTES       G

PLACES       5 postes d'accompagnateurs.

DEMANDES     Plus de 500 par an.

DESTINATIONS  35 pays différents.

PROFIL       Connaissance approfondie du pays et de sa langue ou diplôme de guide de moyenne montagne.

RÉMUNÉRATION 600 à 650 francs par jour.

✉  ***Club Aventure - 122, rue d'Assas - 75006 Paris***
***Tél. : (1) 46 34 22 60***

## • Club Caesar

POSTES       A

PLACES       5.

DEMANDES     Une cinquantaine.

DESTINATIONS  Turquie, Grèce, Espagne.

PROFIL       Bilingue anglais obligatoire, avoir entre 22 et 30 ans, expérience exigée.

RÉMUNÉRATION Variable selon compétence.

RECRUTEMENT  Adressez votre courrier au responsable du personnel.

✉  ***Club Caesar - 76, Bd Beaumarchais - 75011 Paris -***
***Tél. : (1) 43 38 49 90***

## • Club Mediterranée

Critiqué par les animateurs des autres TO (*"on y travaille comme des fous"*, *"on est payé en collier-bar"*, *"quand on passe à la comptabilité à Paris, c'est pour dire combien je vous dois ?"*), encensé par ceux qui y travaillent, objet d'admiration de certains de ses concurrents, le Club Med mérite bien quelques lignes. Chaque année, près de 3000 postes se libèrent, accessibles à des nouveaux venus. Au contraire de nombreux TO qui travaillent sous contrat avec une société locale fournissant l'hôtel ou le club, tout le personnel des villages-vacances est recruté par le Club Med, de la femme de ménage au chef de village. Chaque année, 50 000 demandes parviennent au Club. La sélection est donc très dure (pour chaque poste d'hôtesse, il y a 200 demandes). Mais certaines qualifications sont assez recherchées : infirmière, cuisinier, auxiliaire de puériculture...

En fonction des postes, certaines conditions sont obligatoires. Le personnel d'accueil doit par exemple être trilingue (l'italien et l'allemand étant très appréciés). Dans tous les cas, vous devez faire valoir un diplôme ou une expérience en rapport avec le poste demandé. L'âge minimum est de 21 ans et il faut être célibataire. Les contrats sont de 4 à 6 mois.

Mr Parachou, directeur des ressources humaines l'hiver et chef de village depuis 20 ans l'été, nous parle du Club :

*"A la fin de chaque saison, les animateurs disent tous la même chose : "Y'en a marre, vivement que ça s'arrête". 15 jours après, il ne pensent plus qu'à repartir. Les GO (Gentils Organisateurs) ne peuvent plus s'en passer."*

| | |
|---|---|
| POSTES | 101 métiers différents, dont 60 spécialisations importantes (animateur, musicien, DJ, moniteur sportif, caissier, accompagnateur, personnel de maintenance, cuisinier, etc.) |
| PLACES | 3000 |
| DEMANDES | 50 000 |
| DESTINATIONS | 95 villages dans 28 pays. Les GO débutants sont envoyés en Europe et en Afrique. |
| PROFIL | Variable selon le poste. |
| RÉMUNÉRATION | Variable selon le poste. |
| RECRUTEMENT | Ecrivez à l'adresse ci-dessous. Vous recevrez un dossier à remplir et à renvoyer entre janvier et mi-avril. Après quoi, 10 000 candidats seront convoqués pour des entretiens. |

✉ *Club Mediterranée - Service Recrutement - 25, rue Vivienne - 75002 Paris - Tél. : (1) 42 86 49 90*

## • Jet Tours

| | |
|---|---|
| POSTES | A |
| PLACES | 200 à 220 |
| DEMANDES | 1500 |
| DESTINATIONS | Monde entier. Les clubs sont surtout implantés dans le bassin méditerranéen, plus le Sénégal, les Canaries et les Antilles. |
| PROFIL | BAFA demandé. On appréciera que vous parliez deux ou trois langues (anglais et allemand surtout). |
| RÉMUNÉRATION | Basée sur le SMIC. Les responsables du recrutement vous assurent un logement en chambre double et une gratuité partielle sur les boissons. |
| RECRUTEMENT | Adressez votre candidature à l'adresse ci-dessous, en précisant sur l'enveloppe : Jet Loisirs - Service animation |
| | Jet Loisirs est la filiale de Jet Tours qui se charge du recrutement pour les Eldoradors et les Clubs Palmariva. Il est conseillé de poser sa candidature dès novembre. |

 *Jet Tours - 23, rue Raspail - 94858 Ivry-sur-Seine*
*Tél. : (1) 45 15 70 00*

## • FRAM Voyages

POSTES        A (pilote-séjour), G (pilote-circuit).

PLACES        150 pour les premiers, une centaine pour les seconds.

DEMANDES      De 2000 à 3000.

DESTINATIONS  Bassin méditerranéen, Sénégal.

PROFIL        De préférence niveau équivalent à un BTS Tourisme ou une licence (histoire de l'art pour les circuits...). Le niveau des langues est moins important.

RÉMUNÉRATION  SMIC avec déduction de frais.

RECRUTEMENT   Au plus tard le 15 janvier pour l'été, s'adresser au service pilote-vacance.

 *FRAM Voyages - 1, rue Lapeyrouse - 31008 Toulouse Cedex*
*Tél. : 62 15 16 17*

## • Marmara

POSTES        A

PLACES        Un peu plus d'une dizaine.

DEMANDES      Non communiqué.

DESTINATION   Turquie.

PROFIL        Animateurs expérimentés.

RÉMUNÉRATION  Non communiqué.

RECRUTEMENT   Envoyez votre candidature à Bernard Daures, Service Animation-réceptif.

 *Marmara - 81, rue St-Lazare - 75009 Paris*
*Tél. : (1) 42 80 55 66*

## • Mondoclub (Club 18/35)

POSTES        A

PLACES        20, dont 6 non rémunérées, se libèrent chaque année.

DEMANDES      400

DESTINATIONS  Méditerranée.

PROFIL        BAFA.

RÉMUNÉRATION  De non rémunéré au SMIC.

RECRUTEMENT   En avril-mai, écrire au Service Recrutement.

 *Mondoclub (Club 18/35) - 9, rue de l'échelle*
*75001 Paris*

## • Nouvelles Frontières

POSTES        A, G

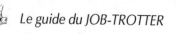 

| | |
|---|---|
| PLACES | 120 A, 1500 G. |
| DEMANDES | 4000 A, 7000 G. |
| DESTINATIONS | Monde entier. |
| PROFIL | Pour les animateurs, NF recrute des plus de 19 ans, disponibles 4 à 6 mois, d'un niveau Bac et bilingues (particulièrement en italien pour sa clientèle d'été, en anglais l'hiver). Pour les accompagnateurs, il faut bien connaître la destination, posséder une solide culture générale, avoir déjà encadré des groupes. |
| RÉMUNÉRATION | De non rémunéré au SMIC pour une première embauche. |
| RECRUTEMENT | Ecrivez à : Animation Backstage, 8, rue de la Cossonnerie 75001 Paris. Les candidatures sont à adresser de décembre à février. |
| | Pour l'accompagnement, vous pouvez vous rendre aux soirées d'information sur les pays, qui ont lieu en semaine au 87, bd de Grenelle, 75015 Paris ou au 7, bd Voltaire, 75011 Paris. Les horaires vous seront communiqués par téléphone ou par minitel au 3615 NF. |

✉ ***Nouvelles Frontières - 87, boulevard de Grenelle - 75738 Paris Cedex 15 - Tél. : (1) 45 68 70 00***

# Les croisières

Votre adolescence a été bercée par les épisodes du célèbre feuilleton "La croisière s'amuse", la simple vue d'un palace flottant ancré au large de Cannes ou de Monaco trouble vos nuits, vous rêvez de sillonner les mers des tropiques tel un vieux flibustier… pourquoi ne pas tenter de travailler à bord d'un bateau de croisière. Ce marché est florissant. Les nombreuses compagnies qui exploitent des navires dans le monde génèrent une pléthore d'offres d'emploi et les cabinets de recrutement en Europe sont légion. Mais attention ! Vos rêves de farniente dans les Caraïbes ou la mer de Chine risquent de tourner court. Les conditions de travail à bord d'un navire sont dures, exigeantes. Après six mois en mer, vous connaîtrez mieux les cabines en soute que les chaises longues de la piscine du pont avant. Alors avant de vous écrier *"Que diable allai-je faire dans cette galère"*, tâchez de savoir ce qui vous attend à bord. Il sera trop tard une fois les amarres larguées…

Les postes proposés à bord d'un paquebot sont variés. Les compagnies recrutent essentiellement :

- du personnel de salle : commis de rang, chefs de rang
- des vendeurs en boutique (souvenirs, magasins duty-free)
- des barmen et barmaids
- des responsables du casino
- du personnel de cabine (steward et stewardess)
- des animateurs pour divertir les passagers ou s'occuper des enfants

Bien sûr, tous ces postes ne requièrent pas les mêmes qualités et n'offrent pas les mêmes revenus. Les Français sont très appréciés pour le service et la cuisine. Notre accent, notre expertise en gastronomie et notre art de vivre sont un cocktail très apprécié des clients étrangers… et donc des recruteurs. C'est justement dans ce service qu'il y a le plus d'offres d'emploi, en raison d'un turn-over élevé.

Partir travailler sur un navire de croisière peut répondre à plusieurs motivations ; le goût des voyages, l'argent, l'expérience professionnelle, l'apprentissage de langues étrangères, la découverte d'autres peuples ou cultures. Inutile de vous dire que nous n'avons pas déniché la compagnie capable d'offrir tous ces ingrédients à la fois. La loi sur un bateau est tristement logique. Plus le travail est pénible (postes en salle principalement) et mieux il est payé. Inversement, lorsque les conditions de travail sont agréables (escales nombreuses, contacts avec les clients, jobs de vendeur ou d'accueil…), les salaires se font plus modestes. Pour Marc Chetrit, responsable du recrutement en France de la Royal Carribean Cruise Line, les règles du jeu sont claires : *"Les postes les plus durs, mais les seuls vraiment rémunérateurs sont les boulots en salle. Les vendeurs ont des horaires plus tranquilles ; les boutiques ferment quand le bateau fait escale et ils peuvent descendre à terre. Mais c'est plus dur d'économiser. Il suffit de 5 escales pour dépenser tout son salaire."*

D'une manière générale, les contrats varient entre 3 et 6 mois renouvelables pour des salaires qui s'échelonnent entre le SMIC et 20 000 francs par mois. Les employés sont logés, nourris, blanchis à bord. Le personnel de salle travaille 7 jours sur 7 à raison de 10 à 15 heures par jour. Sur la Royal Carribean Cruise Line, un serveur peut gagner, grâce aux pourboires, entre 2000 et 3000 $ par mois. Une vendeuse en boutique environ 1500 $ par mois.

Si les compagnies ont grosso modo les mêmes besoins en recrutement, elles offrent des conditions de travail et des rémunérations très variables.

Les navires exploités par des compagnies européennes procurent généralement un cadre de vie décent. Les employés ont la possibilité de descendre aux escales. En revanche, les salaires sont parfois faibles et peu motivants. Ces compagnies sont donc à recommander à ceux désireux de concilier voyage et expérience professionnelle originale.

Frédéric, fort de son passé de serveur chez Bocuse à Disneyland, a été recruté par la Royal Viking Cruise Line, une compagnie norvégienne. Une expérience qu'il juge très positive :

*"J'étais chef de rang sur l'un des navires de luxe de la compagnie. Certes, les horaires étaient durs puisque nous devions assurer 3 services par jour, 7 jours sur 7. Mais nous étions très bien logés, en cabine de deux, avec télévision, chaîne hi-fi et salle de bains. En quatre mois, j'ai pu visiter 25 pays en Méditerranée et en Europe du Nord. Aux escales, je m'arrangeais avec mes collègues pour pouvoir descendre quelques heures. Ça tombait bien : ma motiva-*

*tion première était de voyager."*

Les compagnies gérées par les Américains ressemblent davantage à des usines à touristes flottantes. L'argent est bien souvent la première obsession des employés, ce qui induit une lourde charge de travail et des rapports parfois tendus entre les différentes nationalités (les bateaux sont de véritables melting-pot, où Philippins, Turcs, Indiens, Européens... doivent apprendre à travailler ensemble). Conséquence : beaucoup de candidats trop tendres craquent après quelques semaines de service en salle. Marc Chetrit ne cache pas les difficultés qui attendent les jeunes sans trop d'expérience : *"Nombreux sont ceux qui jettent l'éponge après deux ou trois mois, car ils jugent la cadence trop éprouvante. Il faut pouvoir se lever tous les matins à 6h30 et enchaîner sur une journée de travail qui peut durer 15 heures... En fait, pour aller jusqu'au bout, il faut avoir une mentalité de baroudeur et de saisonnier".*

## La vie à bord

Vous l'avez compris, on ne s'amuse pas toujours à bord d'une croisière. Les conditions de logement sont un facteur important : mieux vaut être logé en cabine double qu'en cabine de quatre. De toutes manières, il faudra vous habituer à la vie en communauté. L'intimité n'est guère de mise sur un navire. La principale difficulté qui guette le personnel en salle, c'est la fatigue. Les serveurs enchaînent quotidiennement trois services - petit-déjeuner, déjeuner et dîner - sans aucun jour de congé. Sur la plupart des bateaux, les employés ont accès à des "espaces loisirs" qui leur sont réservés : bar, petit pont extérieur, salle vidéo... Certaines compagnies autorisent l'accès aux installations des clients. Mais n'oubliez jamais que vous êtes là pour travailler ! Les sociétés se montrent sévères et les motifs de renvoi sont nombreux (arriver régulièrement en retard au service du matin, flirter de manière ostentatoire avec un ou une cliente, fumer en cuisine...). Si vous tenez le coup, une telle expérience peut s'avérer très positive. Thierry a travaillé deux ans sur la Royal Carribean : *"Au retour, ça prouve à de futurs employeurs qu'on est flexible, disponible et qu'on sait faire preuve de mobilité géographique. Et puis j'ai quand même le sentiment d'avoir pu voyager, même si ce n'était que le temps de quelques escales."* Sans oublier bien sûr qu'on peut amasser une belle cagnotte.

## Les profils recherchés

Pour être recruté, il faut mettre en avant votre expérience professionnelle, votre mobilité et votre bonne maîtrise de l'anglais (indispensable). En salle et en cuisine, les Français ont la cote. La plupart des personnes qui partent ont ainsi un profil Bac professionnel ou Bac +2 en restauration-hôtellerie. Pour les postes ouverts aux filles, la candidate "classique" est la jeune fille au pair qui a passé un an aux Etats-Unis ou en Angleterre.

## Comment faire acte de candidature...

La plupart des croisiéristes ont confié leur recrutement à des cabinets spécialisés, implantés principalement à Londres. Il est parfois possible de prospecter directement auprès des compagnies. Nous vous donnons ci-après une liste de sociétés qui recrutent régulièrement.

# Les principales compagnies de croisières qui recrutent

## *Les compagnies américaines*

### • Royal Carribean Cruise Line

ACTIVITÉS    L'une des premières compagnies de croisières au monde. Les navires croisent dans les Caraïbes, en Alaska, en Mediterrannée et en Asie. La flotte est composée de 9 paquebots.

POSTES    Tous les travaux classiques à bord d'un bateau sont proposés.

- Beaucoup de Français sont recrutés pour les postes en salle. Les débutants commencent comme *assistant waiter* avant de passer chef de rang. Le salaire de base est de 50 $/mois seulement, mais les serveurs gagnent de 2000 à 3000 $ nets d'impôts par mois grâce aux pourboires. Conditions de travail difficiles : 12 heures par jour, 7 jours sur 7. Le taux de turn-over parmi les employés est très élevé. Les contrats sont de 6 mois renouvelables.

- Les postes en boutique ou au casino sont moins exigeants en termes d'horaires mais aussi moins rémunérateurs. Une vendeuse est payée 1500 $/mois. Ces postes sont plus difficiles à décrocher car convoités ; le turn-over est faible.

Les personnes recrutées bénéficient d'un contrat de travail. Pour les croisières au départ des USA (et seulement pour les postes en salle en premier contrat), un billet d'avion Paris-Miami avec retour open doit être acheté. Pour certains postes, la compagnie peut prendre en charge le transport. Si le contrat arrive à son terme, la somme de 500 $ est remboursée sur le billet d'avion.

Sur les bateaux, les employés ont accès à un pont extérieur, un bar et une salle de jeux.

PROFILS    La compagnie recherche des personnes parlant couramment anglais, en bonne santé (une visite médicale sera effectuée), motivés et possédant une expérience professionnelle similaire.

CANDIDATURE    Passer par le cabinet de recrutement en France. 5% des candidatures sont retenues.

     *International Services - BP 23 - 91250 Saint Germain les Corbeils Cedex*

### • Carnival Cruise Line

ACTIVITÉS    Le leader mondial de la croisière. Les navires tournent dans la région des Caraïbes, des Bahamas et de la Riviera mexicaine.

POSTES    Les conditions de travail sont très dures. Les seuls Européens qui acceptent de travailler à bord sont d'origine turque ou portugaise. Pour les baroudeurs uniquement.

CANDIDATURE    Passer par le cabinet de recrutement à Londres :

 *Carnival Cruise Line, c/o Equity Cruises - 77-79 Great Eastern street - London EC2A 3HU - Tél. : (171) 729 1929*

## Les compagnies européennes

### • La Royal Viking Line

ACTIVITÉ    Compagnie norvégienne spécialisée dans les croisières très haut de gamme.

POSTES    Toutes tâches à bord d'un bateau. La compagnie paraît particulièrement soucieuse du bien-être de ses employés, qui jouissent d'un cadre de vie très agréable. Ils peuvent normalement bénéficier des installations réservées aux clients (à certaines heures) et les cabines sont très bien équipées. En contrepartie, la compagnie exige une grande assiduité au travail (7 jours sur 7 bien sûr) et les journées sont ardues.

CANDIDATURE    Envoyer CV et lettre de motivation en anglais directement à la compagnie.

*Royal Viking Lines - TO Box 100 - Smestad 0309 Oslo 3 Norway*

### • Crystal Cruises

ACTIVITÉ    Compagnie scandinave.

POSTES    Cette compagnie jouit d'une excellente réputation auprès de ses employés. Avec de la chance, il est possible d'embarquer à bord d'une transat tour du monde. La charge de travail pour les employés en salle est moindre que sur les autres compagnies.

CANDIDATURE    Envoyer CV et lettre de motivation en anglais.

*Crystal Cruises - 11 Quadrant Arcade - Regent St - London W1R 5PB - England*

### • La Cunard

ACTIVITÉS    Compagnie de croisière allemande qui compte parmi sa flotte un joyau : le Queen Elisabeth II. Les bateaux sillonnent les mers du globe, notamment celles des Caraïbes et du Pacifique sud.

POSTES    Tous travaux habituels sur un paquebot. Aux dires des personnes qui ont travaillé sur ces navires, la Cunard offre des conditions de travail décentes. Les navires de plus petite taille permettent une meilleure qualité de vie. La vie sur les gros paquebots est plus ingrate mais paye mieux.

CANDIDATURE    Envoyer CV et lettre de motivation en anglais.

*La Cunard - CND Cruises Services Deutschland GMBH - Kajen 12 20459 Hamburg - Allemagne*

## • La KD

ACTIVITÉS  Compagnie de croisière allemande basée à Cologne. Les bateaux de la KD effectuent des croisières sur le Rhin entre Bâle et Rotterdam, de Pâques au 15 octobre. La clientèle est essentiellement américaine et allemande.

POSTES  La KD embauche du personnel de salle, des cuisiniers, des hôtesses trilingues. Les serveurs ont la charge de 20 clients en moyenne. Travail 7 jours sur 7 pendant toute la saison. Le personnel est en majorité allemand, autrichien et hollandais. Bonne ambiance de travail. Un serveur touche un salaire minimum mensuel, plus un % sur le chiffre d'affaires, plus des primes (pour le meilleur vendeur de vin par exemple). Il est possible d'atteindre un salaire de 15 000 francs par mois, payé en DM.

CANDIDATURE  Envoyer CV et lettre de motivation (en anglais ou en allemand). Un très bon niveau d'allemand est indispensable.

*KD - Franken werft N°15 - 50 667 Koln - Allemagne*
*Tél. : (221) 20 88 288*

## • Les croisières Paquet

ACTIVITÉ  Les croisières Paquet, autrefois contrôlées en partie par le groupe ACCOR, appartiennent désormais à la compagnie italienne COSTA. La compagnie exploite deux navires : le Mermoz et le Costa Laya. Ils croisent partout dans le monde.

POSTES  La compagnie recrute des mécaniciens, des professionnels qualifiés dans l'hôtellerie-restauration, des stewards et stewardess (nettoyage des cabines), des réceptionnistes et des vendeuses en boutique. Des postes d'animateurs sont également offerts, notamment pour s'occuper des enfants. Les contrats sont de 3-4 mois renouvelables.

Les postes qui n'impliquent pas un contact direct avec la clientèle (en cuisine par exemple) sont mensualisés. Pour les autres, la rémunération correspond à une base fixe (faible) et à un variable important lié aux pourboires.

Les journées de travail sont chargées (de 10 à 12 heures par jour) et le personnel ne doit en aucun cas partager les lieux fréquentés par les clients. Peu de loisirs à bord.

PROFIL  La compagnie recherche du personnel qualifié maîtrisant des langues étrangères. Pour les postes d'animateurs juniors (en charge des enfants), il faut posséder le BAFA ou avoir une expérience en colonies de vacances.

CANDIDATURE  Envoyer CV et lettre de motivation au cabinet basé à Monaco.

*CSCS - 24 avenue de Fontvieille - 98000 Monaco*
*Tél. : 92 05 20 20*

*Pour les postes d'animateurs, il faut contacter le siège de la compagnie à Paris : Croisières Paquet - 5, bvd Malesherbes - 75008 Paris - Tél. : (1) 49 24 41 70*

## • Costa

ACTIVITÉS N°1 de la croisière en Italie. La compagnie exploite 10 bateaux de tailles différentes (capacité de 400 à 2000 passagers), en plus de ceux des croisières Paquet. Forte activité en Méditerranée, dans les Caraïbes et en Europe du Nord.

POSTES Identiques à ceux proposés pour les croisières Paquet. Les conditions de travail et de rémunération sont également similaires. Les contrats sont de 6 mois renouvelables. Le personnel est d'origine diverse (beaucoup d'Italiens, mais aussi des Croates, Allemands, Anglais…).

PROFIL Il est indispensable de bien maîtriser des langues étrangères, en particulier l'italien.

CANDIDATURE Contacter le cabinet de recrutement CSCS à Monaco (voir croisières Paquet).

## • Le Club Med

ACTIVITÉS Le Club exploite deux somptueux 5-mâts : le Club Med I et le Club Med II. Le Club Med I reste l'été en Méditerranée et part aux Caraïbes l'hiver. Le Club Med II navigue dans le Pacifique entre Papeete et Nouméa. Chaque bateau dispose d'installations de rêves : fitness, simulateur de golf, casino, discothèques, centre thalasso…

POSTES 200 membres d'équipage assurent le fonctionnement de chaque voilier. Le personnel de service et les GO sont recrutés par le Club. Les salaires sont de l'ordre du SMIC. On y travaille 7 jours sur 7 et les pourboires sont interdits ("*on ne va pas au Club pour l'argent*", souligne Monsieur Mettey, responsable commercial des croisières). Tous les GO, à de rares exceptions près, ont déjà travaillé dans des villages du Club. L'affectation sur un des deux voiliers constitue pour eux une sorte de récompense. Les contrats sont généralement de 6 mois, parfois un an. La grande spécificité du Club par rapport aux autres compagnies : le personnel a accès à toutes les installations à bord et est même encouragé à partager la vie des passagers.

CANDIDATURE Envoyer CV et lettre de motivation.

 **Club Med croisières - Direction des Ressources Humaines - 2, rue du Quatre-septembre - 75002 Paris**

## *Plus près de chez nous…*

## • La Steana Line

ACTIVITÉS Compagnie de ferrys basée à Calais. Spécialiste des liaisons transManche, cette société exploite aussi des lignes entre le pays de Galle et l'Irlande, ainsi qu'en Suède et en Hollande.

POSTES La Steana recrute du personnel d'exploitation en terre (personnel d'accueil et administratif) et du personnel navigant entre la France et l'Angleterre (personnel de restauration, d'accueil, de vente et d'information). Les salaires sont fixes, légèrement au dessus de la moyenne pratiquée par les autres compagnies transManche. Les contrats prévoient des sessions de 7 jours de travail, suivies de 7 jours de repos.

PROFIL          Les candidats doivent posséder des aptitudes professionnelles pour
                les postes visés ainsi qu'une bonne maîtrise de l'anglais.

✉               ***A.S.H Consultant - 16, rue du Havre - 62100 Calais***
                ***Tél. : 21 97 75 65***

## • Les bateaux parisiens

ACTIVITÉS       Bateaux-mouche sur la Seine.

POSTES          Personnel de restauration essentiellement. Un serveur en extra sera
                payé 420 francs net en liquide (déclaré) pour un shift de 6 heures.

✉               ***Les bateaux parisiens - Port de la Bourdonnais***
                ***75007 Paris***

# *Accompagner un séjour linguistique*

Un accompagnateur de séjours linguistiques assure le bon déroulement des
séjours sur place : il règle les problèmes qui peuvent survenir avec les familles,
s'occupe des relations avec les parents, se montre disponible à tout moment
pour aider les enfants, etc.

Jean-François, qui anime les séjours de Challenge Holidays depuis plusieurs
années décrit ainsi son rôle :

*"La tâche d'animateur est assez simple. Elle consiste à dynamiser le groupe, à
servir un peu de chaperon. Il faut répondre aux questions des enfants, assister
aux cours ou encadrer les activités sportives de l'après-midi. On sert de relais
entre les enfants et les familles. Bien souvent quand quelque chose ne va pas,
ils n'osent pas le dire à la famille d'accueil. C'est vous qu'ils viennent voir."*

## A qui s'adressent ces postes ?

Les séjours linguistiques concernent en grande majorité des enfants et adolescents de 7 à 17 ans. L'expérience de l'encadrement ou de l'animation de jeunes
est donc essentielle. Un étudiant qui a de bonnes notions dans une langue peut
devenir accompagnateur au même titre qu'un professeur. C'était le cas de Jean-
François à ses débuts :

*"J'ai effectué mon premier accompagnement à 19 ans. J'avais une bonne maî-
trise de la langue. L'avantage des étudiants c'est d'être plus proche des jeunes,
de créer rapidement une atmosphère de confiance et une forte cohésion."*

La grande majorité des organismes exigent le BAFA. Mais il est possible de faire
sans. David, étudiant en lettres modernes dans le Val-de-Marne, est parti deux
fois avec Nouvelles Frontières. Il raconte son expérience :

*"J'avais prévu de faire un stage aux Etats-Unis mais à cause de mes examens je
n'étais pas libre assez tôt. Mon prof d'anglais, qui accompagne depuis plusieurs
années des séjours organisés par Nouvelles Frontières m'avait donné leur*

*adresse. Je me suis rendu à l'une des réunions d'information qui se tient le premier mercredi de chaque mois à Grenelle. On m'a donné les renseignements que je souhaitais. J'ai rapidement passé un entretien et ai été pris. Je n'avais pas le BAFA mais ce n'est pas très important. Je suis surveillant, j'ai une bonne expérience de l'animation. C'est ce qui compte. Pour de nombreux postes où le BAFA est exigé, on peut souvent s'arranger."*

On vous conseille de faire preuve de "punch" au cours de l'entretien. Bien entendu votre niveau en langue parlée sera testé. La connaissance du pays de destination est aussi un critère d'embauche. Hélène, 24 ans, a accompagné des adolescents près de Barcelone :

*"Je n'avais pas le BAFA et aucune expérience de l'encadrement. J'ai donc joué au maximum sur le fait que j'étais bilingue français-espagnol. Ça a marché."*

Comme le prouvent ces quelques témoignages, les organismes ne respectent pas à la lettre les critères d'embauche qu'ils ont eux-mêmes fixés. Ainsi, Aurélie, 19 ans, a travaillé pour un organisme qui affirme que ses accompagnateurs doivent avoir au moins 25 ans. Ne vous laissez pas décourager si vous ne correspondez pas tout à fait aux critères. Il y a toujours des entorses à la règle.

## Quand poser votre candidature ?

Les premiers séjours se déroulent durant les vacances de février et de Pâques. Mais c'est pour les vacances d'été que les organismes recherchent le plus d'accompagnateurs. Ils conseillent de vous y prendre en janvier pour déposer une candidature, quelle que soit la période de départ souhaitée. En écrivant dès décembre, vous serez parmi les premiers sur les rangs.

## Les conditions

Accompagner un séjour permet de découvrir un pays en dépensant un minimum d'argent. Vous êtes hébergé dans une famille et vos repas, ainsi que le transport entre votre domicile et le lieu de travail sont pris en charge.

En général, vous touchez également des indemnités sur place ou à votre retour en France. Hélène, au cours de son séjour en Espagne, était payée 3000 francs par mois.

## D'autres jobs

- Vous pouvez être accompagnateur sur un trajet uniquement ou bien vous charger de l'accueil et du transport entre l'aéroport et le lieu des cours. Ce sont souvent des jobs à mi-temps, durant le week-end par exemple. OISE (Oxford Intensive School of English) propose ce type d'emplois.

- Pour les forcenés de l'indépendance, signalons les postes de convoyeurs proposés par Contacts. Vous êtes chargé de "convoyer" le groupe au cours de son trajet. Après quoi vous êtes livré à votre sort dans le pays d'accueil. Seule contrainte, être au rendez-vous le jour du retour !

# Les organismes de séjours linguistiques

Les coordonnées des principaux organismes de séjours linguistiques vous aide-ront à avoir une idée du profil exigé. Notre liste n'est pas exhaustive. Vous trou-verez d'autres adresses dans la brochure du CIDJ *Séjours linguistiques à l'étranger* (prix : 50 francs) ou en écrivant à la principale fédération d'orga-nismes (UNOSEL) qui, en échange d'une enveloppe timbrée, vous enverra la liste de ses membres.

Information pratique qui a son importance, il est nécessaire d'être domicilié près du siège de l'organisme. Vous aurez à vous déplacer souvent pour les entretiens et les réunions d'information. Ainsi, le CEI/Club des 4 vents demande à ses candidats d'habiter la région parisienne pour éviter les désistements qu'il estime dûs à l'éloignement.

✉ *UNOSEL - 293-295, rue de Vaugirard - 75015 Paris - Tél. : (1) 43 44 01 81*

## • Acte International

| | |
|---|---|
| POSTE | Professeur accompagnateur. |
| PLACES | 6 |
| DEMANDES | 60 |
| DESTINATIONS | Angleterre, Etats-Unis. |
| PROFIL | Plus de 25 ans, professeur d'anglais. |
| RÉMUNÉRATION | Aucune aux Etats-Unis, 200 francs par jour en Angleterre. |
| RECRUTEMENT | Envoyer un courrier à Acte International qui transmettra à l'associa-tion anglaise qui organise ces séjours (Challenge Holidays & Travels Ltd). |

✉ *Acte International - 39, rue du Sahel - 75012 Paris*
*Tél. : (1) 43 42 48 84*

## • Apprendre et vivre

| | |
|---|---|
| POSTES | Les accompagnateurs participent aux activités, surtout dans le domaine sportif. |
| PLACES | Environ 15 |
| PROFIL | Avoir plus de 20 ans, maîtriser la langue, avoir déjà eu une première expérience avec les enfants et être très sportif. |
| DESTINATIONS | Grande-Bretagne, Irlande, Espagne |
| RÉMUNÉRATION | 500 francs par semaine (nourri, logé et voyage offert). Les séjours se déroulent en été et à Paques et durent 15 jours. |
| RECRUTEMENT | Les candidatures sont à adresser jusqu'au début du mois d'avril (télé-phoner pour demander un dossier) ; si vous êtes retenu, vous serez convoqué pour un entretien. |

✉ *5 A rue René-Roeckel - 92340 Bourg-La-Reine*
*Tél. : (1) 43 50 20 20*

## • Aubert Ermisse Tours

| | |
|---|---|
| POSTES | Les accompagnateurs sont responsables d'un groupe d'enfants. Ils doivent être disponibles et attentifs. Ils accompagnent les enfants lors de leurs sorties et excursions. |
| PLACES | Entre 10 et 15 |
| PROFIL | Réservé aux plus de 20 ans, possédant déjà une première expérience avec les enfants et de solides connaissances en anglais. |
| DESTINATION | Grande-Bretagne, Irlande, USA |
| RÉMUNÉRATION | Pas de rémunération, mais les accompagnateurs sont logés, nourris et leur voyage est payé. |
| CANDIDATURE | Dossier à remplir, puis entretien. Pour postuler, écrivez avant mi-avril. |

✉ ***10, Place de la Victoire - 37 000 Tours***
***Tél. : 47 37 54 47***

## • Cap Monde

| | |
|---|---|
| POSTES | Accompagnateur responsable, accompagnateur adjoint. |
| PLACES | 150 par an. |
| DEMANDES | Plus de 2000. |
| DESTINATIONS | Grande-Bretagne, Irlande, Espagne, Allemagne, Etats-Unis, Australie. |
| PROFIL | Pour être accompagnateur responsable, il faut être titulaire d'une maîtrise d'enseignement. Pour être adjoint, on vous demandera le BAFA, une bonne connaissance de la langue, une expérience dans l'animation et d'avoir plus de 21 ans. |
| RÉMUNÉRATION | 2450 francs pour 3 semaines pour un accompagnateur adjoint. |
| RECRUTEMENT | Contacter le Service des Séjours de Cap Monde, en indiquant vos périodes de disponibilité. |

✉ ***Cap Monde - 11, quai Conti - 78430 Louveciennes***
***Tél. : (1) 30 82 15 00***

## • CCL

| | |
|---|---|
| POSTES | Convoyeurs ou animateurs. Les séjours ont lieu pendant les vacances scolaires. |
| PLACE | Variable selon le nombre d'enfants. |
| PROFIL | Il faut avoir 23 ans au moins et être détenteur d'un Deug d'anglais au minimum. BAFA souhaité. |
| DESTINATION | Grande-Bretagne, Irlande, Allemagne |
| RÉMUNÉRATION | Salaire fonction de l'expérience. Les convoyeurs sont rémunérés eux aussi. |
| RECRUTEMENT | CV + lettre + entretien dès le début d'année. |

✉ ***CCL - 61, Bd Poniatowski - 75012 Paris***
***Tél. : (1) 43 07 07 90***

## • CEI / Club des 4 vents

POSTE — Etudiant accompagnateur.

PLACES — 150 à 200 par an.

DEMANDES — Plus de 600.

DESTINATIONS — Grande-Bretagne, Allemagne, Irlande, USA, Espagne, Italie, Canada, Russie.

PROFIL — Plus de 23 ans, bonne connaissance du pays (avoir vécu sur place ou y avoir effectué plusieurs voyages) et de la langue. Il est essentiel d'habiter la région parisienne.

RÉMUNÉRATION — En moyenne une indemnité de 1000 francs par semaine.

RECRUTEMENT — Ecrivez à Madame Saubost à l'adresse indiquée.

*CEI / Club des 4 vents - 1, rue Gozlin - 75006 Paris*
*Tél. : (1) 43 29 60 20*

## • Club Langage Loisirs

POSTES — Accompagnateurs chargés des activités, de l'encadrement. Les séjours durent 2 à 3 semaines pendant l'été.

PLACES — Variable selon le nombre d'enfants.

PROFIL — Avoir 21 ans et plus, parler couramment la langue du pays et avoir le BAFA.

DESTINATION — Grande-Bretagne, Irlande, USA, Allemagne, Espagne.

RECRUTEMENT — Lettre + CV, suivi d'un entretien si votre candidature est retenue.

*Club Langage Loisirs - 14, rue Paul-Bert - 75011 Paris*
*Tél. : (1) 43 79 97 80*

## • Club Langues et Civilisations

POSTES — Responsable de groupe et animateur.

PLACES — 800, dont 1/3 recrutés chaque année.

DEMANDES — 800 à 900.

DESTINATIONS — Angleterre, Allemagne, Espagne, Italie.

PROFIL — Plus de 21 ans, étudiants en langues, expérience des colonies ou d'autres séjours.

RÉMUNÉRATION — Aucune pour les animateurs, environ 2500 francs par séjour pour les responsables.

RECRUTEMENT — Adressez votre candidature à Christiane Magne à l'adresse ci-dessous.

*Club Langues et Civilisations - Rue de la Comtesse Cécile - 12000 Rodez - Tél. : 65 77 50 20*

## • Contacts

POSTES — Accompagnateur et convoyeur.

PLACES — Non communiqué.

| DEMANDES | Non communiqué. |
|---|---|
| DESTINATIONS | Angleterre, Allemagne, Irlande, USA, Espagne. |
| PROFIL | Expérience de l'encadrement et de l'animation fortement souhaitée. Age minimum : 20 ans en Europe, 25 ans hors d'Europe. |
| RÉMUNÉRATION | Indemnité de 50 francs/ jeune accompagné et par semaine. |
| RECRUTEMENT | Envoyer lettre + CV à Contacts. |

**Contacts - 55, rue Nationale - 37000 Tours**
**Tél. : 47 20 20 57**

## • EF

| POSTES | Professeur-animateur, chargé de l'accompagnement et des cours sur place. |
|---|---|
| PLACES | 250 |
| DEMANDES | Non communiqué. |
| DESTINATIONS | Grande-Bretagne, Irlande, Allemagne, Autriche, Espagne, Etats-Unis, Australie. |
| PROFIL | Professeurs uniquement, licence d'enseignement au minimum, si possible avoir effectué une année à l'étranger. |
| RÉMUNÉRATION | 3200 francs minimum pour un séjour de 3 semaines. |
| RECRUTEMENT | Adressez votre candidature à Monsieur Masquelier. |

**EF - 9, rue Duphot - 75001 Paris - Tél. : (1) 42 61 50 22**
**ou le 05 33 12 98**

## • ESTO (European Student Travel Organisation)

| POSTES | Les accompagnateurs participent à l'animation, commentent les excursions, servent de lien entre les enfants, la direction et les familles d'accueil. |
|---|---|
| PLACES | Le nombre varie en fonction du nombre d'enfants. |
| PROFIL | Bonne connaissance de la langue et du pays, avoir plus de 22 ans, et être détenteur du BAFA ou d'un diplôme équivalent. |
| DESTINATION | Grande-Bretagne, Irlande, Espagne, Allemagne, USA, Japon, Australie, Mexique. |
| CANDIDATURE | Le recrutement s'effectue au début de l'année. Les séjours se déroulent à Pâques et en été. Ecrivez à l'adresse suivante : |

**ESTO - BP 312 - 12 003 Rodez Cedex**

## • Interséjours

| POSTES | Accompagnement et encadrement d'un groupe d'enfants. Visite des familles d'accueil, rédaction d'un rapport sur chaque enfant, participation aux activités... |
|---|---|
| PLACES | Environ 5 |
| DESTINATION | Grande-Bretagne, Irlande, Espagne |
| PROFIL | Ouvert aux plus de 21 ans, connaissance du pays et de la langue, |

première expérience avec les enfants (BAFA ou équivalent).

RÉMUNÉRATION Les salaires varient selon le centre dans lequel on travaille. Les séjours durent de 2 à 3 semaines. Ils ont lieu en hiver, au printemps ou en été. Voyage, hébergement et nourriture pris en charge.

CANDIDATURE Dès janvier, en envoyant un CV, avec une photo et une enveloppe timbrée à vos nom et adresse.

*Interséjours - 179, rue de Courcelles - 75017 Paris*
*Tél. : (1) 47 63 06 81*

## • Ligue Française de l'Enseignement / Vacances pour tous

POSTES Il y a deux sortes d'animateurs : les animateurs stagiaires et les animateurs responsables. Ces derniers ont reçu une formation avant de partir. Pour en bénéficier, il vous suffit de suivre les stages qui ont lieu pendant les vacances de février et de Pâques, moyennant une participation de votre part d'un montant de 750 francs (presque remboursés entièrement après 2 encadrements).

PLACES Variable selon le nombre d'enfants.

DEMANDES 1500 par an.

DESTINATIONS Grande-Bretagne, Irlande, Allemagne, Espagne, Etats-Unis, Australie.

PROFIL Plus de 20 ans, parler couramment la langue, expérience du contact avec les jeunes, bonne connaissance du pays.

RÉMUNÉRATION A partir de 140 francs/jour (pour les animateurs non formés).

RECRUTEMENT Bureau Animateurs des Séjours Linguistiques - L.F.E.E.P. - Vacances pour tous, à l'adresse ci-dessous.

*Ligue Française de l'Enseignement / Vacances pour tous - 21, rue*
*St Fargeau - BP 313 - 75989 Paris Cedex 20 - Tél. : (1) 43 58 95 96*

## • Nouvelles Frontières

POSTES Etudiant accompagnateur pour jeunes entre 14 et 17 ans.

PLACES 15 à 30

DEMANDES Plus de 50 par an

DESTINATIONS Angleterre, Irlande, Ecosse, Espagne, Malte.

PROFIL 22 ans minimum, parler couramment la langue, avoir beaucoup voyagé, connaître le pays, posséder le BAFA ou une expérience dans l'animation.

RÉMUNÉRATION 115 francs/jour.

RECRUTEMENT Adressez votre candidature à Joëlle Gilot ou Pierre Movilliers. Le recrutement se fait pour juillet-août. Il est possible d'assister à une réunion d'information le premier mercredi de chaque mois au 87, bd de Grenelle, 75015 Paris, Labo 10, entre 18 et 20 heures, ou de téléphoner à la même date au (1) 45 68 71 98.

*Nouvelles Frontières - 87, boulevard de Grenelle - 75738 Paris*
*Cedex - Tél. : (1) 45 68 71 98*

## • Oise (Oxford Intensive School of English)

POSTES    Accompagnateur spécialisé sur un trajet, responsable accueil.

PLACES    20 à 30 par an.

DEMANDES    Non communiqué.

DESTINATIONS    Grande-Bretagne, Irlande, Allemagne.

PROFIL    BAFA, expérience du pays, bon niveau de langue, expérience de l'animation.

RÉMUNÉRATION    900 francs environ pour la Grande-Bretagne, 1200 francs pour l'Allemagne.

RECRUTEMENT    Ecrire au Service Voyages.

> *Oise (Oxford Intensive School of English) - 21, rue Théophraste Renaudot - 75015 Paris - Tél. : (1) 45 33 13 02*

## • Relations Internationales

POSTES    Les animateurs-accompagnateurs sont chargés de convoyer les enfants. Une fois sur place, ils animent les groupes, les accompagnent à l'école et participent aux cours pendant 1/2 heure chaque jour.

PLACES    Variable selon le nombre d'enfants.

PROFIL    Ces jobs sont destinés à toute personne d'au moins 18 ans, ayant une très bonne maîtrise de l'anglais et une forte motivation. Le BAFA, ainsi que des compétences diverses (chant, guitare, sport...) peuvent être un plus.

DESTINATION    Grande-Bretagne, USA, Allemagne, Espagne.

RÉMUNÉRATION    Elle varie en fonction des diplômes. De 2000 à 4000 francs par séjour. Ceux-ci durent de 2 à 3 semaines et se déroulent en février, à Pâques et l'été.

RECRUTEMENT    Vous pouvez envoyer vos lettres et CV dès le début d'année. Si votre candidature est retenue, vous serez convoqué pour passer un entretien en français et dans la langue du pays.

> *Relations internationales - 20, rue de l'Exposition - 75007 Paris Tél. : (1) 45 50 23 23*

## • Richard Organisation OSFB

POSTES    Le rôle des accompagnateurs consiste à animer des activités, à assister aux cours, à être présent lors des sorties et à aider le responsable dans les tâches administratives.

PLACES    20

DEMANDE    Une cinquantaine

PROFIL    Avoir plus de 21 ans et parler la langue du pays.

DESTINATIONS    Grande-Bretagne, Irlande, Allemagne et Espagne

RÉMUNÉRATION    700 francs/semaine, les séjours durent de 2 à 3 semaines. Le logement, la nourriture et les frais de transport sont pris en charge par l'organisme.

CANDIDATURE   Vous pouvez adresser votre candidature dès maintenant (lettre de motivation + CV) au Directeur de l'Organisation.

✉ *Richard organisation OSFB - 7, rue de l'Eperon - 75 006 Paris*
*Tél. : (1) 43 29 76 31*

## • SILC (Séjours Internationaux Linguistiques et Culturels )

POSTES   En grande majorité professeurs de langues.

PLACES   250.

DEMANDES   Non communiqué.

DESTINATIONS   Grande-Bretagne, Irlande, Ecosse, Allemagne, Espagne, Italie, Malte, Tunisie, Russie, Etats-Unis, Canada, Australie, Nouvelle-Zélande, Afrique du Sud.

PROFIL   Plus de 25 ans, licence et plus, 5 ans d'enseignement au minimum.

RÉMUNÉRATION   De 975 francs à 2004 francs par semaine.

RECRUTEMENT   Ecrivez à Marie-Laure Varnoux.

✉ *SILC (Séjours Internationaux Linguistiques et Culturels) -*
*32, rempart de l'Est - 16022 Angoulême - Tél. : 45 97 41 00*

## • UNI-SCO Organisation de voyages universitaires et scolaires

POSTES   Convoyeurs ou accompagnateurs. Ces derniers sont chargés de suivre et de superviser les cours. Ils ont aussi un rôle d'animateur.

PLACES   20

PROFIL   Les accompagnateurs doivent être âgés de 22 ans et plus, avoir au minimum une licence. Le BAFA n'est pas obligatoire, une expérience préalable avec les enfants, si.

DESTINATION   Angleterre, Allemagne

RÉMUNÉRATION   950 francs par semaine pour les accompagnateurs (nourriture, hébergement et transport gratuits). Les séjours se déroulent en février, à Pâques et en été et durent 2 à 3 semaines.

RECRUTEMENT   Adressez vos lettres et CV à Mme Auger

✉ *UNI-SCO - 37, rue Cardinet - 75017 Paris*
*Tél. : (1) 46 22 16 13*

## • Vacances Jeunes

POSTES   Accompagner les enfants durant leur voyage, assister aux cours avec eux, animer et encadrer, mais surtout savoir très bien jouer au tennis.

PLACES   7 à 10

PROFIL   Réservé aux jeunes de 20 à 25 ans ayant de bonnes connaissances en anglais. Ils doivent aussi être classés au tennis et, éventuellement, avoir le BAFA.

DESTINATION   Grande-Bretagne

RÉMUNÉRATION Les moniteurs sont payés 100 francs par jour, ils sont logés en famille, et le billet d'avion leur est offert. Les séjours se déroulent pendant les vacances scolaires.

CANDIDATURE A envoyer dès février. Si votre candidature est retenue, vous serez convoqué pour un entretien.

 **Vacances jeunes - 88, rue de Mirosmenil - 75008 Paris**
**Tél. : (1) 42 89 39 39**

# L'agriculture

Si la perspective d'un travail au grand air vous attire, mettez le cap sur les campagnes. Les agriculteurs ont encore besoin de main-d'œuvre pour les vendanges (Allemagne, Australie...), la récolte du tabac (Canada) et la cueillette de fruits. Le plus souvent, vous devrez prospecter directement auprès des exploitants agricoles. Les auberges de jeunesse ou les bureaux pour l'emploi locaux sont aussi de bonnes sources d'information.

L'inconvénient des travaux agricoles : vous êtes payé le plus souvent au rendement et ne pouvez prévoir combien vous allez gagner. D'un autre côté, avec de l'expérience et un climat favorable, vous pouvez engranger des sommes rondelettes. Les cueilleurs "professionnels" voyagent ainsi en Europe et dans le monde au rythme des saisons et des récoltes.

Vous trouverez dans les chapitres par pays les informations sur les récoltes, les saisons et les rémunérations, ainsi qu'un certain nombre d'adresses d'exploitations agricoles.

# L'enseignement

En matière d'enseignement des langues, les Anglo-saxons règnent en maîtres incontestés. En Asie du Sud-Est ou en Amérique centrale, le moindre routard anglophone peut s'improviser professeur d'anglais dans les écoles. Pour nous francophones, la situation n'est pas aussi simple. Pour tous les postes dépendant du ministère des Affaires étrangères (en Lycée Français ou en Institut Français par exemple), il faut normalement être titulaire de l'Education nationale. Mais entre les Alliances Françaises, les écoles privées de langues, les postes de lecteur et les cours particuliers, vous aurez peut-être l'occasion d'utiliser vos talents de pédagogue. Il existe une formation à l'enseignement du français à l'étranger, le FLE (Français Langue Etrangère). Le FLE n'est pas aussi connu que son équivalent britannique, le TEFL (Teaching English as Foreign Language), mais il peut vous ouvrir des portes, dans les Alliances Françaises notamment.

## La formation au FLE

La plupart des universités proposent aujourd'hui des cursus en FLE : la mention

FLE au niveau licence est ouverte aux titulaires d'un DEUG en lettres modernes, langues vivantes et sciences du langage. Il existe par la suite une maîtrise FLE. Ces formations universitaires offrent une solide base théorique : assurez-vous que votre établissement propose aussi un nombre suffisant de stages pratiques. Ils vous permettront de vous faire la main en France, avant d'affronter à l'étranger des hommes d'affaires pressés et des étudiants dissipés, peu disposés à être pris pour des cobayes.

Pour savoir si votre université propose des filières FLE, vous pouvez composer le 3615 ENSUP et taper le mot-clé FLE. Si vous n'avez pas accès au minitel, adressez-vous au :

✉ *Bureau de l'orientation et de l'insertion professionnelle des étudiants - (Ministère de l'enseignement supérieur et de la recherche) - 61-65, rue Dutot - 75015 Paris - Tél. : (1) 40 65 63 96*

Quelques organismes privés organisent des stages FLE de trois ou quatre semaines. Ces stages coûtent cher : de 3000 à 5000 francs pour 3 à 4 semaines. La plupart sont conçus pour des professeurs de français étrangers désireux de se perfectionner en France. Mais certains sont ouverts à des personnes sans expérience préalable de l'enseignement. Edité par le Ministère des affaires étrangères, le *Répertoire des centres de formation* (Cours de français langue étrangère. Stages pour professeurs) recense les centres de formation au FLE. Vous pouvez demander cette brochure gratuite auprès de l'association suivante :

✉ *ADPF (Association pour la diffusion de la pensée française) - 9, rue Anatole de La Forge - 75017 Paris - Tél. : (1) 44 09 27 40*

L'Alliance Française à Paris propose un programme de formation longue, intitulé professorat de FLE. Ce cursus bénéficie du label Alliance, largement reconnu à l'étranger, et offre un contact privilégié auprès du réseau mondial des Alliances. Il s'agit d'une formation destinée en priorité à des étudiants étrangers mais des candidatures de Français peuvent être examinées.

Les candidats doivent être titulaires du baccalauréat français (ou diplôme étranger équivalent) et avoir un niveau élevé de français contrôlé par un examen d'entrée.

Une fois admis, les cours se déroulent de novembre à juin, à raison de 14 heures par semaine. La formation aboutit après un an à un Brevet d'Aptitude à l'enseignement du français à l'étranger et après deux ans à un Brevet Professionnel de didactique du français.

Le coût de cette formation, pour la première comme pour la seconde année, est de 20 400 francs (plus 600 francs de droit d'examen d'entrée).

✉ *Alliance Française - 101, boulevard Raspail - 75270 Paris Cedex 06 Tél. : (1) 45 44 38 28*

## Enseigner dans les écoles privées

Il n'est pas nécessaire d'être titulaire d'un diplôme d'enseignant pour occuper un poste dans des écoles de langues privées à l'étranger. Les établissements qui ciblent les hommes d'affaires ont souvent besoin d'enseignants pouvant parler "business" dans la langue de Molière. Une expérience ou une formation commerciale peuvent parfois remplacer un passé de formateur. Toutefois, la concurrence sur un pays comme la Grande-Bretagne devient de plus en plus dure. Une formation en FLE peut alors faire la différence.

## Enseigner dans les Alliances Françaises

Les critères pour une **embauche locale** varient selon les pays. L'Alliance Française de Londres exige par exemple une formation universitaire en FLE. En revanche, des étudiants sans diplôme FLE ont contacté une Alliance en Amérique du Sud et ont été acceptés. Plus les pays sont reculés, moins les conditions sont strictes. Il suffit parfois d'être Français pour être recruté. Mais vous aurez un contrat local (et donc un salaire local). Souvent, l'Alliance vous fera suivre un stage préalable de formation et prendra sa décision au vu de ce stage.

L'Alliance Française de Paris dispose d'un répertoire des Alliances Françaises à l'étranger, qu'elle peut vous adresser contre frais d'envoi. Sachez que vous pouvez aussi obtenir gratuitement la liste de tous les centres culturels français à l'étranger (dont les Alliances), en contactant le Ministère des affaires étrangères. Demandez la brochure *Réseau* (annuaire du réseau des établissements culturels et de recherche scientifique et technique français à l'étranger).

✉ *Ministère des affaires étrangères - DGRCST - 23, rue La Pérouse - 75116 Paris - Tél. : (1) 40 66 66 99*

## Etre assistant de français

3000 postes environ sont offerts chaque année à des étudiants français inscrits en université et qui souhaitent devenir assistants dans des établissements d'enseignement secondaire à l'étranger. Près de la moitié de ces postes concernent la Grande-Bretagne. Attention : la demande est très importante.

En règle générale, les dossiers de candidature sont à retirer au secrétariat de votre UFR, courant novembre. Les dossiers transitent ensuite par le Ministère de l'éducation nationale, avant d'être transmis aux autorités étrangères, qui contactent directement les candidats.

Pour des pays comme l'Australie ou la Nouvelle-Zélande, qui offrent un petit nombre de postes (environ 30 par an), les dossiers sont à retirer directement au Ministère :

✉ *Ministère de l'éducation nationale - Direction des Affaires Générales, Internationales et de la Coopération - (DAGIC) - Sous-direction des affaires bilatérales - 110, rue de Grenelle - 75357 Paris*

Les conditions de recevabilité varient selon les pays. Les candidats doivent généralement :

- Etre de nationalité française (les candidatures des étudiants français résidant déjà dans le pays demandé ainsi que les candidatures des étudiants étrangers ou bi-nationaux ne sont pas recevables).

- Etre régulièrement inscrits dans une université française.

- Etre célibataires, sans charge de famille.

- Etre titulaires au minimum du DEUG de la langue du pays demandé (voire de la licence pour la plupart des pays anglophones ou de la maîtrise pour les Etats-Unis).

- Etre âgés de 20 à 30 ans.

- N'avoir jamais été assistant auparavant.

Les frais de voyage, de nourriture et de logement sont à la charge de l'assistant. Celui-ci assure un service de 12 heures hebdomadaires sur une période de 8 à 10 mois et est rémunéré de la façon suivante :

Barème annuel (en 1994)

• Angleterre, Pays de Galle, Irlande du Nord : 3970 £ UK

• Ecosse : 4014 £ UK

• Eire : 3024 £ Irl

• Etats-Unis : selon l'université, de la simple gratuité du logement et de la nourriture à 3000 $ et plus

• Canada : 6000 à 8000 C$

• Australie : 6000 à 10 000 A$ suivant les régions

• Nouvelle-Zélande : 6000 à 7000 NZ$

Barème mensuel

• Allemagne : 1150 DM

• Autriche : 14 943 schillings

• Italie : 860 000 lires

• Espagne : 60 000 pesetas

• Portugal : 91 600 escudos

# Les séjours au pair

Rien de mieux qu'un séjour au pair pour découvrir la vie de tous les jours à l'étranger. Si vous faites preuve d'une patience d'ange avec les bambins et n'êtes pas trop maladroit avec un fer à repasser ou un aspirateur, vous formez un candidat idéal. Un mot de vocabulaire : si de plus en plus, les jeunes hommes peuvent partir au pair (voir plus loin), nous emploierons ici par souci de simplification le terme générique de jeune fille au pair.

Selon la législation européenne, une jeune fille au pair est âgée de 18 à 30 ans. Elle est logée et nourrie dans une famille d'accueil et reçoit un peu d'argent de poche, en général entre 250 et 300 francs (en monnaie locale) par semaine. En échange de cette hospitalité, la jeune fille aide la maîtresse de maison. Elle accompagne et va chercher les enfants à l'école, les fait jouer et leur donne un coup de main pour les devoirs de classe. Elle est aussi chargée de quelques tâches domestiques légères (vaisselle, ménage, repassage, rangement des chambres...) et effectue 3 ou 4 baby-sittings par semaine.

Toutes ces tâches représentent normalement un total de 30 heures par semaine, soit 6 heures par jour, 5 jours par semaine. En dehors du travail, la jeune fille est libre de faire ce qu'elle veut. Il est d'usage qu'elle suive des cours de langue puisque l'apprentissage de la langue du pays est l'une des finalités d'un séjour au pair. En Angleterre, beaucoup de jeunes filles en profitent pour passer un des examens de Cambridge, par exemple le First Certificate.

## La durée d'un séjour au pair

Une seule certitude : elle ne doit pas dépasser 24 mois. Un séjour "classique" dure 6 mois. Certains pays imposent des conditions particulières. Aux Etats-Unis par exemple, le séjour ne peut pas durer moins de 12 mois. Plus souples, la Grande-Bretagne et l'Espagne (Baléares surtout) autorisent des formules courtes de 2 à 3 mois, mais l'été uniquement. En fait, vous pouvez théoriquement trouver des séjours pour des durées allant de 1 à 24 mois. Mais plus vous vous éloignerez de la normale (6 à 9 mois), plus il sera difficile d'être pris par une famille.

## Où partir ?

Il est actuellement possible de séjourner dans de nombreux pays. En Europe, il n'y a pas que la Grande-Bretagne. Vous pouvez aussi vous orienter sur l'Allemagne, l'Espagne (la destination qui monte), l'Irlande, l'Italie, l'Autriche, la Grèce, la Suède... Il existe des directives européennes gouvernant les séjours au pair. Mais les pays ont tendance à appliquer leurs propres usages. Un exemple : il est difficile de faire comprendre aux familles espagnoles que les textes communautaires recommandent de ne pas dépasser 30 heures de travail quand la norme en Espagne tourne autour de 40 heures.

Hors d'Europe, vous n'aurez guère le choix. Seuls les Etats-Unis accueillent des jeunes filles au pair de manière régulière. Des pays comme le Canada ou l'Australie imposent des conditions si restrictives qu'il est difficile d'être recruté.

Nous vous décrivons les us et coutumes dans les chapitres par pays, à la rubrique "séjours au pair".

## Les cours

Il est prévu qu'en plus des tâches domestiques et éducatives, vous consacriez 2 à 5 heures par semaine à des cours de langues. Votre emploi du temps sera aménagé à cet effet. Certains organismes, tel SILC en Irlande, proposent des "forfaits cours", qu'ils organisent eux-mêmes. La plupart du temps, vous devrez trouver ces cours vous-même. Essayez de vérifier avant de partir que vous ne mettrez pas 2 heures en bus rien que pour vous rendre à votre école de langues.

Ces cours ont un double intérêt. Comme en témoigne Chantal, qui a effectué un séjour au pair dans le centre de l'Angleterre, *"il vaut mieux dire qu'on est allé passer le Cambrige First Certificate en Grande-Bretagne que dire qu'on a été simple jeune fille au pair"*. De plus, ils sont l'occasion de se retrouver entre jeunes filles étrangères. Un soutien de poids si vous avez le mal du pays.

## Comment partir ?

A priori, rien de plus simple. Il existe plus de 60 agences de placement au pair en France (nous vous en fournissons une liste non exhaustive en fin de chapitre). Ces organismes peuvent bénéficier d'agréments officiels. Mais le meilleur moyen de choisir reste le bouche à oreille. Parlez de vos projets autour de vous. Il serait surprenant que personne dans votre entourage ne connaisse un organisme ou quelqu'un déjà parti qui pourrait vous conseiller.

Si les organismes français offrent la solution la plus pratique, rien ne vous empêche de vous adresser directement à des organismes de placement à l'étranger. Avantage : la législation veut qu'une agence qui place dans son propre pays ne facture aucun frais. Par exemple, pour effectuer un séjour au pair outre-Manche sans payer les frais de dossier des agences françaises, contactez une agence en Angleterre qui vous placera gratuitement (c'est la famille qui couvre les frais de la recherche). Bon plan ? Oui, mais pensez aux frais de téléphone, de timbre et de fax. De plus, vous serez peut-être moins à l'aise pour obtenir tous les renseignements utiles dans une langue qui n'est pas la vôtre. Nous vous signalons dans les chapitres par pays les agences au pair locales prêtes à recevoir vos candidatures.

## Le coût d'un séjour

En général, les frais de dossier correspondent aux frais de placement. Ils sont compris entre 500 et 1000 francs selon les agences. Attention, ces frais sont rarement remboursés intégralement si votre dossier est refusé. Il peuvent également comprendre une ou plusieurs assurances. Les tarifs plus élevés incluent des cours de langue.

En plus des frais de dossiers, vos dépenses incluront le voyage aller-retour, ainsi que les cours de langue. Une exception de taille : pour les Etats-Unis, le voyage aller-retour est payé par la famille. En revanche, les frais de visa (environ 600 francs) restent à votre charge.

## Quand déposer votre candidature ?

La majorité des organismes demandent un délai de deux mois minimum pour trouver une famille. C'est en juillet et septembre qu'il y a le plus de départs. Si vous souhaitez partir à ces dates, il est conseillé de déposer votre dossier longtemps à l'avance.

Il est également possible de commencer un séjour au pair en janvier, car de nombreuses places se libèrent après Noël.

En dehors de ces dates, votre départ est plus aléatoire. Si une famille est disponible, vous pouvez partir très rapidement. Sinon...

## En cas de litige...

La réussite d'un séjour au pair dépend de la qualité des relations avec la famille d'accueil. Vous disposez toujours d'une chambre personnelle. En retour, vous vous engagez à déranger au minimum la vie de la famille en dehors de vos heures de travail.

La plupart du temps, tout se passe bien. Mais il arrive que la mère de famille confonde jeune fille au pair et soubrette. Ou encore que les parents sortent tous les soirs, vous condamnant à de longues soirées de baby-sitting à répétition. Au début, il est évident que votre maîtrise de la langue n'est pas parfaite. Les familles n'en tiennent pas toujours compte et peuvent se montrer trop exigeantes. C'est la mésaventure arrivée à Alexandra qui a débarqué en Angleterre à 18 ans, juste après son bac.

*"L'agence française que j'avais contactée m'avait placée dans un petit village au sud de Londres, à la frontière du Kent et du Surrey. Le soir même de mon arrivée, les parents sont sortis en me chargeant de veiller sur leurs deux enfants, sans me dire ce qu'ils attendaient de moi : que donner à manger aux enfants ? à quelle heure les mettre au lit ? etc. Et ça a été comme ça pendant tout le séjour. La mère me confiait des travaux domestiques sans aucune explication. Elle ne faisait pas d'effort pour parler lentement et je n'osais pas toujours la faire répéter. Du coup, j'étais terrorisée à l'idée de mal faire. Il n'y avait pas de relation amicale, mais au contraire un rapport patron / employé. Ils s'attendaient à ce que j'aie des compétences "professionnelles". Ça s'est mal passé. Au bout de 3 mois, ils m'ont congédiée."*

Si des problèmes surgissent à votre arrivée, la première chose à faire est d'en parler à la famille. La plupart des organismes disposent de correspondants sur place qui pourront s'entretenir avec vous en cas de problème et vous aider à changer de famille. Les organismes adhérents à l'UNOSEL s'engagent à vous changer de famille en 24 heures.

## Quelques conseils...

- Faites en sorte de faciliter la sélection de votre dossier. Pensez par exemple à joindre des photos souriantes à votre candidature.

- N'hésitez pas à fournir une lettre de présentation dans la langue du pays en insistant sur l'expérience que vous avez des enfants. C'est sur ce critère que vous serez jugée avant tout.

- Dites-vous bien que vous serez loin de votre pays natal pendant une longue durée. Le séjour au pair n'est pas un voyage comme un autre. C'est un contrat qui vous lie avec une famille et que vous pouvez difficilement résilier. Nombreuses sont les associations qui mettent en garde contre un éventuel abandon en cours de séjour. Contacts, par exemple, entame sa brochure sur les mots suivants : *"Nous attirons votre attention sur le fait que les séjours au pair sont réservés aux jeunes filles réellement décidées à fournir un travail effectif..."* Il ne s'agit pas de séjourner à l'étranger à moindre frais.

- Enfin, avant de partir, faites vous préciser l'adresse de la famille ainsi que la profession des parents, leur disponibilité, ce qu'ils attendent de vous, l'âge des enfants... Autant savoir à quoi vous attendre si vous devez vous retrouver avec huit enfants sur les bras ! Autre chose : vous êtes censée avoir une chambre individuelle. Veillez tout de même à vous assurer que la famille ne reçoive pas d'autre étranger. Rien de plus décevant que de se retrouver avec un franco-phone alors qu'on espérait être totalement immergée dans une autre culture.

## Et si vous êtes un jeune homme ?

L'expression "jeune fille au pair" est tellement ancrée dans les mœurs qu'on en oublierait presque que les jeunes hommes aussi peuvent être au pair. Bien sûr leur nombre est encore minime. Pour vous donner une idée, Contacts, qui envoie 500 personnes par an, a placé trois jeunes hommes en 1993. Goelangues, dix en Grande-Bretagne et trois aux Etats-Unis sur 1350 départs. Experiment, le champion dans la catégorie, 20 ! Un record ! Mais il y a de plus en plus de candidats. Assiste-t-on au boum des séjours au pair masculins ?

Il est encore un peu tôt pour l'affirmer. Le problème vient des familles, encore réticentes. Certaines associations, telle Séjours au pair, préviennent que les délais de placement des jeunes hommes sont plus longs. Les exigences plus éle-vées aussi : 19 ans minimum et possession du permis de conduire depuis plus d'un an. Il faut dire que les expériences ne s'avèrent pas toujours concluantes. Surtout aux Etats-Unis. Une responsable d'agence prévient : *"les garçons bien souvent ne supportent pas et craquent avant la fin du séjour. Aux Etats-Unis, il faut passer 45 heures par semaine avec les enfants. La plupart des garçons que l'on a envoyés sont rentrés prématurément".* Mais il n'y a pas que des échecs, loin de là. Selon l'agence Soames, *"les jeunes hommes font un boulot formi-dable avec les enfants. Ils sont très appréciés des parents qui ont des garçons en bas âge, pour jouer au foot par exemple... En plus, comme ils savent qu'ils ne pourront pas changer de famille, ils sont moins difficiles que les filles, qui ont la possibilité de changer plusieurs fois de suite".* Gilles, parti un an à Baltimore, est très satisfait de son séjour :

*"J'avais envie de tout plaquer et de partir à l'étranger. J'étais très attiré par les Etats-Unis. En présentant ma demande, j'avais un dossier solide : 24 ans, ancien pompier et pas mal d'expérience avec les enfants (colonies et frères en bas âge). La sélection s'est faite sur le fil avec un autre candidat européen, mais c'est moi qui suis parti. La famille se fichait pas mal de recevoir un garçon ou une fille. Elle m'a confié peu de tâches domestiques. Je m'occupais surtout des enfants :*

les conduire à l'école, les ramener et jouer avec eux lorsqu'ils n'avaient pas cours.

Il ne faut pas hésiter à prendre des initiatives et ne pas se reposer entièrement sur la famille. Je me suis organisé pour trouver des cours et passer le TOEFL, j'ai monté un programme d'échange entre les pompiers de Baltimore et ceux de Paris, nous avons pas mal voyagé aux Etats-Unis... Bref, un séjour inoubliable, que je conseille à tout le monde !"

Nous vous signalons dans notre carnet d'adresses les agences qui acceptent de placer des jeunes hommes au pair. N'hésitez pas à contacter les autres. Elles feront peut-être une exception pour vous.

## Agences françaises de séjour au pair

Nous avons contacté plus de 50 organismes de séjours au pair. 30 ont répondu avec suffisamment de précision pour que nous fassions paraître leur nom ici. Si vous ne trouvez pas dans notre liste un organisme situé dans votre région, adressez-vous au bureau du CIJ le plus proche (voir page 98).

LÉGENDES :

T : agrément du Ministère du tourisme.

JS : agrément du Ministère de la jeunesse et des sports.

U : adhérent UNOSEL.

Un agrément ministériel ou l'appartenance à une fédération, sans être indispensable, peut être un gage de qualité. Il est bon de savoir que les agréments ont été donnés pour les séjours linguistiques et ne sont donc pas une indication de qualité pour les séjours au pair. La fédération la plus importante est l'UNOSEL (adresse déjà citée), qui rassemble 14 organismes de séjours au pair.

### • Agence Nationale Franco-Québéquoise

| | |
|---|---|
| PAYS | Canada, Grande-Bretagne, Espagne. |
| FRAIS | 900 francs. |
| HOMMES | Non. |
| DÉPARTS | 20 par an. |

✉ *Agence Nationale Franco-Québéquoise - 4, quai du port - 94130 Nogent-sur-Marne - Tél. : (1) 43 24 34 66*

### • Albans au pair agency

| | |
|---|---|
| PAYS | Grande-Bretagne. |
| FRAIS | 800 francs. |
| HOMMES | Oui. |
| DÉPARTS | 150 par an. |

✉ *Albans au pair agency - Saint-Martial - 82000 Montauban Tél. : 63 66 91 95*

## • Amicale Culturelle Internationale

| | |
|---|---|
| AGREMENT | T, U |
| PAYS | Grande-Bretagne, Allemagne, Autriche, Espagne, Italie. |
| FRAIS | 800 francs. |
| HOMMES | Non. |
| DÉPARTS | 400 par an. |

*Amicale Culturelle Internationale - 27, rue Godot de Mauroy - 75009 Paris - Tél. : (1) 47 42 94 21*

## • ASL

| | |
|---|---|
| AGREMENT | JS, U |
| PAYS | Grande-Bretagne, Irlande, Allemagne, Espagne, Etats-Unis. |
| FRAIS | 1000 francs pour l'Europe, 180 francs pour les Etats-Unis. |
| HOMMES | Non. |
| DÉPARTS | 100 à 200 par an. |

*ASL - (Aquitaine Service Linguistique) - 6, rue Louis Pasteur - 33127 Martignas - Tél. : 56 08 33 23*

## • Association Etudes et Séjours aux Etats-Unis

| | |
|---|---|
| PAYS | Etats-Unis. |
| FRAIS | 500 francs. |
| HOMMES | Non. |
| DÉPARTS | Non communiqué. |

*Association Etudes et Séjours aux Etats-Unis - 12, place Fernand Lafargue - 33000 Bordeaux - Tél. : 56 81 43 32*

## • ATIL

| | |
|---|---|
| PAYS | Grande-Bretagne, Espagne. |
| FRAIS | 850 francs. |
| HOMMES | Non. |
| DÉPARTS | 20 à 25. |

*ATIL - (Alliance de Tourisme International et Linguistique) - 278, rue Hector Berlioz - 42153 Riorges - Tél. : 77 70 88 88*

## • Au pair Voyages

| | |
|---|---|
| AGREMENT | JS, T |
| PAYS | Grande-Bretagne, Irlande, Allemagne, Autriche, Espagne, Italie, Grèce, Etats-Unis, Canada. |
| FRAIS | 850 francs. |
| HOMMES | Angleterre, Allemagne, Irlande, Etats-Unis. |
| DÉPARTS | 150 à 200 par an. |

> *Au pair Voyages - 1, rue Gozlin - 75006 Paris*
> *Tél. : (1) 43 54 85 37*

## • Calvin Thomas

| | |
|---|---|
| PAYS | Etats-Unis. |
| FRAIS | 350 francs. |
| HOMMES | Non. |
| DÉPARTS | 200 par an. |

> *Calvin Thomas - 12, rue Berbier-du-Mets - 75013 Paris*
> *Tél. : (1) 43 36 79 99*

## • CCL

| | |
|---|---|
| AGREMENT | T, U |
| PAYS | Grande-Bretagne, Etats-Unis. |
| FRAIS | 880 francs pour l'Angleterre, 400 francs pour les Etats-Unis. |
| HOMMES | En Grande-Bretagne (éventuellement…). |
| DÉPARTS | 50 par an. |

> *CCL - (Club Culturel et Linguistique) - 61, boulevard Poniatowski -*
> *75012 Paris - Tél. : (1) 43 07 07 90*

## • CLL

| | |
|---|---|
| AGREMENT | U |
| PAYS | Grande-Bretagne, Irlande. |
| FRAIS | 1500 francs. |
| HOMMES | Non. |
| DÉPARTS | 30 à 40 par an. |

> *CLL - Club Langage Loisirs - 14, rue Paul Bert - 75011 Paris*
> *Tél. : (1) 43 79 97 80*

## • Club Langues et Civilisations

| | |
|---|---|
| PAYS | Grande-Bretagne, Allemagne, USA. |
| FRAIS | 1500 francs. |
| HOMMES | Non. |
| DÉPARTS | 50 par an. |

> *Club Langues et Civilisations - rue de la comtesse Cécile - 12000*
> *Rodez - Tél. : 65 77 50 20*

## • Contacts

| | |
|---|---|
| AGREMENT | U |
| PAYS | Grande-Bretagne, Irlande, Allemagne, Autriche, Espagne, Italie, Etats-Unis. |
| FRAIS | 900 francs pour l'Europe, 1200 francs en été, 800 francs pour les Etats-Unis. |

| | |
|---|---|
| HOMMES | Oui (Grande-Bretagne et USA) |
| DÉPARTS | 400 à 500 par an. |

 *Contacts - 55, rue Nationale - 37000 Tours*
*Tél : 47 20 20 57*

## • EHH

| | |
|---|---|
| PAYS | Grande-Bretagne. |
| FRAIS | 1150 francs. |
| HOMMES | Non. |
| DÉPARTS | 200 par an. |

*EHH - English Home Holidays - 37, rue Cardinet - 75017 Paris*
*Tél. : (1) 42 67 66 46*

## • Experiment

| | |
|---|---|
| AGREMENT | T |
| PAYS | Etats-Unis. |
| FRAIS | 1200 francs. |
| HOMMES | Oui, 20 par an. |
| DÉPARTS | 200 à 250 par an. |

*Experiment - 89, rue de Turbigo - 75003 Paris*
*Tél. : (I) 42 78 50 03*

## • Five

| | |
|---|---|
| PAYS | Grande-Bretagne, Allemagne, Espagne, Etats-Unis. |
| FRAIS | 700 francs pour l'Europe, 500 francs pour les Etats-Unis. |
| HOMMES | Oui, en Europe. |
| DÉPARTS | Non communiqué. |

*Five - (Formation Internationale Voyages Etudes) - 9, rue Barla*
*06300 Nice - Tél. : 93 26 72 55*

## • French American Center of Provence-Languedoc-Mediterranée

| | |
|---|---|
| PAYS | Etats-Unis, Grande-Bretagne. |
| FRAIS | 900 francs pour la Grande-Bretagne, 600 francs pour les Etats-Unis. |
| HOMMES | Non. |
| DÉPARTS | Une centaine par an. |

*French American Center of Provence-Languedoc-Mediterranée -*
*10, Montée de la Tour - 30400 Villeneuve les Avignons*
*Tél. : 90 25 93 23*

## • Goelangues

| | |
|---|---|
| PAYS | Grande-Bretagne, Irlande, Allemagne, Espagne, Italie, USA. |
| FRAIS | 850 francs en Europe, aucun pour les Etats-Unis. |

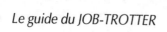

| HOMMES | En Grande-Bretagne. |
|---|---|
| DÉPARTS | 1350 par an. |

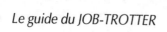 *Goelangues - 25, rue du Navarin - 75009 Paris*
*Tél. : (1) 45 26 14 53*

## • ICO

| AGREMENT | T |
|---|---|
| PAYS | Grande-Bretagne, Irlande, Etats-Unis. |
| FRAIS | 850 francs pour l'Europe, 600 francs pour les Etats-Unis. |
| HOMMES | Non. |
| DÉPARTS | 150 par an. |

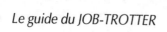 *ICO - (International Cultural Organization) - 55, rue de Rivoli -*
*75001 Paris - Tél. : (1) 42 36 47 18*

## • Institut d'Echanges Franco-Européens

| PAYS | Grande-Bretagne, Irlande, Ecosse, Allemagne, Autriche, Espagne, Italie. |
|---|---|
| FRAIS | 320 francs. |
| HOMMES | Allemagne, Espagne, Italie. |
| DÉPARTS | 600 à 700 départs par an. |

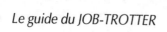 *Institut d'Echanges Franco-Européens - 11, chemin de la Butte au*
*Diable - 91570 Bièvres - Tél. : (1) 69 41 04 39*

## • International Student & Au pair Bureau

| PAYS | Grande-Bretagne, Irlande, Allemagne, Espagne. |
|---|---|
| FRAIS | 600 francs. |
| HOMMES | Non. |
| DÉPARTS | Une vingtaine. |

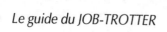 *International Student & Au pair Bureau - 38, avenue Daumesnil -*
*75012 Paris - Tél. : (1) 43 46 04 67*

## • Inter-Séjours

| AGREMENT | T, JS |
|---|---|
| PAYS | Grande-Bretagne, Irlande, Allemagne, Autriche, Espagne, Italie, Danemark, Canada. |
| FRAIS | 695 francs. |
| HOMMES | Oui (en Autriche). |
| DÉPARTS | Non communiqué. |

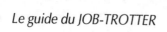 *Inter-Séjours - 179, rue de Courcelles - 75017 Paris*
*Tél. : (1) 47 63 06 81*

## • L'A.R.C.H.E

| PAYS | Grande-Bretagne, Irlande. |
|---|---|

| FRAIS | 600 francs. |
| HOMMES | Non. |
| DÉPARTS | Non communiqué. |

✉ *L'A.R.C.H.E - 7, rue Bargue - 75015 Paris
Tél. : (1) 47 83 59 93*

## • Loire Séjours

| PAYS | Grande-Bretagne, Irlande, Allemagne, Autriche, Espagne (Baléares), Italie. |
| FRAIS | 700 francs. |
| HOMMES | Baléares et Angleterre. |
| DÉPARTS | 400. |

✉ *Loire Séjours - 1, rue Le Nôtre - 49130 Les Ponts de Ce
Tél. : 41 44 81 41*

## • Mary Poppins

| PAYS | Grande-Bretagne, Etats-Unis, Irlande, Pays-Bas, Norvège, Suède, Espagne, Italie, Allemagne, Autriche. |
| FRAIS | 300 francs de droits d'inscription, 600 francs une fois la famille trouvée. |
| HOMMES | Non. |
| DÉPARTS | 400 par an. |

✉ *Mary Poppins - 4, place de la Fontaine - Le Fontanil - 38120 Sainte Egrève - Tél. : 76 75 57 33.*

## • Nord Service Linguistique

| AGREMENT | JS |
| PAYS | Grande-Bretagne, Irlande, Espagne. |
| FRAIS | 700 francs. |
| HOMMES | Non. |
| DÉPARTS | Non communiqué. |

✉ *Nord Service Linguistique - 37, avenue de la Plaine-Randon - 62604 Berck-sur-Mer - Tél. : 21 09 02 98 - Possède également une antenne dans le sud, à Grasse (Tél. : 93 09 00 36).*

## • Relations Internationales

| PAYS | Grande-Bretagne, Allemagne, Espagne, Italie, Grèce, Etats-Unis. |
| FRAIS | 900 francs environ. |
| HOMMES | Non. |
| DÉPARTS | 320 par an. |

✉ *Relations Internationales - 20, rue de l'exposition - 75007 Paris
Tél. : (1) 45 50 23 23*

### • Riviera international

PAYS      Grande-Bretagne, Irlande, Allemagne, Espagne, Italie, Etats-Unis.

FRAIS      850 francs.

HOMMES      Non.

DÉPARTS      300 par an.

✉      *Riviera international - 29, rue du Maréchal Juin - 06400 Cannes - Tél. : 93 43 65 19*

### • SILC

AGREMENT      JS, T, U

PAYS      Angleterre, Irlande, Allemagne, Espagne, Italie, Etats-Unis.

FRAIS      900 francs pour l'Europe, 1100 francs pour les USA.

HOMMES      Etats-Unis.

DÉPARTS      500 par an, en grande majorité vers les pays anglophones.

✉      *SILC - Séjours Internationaux Linguistiques et Culturels - 32, rempart de l'est - 16022 Angoulême - Tél. : 45 97 41 00 - Bureaux à Paris, Marseille, Toulouse, Rennes, Nancy, Limoges, Bordeaux et Nantes*

### • Soames International Services

PAYS      Grande-Bretagne, Allemagne, Espagne, Italie, Pays-Bas, Etats-Unis.

FRAIS      800 francs.

HOMMES      Oui (Grande-Bretagne, Irlande, Pays-Bas).

DÉPARTS      100 par an.

✉      *Soames International Services - 16, rue du Château - BP 28 - 77302 Fontainebleau - Tél. : (1) 64 22 99 26*

### • Vacances Jeunes

AGREMENT      T, JS, U

PAYS      Grande-Bretagne, Allemagne, Espagne.

FRAIS      800 francs.

HOMMES      Oui (en Grande-Bretagne, à mi-temps).

DÉPARTS      Non communiqué.

✉      *Vacances Jeunes - 88, rue de Miromesnil - 75008 Paris Tél. : (1) 42 89 39 39*

# Commerce et opportunités locales

Les petits boulots dans le commerce en France (caissier, vendeur, livreur...) se retrouvent à l'étranger. Les boutiques et les supermarchés doivent figurer en bonne place dans votre liste de prospects. Autre possibilité, un peu moins légale, la vente à la sauvette. Frédérique, étudiante en communication, a vendu des shorts en jean dans les Cyclades en Grèce. Elle a gagné jusqu'à 300 francs par jour. Ses conseils : *"évitez de vendre à proximité des commerces, soyez copains avec les plagistes et surtout ne dites jamais que votre business marche !"*

Plus originales sont les possibilités d'affaires transfrontalières. Appelez ça comme vous voudrez, trafic ou import-export, mais acheter dans un pays pour revendre dans un autre peut être très lucratif. Joël, véritable roi de la combine, a prouvé qu'un bon Job-trotter doit avoir le sens du commerce :

*"Mon premier business consistait à acheter des bijoux au Mexique, à Taxo, pour les revendre sur la côte est des Etats-Unis et au Canada, dans les boutiques et sur les marchés. J'ai réalisé de très bonnes ventes à Montréal. Le seul conseil : être sensible à la mode du moment !*

*Plus juteux, mon commerce de "dry grass hats". En voyageant en Amérique du Sud, j'ai envoyé de Quito, capitale de l'Equateur, 500 chapeaux de paille, dits chapeaux du Panama, à la poste restante de Miami. Je les ai récupérés 2 mois plus tard et les ai revendus à la sauvette sur les plages de Floride. Mes "dry grass hats", comme les appelaient les Américains, sont partis comme des petits pains. Achetés localement entre 2 et 7 francs pièce, selon les modèles, je les revendais 5 à 10 fois plus chers. En faisant gaffe de bien éviter les policiers !*

*Mais mon coup le plus fumant aux States, je l'ai réalisé en Californie. Avec un ami français, j'assistais à un concert des New Kids on the Block dans un stade de Los Angeles. Sur le parking, dans les gradins ou les allées, il y avait de nombreux vendeurs officiels de tee-shirts. Ils écoulaient leurs articles pour 20 $ pièce. Avec mon ami, on s'est dit "Pourquoi ne pas faire pareil ?" Après tout, deux vendeurs de plus sur le parking, ça ne changeait pas grand chose.*

*On a acheté un tee-shirt officiel, trouvé un fabricant de tee-shirts blancs (50% coton, 50% n'importe quoi, c'était moins cher), déniché un imprimeur de motifs sur Venice Beach et le tour était joué. Prix de revient de nos tee-shirts, 3,5 $. Bon, c'est vrai, les couleurs étaient un peu délavées, mais dans la pénombre, les clients n'y voyaient goutte... On a alors suivi la tournée du groupe en Californie, San Francisco, Sacramento... et écoulé sans problème notre première centaine de tee-shirts imprimés."*

L'histoire s'est mal terminée pour Joël qui s'est fait expulser des Etats-Unis. Mais avouez que ce type d'expériences vaut tous les cours de commerce international au monde !

## *Pour les aventuriers...*

Un job à l'étranger est parfois synonyme de sensations fortes. Si vous aimez crapahuter dans les jungles moites, suer sang et eau dans des fournaises désertiques, jouer à cache-cache avec des ours bruns ou brûler vos nuits autour d'un tapis vert, nul doute, vous avez une mentalité de baroudeur. Les quelques pistes suivantes ne sauraient être courues par tous. Les gains sont aléatoires, pas les risques. Un domaine réservé aux Job-trotters endurcis et, dans certains cas, qualifiés.

# Chercheur d'or

Les siècles passent… la fièvre de l'or continue à frapper les imaginations. En 1848, la grande ruée vers l'or en Californie avait drainé dans son tumulte plusieurs centaines d'aventuriers français, avides eux aussi de mettre la main sur le filon qui établirait leur fortune. Certes, ces Job-trotters précurseurs étaient piètres linguistes : on les surnommait les "Keskydies", en raison de leur propension à poser toujours la même question : *"Qu'est-ce qu'il dit ?"* Mais ils étaient animés d'une ardeur sans égal et comptaient dans leurs rangs quelques fortes personnalités. Dans son ouvrage La Route de l'Or (Editions Phébus), Louis-Laurent Simonin évoque ainsi, entre autres figures hautes en couleur, l'auvergnat Vermenouze, pourfendeur de serpents à sonnettes et qui protégeait son poulailler le fusil sur l'épaule :

*"Depuis sa venue en Californie, il a été successivement laveur d'or, mineur, commis d'un marchand de vin, ouvrier dans une usine à quartz. Puis ayant fait quelques économies, il est allé les perdre sur les placers de Fraser river dans la Colombie britannique… Son unique désir est de revoir un jour la France et d'y porter ses économies."*

150 ans plus tard, il est possible à certaines conditions de marcher sur les traces de nos courageux ancêtres. L'activité d'orpaillage est en expansion. Principales raisons : la reprise des cours de l'or, la découverte de nouveaux filons et l'amélioration des techniques de prospection.

On distingue la recherche d'or primaire (situé dans la roche) de celle d'or alluvionnaire (que l'on trouve dans les fleuves et les rivières).

Seules des sociétés puissantes et bien structurées possèdent les moyens d'extirper l'or de la roche (pelleteuses, bulls et autres engins doivent être acheminés sur des sites parfois inaccessibles pour briser, creuser, forer et traiter la roche). Les chercheurs d'or sont alors employés par ces compagnies. C'est le cas des sociétés minières australiennes, implantées à Kalgoorlie, qui recrutent de nombreux travailleurs saisonniers. En Guyane, la société Guyanor (filiale du géant mondial nord-américain Goldstar) exploite d'importants gisements au fin fond de la forêt.

René, à l'occasion d'un séjour en Guyane, avait été sollicité par deux de ses dirigeants :

*"Lors d'un voyage avec un ami, j'avais sympathisé avec deux Québécois qui dirigeaient le filiale de Goldstar en Guyane. Ils nous ont proposé de travailler 6 mois avec eux. Je devais faire de la prospection en forêt, ce qu'on appelle du layonnage, sur le site de Yaoun et mon ami devait travailler comme magasinier. Ces tâches semblaient bien en dehors de nos qualifications. Pourtant, pour ces*

*dirigeants aventuriers et qualifiés - ils étaient ingénieurs en géophysique - l'important était la capacité à s'adapter et à être polyvalent. Eux se déplaçaient en forêt amazonienne avec leur téléphone cellulaire et leur micro portable."*

La recherche de l'or alluvionnaire, qui se présente sous forme de petites paillettes et quelquefois de pépites, nécessite des moyens peu importants, et convient bien aux chercheurs d'or free-lance. Néanmoins une bonne dose de chance, un minimum de matériel (le plus simple, la batée, grande assiette dans laquelle on lave la terre en la séparant des paillettes d'or) et de l'expérience sont nécessaires pour obtenir des résultats. Citons parmi les nombreuses régions aurifères du globe, l'Australie et l'ouest canadien (Yukon notamment) qui attirent chaque année leur lot d'orpailleurs, animés non pas tant par l'appât du gain que par les joies simples de la vie au grand air.

Dans d'autres régions, l'orpaillage est une activité plus risquée. En Guyane, les chercheurs d'or indépendants cohabitent difficilement avec les indiens et les Brésiliens en situation irrégulière. Ces durs parmi les durs revendent leur or aux bijoutiers de Cayenne, après de longs séjours en forêt. Si certaines régions restent relativement sûres (fleuve Approuague, Oyapock et l'intérieur du pays), la frontière avec le Surinam est très dangereuse. Signalons enfin que beaucoup travaillent au mercure, pour des gains de productivité, et contribuent ainsi à la très forte pollution des fleuves exploités. Bref, une activité ni très sûre ni très morale qui reste l'apanage d'une poignée de baroudeurs.

## Pour faire vos débuts...

Il n'est nul besoin d'aller courir les montagnes de la Sierra Nevada pour s'initier aux joies de l'orpaillage. On trouve de l'or en France, parfois dans des endroits insoupçonnés. En 1980, Jean-Luc Billard, suite à un article paru dans la presse, tamise le lit de l'Allier en plein centre-ville de Limoges. Il trouve des paillettes du précieux métal. Depuis, il est chercheur d'or professionnel dans l'Ariège !

Jean-Luc Le Quéré, 36 ans, est orpailleur en Bretagne.

*"Je prospecte avec une drague aquatique dans les rivières bretonnes. J'obtiens en gros l'équivalent de 1 kg d'or par an sous forme de paillettes. La valeur d'un lingot étant de 63 000 francs, ça ne me permet pas de vivre. Alors je transforme mo or en bijou, que je revends ensuite."*

Il existe 6 chercheurs d'or professionnels en France, inscrits au registre du commerce. Certains d'entre eux organisent des stages plus ou moins ludiques au cours desquels le public peut se familiariser avec les différentes techniques d'orpaillage. On apprend par exemple à manier la batée, le sluice (rampe de lavage sur laquelle on déverse le limon ou la terre, une moquette placée sur la rampe retenant l'or) ou encore la drague aquatique (aspire les alluvions et les traite par densité).

Ces stages sont donc d'excellentes occasions de s'initier avant d'envisager de lointains rêves de fortune.

✉ *Jacques Le Quéré - Tréguévir - 56400 Pluneret - Tél. : 97 56 20 05 - Stages d'avril à fin septembre pour 100 francs la journée.*

✉ *Jean-Luc Billard - La Gare - 06160 Prat Donrepaux - Tél. : 61 96 61 63*

# Travailler sur une plateforme pétrolière

Les emplois sur les plateformes pétrolières restent empreints d'un fort parfum d'aventure, auquel vient s'ajouter la perspective alléchante de salaires élevés. Qu'en est-il en réalité ? L'activité parapétrolière a subi ces dernières décennies un ralentissement important, qui s'est traduit entre autres par une baisse des embauches. Il reste des opportunités mais, à l'instar d'autres secteurs, les emplois s'adressent à des gens plus qualifiés et plus expérimentés que par le passé. Quant à l'aventure, elle s'est fortement professionnalisée. La vie sur une plateforme obéit à des règles de sécurité très strictes.

Les grandes sociétés pétrolières sous-traitent désormais une bonne partie de leur exploitation off-shore (en mer). Pour pouvoir fonctionner, les plateformes pétrolières de forage ont besoin :

- de personnel d'encadrement : généralement un ingénieur qui s'occupe de la gestion et du management

- de personnel technique : équipe de forage constituée d'un chef, un second, des accrocheurs (ils rangent les tiges de forage) et des hommes de plancher. Le chef mécanicien et l'électricien en font également partie.

- de personnel logistique : il s'agit des hommes de pont (peinture, maintenance, réception de marchandises...), généralement des locaux, du personnel qui assure la partie marine (communication, abordage des bateaux...) et du personnel qui assure la gestion base-vie (restauration, nettoyage).

- de personnel médical : à bord de chaque plateforme est présent soit un médecin, soit un "medic" (infirmier très qualifié).

De plus en plus, les compagnies ont tendance à embaucher des locaux pour alléger leur coûts salariaux. Avec les difficultés que cela présente parfois... Dans un ouvrage sur l'histoire de la Sedco Forex, la principale société de forage en France, Camille Martinet raconte l'anecdote suivante :

*"Lors de l'implantation de la société en Malaisie, la Sedco a débuté sa politique d'embauche de personnel local. Elle dut se plier aux rites locaux. L'ouverture d'un chantier exigeait le sacrifice d'un buffle et l'inhumation de sa tête sur le site."*

En ce qui concerne les postes techniques, pourvus par des expatriés, voici le portrait type dressé par l'un des responsables de la Sedco Forex : *"Il parle anglais, possède quelques qualifications techniques, a des qualités de meneur d'hommes, aime travailler dur sur de courtes périodes et est motivé par le salaire : un bon chef de chantier gagne plus de 25 000 francs par mois."* Si vous vous reconnaissez dans ce portrait, vous pouvez contacter les deux principales sociétés de forage françaises, qui exploitent des plateformes un peu partout dans le monde. Attention, rappelons que l'embauche a fortement diminué et privilégie des gens déjà qualifiés. Il est également possible de contacter directement les compagnies de forage étrangères. Pour les sites en Mer du Nord, Aberdeen en Ecosse est l'endroit où se rendre :

✉ *Sedco Forex - 50, avenue Jean-Jaurès - BP 599 - 92920 Montrouge*
✉ *Forasal Foremer - 16 bis, rue Grange Dame Rose - 78143 Velizy Villacoublay*

En ce qui concerne les postes de cuisiniers, l'expérience et l'autorité priment. Madame Maisonnave, la responsable du recrutement de la Sodhexo, l'un des principaux sous-traitants en la matière, décrit le profil des chefs expatriés :

*"Ils sont des professionnels de la restauration, rarement âgés de moins de 30 ans. Leurs qualités ? Etre autonome, parler anglais, être capable d'assurer la gestion des stocks et surtout pouvoir s'adapter aux goûts culinaires du personnel expatrié. On ne sert pas la même nourriture aux Américains qu'aux Japonais. Nos cuisiniers occupent un poste clé : la cuisine, c'est essentiel pour le moral des troupes. Autre qualité requise : leur sens des relations humaines. Avec les expatriés comme avec les locaux. En Afrique, on manifeste plus volontiers du respect à quelqu'un de plus âgé. Nous avons pris le risque une fois d'envoyer un jeune de 24 ans, diplômé d'un BTS d'hôtellerie. Ça s'était bien passé car il était imposant physiquement et faisait preuve de beaucoup d'énergie."*

La Sodhexo dispose d'une centaine d'expatriés dans le monde et recrute régulièrement pour pallier un certain turn-over. Les chances des candidats trop jeunes ou ne parlant pas anglais sont faibles.

✉ *Sodhexo - 3, avenue Newton - 78 Saint-Quentin en Yvelines*

# Banco !

Les Job-trotters joueurs pourront tester leur bonne fortune dans les casinos. De Las Vegas à Macao en passant par la Gold Coast en Australie, les établissements de jeux attendent les parieurs impénitents. Marc, étudiant en gestion, a joué ses derniers dollars au Caesar's Palace de Las Vegas :

*"Je voyageais aux States avec un budget minimal. Je dormais dans les terminaux de bus Greyhound, me nourrissant de "pizza slices" et de cheeseburgers à 1 $. Il me restait 10 $ en poche quand je suis arrivé à Las Vegas. J'ai mis 1 $ dans une "poker machine". Paire de dames. J'ai rejoué. Me voilà avec 10 $. Muni de ce butin, j'ai pu m'installer à une table de black jack. J'ai raflé la mise quatre fois de suite, en jouant systématiquement à quitte ou double. Bilan : 120 $ gagnés en moins de 10 minutes. Un bonus sympa pour la suite de mon voyage."*

Les joueurs de poker auront également la possibilité d'exercer leur art du bluff et leur science des probabilités. Le poker est un jeu universel. Dans leur livre *La Terre en rond* (Editions Ouest-France), Jacques Séguéla et Jean-Claude Baudot décrivent une partie épique de poker disputée sur un ferry qui les menait des Etats-Unis au Japon :

"*(En face) un Japonais qui cache sûrement sous son air ahuri toute la finesse de dizaines d'ancêtres (...), deux Chinois de Hong Kong qui ont dû naître les cartes à la main, un Philippin aux mains agiles (...). Ainsi commence une partie de poker qui durera dix-sept jours et dix-sept nuits (...). Pendant dix-sept nuits, éclairés par des chandelles posées à même le plancher, nous aurons en face de nous le cercle étroit de grimaces impassibles, flottant au dessus de la fumée épaisse des cigares et des cigarettes... nous jouerons contre quatre, contre six, sept et jusqu'à neuf adversaires, tous lançant leurs annonces de la même voix monocorde, en ce langage international du jeu : two cards, Full, Brelan, Square (...). A l'escale d'Honolulu, nous avons gagné six cents dollars...*"

# *Volontariat et bénévolat*

Travailler ne signifie pas nécessairement gagner de l'argent. Des actions de bénévolat ou de volontariat permettent aussi de découvrir un pays en vivant des moments forts et utiles.

Quelle différence entre volontariat et bénévolat ?

- Le **volontariat** implique une action de moyenne ou longue durée (de quelques mois à deux ans). Il répond à un besoin précis, exprimé par des populations défavorisées : acheminement de biens de première urgence, formation de personnel médical ou technique, alphabétisation, etc. Les volontaires sont très qualifiés. Ils sont envoyés principalement par les ONG (Organisations non gouvernementales), dans les pays du Tiers-Monde.

- Le **bénévolat** concerne des actions de courte durée (quelques semaines), réalisées de façon ponctuelle. Le but est de découvrir une autre culture en prenant part à un projet utile (mais non indispensable). Les actions des organismes de chantiers sont assimilées à du bénévolat. Elles sont ouvertes au plus grand nombre et se déroulent dans le monde entier.

## Comment être volontaire ?

Enseigner à lire aux Pygmées du Cameroun, former des infirmières dans les villages de Colombie, éduquer de jeunes orphelins dans les bidonvilles de Brazzaville : les missions des volontaires sont aussi diverses que passionnantes. Mais attention. Pour être volontaire dans le Tiers-Monde, la bonne volonté ne suffit pas. Les ONG sont de plus en plus exigeantes quant au profil des personnes qu'elles recrutent. Les deux tiers des volontaires longue durée ont un niveau d'études supérieures (Bac+2 minimum). Les qualifications les plus demandées :

- Santé : médecins, infirmières, kinésithérapeutes, chirurgiens, dentistes...

- Enseignement : instituteurs, universitaires...

- Développement rural : agronomes, forestiers, hydrauliciens...

- Artisanat : forgerons, menuisiers...

- Construction : architectes, ingénieurs Travaux Publics, maçons, électriciens...

- Gestion-comptabilité, administratif : écoles de commerce...

- Logistique : diplômés Bioforce (Institut de formation au métier de logisticien)

- Social : éducateurs spécialisés, animateurs de rue...

Même si votre profil correspond à l'une des formations ci-dessus, sachez que les postes offerts aux jeunes diplômés sont relativement rares. Les associations donnent la priorité aux personnes ayant au moins une à deux années d'expérience. L'âge moyen des volontaires longue durée se situe autour de 25 ans.

Autre obstacle, la durée des missions. La plupart des ONG envoient leurs volontaires pour un à deux ans. Les missions de moyenne durée vont de un à six mois.

## Le statut du volontaire

Le volontaire bénéficie d'un statut à part entière. L'ONG doit lui verser une indemnité permettant de vivre dans des conditions décentes (entre 1000 francs et 5000 francs par mois selon les pays et les ONG), une couverture sociale, la prise en charge des frais de voyage et une prime de réinsertion au retour.

## Pour qui travaillent les volontaires ?

200 associations en France mènent des actions en faveur du Tiers-Monde. Mais seule une vingtaine envoient des volontaires de moyenne ou longue durée à l'étranger. Quatre regroupent à elles seules 90% des volontaires sur le terrain :

- La DCC (Délégation catholique pour la coopération)

- L'AFVP (Association française des volontaires du progrès)

- Le SCD (Service de coopération au développement)

- Le DEFAP (Département évangélique français d'action apostolique)

L'AFVP et le SCD travaillent de manière quasi exclusive en Afrique. Le DEFAP et la DCC ont des missions dans le monde entier.

Pour poser votre candidature, vous devez envoyer CV et lettre de motivation au service du personnel. Si vous êtes jeune diplômé, mettez en avant votre volonté de vivre une première expérience professionnelle en rapport avec vos études, votre goût pour la vie associative et votre maîtrise d'une langue étrangère.

*AFVP - Le Bois-du-Faye - BP 2, Linas - 91311 Montlhéry Cedex - Tél. : (1) 69 01 17 33*

*Délégation Catholique pour la Coopération (DCC) - 9-11, rue Guyton-de-Morveau - 75013 Paris - Tél. : (1) 45 65 96 65*

*Département Evangélique Français d'Action Apostolique 102, boulevard Arago - 75014 Paris - Tél. : (1) 43 20 70 95*

*Service de Coopération au Développement - 42, montée Saint-Barthélémy - 69005 Lyon - Tél. : 78 25 41 65*

## Ouvert à tous : le programme ICYE

Si vous ne correspondez pas au profil requis par les ONG (manque d'expérience ou de qualification), le programme ICYE (International Christian Youth Exchange) peut vous intéresser. Il propose des postes de volontaire d'un an (parfois 6 mois) dans 27 pays sur les cinq continents. Vous devez avoir plus de 18 ans. La sélection est uniquement fondée sur la motivation. Il n'est même pas nécessaire de parler la langue du pays.

Quelques exemples de missions : travailler dans un parc national au Costa Rica, enseigner dans un centre de formation professionnelle pour femmes en Inde, assister l'équipe médicale d'un hôpital de Sierra Léone. Sandra, animatrice pour enfants et marionnettiste, est partie en Bolivie :

*"A mon arrivée, j'ai été accueillie par l'organisation locale de volontaires. Ils m'ont logée dans une famille à La Paz. Après un mois, j'ai été affectée à un centre d'animation culturel et social destiné aux enfants des quartiers défavorisés. Il y avait une dizaine de volontaires, tous boliviens.*

*Dans un premier temps, j'ai pris en charge les activités photos du groupe. Lors des manifestations organisées, par exemple des ateliers de théâtre pour enfants de la rue, je prenais les photos et les développais dans un petit labo. Par la suite, on m'a confié l'organisation de conférences dans les bidonvilles sur des thèmes comme l'alcoolisme, la drogue ou les études. J'ai également animé un théâtre de marionnettes."*

Le principal obstacle concerne les frais de participation. Vous devez débourser une somme comprise entre 19 800 francs et 29 500 francs selon les pays. Cette somme couvre le transport, deux semaines de cours de langue à l'arrivée, l'hébergement, la nourriture et l'assurance. Il est souvent possible de décrocher une bourse du Ministère de la jeunesse et des sports (renseignez-vous auprès de votre direction départementale de la jeunesse et des sports), pour vous aider à boucler ce budget. Le partenaire de ICYE en France est Jeunesse et Reconstruction. Une vingtaine de volontaires français partent ainsi chaque année.

✉ *Jeunesse et Reconstruction - 10, rue de Trévise - 75009 Paris*
*Tél. : (1) 47 70 15 88*

## Votre stage étudiant en ONG

Il est possible de travailler quelques mois pour une ONG dans le cadre d'un stage d'études. Si vous êtes motivé, deux associations peuvent vous aider dans vos recherches :

- La **Guilde Européenne du Raid**, grâce à son programme "Solidarités étudiantes", place des stagiaires dans des ONG à l'étranger. La Guilde joue le rôle d'intermédiaire entre les ONG et le monde étudiant. Elle recueille les offres des associations humanitaires puis les diffuse auprès des écoles assurant la formation recherchée (dans les bureaux de stage ou les services "emploi"). Les offres sont communiquées courant février. Si l'une d'elles vous intéresse, envoyez CV et lettre de motivation à la Guilde, qui vous fera passer un entretien. La sélection est sévère.

Sur place, vous êtes logé et nourri par l'ONG qui vous reçoit. Le transport et l'assurance sont à votre charge. Pour plus d'informations, contactez la Guilde.

✉ *La Guilde Européenne du Raid - "Solidarités Etudiantes" - 11, rue de Vaugirard - 75006 Paris - Tél. : (1) 43 26 97 52*

- Si vous vous intéressez aux problèmes de santé dans les pays en développement, **Medicus Mundi** peut aussi vous aider. Les étudiants de toutes disciplines sont les bienvenus. Il s'agit généralement de stages d'observation donnant lieu à la rédaction d'un rapport final. Quelques exemples d'études : "Les importations de médicaments de contrebande en Bolivie" (réalisée par des étudiants d'HEC et Sciences Po), "Le fonctionnement d'une centrale d'achat de médicaments de base au Bénin" (réalisée par des étudiantes en pharmacie), "La prévention de la transmission du SIDA par transfusion sanguine au Congo" (réalisée par des étudiantes en médecine). Pour participer à ce programme, intitulé "Education au Développement", vous devez soumettre un thème de projet à Medicus Mundi. S'il est retenu, l'association vous mettra en contact avec une ONG susceptible de vous accueillir et vous donnera de nombreux conseils sur la recherche de financement. Les projets sont à déposer au plus tard le 31 mars. Pour plus de renseignements, contactez :

✉ *Medicus Mundi - 153, rue de Charonne - 75011 Paris - Tél. : (1) 43 70 87 57*

## Pour en savoir plus

- Vous trouverez plus d'informations sur le volontariat dans le *Guide du Voyage utile* (publié par le même éditeur, Dakota Editions, 74 francs). Vous pouvez aussi consulter le guide pratique de L'Etudiant *Les métiers de l'humanitaire* (69 francs).

- Le serveur minitel 3615 IBISCUS recense les coordonnées des associations de votre région et les postes de volontaires et de CSN offerts par les ONG.

- Les week-ends d'information *Etudiants et Développement* ont pour but de sensibiliser les étudiants aux problèmes posés par l'aide au Tiers-Monde. Ils sont organisés par Partenaires Sans Frontières (PSF), Ingénieurs Sans Frontières (ISF) et Medicus Mundi. Quelques exemples de thèmes : l'interdépendance Nord-Sud, le problème de la drogue, le rôle de la femme dans le développement... Les frais de participation sont de 150 francs par week-end. Ils se déroulent dans diverses villes universitaires. A noter que Etudiants et Développement a aussi pour vocation d'orienter et de conseiller les étudiants voulant s'engager dans une action humanitaire. Pour plus d'informations, contactez :

✉ *Etudiants et Développement - N° vert : 05 27 57 31*

- Le réseau RITIMO (Réseau d'informations Tiers-Monde) regroupe une quarantaine de centres de documentation en France. Chaque centre rassemble des revues de presse, des ouvrages et des périodiques spécialisés sur le développement, des bibliographies, des bulletins d'information sur les PVD, etc. Pour connaître l'adresse du centre le plus proche de chez vous, adressez-vous au Centre de Documentation Tiers-Monde (CDTM) à Paris.

✉ *CDTM - 20, rue Rochechouart - 75009 Paris - Tél. : (1) 42 82 07 51*

- Le Ministère de la coopération et du développement publie chaque année le répertoire de toutes les associations de solidarité internationale. Cet ouvrage est vendu 25 francs dans les centres RITIMO.

# Participer à des actions de bénévolat

## Les organismes de chantier

Pour participer à un chantier, l'enthousiasme suffit ! Ici, la taille du CV importe peu. En revanche, on vous demandera de travailler avec dynamisme et bonne humeur. Un chantier rassemble autour d'un projet commun des jeunes venus d'horizons différents. On dit souvent que c'est un premier pas vers le volontariat. Mais attention. La limite est clairement définie. Comme le dit Philippe Duvert, coordinateur de chantiers internationaux : *"Certains jeunes qui vont travailler en Afrique veulent imposer leur vision des choses. C'est totalement illusoire. En trois semaines, on ne fait pas de l'humanitaire, mais on découvre une culture différente."*

Les chantiers tournent autour de trois thèmes principaux :

- **La solidarité** : aide aux enfants défavorisés, aux personnes âgées ou handicapées, aux sans-logis, aux malades... Le Service Civil International organise par exemple un chantier au cœur des Monts Oural, en Russie, au cours duquel les volontaires travaillent dans un hôpital pour enfants.

- **La défense de l'environnement** : entretien des parcs nationaux, protection de la flore et de la faune, recensement de populations animales, dépollution de rivières et d'étangs... Jeunesse et Reconstruction propose ainsi des missions dans des parcs nationaux au Costa Rica. Les participants effectuent des travaux d'élagage et de débroussaillage en compagnie des gardes forestiers.

- **La conservation du patrimoine** : restauration de bâtiments, participation à des fouilles archéologiques...

## La vie sur un chantier

Un chantier rassemble, durant deux ou trois semaines, une quinzaine de participants âgés de 18 à 35 ans. Ils sont encadrés par un animateur technique et un animateur volontaire qui coordonnent le travail et les loisirs. C'est une excellente expérience de vie en communauté. Tout le monde est logé à la même enseigne. Vous n'échapperez pas à la corvée de vaisselle !

Si le rythme de travail n'est pas harassant, sachez qu'un chantier n'est pas un voyage d'agrément. Les conditions d'hébergement sont sommaires et vous devrez vous adapter au mode de vie local. En Inde, vous pouvez dormir sur une natte à même le sol et vous nourrir de *dhal* (soupe de lentilles) et de *chapatis* (galettes de pain) à longueur de journée.

## *Quatre bonnes raisons de participer à un chantier...*

- La vie sur un chantier est riche en rencontres. Les jeunes qui retroussent leurs manches à vos côtés sont de nationalités différentes. Vous vivez "à la locale". Si vous sympathisez avec les volontaires du pays, il y a des chances pour qu'ils vous invitent chez eux à l'issue du chantier.

- Un chantier est une formule très souple qui peut s'intégrer dans un voyage de longue durée. Aux Etats-Unis par exemple, vous pouvez travailler trois semaines dans un centre pour sans-abri à New York avant d'enchaîner sur un parcours plus touristique.

- C'est un moyen économique de vivre dans un pays. Vous payez environ 500 francs de frais d'inscription (un peu plus pour les destinations lointaines, USA, Afrique...) et le transport. Mais sur place, vous êtes logé et nourri. Dans un pays comme le Japon, c'est avantageux. Sachez toutefois que la plupart des organismes imposent un âge minimum de 21 ans et un stage de préparation pour les chantiers dans le Tiers-Monde (coût : entre 800 francs et 1500 francs).

- Les chantiers se déroulent partout dans le monde. Ils sont l'occasion de découvrir des régions difficilement accessibles en tant que touriste : lac Baïkal en Russie, Alaska, Mongolie, Kazakhstan, Groenland...

Pour en savoir plus sur les chantiers, vous pouvez contacter Cotravaux, un organisme de coordination et d'information qui participe à la promotion du travail bénévole et des associations de jeunes.

✉ *Cotravaux - 11, rue de Clichy - 75009 Paris - Tél. : (1) 48 74 79 20*

# Principaux organismes de chantiers internationaux

Note : les destinations sont données à titre indicatif. Les associations en France travaillent avec des partenaires locaux qui peuvent changer. Un chantier ne se renouvelle pas nécessairement chaque année. Afin de disposer du plus large éventail de thèmes et de destinations possibles, il est conseillé de s'inscrire dès le mois de mars pour l'été suivant.

## • Compagnons Bâtisseurs

ACTIVITÉS  Amélioration et construction de logements de familles en difficulté en milieu rural et urbain. Aménagements de foyers de rencontres et d'animation à caractère social et éducatif. Actions de solidarité quart-monde et tiers-monde.

DESTINATIONS  Europe de l'Ouest, Europe de l'Est, Québec, Maghreb, Afrique Noire. Environ 400 volontaires en 95 dont une centaine de Français.

AGE MINIMUM  16 ans.

✉ *Compagnons Bâtisseurs - Sud-Ouest Résidence - 2, rue Claude Bertholet - 81100 Castres - Tél. : 63 72 59 64*

## • Concordia

ACTIVITÉS   Actions de développement local, de valorisation de l'environnement, et de restauration du patrimoine culturel et naturel.

DESTINATIONS   Durant la saison 95, plus de 700  Français ont pu se rendre dans près de 50 pays (dont le Groenland) sur les cinq continents.

AGE MINIMUM   15 ans.

✉   *Concordia - 1, rue de Metz - 75010 Paris*
   *Tél. : (1) 45 23 00 23*

## • Solidarités Jeunesses

ACTIVITÉS   Solidarités Jeunesses entend agir contre l'exclusion des plus défavorisés pour un développement local soucieux de l'individu, de l'environnement et du patrimoine culturel par l'organisation de stages, séminaires et chantiers à court, moyen et long terme.

DESTINATIONS   Europe, Moyen-Orient, Afrique, Asie, Amérique du Sud, USA, Canada. 330 jeunes sont partis sur des chantiers internationaux en 1995.

AGE MINIMUM   15 ans

✉   *Solidarités Jeunesses - 38 rue du Faubourg Saint-Denis - 75010*
   *Paris - Tél. : (1) 48 00 09 05*

## • Etudes et Chantiers (UNAREC)

ACTIVITÉS   Principalement restauration de bâtiments, fouilles archéologiques et environnement.

DESTINATIONS   En 1995, 250 volontaires sont partis dans 29 pays en Europe de l'Est, Europe de l'Ouest, Russie, Maghreb, Afrique Noire, USA, Japon.

AGE MINIMUM   13 ans.

✉   *Etudes et Chantiers (UNAREC) - 33, rue Campagne-Première -*
   *75014 Paris - Tél. : (1) 45 38 96 26*

## • Jeunesse et Reconstruction

ACTIVITÉS   Social, rénovation de bâtiments, fouilles archéologiques, environnement. Plus de 700 thèmes de chantiers à l'étranger. Jeunesse et Reconstruction anime également plusieurs programmes de volontariat à moyen et long terme.

DESTINATIONS   Plus de 30 pays sur les cinq continents.

AGE MINIMUM   15 ans.

✉   *Jeunesse et Reconstruction - 10, rue de Trévise - 75009 Paris*
   *Tél. : (1) 47 70 15 88*

## • Rempart

ACTIVITÉS   Essentiellement rénovation de bâtiments historiques, fouilles archéologiques, environnement sur une grande variété de sites (châteaux, églises, moulins, villages, lavoirs...)

DESTINATIONS Environ 160 chantiers en Europe de l'Ouest, Europe de l'Est, Maroc.

AGE MINIMUM 14 ans.

*Union Rempart - 1, rue des Guillemites - 75004 Paris*
*Tél. : (1) 42 71 96 55*

## • Service Civil International

ACTIVITÉS Projets sociaux, de protection de l'environnement, d'animation auprès d'enfants ou de personnes handicapées.

DESTINATIONS 27 pays dans le monde entier. SCI propose des chantiers dans des pays "inédits" : Australie, Thaïlande...

AGE MINIMUM 18 ans (21 ans pour les échanges avec les pays du Tiers-Monde)

*Service Civil International - 2, rue Eugène Fournière - 75018 Paris*
*Tél. : (1) 42 54 62 43*

# Etre bénévole free-lance

Au cours de votre voyage, de nombreuses opportunités peuvent se présenter. N'hésitez pas à demander la liste des ONG locales à l'ambassade de France. Elles peuvent avoir besoin de personnel temporaire, par exemple pour enseigner dans une école ou donner un coup de main dans un hôpital de province. A Calcutta, des volontaires étrangers peuvent, s'ils le désirent, prêter main-forte aux missions de Mère Teresa. Ils sont choisis non pas sur leurs qualifications professionnelles mais seulement sur leur volonté d'apporter du réconfort aux plus démunis.

Nous vous indiquons dans les chapitres par pays quelques associations locales qui prennent des volontaires. Dans des zones comme l'Afrique ou le sous-continent indien, le volontariat est bien souvent la seule forme de travail possible.

Le CCSVI (Comité de coordination du Service Volontaire International) est l'organisme de l'UNESCO chargé de superviser les associations de chantiers internationaux. Il publie deux brochures :

- *Volunteering in the 90's* : livret 1 (Afrique et Asie) et livret 2 (Europe et Amérique du Nord). En anglais. Vendu 10 francs chacun.

- *Directoire africain.* Vendu 50 francs.

Vous y trouverez les coordonnées des organismes de chantiers locaux. Sachez toutefois que la plupart d'entre eux passent par des partenaires français pour recruter leurs bénévoles étrangers. Si vous postulez sur place, vous risquez de vous heurter à des problèmes d'assurance. Dans la plupart des cas, vous devrez également payer des frais d'inscription.

✉ *CCSVI - 1, rue Miolis - 75015 Paris - Tél. : (1) 45 68 27 31*

# *TROUVER UN STAGE*

Vous l'avez sûrement constaté, rien ne vaut le piston pour trouver un stage à l'étranger ! Mais tout le monde n'a pas la chance d'avoir un oncle directeur commercial à Hong Kong ou New York. Si vous faites partie de la majorité des non pistonnés, vos espoirs résident d'abord dans le bureau des stages ou des relations internationales de votre école. Il saura vous dire si votre établissement participe à des programmes d'échanges internationaux ou a noué des liens particuliers avec des entreprises étrangères. Les annuaires d'anciens élèves sont aussi de très bonnes sources de contacts. Un mailing bien ciblé, jouant sur le registre de la solidarité, peut porter ses fruits.

Si ces solutions échouent, vous pouvez vous rabattre vers des organismes publics ou privés qui vous trouveront éventuellement un stage clés en main. Mais ces prestations sont soit difficiles à obtenir (organismes publics), soit payantes (organismes privés). Nous vous signalons les coordonnées des organismes concernés dans les chapitres par pays. Reste enfin la voie royale : la candidature spontanée. Si vous trouvez un stage par ce biais, vous ne devrez rien à personne. Souvenez-vous qu'une lettre adressée nommément au bon décisionnaire est mille fois plus efficace qu'une lettre anonyme. Mais les obstacles sont nombreux. Peu de pays reconnaissent la notion de stage étudiant en dehors de l'Allemagne, des Etats-Unis et de la France. Vous devrez mettre la main sur des listes d'entreprises ciblées en fonction de vos souhaits. Et votre CV devra être aussi convaincant que votre niveau de langue.

Alors est-il si difficile de trouver un stage à l'étranger ? David Hawa, responsable des relations avec les Etats-Unis et la Grande-Bretagne au centre CPSS-Trudaine (appartient à la Chambre de commerce et d'industrie de Paris), place des stagiaires dans ces deux pays depuis bientôt huit ans. Sa réponse se veut plutôt encourageante :

*"Les étudiants français se font trop de soucis quant à leur niveau de langue, en anglais surtout. Sachez pourtant que vous ferez d'énormes progrès très rapidement dès lors que vous serez sur place. Et votre accent français n'est pas un handicap, au contraire ! Pensez à long terme : perfectionnez votre anglais et établissez des contacts lors d'un premier séjour, décrochez un vrai stage lors du séjour suivant. Utilisez votre premier voyage comme une période de prospection.*

*Si vous visez une société en particulier, la meilleure technique est de demander à parler aux stagiaires actuellement en poste. Ils vous donneront d'excellents conseils sur les arguments à mettre en avant dans votre lettre de motivation. Mais vous pouvez aussi contacter directement les responsables, pour connaître leurs besoins. Aux Etats-Unis par exemple, le contact avec un manager est très informel, beaucoup plus qu'en France. Vous obtiendrez toujours une réponse très claire.*

*Si je devais ne transmettre qu'un seul message aux étudiants qui veulent partir, je dirais la chose suivante : identifiez ce que vous aimez faire et ce que vous faites bien. Posez-vous la question : que puis-je apporter à la société ? Il vous sera alors bien plus facile de convaincre un employeur dans une langue et une culture qui ne sont pas les vôtres."*

# Soignez votre candidature

Un CV incomplet, maladroit, rempli de fautes... et votre demande atterrira directement dans la corbeille. Il n'y a pas de mystère : pour concevoir un bon CV à l'international, celui qui vous sort de la masse, il faut compter 30 heures de travail réparties sur plusieurs semaines. Lorsque vous avez fini, faites toujours relire le résultat par un professeur ou un proche.

Les conseils que nous donnons dans ce chapitre se fondent sur des entretiens menés avec des experts du placement de stagiaires dans les pays concernés.

## *Grande-Bretagne*

### Le CV

Limitez-vous à une page A4. Indiquez en haut de la page votre nom, votre adresse et votre numéro de téléphone. Mentionnez votre âge plutôt que votre date de naissance.

Si vos premières expériences professionnelles vous ont déjà apporté une certaine compétence, commencez par la rubrique "Work Experience". Vous devez présenter les faits dans l'ordre inversement chronologique. Il est très important d'insister sur les tâches précises que vous avez effectuées : elles importent plus que votre titre ou votre fonction. La technique consiste à employer des verbes d'action (voir exemples).

Vient ensuite la rubrique "Education". Si votre formation est très spécifique et qu'une équivalence semble difficile à trouver, expliquez concrètement en quoi elle a consisté. Si l'admission à votre école se fait sur concours, précisez-le ("competitive exam"). Si vous avez bénéficié d'une bourse liée à vos résultats scolaires, ou participé avec succès à un concours ou encore eu des résultats particulièrement brillants, incluez l'information dans le CV. Les copies de vos diplômes ne sont pas indispensables : elles vous seront demandées par l'employeur ultérieurement. Pour les équivalences des diplômes, adressez-vous au British Council :

✉ *British Council - 9-11, rue Constantine - 75007 Paris - Tél. : (1) 49 55 73 00*

Pour faire part de vos connaissances linguistiques ou de toute autre compétence particulière (informatique...), utilisez la rubrique "Additional Information". Pour donner une idée de votre niveau en anglais, mentionnez vos séjours (avec leur durée) dans un pays anglophone ou un abonnement éventuel à un magazine en anglais.

La rubrique "Interests" ou "Activities" (Hobbies) est facultative mais peut accrocher un employeur potentiel si vos activités sont originales ou liées au poste que vous recherchez. Mettez en avant les activités associatives que vous avez menées.

Il est aussi important de donner les coordonnées de deux personnes ("referees" ou "references") qui pourront transmettre des recommandations favorables, si possible en anglais, sur votre compte. Choisissez en priorité un enseignant et un ancien employeur. Si vous n'avez pas assez de place, indiquez simplement "references available upon request". En cas de retour favorable, vous fournirez alors les coordonnées de vos références.

## La lettre de motivation (cover letter)

- Elle doit toujours être dactylographiée et tenir sur une page A4.

- Mettez votre nom en haut à droite, le nom du destinataire un peu plus bas à gauche.

- L'écriture de la date est source de nombreuses erreurs. Mettez une majuscule, ne mentionnez pas le nom de la ville et n'employez pas la préposition "of". La date peut s'écrire de deux manières : "12 June 1994" ou "12th June 1994"

- Les formules de politesse les plus courantes :

Si vous ne connaissez pas le nom de votre interlocuteur, commencez par "Dear Sir" et concluez par "Yours faithfully".

Si vous connaissez le nom de votre interlocuteur, commencez par "Dear Mr Smith", "Dear Miss Smith" (pour Mlle), "Dear Mrs Smith" (pour Mme) ou "Dear Ms Smith" (valable pour Mlle et Mme), et concluez par "Yours sincerely".

Concernant le ton général, la lettre de motivation anglaise est plus directe que le modèle français. Ecrivez des phrases courtes. Vous pouvez fort bien employer la première personne du singulier et même commencer votre lettre par le pronom "I".

La lettre doit comprendre trois parties bien distinctes et très courtes :

- Premier paragraphe : indiquez qui vous êtes, ce que vous voulez et quand vous désirez travailler.

- Deuxième paragraphe : sélectionnez deux ou trois aspects de votre expérience professionnelle (et non scolaire) qui appuient votre candidature (voici ce que je sais faire...)

- Troisième paragraphe : préparez l'étape suivante en proposant un rendez-vous, qui peut être téléphonique.

Lorsque vous avez fini, faites toujours relire le résultat par une personne dont l'anglais est la langue maternelle. Essayez systématiquement de téléphoner à la société pour connaître le nom de la personne à qui adresser votre courrier. Sans contact personnalisé, vos chances s'amenuisent.

# *Etats-Unis*

## Le CV

Le CV américain (ou *resume*) est plus agressif que son homologue britannique. Vous pouvez y indiquer, en début ou en fin de page, vos objectifs professionnels (*Objective*). Le *resume* insistera aussi sur des données quantitatives, surtout dans la partie "Professional Experience" : le chiffre d'affaires réalisé par un vendeur, le nombre d'études réalisées, de rendez-vous décrochés, l'indice de satisfaction des clients, etc. Enfin, certains mots doivent s'écrire selon l'orthographe américaine et non anglaise : par exemple *organize* (et non *organise*) ou *center* (et non *centre*). A vos dictionnaires ! (le Webster's Collegiate est un excellent dictionnaire unilingue américain). Pour connaître les équivalences de diplômes, adressez-vous à la Commission franco-américaine qui diffuse une note à ce sujet.

✉ *Commission franco-américaine d'échanges universitaires et culturels - 9, rue Chardin - 75016 Paris - Tél. : (1) 45 20 46 54*

## La lettre de motivation

La lettre de motivation américaine reprend les principes de base de la lettre anglaise. Elle doit impérativement être dactylographiée puisqu'elle est considérée comme une lettre d'affaires. Deux différences minimes :

- Vous pouvez écrire la date de la façon suivante : "June 12, 1994" et conclure par "Yours truly" ou "Very truly yours".

Deux CV sur le modèle britannique sont proposés page suivante : le premier correspond à un niveau Bac+4, école de commerce, le second à un niveau Bac+2, BTS. Tous deux ont été conçus à partir d'exemples fournis par David Hawa (CPSS-Trudaine).

# *Allemagne*

Premier point : il est préférable d'adresser votre dossier dans une enveloppe de format A4, afin de ne pas avoir à plier votre lettre et votre CV. Ce dernier peut

## CV MODELE BRITANNIQUE N°1

**Gérard SEMPRUN**
24, avenue de la République
75015 Paris
Tel. : (1) 45 21 03 03

### WORK EXPERIENCE

| | |
|---|---|
| Feb-April 1994<br>*(12 weeks)* | **ACTION CONSULTANCY** - Paris<br>International Manager's Assistant<br>* Developed a data base on business information sources in Europe<br>* Investigated, identified and contacted European operators involved in information sources<br>* Proposed plans and persuaded potential partners to implement them |
| May-Aug 1993<br>*(16 weeks)* | **GENERAL COMMUNICATION** - Paris<br>Product Manager's Assistant in the Marketing Department<br>* Compiled and examined information about software markets in Europe<br>* Analysed and sifted data about software market volume<br>* Targeted and proposed new markets |
| Sept 90-July 1991<br>*(12 weeks)*<br>*(2 weeks)*<br>*(9 months part-time)* | Gained hands-on experience by working in the following companies :<br>AIR QUICK EUROPE   Paris<br>ATIES   Livorno (Italy)<br>MAC DONALD'S   Paris<br>As a result I learned how to :<br>* Handle freight and shipping for the forwarding company<br>* Promote brands, persuade customers and sell products<br>* Insure customers' solvency |

### EDUCATION

| | |
|---|---|
| 1993-1994 | 1st year of a 3 year graduate programme at one of France's leading Business Schools : ESC-Paris |
| 1989-1993 | MA equivalent (Maîtrise) in applied foreign languages (English and Italian) from the University of Paris V |
| 1988 | A level equivalent (Bac D) specialised in Mathematics, Physics and Biology |

### LANGUAGES

| | |
|---|---|
| French (native speaker) | |
| English (fluent) | A total of six months in the United States and the United Kingdom |
| Italian (bilingual) | 15 days a year spent in Rome since 1975 |
| Software | Proficient in Lotus, Microsoft Word, Wordperfect and Paradox III |

### ACTIVITIES

| | |
|---|---|
| | Captain of school soccer team<br>Treasurer of ESC-Paris Chess Club |

## CV MODELE BRITANNIQUE N°2

**Virginie PEREC**
53, impasse Bartlebooth
75013 Paris
Tél. : (1) 48 25 16 74

### EDUCATION

| | |
|---|---|
| 1993-1994 | CESAME - An intensive course for BTS graduates run by the Paris Chamber of Commerce which develops business skills including : company law, European management, international economics, short-hand and word-processing |
| 1991- 1993 | A two year professional university-level degree (BTS) specialised in international trade and secretarial skills |
| 1991 | A level equivalent (Bac A1) specialised in Philosophy, Languages and Mathematics |

### WORK EXPERIENCE

| | |
|---|---|
| 1992- 1993 | **CREDIT LYONNAIS** - (Head Office - Paris). A leading French bank |
| | Assisted the Personnel Manager in the hiring of reps. |
| | * Received and selected applications<br>* Organised collective and individual interviews<br>* Drew up work contracts and letters of engagement<br>* Managed representatives' training courses |
| Summer 1992 | **ABC SPORTS** - (Valence) |
| | * Helped Manager to organise sporting events<br>* Welcomed clients and visitors<br>* Created local organised tours<br>* Secretarial and administrative tasks |
| Winter 1991 | **LIQUEURS DE FRANCE** (Head Office - Levallois) |
| | * Assisted the Sales Manager<br>* Entered and indexed export transactions |
| Summer 1991 | **FRANZ SCHUBERT** GmbH (Freiburg - Germany) |
| | * Managed and translated international supplies and orders<br>* Secretarial skills |

### ADDITIONAL INFORMATION

21 years old
Fluent in English
Working Knowledge of German
Software : WORD 5, EXCEL, ETV 260
Hobbies : enjoy sculpting and playing chess with a tolerant friend

occuper deux pages. Il est généralement accompagné des copies de vos diplômes, rangées dans une pochette plastique. La formation et l'expérience professionnelle sont présentées dans l'ordre chronologique. Vous commencez dès l'entrée au lycée (*Schulausbildung*), en précisant les matières principales de votre Bac et les notes obtenues. Les études supérieures (*Studium*) doivent aussi mentionner les spécialisations, voire les sujets de mémoire. Pour les équivalences de diplômes, adressez-vous au :

✉ *DAAD (Office allemand d'échanges universitaires) - 20, rue de Verneuil - 75007 Paris - Tél. : (1) 42 61 19 45*

Suivent vos stages (*Praktika*) et, éventuellement votre expérience professionnelle (*Beruftätigkeit*). A noter : il est habituel de dater et signer un CV en bas de page. Notre exemple de CV a été rédigé à partir d'un modèle fourni par M. Thiel, responsable d'un programme de stages à la DAA à Munich.

## Espagne

Le modèle traditionnel du CV espagnol n'est pas avare de détails puisqu'il inclut des informations comme le poids, la taille, les études primaires... Le résultat atteint 5 ou 6 pages. En fait, selon Dialogo, organisme spécialisé dans la recherche de stages en Espagne, il est préférable de baser votre CV sur un modèle anglais ou américain, à savoir sobre, concret et synthétique (2 pages maximum).

La lettre de candidature est manuscrite, précise les objectifs et surtout les dates de début et de fin de votre stage. N'oubliez surtout pas de préciser le numéro de téléphone et les heures auxquels on peut vous joindre.

# Des organismes pour vous aider

## Les stages jeunes professionnels de l'OMI

Ce programme est destiné aux jeunes professionnels, âgés entre 18 et 30 ans (35 ans dans le cas des Etats-Unis, du Canada et de la Pologne). En 1994, 650 personnes y ont participé.

Vous pouvez y prendre part si vous êtes déjà diplômé et avez une expérience professionnelle de quelques mois au moins. Le stage que vous désirez accomplir doit impérativement avoir pour objet de vous perfectionner sur le plan professionnel. Rien à voir avec un stage d'études ou linguistique. D'ailleurs pour l'OMI, il s'agit plus d'un contrat à durée déterminée que d'un stage. La durée doit être comprise entre 3 et 18 mois.

## CV MODELE ALLEMAND

Persönliche Daten :

**Sophie Brihaut**
152, rue des Lilas
31000 Toulouse
Tél. : 61 77 42 10
geb. am 15/07/1971 in Toulouse
ledig

**SCHULAUSBILDUNG**

1982 - 1989
Collège - Lycée (Gymnasium) Dourthe-Toulouse
Baccalauréat (Abitur) C Juni 1989 mit der
Bewertung "gut" (Schwerpunkt : Mathematik)

**STUDIUM**

10/1989 - 6/1993
Université Paul Sabatier Toulouse-Mathematik und
Informatik.
Schwerpunkt : Wirtschaftsmathematik
Diplom mit der Bewertung : "gut"

**PRAKTIKA**

7 - 8/1990     Stadtverwaltung Dax, Amt für Statistik
6 - 10/1993    Motorola Toulouse (Abteilung : Datenverarbeitung)
1 - 6/1994     Abeille-Assurances SA : Erstellung und Bearbeitung
hausinterner Verwaltungsprogramme

**SPRACHKENNTNISSE**     Französich : Muttersprache
Deutsch : fliessend
Englisch : Grundkentnisse

Toulouse, den 13.07.94                    (Signature)

En principe, les étudiants ne sont pas concernés (à l'exception des Etats-Unis, voir le chapitre sur ce pays). Cependant, certains étudiants devant effectuer un stage de fin d'études peuvent exceptionnellement bénéficier de ces accords. Les candidatures sont évaluées au cas par cas.

Le programme de l'OMI fonctionne sur la base d'échanges avec cinq pays : la Suisse, la Pologne, le Canada, les Etats-Unis et la Nouvelle-Zélande. Des accords sont en cours de négociation avec l'Argentine, Singapour, Hong Kong et le Maroc.

Tous les secteurs d'activités sont couverts. Un jeune dessinateur français, par exemple, a pu faire un stage dans les studios de la Warner à Los Angeles. Selon les pays, les opportunités sont différentes. La Suisse a besoin d'infirmières. Au Canada, les secteurs de l'hôtellerie et de la construction offrent le plus d'opportunités. En Nouvelle-Zélande, l'accord ne concerne que les agriculteurs.

Que vous apporte ce programme ? Dans la grande majorité des cas, le rôle de l'OMI est non pas de vous fournir un stage, mais seulement de faciliter les formalités administratives en prenant en charge l'obtention d'un visa de travail. C'est vous qui devez prospecter les employeurs. Il arrive parfois que l'OMI parvienne à fournir un stage grâce à son partenaire local dans le pays étranger. Mais rien n'est garanti. Vous êtes fortement encouragé à rechercher un employeur par vous-même lorsque vous posez votre candidature.

Les Etats-Unis forment une heureuse exception : l'OMI peut y rechercher des employeurs. Mais le service risque alors d'être payant, puisque votre candidature sera traitée par des partenaires privés.

Pour postuler au programme Jeunes Professionnels, vous devez remplir une fiche de candidature, rédiger deux lettres (dont l'une dans la langue du pays d'accueil) précisant la nature du stage que vous recherchez et sa durée et joindre un CV détaillé, des copies de vos diplômes et deux photos. L'OMI peut vous conseiller sur la manière de rédiger un CV.

Pour connaître les adresses des délégations régionales de l'OMI, reportez-vous page 96.

## *Les programmes de stages européens*

L'union européenne finance des programmes encourageant la mobilité des jeunes. Attention, ils visent chacun un public bien particulier. Y participer constitue déjà une aventure. Les textes communautaires sont pour le moins abscons. Il est rarement possible de prendre part directement à ces programmes. Dans la plupart des cas, vous serez obligé de passer par un intermédiaire (votre organisme de formation par exemple). Les pays concernés sont les quinze membres de l'UE, auxquels viennent s'ajouter la Norvège, l'Islande et le Liechteinstein. D'autres pays d'Europe centrale et orientale devraient être inclus prochainement.

Ces programmes de stage ont été rassemblés sous la bannière commune LEONARDO et établis sur la période 1995-1999. En fonction de votre profil, vous serez orienté vers l'un des volets de LEONARDO. Attention, le taux de succès n'est pas garanti, loin de là. Et il ne s'agit en aucune manière de programmes de stages "clés en main". Bien souvent, c'est à vous de trouver une entreprise d'accueil, voire d'attirer l'attention de votre responsable de formation sur l'existence de ces programmes. Un impératif pour bénéficier des mannes de Bruxelles : commencer vos démarches de long mois avant la date de départ souhaitée...

### Vous êtes étudiant (Bac + 2 minimum) ou jeune diplômé

Vous pouvez bénéficier d'une bourse LEONARDO si vous avez trouvé un stage de 3 à 12 mois dans une entreprise d'un pays participant au programme. La bourse est d'environ 2500 francs par mois. Tous les domaines d'études sont concernés, même si une préférence est accordée aux étudiants en sciences et en techniques. Adressez-vous à votre bureau des relations internationales ou des stages. Le cas échéant, l'ACFCI pourra vous orienter vers un organisme régional partenaire. Pour plus d'informations :

✉ *LEONARDO c/o Assemblée des chambres françaises de commerce et d'industrie (ACFCI) - 45, avenue d'Iéna - 75116 Paris - Tél. : (1) 40 69 37 35*

### Vous êtes en formation professionnelle initiale
*(CAP, BEP, Baccalauréat professionnel, BTS)*

Vous pouvez obtenir une bourse à deux conditions : trouver une entreprise européenne qui accepte de vous accueillir et passer par votre responsable de formation pour qu'il dépose un dossier auprès de LEONARDO. Les stages doivent avoir une durée entre 3 semaines et 2 mois. Pour un stage de 3 semaines, la bourse s'élève à 690 ecus (environ 4800 francs). Pour plus d'informations :

✉ *LEONARDO c/o Centre national des œuvres universitaires et scolaires - 8, rue Jean Calvin - 75231 Paris Cedex 05 - Tél. : (1) 40 79 91 49*

### Vous êtes en perfectionnement professionnel
*(mention complémentaire, formation complémentaire d'initiative locale...)*

Les conditions sont identiques à celles requises pour la formation professionnelle initiale. Seule la durée des stages varie (et donc le montant des bourses) : entre 3 mois et 12 mois. Le bureau responsable est le même que celui précédemment cité.

### Vous êtes jeune travailleur ou demandeur d'emploi
*(titulaire d'un diplôme de type CAP, BEP ou niveau Bac+2 maximum ou ayant une expérience professionnelle)*

Les offres de stage sont affichées dans les délégations régionales de l'ANPE. Ces offres concernent des séjours de 3 mois à l'étranger : un mois de formation linguistique et deux mois de stage en entreprise. L'ANPE sélectionne les candidats. La subvention LEONARDO couvre alors la plupart des frais de séjour (mais pas l'intégralité).

Renseignez-vous auprès des délégations régionales de l'ANPE ou bien à :

✉ *ANPE internationale - 69, rue Pigalle - 75009 Paris - Tél. : (1) 48 78 37 82*

Pour plus de renseignements sur les initiatives d'aide européennes, vous pouvez vous rendre à Sources d'Europe. Le personnel d'accueil saura vous orienter vers le ou les programmes qui peuvent vous concerner.

✉ *Sources d'Europe - Le socle de la Grande Arche - 92054 Paris La Défense Cedex 61 - Tél. : (1) 41 25 12 12 - Ouvert du lundi au vendredi de 10h à 18h.*

# Les Conseils régionaux ou généraux

Certaines régions ont compris tout l'intérêt que représente une expérience à l'étranger (notamment de stage) et ont développé leurs propres programmes. Il est impossible de recenser ici toutes les initiatives. Il est évident que les régions frontalières vont développer des relations privilégiées avec leurs homologues du pays voisin. Nous vous donnons ci-dessous deux exemples d'actions régionales :

## • JTM

ACTIVITÉS    Le Conseil général d'Ille-et-Vilaine, par l'intermédiaire de son association JTM, Jeunes à Travers le Monde, propose un programme d'aide pour les départs en Grande-Bretagne et Allemagne. Possibilités de bourse et de placement...

PROFIL    Attention, ce programme n'est ouvert qu'aux salariés et chômeurs du département d'Ille-et-Vilaine. Vous devez être âgé de 18 à 30 ans avec une bonne expérience professionnelle et être motivé par l'apprentissage de la langue du pays. Il se déroule sur 3 mois : 1 mois de formation linguistique, 2 mois de stage en entreprise.

✉ *JTM - 1, quai Chateaubriand - 35000 Rennes*
*Tél. : 99 78 35 36*

## • Eurodyssée

ACTIVITÉS    Coordonné par le Conseil régional de Franche-Comté, Eurodyssée est un groupement de plusieurs régions, qui organise des stages à l'étranger.

PROFIL    Attention, ne sont prises en compte que les candidatures des résidents des régions suivantes : Franche-Comté, Champagne-Ardenne, Poitou-Charentes, Limousin, Rhône-Alpes. Les stages, d'une durée de 3 à 6 mois sont rémunérés à hauteur de 4500 francs par mois, en devises locales (un peu moins si l'entreprise prend en charge le logement). Ils couvrent a priori tous les domaines, mais plus particulièrement le secrétariat et le commerce international. Tous les niveaux de formation sont considérés. Priorité est accordée aux chômeurs et à ceux qui ont fini leurs études. Adressez-vous aux Conseils régionaux concernés et demandez le service Eurodyssée.

DIVERS  Le programme fonctionne particulièrement bien sur l'Allemagne mais rencontre des difficultés en Grande-Bretagne.

✉ ***Eurodyssée - 4, square Castan - 25031 Besançon
Tél. : 81 61 61 61***

N'hésitez pas à contacter votre Conseil régional ou général. Selon les cas, vous devrez vous adresser aux services chargés des universités, de la jeunesse ou encore aux services chargés du développement économique. Si votre région n'organise pas de programme de stage à proprement parler, il y a de fortes chances en revanche pour qu'elle accorde des aides financières aux stagiaires qui s'expatrient. Voici région par région, un panorama des principales aides consenties en 1995 (Note : le programme européen COMETT est désormais intégré dans LEONARDO) :

## • Alsace

AIDE  Bourse régionale de stage à l'étranger (hors Europe), d'un montant de 1500 francs par mois. Complément à la bourse COMETT de 800 francs par mois

CONDITIONS  Etre étudiant de moins de 25 ans, être en 2ème cycle minimum, résider en Alsace ou avoir des parents y résidant, avoir un stage obligatoire à effectuer dans le cadre de son cursus.

*Tél. : 88 15 68 67*

## • Bourgogne

AIDE  Bourses de voyage de 500 à 2 000 francs par an.

CONDITIONS  Etre étudiant en 2ème ou 3ème cycle, étudier en Bourgogne ou avoir des parents résidant dans le département de la Saône et Loire.

*Tél. : (1) 80 44 33 00*

## • Haute-Normandie

AIDE  1- Bourse de Formation à l'Etranger : accordée à certains établissements d'enseignement supérieur du Havre et de Rouen sélectionnés par le Conseil régional. Montant variable en fonction du nombre de dossiers retenus. 2 - Bourses PISTE (Participation individuelle pour des stages technologiques en Europe). Le montant varie en fonction des dossiers retenus. 3 - Complément à la Bourse COMETT

CONDITIONS  Pour les bourses de formation à l'étranger, le stage doit durer au moins 3 mois et être obligatoire dans le cursus (Bac + 3 minimum). Pour les bourses PISTE, il faut être étudiant dans certains BTS, IUT ou en Bac Pro (formation technologique).

*Tél. : 35 52 56 00*

## • Limousin

AIDE  Octroi d'une subvention régionale :

- De 1500 francs par mois pour l'UE et la Suisse.

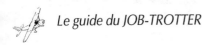 

- De 2500 francs le premier mois et 1500 francs les suivants hors d'Europe.

La région offre par ailleurs des compléments aux bourses LEONARDO.

CONDITIONS    Etre étudiant en BTS dans un établissement public, avoir un stage obligatoire à effectuer.

*Tél. : 55 45 19 00*

## • Lorraine

AIDE    Subvention régionale de 1500 francs par mois. Complément à la bourse COMETT, de 750 francs par mois (suivant étude prévisionnelle des dépenses logement et transport).

CONDITIONS    Etre étudiant en IUT ou diplômé Bac + 2 minimum en Lorraine. Etre Lorrain étudiant en dehors de la région.

*Tél. : 87 33 60 00*

## • Nord-Pas-de-Calais

AIDE    Complément à la bourse COMETT, d'un montant variable suivant la rémunération touchée dans le pays (en général 2500 francs par mois, plus frais de voyage). Bourses de voyage accordée par le rectorat.

CONDITIONS    Etre étudiant de nationalité française en fin d'études ou jeune diplômé.

*Tél. : 20 14 44 00*

## • Pays-de-Loire

AIDE    La région Pays-de-Loire développe plusieurs programmes d'aide :

1- Tope (Tickets Ouest Pour l'Europe)

2 - Tope TS : forfait de 10 000 francs.

3 - Tope "TS+" : forfait de 2500 francs pour trois mois, plus 800 francs par mois supplémentaire.

4 - Tope COMETT (complément aux bourses COMETT) : sur étude de dossier.

CONDITIONS    1 - Sur budgets prévisionnels.

2 - Etudiant de cycle court scientifique, industriel ou commerce international.

3 - Diplômé BTS en formation complémentaire (Bac +3).

4 - Budget prévisionnel présenté par l'établissement.

*Eurouest - Hôtel de la Région des Pays de Loire -1, rue de Loire - 44066 Nantes Cedex 02 - Tél. : 40 41 40 26. Téléphone du Conseil régional : 40 41 41 41.*

## • Picardie

AIDE    Complément à la bourse COMETT, de 200 à 300 francs par mois (critères sociaux pris en compte).

*Tél. : 22 97 37 37*

### • Poitou-Charentes

AIDE        Programme Post BTS : permet aux jeunes récemment diplômés d'effectuer à l'étranger un stage pratique de 6 mois (précédé, si nécessaire d'une phase linguistique de un à deux mois). La rémunération est fixée à 2000 francs net par mois pour les demandeurs d'emploi. Les frais d'hébergement et de nourriture sont pris en charge par la région Poitou-Charentes pendant le stage linguistique et par les entreprises d'accueil pendant le stage pratique.

CONDITIONS     Etre âgé de 18 à 25 ans. Etre titulaire d'un BTS obtenu dans la région (ou habiter la région) et ne pas avoir poursuivi d'études ultérieurement.

✉     *ARIJE (Association régionale pour l'insertion des jeunes en Europe) - 3 bis, rue des Ecossais - 8600 Poitiers - Tél : 49 60 28 28*

### • Provence-Côte d'Azur

AIDE        Programme "bourses export" (dans le cadre de missions d'exportation pour des sociétés).

        *Tél. : 91 57 50 57*

### • Rhônes-Alpes

AIDE        Bourse de formation à l'étranger, d'un montant de 2500 francs par mois.

CONDITIONS     Etudiant résidant dans la région ou inscrit dans un établissement depuis au moins 2 ans ou diplômé Bac + 2 minimum. La durée du stage doit être comprise entre 5 et 9 mois.

        *Tél. : 72 38 40 00*

# Les jumelages

Il peut exister des opportunités particulières dans une ville jumelée avec la vôtre. Si la plupart des villes entretiennent des relations purement culturelles avec leur partenaire étranger, certaines développent des relations économiques étroites.

Pour connaître les jumelages de votre ville ou région, interrogez votre mairie ou l'un des deux organismes suivants :

- Le Conseil des communes et des régions d'Europe, représente 2600 communes, 65 départements et 11 régions de France auprès des instances européennes.

✉ *Conseil des communes et des régions d'Europe - 30, rue d'Alsace-Lorraine - 45000 Orléans - Tél. : 38 77 83 83*

- La Fédération mondiale des cités unies et villes jumelées permet de consulter le *Répertoire officiel des relations internationales des communes du monde* (prenez rendez-vous au préalable par téléphone).

✉ *Fédération Mondiale des Cités Unies et Villes Jumelées - 22, rue d'Alsace - 92300 Levallois-Perret - Tél. : (1) 47 39 36 86*

# Trouver un stage dans l'agriculture

Le SESAME (Service des échanges et des stages agricoles dans le monde) aide les jeunes agriculteurs à effectuer un stage professionnel à l'étranger, notamment dans le cadre de leur stage de préinstallation de six mois. Il s'adresse aux personnes âgées de 18 à 30 ans (sauf exceptions), qui ont suivi un cycle d'études ou de formation en agriculture, à titre scolaire ou de formation continue. Il faut justifier d'une expérience de travail agricole d'au moins 6 mois (consécutifs ou non). Les stages proposés par le SESAME peuvent se dérouler dans l'UE, dans le cadre des programmes européens ou hors UE. Le choix est alors varié : Suisse, Scandinavie, Israël, Maghreb, Canada, Etats-Unis, Australie, Nouvelle-Zélande, Japon, Afrique du Sud, Argentine et Chili. Il existe aussi un programme "Autour du Monde" qui combine trois stages dans deux pays. Les stages sont généralement indemnisés. Le logement est en famille. Pour tous ces stages, vous devez poser votre candidature au moins 3 mois avant la date de départ souhaitée.

✉ *SESAME - 9, square Gabriel Fauré - 75017 Paris - Tél. : (1) 40 54 07 08*

# Trouver un stage dans le tourisme

Les services du tourisme français, implantés dans une trentaine de pays, sont chargés de vanter les mérites de la France aux yeux des touristes étrangers. Ils recrutent occasionnellement des stagiaires pour assurer des tâches administratives. Ceux-ci ont généralement un profil Bac+2 (BTS de tourisme ou écoles de tourisme). Vous devez adresser directement votre candidature aux bureaux à l'étranger. Pour en obtenir la liste complète, adressez-vous à Maison de la France.

✉ *Maison de la France - 8, avenue de l'Opéra - 75001 Paris - Tél. : (1) 42 96 10 23*

# Trouver un stage dans le commerce

## AIESEC

*(Association internationale pour les étudiants en sciences économiques et commerciales)*

L'AIESEC est la première association d'étudiants transfrontalière. Elle envoie chaque année près de 300 étudiants en stage dans 78 pays. Pour poser votre candidature, vous devez être étudiant en sciences économiques (Bac+3 minimum) ou en école de commerce et contacter dès la rentrée universitaire le bureau AIESEC de votre établissement (37 antennes locales en France). La sélection se fait sur entretien. D'une durée de 6 semaines à 18 mois, les stages sont rémunérés (SMIC et plus). Les frais d'inscription sont de 600 francs.

L'un des grands avantages de la formule est que vous êtes accueilli sur place par les étudiants membres de l'AIESEC locale. Outre les diverses activités souvent proposées (excursions, spectacles...), vous bénéficiez de conseils précieux concernant la vie sur place (hébergement, coût de la vie, bonnes adresses...).

☒ *AIESEC - 242, rue du Faubourg Saint-Antoine - 75012 Paris*
*Tél. : (1) 60 77 95 61*

# Les Postes d'expansion économique (PEE)

Les PEE sont des bureaux d'aide à l'exportation implantés dans plus de 100 pays sur les cinq continents. On les appelle aussi "services commerciaux de l'ambassade" (ou en anglais : "French Trade Commission"). Ils dépendent du Ministère de l'économie et des finances. Leur rôle consiste notamment à détecter les opportunités d'affaires dans un pays et à relayer l'information en France. Si les PEE accueillent de nombreux coopérants (CSNA), ils sont aussi de grands recruteurs de stagiaires. Parmi les missions proposées : réaliser une étude de marché, remettre à jour des listes d'entreprises locales... Le PEE de Mexico nous a fait savoir qu'il recherchait des étudiants parlant espagnol pour réaliser des études sectorielles (par exemple sur l'industrie de la chaussure au Mexique). La filière PEE est un très bon moyen de réaliser un stage dans un pays peu fréquenté (Bangladesh, Inde, pays d'Amérique du Sud...) ou en plein bouleversement économique (pays d'Europe de l'Est...). En revanche, les PEE d'Europe de l'Ouest ou d'Amérique du Nord sont déjà très sollicités. Votre CV risque d'être noyé dans la masse des candidatures.

Vous devez adresser votre candidature directement au PEE concerné. Les Postes recherchent des étudiants en école de commerce, parlant bien la langue des affaires du pays.

Attention, les stages ne sont pas rémunérés et tous les frais restent à votre charge (transport, nourriture, hébergement...). Il est parfois possible d'être hébergé par les coopérants du Poste.

Pour connaître les coordonnées d'un PEE en particulier, vous pouvez contacter la DREE (Direction des Relations Economiques Extérieures).

☒ *DREE - 139, rue de Bercy - 75572 Paris Cedex 12 - Tél. : (1) 40 24 81 02*

Pour vous procurer une liste complète, consultez le numéro annuel du MOCI sur les PEE, qui paraît habituellement en avril. Il coûte 120 francs. Arrangez-vous pour le consulter dans une bibliothèque. A Paris, les exemplaires du MOCI sont disponibles à la bibliothèque du Centre Georges Pompidou ou au centre de documentation du Ministère de l'économie et des finances. En province, certains centres de documentation des chambres de commerce sont également abonnés.

## Les Chambres de commerce françaises à l'étranger

Elles recrutent des stagiaires sensiblement dans les mêmes conditions que les PEE. Là encore, les chambres de commerce en Europe sont submergées de candidatures. Ne vous faites pas d'illusions. En revanche, les chambres de pays plus lointains peuvent être davantage intéressées. La chambre franco-indienne de commerce et d'industrie peut par exemple vous aider à trouver un stage dans une entreprise indienne à Bombay (voir page 393).

Pour connaître la liste des chambres de commerce françaises à l'étranger, consultez le numéro annuel du MOCI qui paraît en janvier (Carnet d'adresses export). Il est vendu 160 francs.

## Les bourses FACE (Formation au commerce extérieur)

Le Ministère du commerce extérieur, en association avec certaines régions, attribue des bourses de 15 000 francs aux étudiants ayant trouvé un stage de nature commerciale dans une entreprise à l'étranger (les filiales de sociétés françaises sont exclues). La durée doit être de 6 mois minimum et le pays non francophone.

Si vous avez trouvé une entreprise, consultez votre bureau des stages ou votre responsable de formation pour qu'il se mette en contact avec FACE. Vous ne pouvez obtenir les bourses par vous-même. En revanche, il n'y a pas vraiment de sélection et vous avez de bonnes chances de succès. Il y a environ 500 lauréats par an.

Pour savoir si votre région participe au programme FACE, adressez-vous à la Fondation nationale pour l'enseignement de la gestion des entreprises (FNEGE) :

✉ *FNEGE - 2, avenue Hoche - 75008 Paris - Tél. : (1) 44 29 93 60*

# Les stages pour les ingénieurs et les scientifiques

## IAESTE

*(également appelé Association française pour les stages techniques à l'étranger)*

L'IAESTE permet aux étudiants scientifiques (2ème année d'école d'ingénieur, licence, dernière année de DUT/BTS) d'effectuer un stage à l'étranger. L'association est implantée dans 58 pays et permet à environ 300 étudiants de partir chaque année. La formule fonctionne sur la base de la réciprocité. Pour participer, vous devez impérativement trouver une place pour un étudiant étranger dans une entreprise française. Les stages durent de 6 semaines à 18 mois et sont rémunérés au moins au SMIC. Les frais d'inscription sont de 600 francs. Les dossiers d'inscription sont à retourner en décembre au plus tard.

Sachez que les opportunités concernent en priorité l'Allemagne, l'Espagne et l'Europe du Nord. Il y a peu de possibilités sur les Etats-Unis.

✉ *IAESTE - 1, rue du Docteur Schmitt - 54000 Nancy - Tél. : 83 30 47 56*

## ORSTOM
*(Office de la recherche scientifique et technique outre-mer)*

L'ORSTOM dépend du Ministère de la recherche et du Ministère de la coopération. L'Office propose une assistance technique aux pays en développement dans les domaines de l'environnement et de l'écosystème. 1500 chercheurs (hydrologues, botanistes, biologistes, océanographes...) travaillent dans 40 pays, essentiellement dans les zones intertropicales.

L'ORSTOM recrute près de 400 stagiaires chaque année pour participer à ses différents projets dans le monde. Ces stages doivent nécessairement faire l'objet d'une convention entre l'Office et l'université. Ils concernent avant tout des étudiants en maîtrise, qui doivent réaliser un mémoire, ou en DEA.

Attention, les stages ne sont pas rémunérés et tous les frais sont à la charge de l'étudiant. Leur durée moyenne est de 6 mois. Pour postuler, vous pouvez envoyer votre CV au service des relations extérieures de l'ORSTOM.

✉ *ORSTOM - Service des relations extérieures - 213, rue Lafayette - 75010 Paris - Tél. : (1) 48 03 77 77*

# Les stages dans les organisations internationales

Ces stages sont réservés à des étudiants ayant un niveau d'études élevé. En deçà de la licence, ne vous faites aucune illusion. Interprètes diplômés, DESS, DEA, MBA, voilà les profils qui marchent. Les spécialités les plus recherchées sont le droit, les sciences politiques, la finance internationale, l'économie et l'interprétariat. La concurrence est rude. En 1995, par exemple, le Conseil économique et social (CES) de la communauté européenne a reçu près de 700 demandes pour sept postes : une responsable reconnaît elle-même que le succès tient plus à la loterie qu'au mérite.

Toutefois, vous pouvez muscler votre candidature de plusieurs manières.

- Mettez en avant votre convention de stage. Grâce à elle, l'organisme qui vous reçoit réalise de substantielles économies. Elle assure votre prise en charge par la sécurité sociale.

- Proposez la rédaction d'un mémoire sur le rôle de l'organisation où vous posez votre candidature. Votre stage vous permettrait alors d'illustrer votre travail de recherche et de confronter le fonctionnement quotidien d'un service à ses principes fondateurs. Un mémoire peut en fait créer un poste de stagiaire. Votre candidature est étudiée hors des filières traditionnelles parce que vous avez su susciter un intérêt spécifique.

- Documentez-vous sur les problèmes auxquels fait face l'organisation que vous visez. Rien ne vous interdit un minimum de recherches et quelques appels téléphoniques pour connaître la nature des gros dossiers en cours. Cette mini-enquête vous permettra de cibler votre candidature. Votre dossier correspondra ainsi aux besoins du moment.

## Comment mener votre recherche ?

Adressez-vous tout d'abord à votre bureau des stages. Vos prédécesseurs ont peut-être déjà travaillé pour des organisations internationales. S'ils ont laissé un bon souvenir, vos chances augmentent.

Hors de ce réseau de contacts, il faudra vous tourner vers l'administration.

La Direction des fonctionnaires internationaux (DFI) diffuse trois documents pouvant vous aider :

- La fiche intitulée *Les stages dans les organisations internationales* décrit les opportunités de stage dans 18 organisations internationales. C'est une bonne base de départ. Elle donne également en exemple le dossier d'inscription pour un stage aux Nations Unies.

- Le dossier d'information N° 9, *Les Communautés Européennes*, contient 18 pages consacrées aux stages dans la communauté européenne.

- La liste des organisations internationales intergouvernementales auxquelles la France contribue financièrement recense 130 organisations. Elle fournit leurs coordonnées et quelques renseignements succincts sur des stages éventuels.

Ces trois documents peuvent être demandés aux :

✉ *Services du Premier Ministre - DFI - Délégation aux fonctionnaires internationaux - 72, rue de Varenne - 75007 Paris - Tél. : (1) 42 75 73 12*

Vous pouvez aussi obtenir le dernier document auprès du :

✉ *Ministère des affaires étrangères - Sous-Direction des fonctionnaires internationaux - 1 bis, avenue de Villars - 75007 Paris - Tél. : (1) 47 83 10 10*

## L'aspect financier

Plutôt que de rémunération, il vaut mieux parler d'indemnisation ou de bourse. Leur montant varie énormément selon les postes. Les stages dans un organisme dépendant des Nations Unies sont rarement indemnisés. En revanche, un stage à l'ESO (European Southern-Hemisphere Observatory) en Bavière est rémunéré 2200 DM par mois. Il s'agit malheureusement d'une exception. La communauté européenne ainsi que la Banque Mondiale offrent des bourses.

## Les programmes de bourses

- Les bourses de recherche Schuman concernent des étudiants en droit, économie ou sciences politiques qui effectuent un stage au parlement européen. Elles s'élèvent à 47 000 francs belges par mois. La sélection est sévère : 8% de succès en 1993. Renseignez-vous et demandez un dossier de candidature au :

✉ *Parlement européen - Direction générale des études - Bourses Robert Schuman bureau 6/20 - Bâtiment Schuman - 2929 Luxembourg - Tél. : 4300-3697*

- Les bourses McNamara concernent les étudiants qui effectuent un stage à la Banque Mondiale. Ils doivent être au niveau doctoral et préparer une thèse sur des questions relatives à la privatisation ou à l'éducation des femmes. Il faut postuler avant le 31 décembre. Le montant des bourses varie entre 25 000 et 35 000 $. Elles sont particulièrement difficiles à obtenir. Pour plus de renseignements, contactez :

✉ *The Robert S. McNamara Fellowship Program - Room M 4029 - World Bank Headquarters - 1818 H Street N.W. - Washington D.C. 20433*

- Toujours pour les stages à la Banque Mondiale, il existe un programme boursier universitaire qui s'adresse à des diplômés de 3ème cycle en sciences sociales, avec une spécialité sur le développement. Les demandes sont à déposer avant le 15 février. Contactez le bureau en charge de ce programme à l'adresse de la Banque Mondiale (voir plus loin).

- Pour des renseignements sur les possibilités de bourses de recherche ou d'études à l'étranger attribuées par le gouvernement français, contactez le :

✉ *Ministère des affaires étrangères - Division de la formation des Français à l'étranger - 6, rue de Marignan - 75008 Paris - Tél. : (1) 40 66 66 99*

# Les programmes de stages dans les organisations internationales

*(liste non exhaustive)*

## • Banque Mondiale

| | |
|---|---|
| PROFIL | La plupart des étudiants ont - ou sont sur le point d'obtenir - un doctorat. Une parfaite maîtrise de l'anglais est requise. |
| STAGES | Stages liés au développement, 160 postes pour 5000 demandes. |
| INDEMNISATION | Salaire mensuel, voyage partiellement payé et possibilité d'avoir une bourse. |
| DURÉE | 4 semaines minimum. |
| LIEU | Variable. |
| CANDIDATURE | Faire la demande avant le 28 février. Pour plus de renseignements s'adresser au bureau à Paris : |

✉ *Banque Mondiale - 66, avenue d'Iéna - 75116 Paris Tél. : (1) 40 69 30 00*

*Banque Mondiale - Summer Employment Program - 1818 H Street N.W - Washington D.C. 20433 - USA - Tél. : (202) 4771 234*

## • Conseil économique et social

| | |
|---|---|
| Profil | Etre titulaire au minimum d'une licence. Pas de qualification particulière : votre profil doit être lié à une des priorités du moment de la communauté européenne. Il faut avoir moins de 30 ans. |
| STAGES | 24 stages pour plus de 1000 demandes. |

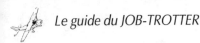

INDEMNISATION  Tous les candidats acceptés obtiennent une bourse.

DURÉE  En général 5 mois, moins si les études le demandent.

LIEU  Bruxelles.

CANDIDATURE  Il faut tomber au bon moment. Contactez le CES pour obtenir un dossier de candidature qu'il faut déposer avant le 31/3 pour les stages commençant le 16/9 et avant le 31/10 pour ceux commençant le 16/4.

✉  ***Conseil économique et social - Service du personnel - Rue de Ravenstein 2 - 1000 Bruxelles - Belgique - Tél. : (2) 519 93 97***

## • ESO (European Southern-Hemisphere Observatory)

PROFIL  Doctorat en préparation (sciences, astronomie, informatique).

STAGES  Assistants de recherche, 10 postes par an.

INDEMNISATION  2200 DM/mois.

DURÉE  1 à 2 ans.

LIEU  Garching (Allemagne) ou La Silla (Chili).

CANDIDATURE  Adressez-vous directement au ESO en Bavière.

✉  ***ESO (European Southern-Hemisphere Observatory) - Karl-Schwarzschild Strasse 2 - 85744 Garching bei München - Allemagne - Tél. : (89) 32 00 60***

## • FMI (Fonds Monétaire International)

PROFIL  Etudiants de 3ème cycle en économie.

STAGES  Etudes et recherches économiques. 30 à 40 stages pour plus de 1000 demandes par an.

INDEMNISATION  Voyage payé.

DURÉE  3 à 4 mois en été.

LIEU  Washington.

CANDIDATURE  Demandez un dossier de candidature à Washington. Vous pouvez obtenir plus de renseignements auprès du bureau à Paris :

✉  ***FMI - 66, avenue d'Iéna - 75116 Paris - Tél. : (1) 40 69 30 00 - Fonds Monétaire International - Stages, Division du recrutement - Pièce 6525 - Washington DC, 20431 - USA***

## • Parlement européen

PROFIL  Etudiant de 3ème cycle.

STAGES  Participation aux travaux du parlement européen ou interprétariat.

INDEMNISATION  Possibilité de bourse Schuman.

DURÉE  De 1 à 3 mois.

LIEU  Luxembourg.

CANDIDATURE  Les stages obligatoires ont la priorité. Adressez-vous au :

*Bureau des stages non rémunérés - Service du recrutement - Tél. :*
*4300-4514 ou -7027*

*Parlement Européen - BT Robert Schuman - Plateau du Kirchberg*
*Luxembourg - Tél. : 43 001*

Pour l'ONU, vous pouvez obtenir la fiche de candidature en écrivant à :

✉ *Coordinator of the Internship Programme - Room S-2500E - United Nations -*
*New York , NY 10017 - USA - Tél. : (212) 963 1223*

Pour les autre stages de la communauté européenne, contactez :

✉ *Commission des communautés - Secrétariat général - Bureau des stages - Rue de*
*la Loi 200 - B - 1049 Bruxelles - Belgique*

# Le service national à l'étranger

## *Partir en coopération*

Il y a actuellement près de 5000 Coopérants du service national (CSN) dans plus de 150 pays. Un très grand nombre d'entre eux travaillent dans le domaine des relations économiques : soit dans une administration française, soit dans une filiale d'une entreprise française. Mais un CSN peut aussi s'occuper des affaires culturelles dans un institut français ou travailler pour une association humanitaire. Les missions confiées sont souvent intéressantes. Damien a été CSN au Poste d'expansion économique (PEE) de Dhaka, capitale du Bangladesh :

*"Avec une maîtrise de gestion et un DEA, je savais que j'avais de bonnes chances d'obtenir un poste de CSNA. Je souhaitais partir en Asie et ça a marché. L'avantage d'une petite structure comme celle de Dhaka est que l'on vous confie très vite des responsabilités. J'étais chargé de mettre en contact importateurs bangladeshis et exportateurs français et de rédiger la lettre d'information mensuelle. J'étais également aux premières loges pour comprendre le fonctionnement des organisations internationales puisque j'assistais aux réunions de la Banque Mondiale ou du FMI. Je ne regrette pas du tout ces 16 mois passés. D'autant que pendant mes permissions, j'ai pu aller au Népal et en Thaïlande."*

A de rares exceptions près, la durée du contrat est de 16 mois : 6 mois de plus que le service national, mais sans l'uniforme. Les CSN sont quasiment tous diplômés de l'enseignement supérieur, au minimum Bac+2, en grande majorité Bac+4 ou +5.

Pour devenir CSN, vous devez d'abord demander un report d'incorporation auprès de votre bureau du service national. Faites toujours très attention aux différents délais à respecter. Il est conseillé de déposer son dossier de candidature au BCSN au moins 10 mois avant la date de départ souhaitée. Pour tous les détails en matière de report et de dates de candidature consultez le Bureau commun du service national de la coopération ou son service minitel très détaillé.

✉ *Bureau commun du service national de la coopération (BCSN) - 57, boulevard des Invalides - 75700 Paris - Tél. : (1) 47 83 01 23 - Minitel : 3615 COOP.*

Le BCSN gère et présélectionne les dossiers de candidature, puis les adresse selon les vœux des candidats aux services concernés. Nous vous conseillons de prendre contact avec les services auprès desquels vous souhaitez postuler. Le BCSN vous fournira leur adresse et leur domaine d'action. Les deux principaux sont : la DREE (Direction des relations économiques extérieures), pour les PEE et les chambres de commerce françaises à l'étranger (vous êtes CSNA) et l'ACTIM pour les filiales d'entreprises françaises à l'étranger (vous êtes CSNE).

Les CSNE représentent la majorité des postes. En théorie, votre demande est traitée par l'ACTIM. En pratique, vous êtes fortement encouragé à approcher vous même une entreprise pour qu'elle soutienne votre dossier auprès de l'ACTIM. Sachez que vous pouvez aussi effectuer un CSNE dans une Organisation non gouvernementale (ONG) humanitaire. Environ 800 CSN par an sont ainsi envoyés dans les pays du Tiers-Monde. Le contrat est alors de 2 ans (16 mois sous la responsabilité de l'Etat et 8 mois comme volontaire civil). A savoir : l'Association française des volontaires du progrès est l'une des rares associations à proposer des CSN à des Bac+2 (voir adresse page 65).

✉ *DREE - 139, rue de Bercy - 75572 Paris Cedex 12 - Tél. : (1) 40 24 94 26*
✉ *ACTIM - 14, avenue d'Eylau - 75016 Paris - Tél. : (1) 44 34 50 00*

# *Etre volontaire Globus*

Si vous n'êtes pas bardé de diplômes, mais possédez une expérience professionnelle, vous pouvez bénéficier du projet Globus de service national humanitaire, mis en œuvre par Bernard Kouchner. Cette initiative ouvre la coopération aux non-diplômés de l'enseignement supérieur. 130 volontaires Globus sont actuellement sur le terrain. Leur mission ? Former des jeunes Togolais aux techniques du cuir, construire un orphelinat à Madagascar ou instruire des apprentis forgerons au Mali. Le Globus est en général âgé de 23-24 ans et a un niveau Bac, BEP, CAP... Il part en équipe, pour une durée de 16 mois et reçoit une indemnité mensuelle de 3500 francs. Les jeunes filles peuvent postuler. Il appartient au candidat de rechercher l'ONG susceptible de l'accueillir. Pour plus d'informations, contactez le service de l'action humanitaire.

✉ *Service de l'action humanitaire - 34, rue Lapérouse - 75016 Paris - Tél. : (1) 43 17 60 91*

# DES PISTES POUR TROUVER DE L'INFO

## Les centres de conseil et de documentation

### L'ANPE Internationale

L'ANPE Internationale recueille les offres d'emploi qualifié à l'étranger. Elles proviennent d'entreprises françaises et de firmes ou d'organisations multinationales bénéficiant d'une certaine notoriété.

Les offres concernent tous les secteurs d'activité économique, mais plus particulièrement les domaines suivants : bâtiment-travaux publics-chantiers, pétrochimie-mines, électronique-automatismes-mécanique-électricité, informatique, hôtellerie-restauration, tourisme et santé.

Pour la plupart, ce ne sont pas des offres de stage. Sauf dans l'hôtellerie-restauration où sont proposés, chaque mois, une dizaine d'emplois à durée déterminée, pouvant faire office de stage de perfectionnement pour du personnel déjà qualifié.

Les offres recueillies sont communiquées par l'hebdomadaire *ANPE International*, qui peut être consulté dans toutes les ANPE locales et par le serveur 3615 ULYSSE.

#### Documentation et conseil

Outre la recherche d'offres d'emploi, l'ANPE Internationale joue un rôle important de conseil pour les candidats à l'étranger.

Pour chaque pays, l'agence dispose d'une importante base d'informations sur les modalités d'expatriation (permis de travail, etc.), les problèmes de couverture sociale, d'assurance-chômage, de fiscalité ainsi que sur l'environnement économique et les secteurs porteurs. Les conseillers de l'agence pourront vous orienter dans votre recherche et vous accorder des entretiens individuels.

#### Le réseau EURES

L'ANPE Internationale est membre d'un réseau européen : EURES. Ce réseau est

95

composé d'Euroconseillers capables d'informer et de conseiller les individuels et les entreprises sur la mobilité au sein de l'Union européenne. Ils sauront vous renseigner sur les opportunités sectorielles et régionales en Europe. Ils vous aideront aussi à adapter votre CV et votre lettre de motivation, dans le cadre d'entretiens individuels ou de sessions méthodologiques.

### Sessions d'aide à la recherche d'emploi à l'étranger

Pour les personnes motivées et disposant d'un projet professionnel à l'étranger, il est possible de participer à des groupes de travail. D'une durée de 2 jours, ils réunissent une quinzaine de participants, qui préparent leur départ (rédaction de CV, adresses utiles…) sous la houlette d'un responsable de l'emploi du pays concerné. De telles réunions ont lieu régulièrement sur la Grande-Bretagne et l'Allemagne. Renseignez-vous auprès de l'ANPE Internationale pour connaître les dates et la liste des destinations prévues.

### Les clubs de chercheurs d'emploi

Ces clubs s'adressent aux jeunes diplômés de moins de 25 ans (Bac+2 minimum), inscrits à l'ANPE en Ile-de-France et qui souhaitent trouver un premier emploi à l'étranger.

✉ *ANPE Internationale - 69, rue Pigalle - 75009 Paris - Tél. : (1) 48 78 37 82*

# L'OMI (Office des migrations internationales)

Dévoué exclusivement aux opportunités d'emploi à l'étranger, l'OMI diffuse, dans des numéros spéciaux de son périodique *Mouvements*, des offres couvrant tous les secteurs d'activité. Vous y trouverez aussi bien des postes de serveur, d'animateur touristique, de chef de chantier ou de directeur financier. Le point commun de toutes ces offres ? Elles s'adressent aux personnes ayant déjà une bonne expérience professionnelle. Ces cahiers d'offres sont disponibles dans les délégations régionales de l'OMI, dans les centres de documentation des bureaux APEC (Association pour l'emploi des cadres, voir plus loin) et sur le serveur minitel 3615 OMIX.

L'OMI développe par ailleurs un programme de stages destiné aux jeunes professionnels désireux d'accroître leur expérience en travaillant à l'étranger. Nous vous présentons ce programme dans le chapitre "Trouver un stage", page 78.

L'OMI met gratuitement à votre disposition (sur rendez-vous) les listes des entreprises françaises implantées à l'étranger, réalisées par les Postes d'expansion économique. Ces adresses sont consultables dans tous les bureaux OMI.

Pour plus d'informations, contactez les délégations de l'OMI de votre région :

PARIS ET RÉGION PARISIENNE

✉ *OMI, c/o ACIFE - 34, rue La Pérouse - 75775 Paris Cedex 16*
*Tél. : (1) 43 17 76 42*
*Pour Ile-de-France, Bretagne, Centre, Basse-Normandie, Haute-Normandie, Pays de Loire, DOM*

✉ *221, avenue Pierre Brossolette - 92120 Montrouge - Tél. : (1) 41 17 73 20*

Délégation régionale à Lyon
*Pour Auvergne, Bourgogne, Rhône-Alpes*
✉ *7, rue Quivogne - 69286 Lyon Cedex 02 - Tél. : 78 42 42 19*

Délégation régionale à Marseille
*Pour Corse, Languedoc-Roussillon et Provence-Alpes-Côte d'Azur*
✉ *16, rue Antoine Zattara - 13331 Marseille Cedex 03 - Tél. : 91 50 45 20*

Délégation régionale à Strasbourg
*Pour Alsace, Champagne-Ardenne, Franche-Comté et Lorraine*
✉ *Bureaux Europe - 20, place des Halles - 67000 Strasbourg - Tél. : 88 32 23 26*

Délégation régionale à Toulouse
*Pour Aquitaine, Limousin, Midi-Pyrénées et Poitou-Charentes*
✉ *19, chemin Lapujade - 31200 Toulouse - Tél. : 61 48 73 53*

Délégation régionale à Tourcoing
*Pour Nord-Pas de Calais et Picardie*
✉ *15, rue Ferdinand Buisson - 59200 Tourcoing - Tél. : 20 25 34 69*

# L'APEC (Association pour l'emploi des cadres)

Les services proposés par l'APEC sont accessibles aux jeunes diplômés (Bac+4 minimum) et aux personnes ayant le statut cadre. L'adhésion est gratuite. L'APEC peut vous être utile dans la recherche de stage essentiellement grâce à son centre de documentation spécialisé sur l'international. Vous pouvez y trouver les annuaires d'entreprises des chambres de commerce à l'étranger, des revues de presse, des dossiers par pays.

Il existe 32 délégations en France, mais un seul centre à vocation internationale, à Paris :

✉ *Centre de documentation international de l'APEC - 51, bd Brune - 75014 Paris Tél. : (1) 40 52 23 58*

# L'ACIFE (Accueil et information des Français à l'étranger)

Il s'agit d'un service spécialisé du Ministère des affaires étrangères chargé de l'information des Français à l'étranger. L'ACIFE dispose d'un centre d'information qui publie des fiches et des monographies par pays de 100 à 200 pages (60 francs en moyenne). Elles donnent des informations très précises sur le coût de la vie dans les pays étrangers (le fameux "panier de la ménagère" : descriptif détaillé des coûts, depuis les loyers jusqu'au kilo de poireaux), sur les régimes de protection sociale pour les salariés expatriés ou détachés et fournit une liste très complète des adresses utiles dans ces pays. En revanche, l'optique adoptée n'est pas celle d'un étudiant qui voyage ni d'un jeune qui travaille pour financer son voyage. Il est possible de consulter ces monographies sur place. Le personnel est très compétent et pleinement disposé à vous renseigner. Pour pouvoir accéder au centre, il faut présenter une pièce d'identité.

☒ *Ministère des affaires étrangères - Maison des Français à l'étranger - ACIFE - 21 bis, rue La Pérouse - 75116 Paris - Tél. : (1) 43 17 60 79 - Minitel : 3615 A1 (mot-clef : s'expatrier)*

## Les Chambres de commerce et d'industrie

La plupart des Chambres de commerce et d'industrie disposent de centres de documentation, mais leurs conditions d'accès varient. A Paris, le centre de documentation économique de la CCI n'est ouvert qu'aux demandeurs d'emploi, aux cadres d'entreprise ou aux étudiants de 3ème cycle.

Certaines CCI disposent également de "Points Europe" où vous pouvez vous renseigner sur les programmes d'échanges européens. Pour connaître les coordonnées de la CCI la plus proche de chez vous, adressez-vous à l'ACFCI à Paris :

☒ *ACFCI (Assemblée des chambres françaises de commerce et d'industrie) - 45, avenue d'Iéna - 75116 Paris - Tél. : (1) 40 69 37 35*

## Le Centre français du commerce extérieur (CFCE)

A Paris, le centre de documentation économique (CDE) vous permet de consulter des dossiers économiques, des dossiers de presse et des annuaires d'entreprises à l'étranger (listes des filiales françaises à l'étranger ou membres des chambres de commerce et d'industrie françaises). Mais son accès est limité. Les étudiants (niveau minimum Bac+2) doivent prendre rendez-vous à l'avance et payer un droit d'entrée de 45 francs pour chaque visite. En province, les documents du CFCE sont généralement en consultation dans les centres de documentation des chambres régionales de commerce et d'industrie. Renseignez-vous sur les conditions d'accès.

☒ *CFCE - 10, avenue d'Iéna - 75783 Paris Cedex 16 - Tél. : (1) 40 73 30 00 - Fax : (1) 40 73 39 79*

## Les Centres d'information jeunesse (CIJ)

Le CIDJ (Centre d'information et de documentation jeunesse), à Paris, rédige des dossiers sur des thèmes comme *Mobilité des jeunes à l'étranger* (N°8.521), *Emploi à l'étranger* (N°8.21), *Enseigner à l'étranger* (N°8.24), *Volontariat dans les pays en voie de développement* (N°8.26). Des fiches sur les pays étrangers sont également diffusées. Elles contiennent un chapitre Emploi synthétique. Ces fiches constituent une bonne base d'informations pour vos recherches ultérieures. Vous pouvez les consulter sur place, les acheter (10 francs/fiche) ou les commander par correspondance (20 francs/fiche).

Les publications du CIDJ sont disponibles dans les 31 centres régionaux et départementaux (CIJ et CRIJ), dont voici les coordonnées en métropole :

✉ *CIDJ - 101, quai Branly - 75740 Paris Cedex 15 - Tél. : (1) 44 49 12 00 - 3615 CIDJ*

## En province

✉ *CRIJ Ain-Loire-Rhône - 9, quai des Célestins - 69002 Lyon - Tél. : 72 77 00 66*

✉ *CRIJ Alpes-Vivarais - 8, rue Voltaire - 38000 Grenoble - Tél. : 76 54 70 38*

✉ *CRIJ Alsace - 7, rue des Ecrivains - 67000 Strasbourg - Tél. : 88 37 33 33*

✉ *CRIJ Aquitaine - 5, rue Duffour Dubergier - et 125, cours Alsace-Lorraine - 33000 Bordeaux - Tél. : 56 56 00 56*

✉ *CIJ Auvergne - 5, rue Saint-Genès - BP 337 - 63000 Clermont-Ferrand Tél. : 73 92 30 50*

✉ *CRIJ Basse-Normandie - 16, rue Neuve St-Jean - 14000 Caen Tél. : 31 85 73 60*

✉ *CRIJ Haute-Normandie - 84, rue Beauvoisine - 76000 Rouen Tél. : 35 98 38 75*

✉ *CRIJ Bourgogne - 22, rue Audra - 21000 Dijon - Tél. : 80 30 35 56*

✉ *CRIJ Bretagne - Maison du Champs de Mars - 6, cours des Alliés - 35043 Rennes Cedex - Tél. : 99 31 47 48*

✉ *CRIJ Centre - 3-5, boulevard de Verdun - 45000 Orléans - Tél. : 38 78 91 78*

✉ *CRIJ Champagne-Ardenne - 41, rue de Talleyrand - 51100 Reims Tél. : 26 47 46 70*

✉ *CRIJ Corse - 3, boulevard Auguste Gaudin - 20294 Bastia Cedex Tél. : 95 32 12 13*

✉ *CRIJ Côte d'Azur - 19, rue Gioffredo - 06000 Nice - Tél. : 93 80 93 93*

✉ *CRIJ Franche-Comté - 27, rue de la République - 25000 Besançon Tél. : 81 83 20 40*

✉ *CRIJ Languedoc-Roussillon - 3, avenue Charles Flahaut - 34090 Montpellier - Tél. : 67 04 36 66*

✉ *CRIJ Limousin - 27, boulevard de la Corderie - 87031 Limoges Cedex Tél. : 55 45 18 70*

✉ *CRIJ Lorraine - 20, quai Claude Le Lorrain - 54000 Nancy - Tél. : 83 37 04 46*

✉ *CRIJ Nord-Pas-de-Calais - 2, rue Nicolas Leblanc - 59000 Lille Tél. : 20 57 86 04*

✉ *CRIJ Pays de la Loire - 28, rue du Calvaire - 44002 Nantes Cedex 01 Tél. : 40 48 68 25*

✉ *CRIJ Picardie - 56, rue du Vivier - 80041 Amiens Cedex 1 - Tél. : 22 91 21 31*

✉ *CRIJ Poitou-Charentes - 64, rue Gambetta - 86004 Poitiers Cedex Tél. : 49 60 68 68*

✉ *CRIJ Provence-Alpes - 4, rue de la Visitation - 13248 Marseille Cedex 04 Tél. : 91 49 91 55*

✉ *CRIJ Midi-Pyrénées - 17, rue de Metz - 31000 Toulouse - Tél. : 61 21 20 20*

*En Ile-de-France :*

✉ *CIJ Essonne - Hall de la gare d'Evry-Courcouronnes - 91004 Evry Cedex*
*Tél. : (1) 60 78 27 27*

✉ *CIJ Seine-et-Marne - 36, avenue de la Libération - 77000 Melun*
*Tél. : (1) 64 39 60 70*

✉ *CIJ Val-d'Oise - 1, place des Arts - BP 315 - 95027 Cergy-Pontoise Cedex*
*Tél. : (1) 30 32 66 99*

✉ *CIJ Yvelines - 2, place Charost - 78000 Versailles - Tél. : (1) 39 50 22 52*

## Les bibliothèques publiques

Les bibliothèques disposent généralement d'annuaires d'entreprises à l'étranger (Kompass, Francexport...) et de magazines spécialisés sur l'export. A Paris, quelques bonnes adresses :

✉ *Bibliothèque de la Cité des sciences et de l'industrie de la Villette - 30, avenue Corentin Cariou - 75019 Paris - Tél. : (1) 40 05 70 00*

✉ *Bibliothèque du Centre Georges Pompidou - 19, rue Beaubourg - 75004 Paris - Tél. : (1) 44 78 12 33 - 3615 BPI*

✉ *Centre de documentation économie/finance - 12, place du Bâtiment du Pacifique - 75012 Paris - Tél. : (1) 40 24 99 48*

✉ *Bibliothèque de la Documentation française - 29, quai Voltaire - 75340 Paris Cédex 07 - Tél. : (1) 40 15 70 00*

A cette adresse, La Documentation française propose :

- Le CIDIC (Centre d'information et de documentation internationale contemporaine) ;

- Le CEDUCEE (Centre d'études et de documentation sur la Russie, la Chine et l'Europe de l'Est). Sur rendez-vous.

# Se créer des contacts depuis la France

## Les clubs de correspondance

Les clubs de correspondance sont un moyen en or de se faire des contacts à l'étranger. Ils vous donnent l'occasion d'avoir un carnet d'adresses international. Le moment venu, votre correspondant sera sans doute très bien placé pour vous donner des tuyaux sur la recherche de job ou de stage sur place. Le CIDJ publie une fiche intitulée *Correspondance internationale* (N°1.114), qui inclut plusieurs adresses de clubs. En voici deux :

### • Ligue d'Amitié Internationale

ACTIVITÉ       Correspondance individuelle dans tous les pays pour jeunes et adultes.

TARIFS       Droits d'adhésion annuelle pour un ou plusieurs correspondants :

                - moins de 20 ans, étudiants, province et étranger : 80 francs ;

- plus de 20 ans, Paris et région parisienne : 100 francs, 150 francs pour un couple.

*Ligue d'Amitié Internationale - c/o Mme Libot - 54, Boulevard de Vaugirard - 75015 Paris - Permanence téléphonique de 8h à 9h au : (1) 43 20 96 29 - Joindre une enveloppe timbrée au tarif en vigueur pour la réponse.*

## • Correspondance Europe

ACTIVITÉ    Correspondance individuelle pour étudiants des universités françaises avec des étudiants des pays de l'Union européenne, du Pacifique Sud et d'Amérique du Nord.

TARIFS    Cotisation de 10 francs par personne (possibilité d'avoir jusqu'à 3 correspondants). Compter 60 francs pour 3 séries de 10 adresses. Ecrire pour demander le formulaire d'inscription. Pour une réponse rapide, joindre une enveloppe non timbrée avec son adresse.

*Correspondance Europe - 14, rue Edmond Roger
75015 Paris*

## L'Association des Etats-généraux des étudiants de l'Europe (AEGEE)

Si vous êtes étudiant ou jeune professionnel, renseignez-vous sur les activités de l'AEGEE. Tout au long de l'année, cette association organise des conférences de deux ou trois jours dans les villes européennes. Des universités d'été de deux à trois semaines sont également proposées. L'intérêt de la formule : vous êtes accueilli sur place par des membres de l'antenne choisie qui se chargent de votre séjour. Vous serez donc logé et recevrez des cours de langue ou d'activités culturelles (comme la danse, la photographie…). La nourriture et les excursions sont parfois prises en charge par les antennes. Une belle occasion de nouer des contacts avec vos collègues européens. L'AEGEE est surtout active en Allemagne, en Autriche, en Hollande, et, depuis peu, en Espagne et en Italie. Elle est par ailleurs en train de s'ouvrir sur les pays de l'Est. En France, l'association cherche à se développer. L'adhésion annuelle coûte 120 francs (700 francs de participation pour les universités d'été).

✉ *Pour plus d'informations : A Paris : (1) 47 45 19 55, Grenoble : 76 44 07 90, Lille : 27 46 90 85, Montpellier : 67 15 07 56, Rennes : 99 38 95 24, Toulouse : 61 63 81 99*

## Aventure du bout du monde (ABM)

ABM est une association visant à mettre en contact les (grands) voyageurs individuels. On y rencontre des passionnés de voyage qui n'hésitent pas à faire partager leurs bons plans et leur expérience. ABM édite un magazine *Globe-Trotter*, qui sert de tribune libre aux voyageurs et organise des débats, des projections de photos ainsi que le forum des Globe-trotters, le rendez-vous annuel des fondus de terres lointaines et autres bourlingueurs fous (en novembre chaque année). Vous avez aussi la possibilité d'accéder à la Case Globe-trotters, un centre de documentation où vous trouverez guides pratiques, cartes et magazines. L'adhésion annuelle au club coûte 170 francs (adhésion et abonnement).

*ABM - 7, rue Gassendi - 75014 Paris - Tél. : (1) 43 35 08 95*

### Globetrotters Club

Si vous parlez anglais, vous pouvez également adhérer au Globetrotters Club, basé à Londres. Ce club regroupe 1000 membres répartis dans le monde entier qui se sont donné pour mission de *"s'entraider pour voyager le moins cher possible"*. Vous pourrez peut-être ainsi être hébergé par des membres. Quant à la revue du club, *Globe*, elle contient *"toutes les infos que vous ne trouverez ni dans les agences de voyage ni dans les ambassades"*. L'adhésion au club coûte en moyenne 13 £ par an (cotisation, abonnement, accès aux listes de membres).

✉ *Globetrotters Club - BCM/Roving - London WC1N 3XX*

## *Les revues utiles à consulter*

Il existe un nombre croissant de journaux contenant des offres d'emploi à l'étranger. Mais celles-ci concernent d'abord des postes de cadres ou de personnes qualifiées. N'espérez pas y trouver des annonces pour des emplois de cueilleurs de pommes ou de plongeurs. C'est encore plus vrai pour les stages. Vu la conjoncture, les entreprises ont de moins en moins besoin de diffuser leurs offres par voie de presse. Les candidatures spontanées suffisent largement.

### Le MOCI (Moniteur du commerce international)

Edité par le CFCE, le MOCI est la bible hebdomadaire des exportateurs français. Ce magazine peut vous être utile pour deux raisons :

- Les dossiers pays permettent de faire le point sur la présence des entreprises françaises à l'étranger (toujours utile au moment de rédiger une lettre de motivation).

- Chaque année, des numéros spéciaux recensent les coordonnées des Postes d'expansion économique, des chambres de commerce et d'industrie françaises et des foires et manifestations économiques à l'étranger. Vous pouvez consulter le MOCI dans la plupart des bibliothèques. A Paris, le magazine est disponible à la bibliothèque de la Villette, au Centre Georges-Pompidou ou encore au centre de documentation économie/finance du ministère du même nom (adresses citées précédemment). En province, certains centres de documentation des chambres de commerce y sont également abonnés. Sachez que le MOCI est également vendu par la librairie du CFCE.

✉ *Librairie du commerce international - 10, avenue d'Iéna - 75783 Paris Cedex 16 - Tél. : (1) 40 73 34 60*

### Rebondir

Le magazine "anti-chômage" décortique chaque mois un pays étranger, sous l'angle de la recherche d'emploi. Les dossiers sont pratiques et bien réalisés. Déjà traités : le Canada, l'Australie, les Etats-Unis, Londres, Hong Kong... Prix : 15 francs. Des guides pour les candidats à l'expatriation existent également (vendus 49 francs).

# Les annuaires d'entreprises

Les annuaires Kompass recensent les entreprises, toutes nationalités confondues, implantées dans un pays donné. Vous pouvez les consulter dans les bibliothèques municipales ou certains centres de documentation spécialisés. En région parisienne, il existe un centre de consultation Kompass.

🖃 *Centre de documentation Kompass - 66, quai du Maréchal Joffre - 92400 Courbevoie - Tél. : (1) 41 16 51 00*

L'annuaire Francexport, édité par le CFCE, recense 30 000 sociétés françaises exportatrices. Vous pouvez le consulter dans certaines bibliothèques ou au centre de documentation du CFCE.

# Les serveurs minitel

Les serveurs minitel spécialisés sur l'emploi à l'étranger naissent comme des champignons... et ne sont pas tous comestibles.

Certains serveurs multiplient les codes d'accès à leur base de données dans le seul objectif de faire revenir le client plusieurs fois et donc repayer pour la même information ! Certains serveurs proposent des annonces vieilles de plusieurs mois, d'autres multiplient les écrans inutiles (rien de plus énervant que de devoir rentrer un pseudo, puis son CV avant d'avoir accès aux coordonnées d'un employeur, qui n'est parfois qu'une agence de placement aux services payants !). D'autres encore parlent d'emploi mais sont très pauvres à l'international. Il est difficile de connaître avec précision les sources des annonces que vous voyez finalement apparaître sur votre écran : ont-elles déjà été publiées à l'étranger ? depuis combien de temps ? dans quels journaux ? Le vrai problème est de savoir combien de personnes avant vous y ont déjà eu accès. Bref, ne vous faites pas trop d'illusions quant à l'efficacité du minitel en matière de recherche de stages.

# Des livres à consulter pour les jobs

Le thème des jobs à l'étranger a donné naissance à quelques très bons guides pratiques édités par nos confrères anglo-saxons.

- *Working Holidays*, publié par le Central Bureau for Educational Visits and Exchanges, recense de nombreux organismes proposant des jobs dans le monde entier. Une part importante est consacrée aux organismes de volontariat et aux tour-opérateurs anglais (ce qui réduit un peu son utilité pour un Français).

- Plus diversifié, *Summer Jobs Abroad*, édité en Grande-Bretagne par Vacation Work, fait le plein d'adresses d'employeurs potentiels, notamment d'hôtels. Les infos pratiques sont en revanche assez peu développées.

- Le meilleur guide sur le sujet est incontestablement *Work your Way Around the World*, également édité par Vacation Work. Ce livre foisonne de conseils pratiques et de témoignages.

Ces ouvrages sont normalement disponibles dans les librairies anglophones à Paris, par exemple chez W.H. Smith (Tél. : (1) 44 77 88 99) ou Brentano's (Tél. : (1) 42 61 52 50).

# Où trouver l'info sur place ?

A l'étranger, le chercheur de jobs doit avoir l'œil alerte, l'oreille aux aguets et la langue bien pendue. "*Chercher tous azimuts*" est sa devise. De fil en aiguille, on finit toujours par tomber sur l'ami de l'ami... qui a un job sous la main.

Pour aller plus vite, il est souvent utile d'être présenté aux réseaux français locaux. En anglais, on appelle ça le *networking*. Les expatriés connaissent les pièges à éviter et ils seront peut-être prêts à vous faire partager leurs bons plans. Solidarité oblige.

- Il existe une **Fédération des centres d'accueil des Français à l'étranger**. Ces centres sont au nombre de 54 répartis dans 33 pays (dont 26 en Europe). Animés par des bénévoles expatriés, ils ont pour mission principale de renseigner les Français qui s'installent dans le pays (conseils pratiques, rencontres avec des compatriotes...). Bien sûr, les informations concernent davantage le directeur commercial qui emménage avec sa famille que le routard sans le sou qui cherche un job au noir. Mais les accueils sont de très bonnes sources d'informations sur la communauté française. Si vous sympathisez avec les responsables, vous pourrez peut-être déposer une annonce dans les locaux, ou être mis en contact avec des Français susceptibles de vous aider. La Fédération internationale des accueils français et francophones à l'étranger (FIAFE) peut vous envoyer gratuitement la liste des accueils sur simple demande.

✉ *FIAFE - 2, rue du Colonel Moll - 75017 Paris - Tél. : (1) 45 74 06 33*

- Les **consulats de France** à l'étranger jouissent rarement d'une bonne image auprès des voyageurs. A leur décharge, il faut dire qu'ils ont d'abord pour mission de fournir une représentation française aux expatriés. Leur assistance aux voyageurs se limite aux cas de perte ou vol de papiers, de démêlés avec la justice ou d'accident grave. On vous conseille malgré tout une petite visite. Vous pourrez y obtenir les coordonnées des autres représentations françaises dans le pays : Poste d'expansion économique, Alliances Françaises, instituts français, chambres de commerce... Certains consulats possèdent des panneaux où vous pourrez lire ou placer des petites annonces d'emploi ou de logement. D'autres, encore rares, disposent d'un comité emploi-formation qui saura aiguiller votre recherche. Nous indiquons leurs coordonnées et leur savoir-faire dans les chapitres pays.

Les adresses des consulats sont normalement indiquées dans les guides de voyage. L'ACIFE peut aussi vous envoyer sur demande écrite une liste des ambassades et consulats français à l'étranger, intitulée *Représentation diplomatique et consulaire.*

☒ *ACIFE - 21 bis, rue La Pérouse - 75116 Paris - Tél. : (1) 43 17 60 79*

- Le **Conseil supérieur des Français de l'étranger** (CSFE) est chargé de représenter auprès du gouvernement les intérêts des Français expatriés. Chaque communauté française à l'étranger élit ses représentants - les délégués - qui, régulièrement, siègent en métropole. Pour un Français loin de ses bases, le délégué au CSFE peut être d'un grand secours pour tout problème grave qu'il n'est pas parvenu à résoudre directement avec l'administration consulaire. Adressez-vous au consulat français et vérifiez si le CSFE est représenté dans le pays. Vous pouvez alors demander le nom et les coordonnées du ou des délégués à contacter.

- Les autres réseaux de Français sont plus informels. Les coopérants (CSNA, CSNE) en poste dans des pays peu habitués à recevoir des visiteurs peuvent vous donner des conseils, pour l'hébergement par exemple. Les guides de voyage sont aussi une bonne source pour rencontrer les Français qui ont monté un restaurant ou une guesthouse dans le pays.

En dehors de la communauté française, il existe bien d'autres lieux où glaner des informations utiles à votre quête : auberges de jeunesse, centres d'information jeunesse, associations étudiantes, services de l'emploi... Nous vous signalons la plupart de ces adresses dans les chapitres par pays. Faites aussi jouer votre flair !

# Pour les Job-trotters belges

En tant que ressortissant de l'Union européenne, vous avez normalement accès aux offres publiées dans ce guide au même titre que les Français, notamment en ce qui concerne les permis de travail. Renseignez-vous toutefois auprès de l'ambassade en Belgique du pays concerné pour savoir s'il n'existe pas des accords bilatéraux spécifiques. Nous vous fournissons ci-après quelques pistes pour étoffer votre recherche en Belgique.

## *Des centres de conseil et de documentation*

### Les centres d'information jeunesse

*Centre J*

Tous les sujets ayant trait aux jeunes peuvent y être abordés que vous soyez étudiant, sans emploi ou travailleur. Le centre possède un service job (consultation d'offres en libre accès), un service hébergement (en Belgique et à l'étranger) et un service vacances (infos pratiques sur les chantiers, séjours linguistiques, logements, transports...).

🖂 *Centre J - Banque d'informations jeunes. - Boulevard d'Avroy 5 - 4000 Liège - Tél. : (41) 23 00 00*

🖂 *Comité pour les Relations Internationales de Jeunesse de la Communauté Française de Belgique (CRIJ) - 13-17, Bd Adolphe Max - B - 1000 Bruxelles Tél. : (2) 223 1527 - Publie le guide Bouger en Europe*

🖂 *Centre National Infor Jeunes (CNIJ) - 2 impasse des Capucins - 5000 Namur - Tél. : (81) 22 08 72*

🖂 *Boutique Ener J - Cours Destrée, bd de l'Yser - 6000 Charleroi Tél. : (71) 30 57 70*

🖂 *CAIJ CID - Rue Grand Pont de Wels - Grand Place / Hôtel de Ville - 6460 Chimay - Tél. : (60) 21 37 28*

🖂 *CID Maison des Associations - Place Saint Nicolas 7 - 5500 Dinant - Tél. : (82) 22 72 28*

🖂 *Kioske - Rue de l'Eglise 14 - 1080 Bruxelles - Tél. : (2) 456 38 30*

### L'Union Francophone des Belges à l'Etranger (UFBE)

L'UFBE diffuse des informations sur les entreprises qui recrutent à l'étranger (dont bon nombre de filiales de sociétés belges).

✉ *UFBE - Avenue des Arts 19 F bte 4 - 1040 Bruxelles - Tél. : (2) 217 13 99*
*Fax : (2) 218 44 36*

## L'Office Régional Bruxellois de l'Emploi (ORBEM)

L'ORBEM participe activement au système européen Eures ayant pour principale activité la circulation et la gestion d'offres d'emploi provenant de pays de l'Union européenne. Les offres concernent rarement des étudiants ou des stagiaires. Vous y trouverez néanmoins de nombreuses informations sur l'emploi à l'étranger.

# Trouver un job

## Séjours au pair

Pour tout savoir sur le quotidien d'une jeune fille (ou jeune homme) au pair, reportez-vous au chapitre "Séjours au pair". Les agences suivantes se chargeront de vous trouver des familles d'accueil, moyennant finances.

### • Association Belgo-Américaine

ACTIVITÉS    Organise des programmes d'échanges avec les USA (séjours linguistiques...), fournit les adresses de tous les organismes d'échanges avec les USA.

 *Association Belgo-Américaine - Place Blijckaerts 13 - 1050 Bruxelles - Tél. : (2) 646 53 30*

### • British Council

ACTIVITÉS    Fournit la liste des agences au pair membres de la FRES (Federation of Recruitment and Employment Services Ltd, 36-38 Mortimer Street, W1N 7RB, London).

 *British Council - Rue Joseph II 30 - 1040 Bruxelles*
*Tél. : (2) 219 36 00*

### • Home from Home

PAYS    Angleterre, USA, Allemagne, Espagne, France.

CONDITIONS    Avoir entre 18 et 26 ans.

INSCRIPTION    7 000 FB.

 *Home from Home - Spillemanstraat 10-15 - B-2140 Antwerpen - Tél. : (3) 235 97 20*

### • People to People

ACTIVITÉS    Placement au pair de filles et garçons. Les séjours sont de 6 mois minimum pour la Grande-Bretagne.

| PAYS | Grande-Bretagne, Espagne, Italie. |
| AGE | Avoir entre 18 et 28 ans. |
| INSCRIPTION | 3000 FB (30 £ supplémentaires pour la Grande-Bretagne). |

 *People to People International in Belgium - 29 Av. Minerve Bte 27 - 1190 Bruxelles - Tél. : (2) 736 18 30*

## • Service de la jeunesse féminine

| ACTIVITÉS | Placement de jeunes filles en Angleterre, Allemagne, Autriche, Canada, Espagne, France, Grèce, Hollande, Italie, Portugal, Suisse. |

*Service de la jeunesse féminine - Rue Faider 29 - 1050 Bruxelles - Tél. : (2) 539 35 14 - Permanence téléphonique : mardi et vendredi de 9h30 à 14h*

## • Stufam au Pair ASBL

| ACTIVITÉS | Propose deux formules : au pair (35 heures/semaine) et demi-pair (24 heures/semaine). La durée est normalement de 6 mois mais un séjour de 2 à 3 mois est possible en été. |
| PAYS | Hollande, Irlande, Ecosse, Pays de Galles, France, Allemagne, Autriche, Danemark, Israël et Canada. Placement de jeunes hommes en Italie, Espagne et Suisse. |
| CONDITIONS | Avoir entre 18 et 28 ans, être célibataire. |

*Stufam au Pair ASBL - Avenue des Quatre Vents 7 - 1780 Wemmel Tél. : (2) 460 33 95*

## • Windrose

| ACTIVITÉS | Placement (12 mois) de jeunes filles belges ou européennes de 18 à 25 ans dans différents pays de l'Union européenne et aux USA. |

*Windrose - Avenue P. Dejaer 21A - 1060 Bruxelles Tél. : (2) 534 71 91*

## • Youth for Understanding (YFU)

| ACTIVITÉS | Séjours au pair aux Pays-Bas. |

*Youth for Understanding (YFU) - Avenue des Anciens Combattants 19 - 5060 Sambreville - Tél. : (71) 77 44 82*

## • YFU Au pair / Homestay USA

| ACTIVITÉS | Propose des séjours au pair aux Etats-Unis. |
| Condition | Avoir entre 18 et 26 ans, une bonne expérience des enfants, le permis de conduire, être non fumeur. |

*YFU Au Pair/ Homestay USA - 32 rue Saint Thomas - 4000 Liège - Tél. : (41) 23 76 68*

# Animation (séjours multisports, camps de vacances)

Pour des postes d'animateurs à l'étranger, vous pouvez contacter les associations suivantes :

✉ *Jeunesse et Santé - Rue de la Loi, 121 - 1040 Bruxelles - Tél. : (2) 237 49 81*

✉ *Jeunesse et Santé-Brabant Wallon - Bld des Archers, 54 - 1400 Nivelles*
*Tél. : (67) 21 79 43*

✉ *Jeunesse et Santé-Mons - Rue des Canonniers, 3 - 7000 Mons*
*Tél. : (65) 34 09 01*

✉ *UCPA (Union des Centres en Plein Air) - Rue Marché aux Herbes, 82 - 1000*
*Bruxelles - Tél. : (2) 511 97 83*

✉ *Vacances Vivantes - Chée de Vleurgat, 113 - 1050 Bruxelles - Tél. : (2) 648 81 09*

# Volontariat et bénévolat

Comme en France, les postes de volontaires en ONG (Organisation non gouvernementale) sont réservés aux personnes qualifiées, possédant généralement
une expérience professionnelle. Les ONG sont réunies au sein d'une fédération,
Intercodev, où vous pouvez obtenir des informations.

✉ *Intercodev - Quai de commerce 9 - 1000 Bruxelles - Tél. : (2) 218 47 27*

Des renseignements sont également disponibles auprès de l'ITECO :

✉ *ITECO-centre d'information et de documentation - Rue du Boulet - 1000*
*Bruxelles - Tél. : (2) 511 48 70*

Les organismes de chantier sont plus accessibles aux jeunes. Ils proposent des
missions dans le monde entier. N'oubliez pas que vous devez toujours prendre
en charge le transport.

## • Association for Social and Medical Action and Education

ACTIVITÉS    Education des jeunes au développement à travers des programmes
de sensibilisation, d'actions et d'engagement, collaboration à des
projets en Egypte, à Djibouti, en Roumanie, avec des partenaires
locaux.

CONDITIONS    Etre âgé de 18 à 35 ans, s'inscrire au moins six mois à l'avance. Les
frais de participation sont de 35 000 FB pour les camps en Egypte et
55 000 FB pour Djibouti.

✉    *ASMAE - Rue Neerveld, 49/3 - 1200 Woluwe-St-Lambert*
*Tél. : (2) 771 95 12*

## • Chantiers Jeunes pour le développement

ACTIVITÉS    Chantiers à vocation sociale, construction et rénovation de
bâtiments.

DESTINATIONS    Afrique, Amérique latine, Asie.

CONDITIONS    Etre âgé de 18 ans au moins. Chaque participant doit trouver un
sponsor pour une somme de 25 000 FB et payer 45 000 FB couvrant
les frais de voyage, d'hébergement et de transport local.

✉    *Chantiers Jeunes - Rue Bosquet, 73 - 1060 St-Gilles*
*Tél. : (2) 537 48 82 ou 537 56 04*

### • Carrefour Chantiers

ACTIVITÉS — Rénovation de bâtiments d'utilité publique, protection de l'environnement, travail social.

DESTINATIONS — Europe de l'Est, Europe occidentale, Orient, Moyen-Orient, Afrique, Cuba, Etats-Unis, Canada, Groenland, Japon, Indonésie, Thaïlande.

CONDITIONS — Avoir entre 18 et 30 ans. Les frais sont de 1000 FB de cotisation et 1700 à 3000 FB de frais d'inscription selon la destination.

*Carrefour Chantiers - Boulevard de l'Empereur 25 - 1000 Bruxelles Tél. : (2) 502 60 42*

### • Service Civil International

ACTIVITÉS — Il s'agit de réaliser un travail de type social, tout en échangeant ses spécificités culturelles et en pratiquant une langue étrangère.

DESTINATIONS — Plus de 600 chantiers sont organisés dans près de 50 pays.

CONDITIONS — Etre âgé de 18 ans minimum (21 ans pour les chantiers en Croatie, en Afrique, au Moyen-Orient, en Amérique latine et en Asie).

FRAIS — De 2000 à 4500 FB selon les destinations.

*Service Civil International - Rue Van Elewyck, 35 - 1050 Bruxelles - Tél. : (2) 649 07 38*

# Trouver un stage

## Les programmes d'échanges européens

- La Communauté européenne développe des programmes destinés à favoriser la mobilité des jeunes en Europe. Parmi ceux-ci, le programme Leonardo inclut une aide à la recherche de stages intra-Europe, notamment pour les jeunes professionnels et les étudiants en sciences.

Pour plus d'informations :

✉ *Léonardo - Cellule F. S. E, World Trade Center, Tour 1- 4ème étage - Boulevard Emile Jacqmain 162 - Bte 16 - 1210 Bruxelles - Tél. : (2) 207 75 16*

- Le Programme Jeunesse pour l'Europe appelé aussi "YES pour l'Europe" (Youth Exchange Scheme) s'adresse pour sa part à tous les jeunes européens de 15 à 25 ans. Il vise à développer les échanges entre jeunes de la communauté et peut soutenir des projets allant dans ce sens.

✉ *Agence pour la promotion des activités internationales de jeunesse - Boulevard Adolphe Max13-17 - 1000 Bruxelles - Tél. : (2) 219 09 06*

- Par ailleurs, la Région Wallonne participe au programme **Eurodyssée** conçu dans le cadre de l'Assemblée des régions d'Europe. Le programme permet aux jeunes de 18 à 26 ans d'acquérir une première expérience d'insertion professionnelle par un stage de trois à six mois dans une entreprise étrangère.

✉ *Direction générale des relations extérieures du Ministère de la région Wallonne -*

*Division des relations internationales - Avenue des Arts 13-14 - 1040 Bruxelles - Tél. : (2) 211 55 11*

## CIPOS-IAESTE

*(association internationale d'échanges d'étudiants pour fin d'expérience technique)*

L'IAESTE permet aux étudiants-ingénieurs finissant leur quatrième année d'études d'acquérir une expérience de travail pratique dans leur domaine de spécialisation.

Les candidats intéressés doivent déposer une candidature auprès de leur école ou université.

✉ *CIPOS-IAESTE - Rue de la Concorde, 53 - 1050 Bruxelles- Tél. : (2) 511 85 79*

# Pour les Job-trotters suisses

La Suisse n'appartenant pas à l'Union européenne, les conditions d'accès aux différentes offres de ce guide peuvent différer, notamment en matière de permis de travail. Renseignez-vous auprès de l'ambassade du pays concerné en Suisse.

Nous vous indiquons ci-dessous quelques adresses qui vous aideront dans vos recherches.

## *Les centres de conseil et de documentation*

### L'OFIAMT (Office Fédéral des Industries des Arts et Métiers et du Travail)

L'OFIAMT dépend du département de l'économie publique. Il cherche à faciliter la mobilité des jeunes Suisses vers l'étranger.

- Il distribue gratuitement des brochures contenant des renseignements pratiques sur les pays où vous souhaitez séjourner ou faire un stage de formation.

- Il publie un bulletin mensuel sur les possibilités de travail à l'étranger.

- Il a créé une commission, en relation avec 21 Etats, favorisant l'échange de stagiaires ayant achevé leur formation et souhaitant travailler dans leur branche d'activité.

✉ *Section émigration et stagiaires de l'OFIAMT (pour les brochures) ou Commission suisse pour l'échange de stagiaires avec l'étranger - Monbijoustr. 43 - 3003 Berne - Tél. : (31) 322 29 07 ou 88*

## Intermundo

Ce réseau d'échanges de jeunes propre à la Suisse publie un fascicule gratuit avec les adresses de toutes les organisations suisses ou ayant un correspondant en Suisse qui envoient des jeunes à l'étranger. Ces organisations proposent de nombreux jobs et stages à l'étranger : travail au pair, volontariat et bénévolat, travaux agricoles, animation de camps de vacances...

✉ *Intermundo - Schwarztorstr. 69 - 3007 Berne - Tél : (31) 382 32 31*

# Trouver un job

## Les séjours au pair

Pour tout savoir sur le quotidien d'une jeune fille (ou jeune homme) au pair, reportez-vous au chapitre "Séjours au pair". Les agences suivantes se chargeront de vous trouver des familles d'accueil, moyennant finances.

### • AJF (Amies de la jeune fille)

PAYS          Suisse, Europe occidentale, Canada.

AGE           Avoir entre 16 et 27 ans.

CONDITIONS    Etre motivé par un développement personnel et linguistique.

DURÉE         6 mois minimum.

✉ *AJF - Placement à l'étranger - Rue du Simplon 2 - 1006 Lausanne - Tél. : (21) 616 26 45*

### • Au Pair Care

PAYS          USA.

AGE           Plus de 18 ans.

DURÉE         12 mois.

✉ *Au Pair Care - Av. de la Gare 11 - Case postale 110 - CH-1709 Fribourg - Tél. : (37) 24 06 00*

### • EF Foundation/Au Pair

PAYS          USA.

AGE           Avoir entre 18 et 25 ans.

✉ *EF Foundation/Au pair - Rue du Midi 18 - 1003 Lausanne Tél. : (21) 323 51 65*

### • The Experiment in International Living

PAYS          USA.

AGE           Avoir entre 18 et 25 ans.

CONDITIONS    Formation professionnelle ou école secondaire supérieure terminée, notions d'anglais, permis de conduire, expérience avec des enfants.

DURÉE         12 mois.

INSCRIPTION   3 mois avant le départ, départs chaque mois.

*The Experiment in International Living - Chemin du Reposoir 7 - 1007 Lausanne - Tél. : (21) 617 03 44*

### • Pro Filia

PAYS          Suisse, Angleterre, Irlande, Italie, Espagne, Belgique, Norvège, Pays-Bas.

CONDITIONS    Notions linguistiques.

DURÉE         Au moins 6 mois.

INSCRIPTION   1 à 3 mois avant le départ.

*Pro Filia - Bureau de placement - Avenue de Rumine 32 - 1105 Lausanne - Tél. : (21) 323 77 66*

# Bénévolat

Les organismes suivants accueillent des bénévoles pour participer à des chantiers ou des missions caritatives à l'étranger. Des frais de participation, plus ou moins importants selon les programmes et les destinations, vous seront demandés.

### • ICYE

ACTIVITÉS     Engagement social pour des durées entre 6 mois et un an.

PROFIL        Avoir entre 19 et 30 ans. Etre fortement motivé par la découverte de cultures étrangères.

PAYS          Environ 30 pays sur tous les continents.

*ICYE - Case postale, Belpstrasse 69 - 3000 Berne 14 Tél : (31) 371 77 80*

### • Service Civil International (SCI)

ACTIVITÉS     Participation à un travail d'utilité publique, dans le domaine social ou de l'environnement.

PROFIL        Avoir au minimum 18 ans.

PAYS          Suisse, Europe occidentale et orientale, USA, Afrique du Nord.

DURÉE         2 à 4 semaines.

*SCI - Gerberngasse 21 a - 3000 Bern 13 Tél. : (31) 311 77 27*

### • Service œcuménique de jeunesse en Suisse

ACTIVITÉS    Participation à la protection de l'environnement ou à la rénovation de bâtiments.

PROFIL    Avoir au minimum 18 ans.

PAYS    Allemagne, Italie, Angleterre, Irlande du Nord.

DURÉE    2 semaines à 1 an.

✉ *Service œcuménique de jeunesse en Suisse - Ruelle de la Scierie 2 - 1700 Fribourg - Tél. : (37) 24 66 56*

### • CH-CEI

ACTIVITÉS    Organisation de rencontres avec des jeunes de la Communauté des états de l'ex-URSS dans les domaines culturels et sportifs.

PROFIL    Avoir entre 16 et 30 ans.

PAYS    Pays de la Communauté des états indépendants, et particulièrement les pays baltes, l'Ukraine et la Russie.

DURÉE    Entre 2 mois et une année.

✉ *Echanges de jeunes CH-CEI - Bieregghofstrasse 1 - 6005 Luzern - Tél. : (41) 340 96 63*

## *Pour en savoir plus...*

Le **Forum "Ecole pour un seul monde"** a pour objet de développer chez les étudiants et adolescents une vue mondiale. Le Forum publie une brochure contenant les principales adresses d'organismes chargés de missions humanitaires (d'Amnesty International jusqu'à WWF).

✉ *Forum "Ecole pour un seul monde" - Coordination pour la Suisse romande - Chemin vert 52 - 20502 Bienne - Tél : (32) 41 28 21*

# Séjour dans un kibboutz

Il existe en Suisse un certain nombre d'agences qui organisent des séjours dans les kibboutzim. Les personnes intéressées peuvent s'adresser au :

✉ *Bureau officiel israélien des transports - Lintheschergasse 12 - 8021 Zurich Tél. : (1) 211 23 44*

# L'agriculture

### • Agroimpuls

ACTIVITÉS    Stages pratiques à l'étranger pour agriculteurs, paysans et jardiniers.

PROFIL    Avoir entre 18 et 30 ans, avoir terminé sa formation ou posséder trois ans de pratique dans l'agriculture ou l'horticulture.

PAYS    Europe, Canada, Etats-Unis, Australie, Nouvelle-Zélande et Japon.

✉ *Agroimpuls - c/o Association suisse des paysans - Laurstrasse 15 - 5200 Brugg - Tél : (56) 32 51 44*

### • ECE (Experience Cultural Exchange)

ACTIVITÉS  Plantation, récolte, transport et vente sur les marchés de produits de la ferme.

PROFIL  Une expérience professionnelle n'est pas indispensable. Il est néanmoins recommandé d'avoir au moins 21 ans.

PAYS  USA.

*ECE - Zweierstrasse 35 - P.O. Box 8267 - CH-8036 Zurich*
*Tél. : (1) 241 62 61*

### • IFYE

ACTIVITÉS  Participation à des travaux agricoles dans une ferme.

PROFIL  Avoir au minimum 20 ans. Intérêt pour les cultures étrangères, flexibilité, désir de s'engager.

PAYS  Australie, Costa Rica, Danemark, Angleterre, Estonie, Finlande, Pays-Bas, Norvège, Pologne, Ecosse, Suède, Etats-Unis et Pays de Galles.

DURÉE  Europe jusqu'à 3 mois, Outre-mer : 5-6 mois, Etats-Unis : 3-12 mois.

*IFYE - Christa Anliker - Bündeweg 3*
*3312 Fraubrunnen*

## Moniteur et animateur de camps de vacances

### • International Summer Camp

ACTIVITÉS  Animation dans des camps de vacances pour enfants américains.

PROFIL  Avoir entre 20 et 28 ans. Bonnes notions d'anglais et expérience dans le monitorat.

PAYS  Etats-Unis.

DURÉE  Deux mois, suivis d'une tournée dans des familles des Etats-Unis.

DIVERS  International Summer Camp propose également :

    - des stages de 2 à 12 semaines pour les jeunes de plus de 21 ans. Domaines d'activité : agences de voyages, cliniques, entreprises commerciales, compagnies d'Import-Export.

    - des postes d'aide ménagère dans des familles américaines d'une durée de 3 à 6 mois pour des jeunes filles de 18 à 25 ans.

*International Summer Camp - Case postale 61 - 3000 Berne 23 -*
*Tél. : (31) 371 81*

# *Les revues et journaux à consulter*

- *L'Europe, un manuel* (coédité par le Ministère français de la jeunesse et des sports, la Fondation du Roi Baudoin, l'Instituto de la Juventud, l'Instituto Portugues da Juventude et le European Bureau Lamont House). Outre des informations institutionnelles, économiques et juridiques sur les pays de la zone européenne, ce manuel contient de nombreuses adresses et références quant aux possibilités de travail et de logement à l'étranger.

Pour se le procurer, écrire ou téléphoner au :

✉ *Ministère de la jeunesse et des sports - Direction de la Jeunesse et de la vie associative - 78, rue Olivier de Serres - F-75739 Paris - France - Tél. : (1) 40 45 91 63*

- La revue *Emploi à l'étranger,* publiée par l'OFIAMT, fournit chaque mois des données générales sur les possibilités de travail dans le monde ainsi que des annonces d'employeurs. Elle est gratuite.

- *Hôtel + Tourismus revue,* édité par la Société suisse des hôteliers, est l'hebdomadaire de référence pour l'hôtellerie, la gastronomie, le tourisme et les loisirs. Il est publié en version bilingue français/allemand. A consulter pour les nombreuses offres d'emploi proposées à la fin (plus de 200 par numéro). Cette revue est disponible en kiosque et par abonnement. Parution tous les jeudis. Tél. : (31) 370 42 22

# LA GRANDE-BRETAGNE

La Grande-Bretagne a la cote. Chaque année, plusieurs dizaines de milliers de Français traversent la Manche en quête de jobs ou de stages. Si vous désirez vous aussi en faire partie, rien de plus simple. Londres est à 45 minutes d'avion de Paris et vous pouvez décider d'y travailler du jour au lendemain.

A condition de laisser derrière vous tout rêve de fortune. Le chômage n'épargne guère les travailleurs anglais et la concurrence pour les petits boulots est rude. De plus, la vie à Londres, qui concentre la plupart des opportunités, est chère. En revanche, le gros avantage de la Grande-Bretagne, c'est qu'on y parle... anglais. Après trois mois dans un pub londonien, vous aurez sérieusement dépoussiéré votre anglais scolaire et commencerez à manier l'argot avec un naturel déconcertant. Finis les complexes vis-à-vis des voisins germaniques ou scandinaves. De plus, hors de nos frontières, maîtriser l'anglais vaut tous les diplômes du monde. Enfin, soyez persuadé d'une chose : les Anglais sont loin d'être aussi francophobes qu'on ne le pense. Au contraire, le *french accent*, paraît-il si charmant, vous ouvrira bien des portes.

**Pour les taux de change, voir P.12**

# Des organismes pour vous aider

Avant de partir bille en tête pour la Grande-Bretagne, n'hésitez pas à rendre visite à un certain nombre d'organismes en France qui pourront faciliter vos recherches une fois sur place.

## La Maison de la Grande-Bretagne

Elle dispose d'un choix très important de brochures, dépliants et cartes gratuits. Elle diffuse en particulier un magazine très bien réalisé, intitulé *First Stop Britain*. Vous y trouverez une foule d'informations sur les formules d'héberge-ment économique, les études en Angleterre et les pistes pour trouver des jobs.

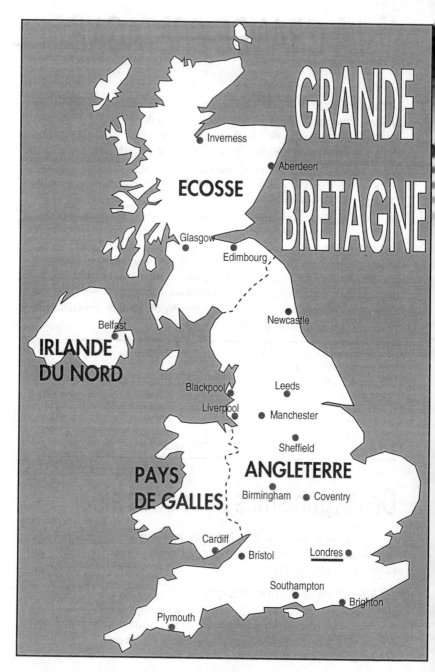

✉ *Maison de la Grande-Bretagne - 19, rue des Mathurins - 75009 Paris - Tél. : (1) 44 51 56 20 - Fax : (1) 44 51 56 21 - 3615 BRITISH*

## Le Centre d'information et de documentation jeunesse

Le CIDJ publie une fiche sur la Grande-Bretagne (n°8.616). Elle traite des formalités administratives, des transports, de l'hébergement, des études, etc. Cette fiche peut être consultée sur place ou achetée (10 francs ou 20 francs par correspondance). Pour connaître la liste des CIJ en France, reportez-vous page 98.

✉ *CIDJ - 101, quai Branly - 75740 Paris cedex 15 - Tél. : (1) 44 49 12 00*
*3615 CIDJ*

## Le British Council

Le British Council est l'organisme anglais chargé de promouvoir la coopération culturelle, scientifique et technique entre la Grande-Bretagne et les autres pays. Il met à votre disposition des fiches d'informations sur les emplois et les stages étudiants, les séjours au pair, les postes d'enseignants dans les établissements britanniques ou encore les études supérieures en Grande-Bretagne. Il dispose également d'annuaires recensant les entreprises anglaises en Grande-Bretagne.

Pour accéder au centre de documentation, il faut acheter une carte de consultation qui coûte 25 francs à la journée ou souscrire un abonnement annuel de 230 francs, permettant d'emprunter les ouvrages. Le centre est ouvert du lundi au vendredi de 11h à 18h, le mercredi jusqu'à 19h.

✉ *The British Council - 9/11, rue de Constantine - 75007 Paris*
*Tél. : (1) 49 55 73 00 - 3615 GBRETAGNE*

## L'ANPE-Service international

La branche internationale de l'ANPE organise des sessions d'aide à la recherche d'emploi en Grande-Bretagne, ainsi que des clubs de chercheurs d'emploi pour les jeunes diplômés.

Pour savoir comment y participer, reportez-vous page 95.

✉ *ANPE-Service international - 69, rue Pigalle - 75009 Paris*
*Tél. : (1) 48 78 37 82*

# Les joies de l'administration

## Permis de travail

Les ressortissants de la CE ont seulement besoin d'une carte d'identité ou d'un passeport en cours de validité pour séjourner et travailler en Grande-Bretagne.

# Salaires et impôts

Il n'existe pas de SMIC en Grande-Bretagne. Les salaires sont normalement perçus toutes les semaines ou toutes les deux semaines. Les montants mentionnés dans les annonces correspondent souvent à des rémunérations hebdomadaires. Essayez toujours d'obtenir un contrat écrit de votre employeur. Dans la restauration, les embauches se font souvent sur la base d'un accord verbal. Si votre paye est inférieure à ce qui vous a été promis, vous n'avez guère de recours possible.

Le système des impôts et cotisations en Angleterre diffère du système français. L'impôt sur le revenu et les cotisations sociales sont déduits directement sur votre bulletin de salaire, selon le système du PAYE (*Pay As You Earn*). Votre salaire se trouve ainsi amputé d'environ 25%.

Lorsque vous trouvez un emploi, vous devez effectuer vous-même les démarches pour obtenir un numéro de sécurité sociale, auprès du *department of social security* de votre *council* (l'équivalent d'un arrondissement à Paris). Vous devez apporter une pièce d'identité et une lettre de votre employeur. Le délai est d'environ 8 semaines. En attendant, on vous attribue un numéro de sécurité sociale dit "d'urgence" et la déduction sur votre salaire est de 5% supplémentaire. Dès que vous obtenez votre numéro, il est possible de vous faire rembourser les 5% déduits en trop auprès du *tax office* (bureau des impôts) le plus proche de votre domicile (adresse dans un bureau de poste ou dans l'annuaire, à la rubrique *inland revenue*).

Vous pouvez parfois être dispensé de payer des impôts si vous effectuez un boulot saisonnier ou un stage de courte durée. Trois cas d'exonération sont possibles :

- Vos revenus à la fin de l'année fiscale (d'avril à avril) ne dépassent pas 3445 £.

- Vous effectuez un stage rémunéré dans le cadre d'un organisme d'échanges, l'IAESTE par exemple, ou d'un programme européen.

- Vous avez le statut d'étudiant britannique (demandez alors à votre employeur de remplir le formulaire P38 qui exonère de toute taxe les étudiants travaillant pendant leurs vacances universitaires).

Si des impôts ont été déduits abusivement de votre salaire, vous pouvez demander un *tax rebate* (remboursement de trop-perçu par l'Etat) auprès du *tax office* compétent. Si vous quittez la Grande-Bretagne avant d'avoir obtenu le remboursement, une tierce personne peut effectuer les démarches pour vous.

# Santé

Les soins sont gratuits en Grande-Bretagne, à condition de s'adresser à un établissement (hôpital ou cabinet médical) du National Health Service (santé publique). Vous trouverez leurs adresses dans les pages jaunes ou les bureaux de poste. Le formulaire E111 est par conséquent inutile. Important : dès que vous avez une adresse fixe, vous devez vous faire enregistrer auprès de votre médecin de quartier avant même la première consultation (apportez simplement un certificat de résidence). Si vous avez le malheur d'être malade, sans avoir été enregistré, le médecin acceptera de vous soigner, mais à titre privé... Et là, gare à la note (30 £ en moyenne) !

Le dispensaire français, à Londres, permet de consulter des médecins bénévoles parlant français. Les frais d'adhésion sont de 3 £. Attention, le dispensaire est assez sollicité : vous risquez de devoir attendre pour obtenir un rendez-vous. En cas d'urgence, allez à l'hôpital le plus proche.

✉ *Dispensaire français - 6 Osnaburgh Street - Londres NW1 3DH*
*Tél. : (171) 387 5132*

# Ouvrir un compte en banque

Les agences des banques françaises n'ouvrent pas facilement un compte à des Français effectuant des jobs ou des stages. Elles exigent en général un apport initial d'au moins 5000 francs.

Les banques anglaises font heureusement preuve de plus de souplesse, même si elles demandent de plus en plus des *referees* (lettres de garantie de l'employeur). Tentez votre chance auprès de la Barclay's, de la Lloyd's, de la National Westminster Bank (Natwest pour les intimes) ou de la Midland. Ne vous laissez pas décourager par une réponse négative. Deux agences d'une même banque peuvent avoir des politiques différentes. De toute manière, sans contrat de travail ou feuille de salaire à présenter, vous n'aurez accès ni à un chéquier ni à une carte de crédit. Seule une carte bancaire (*debit card*) vous sera délivrée. Elle vous permettra de retirer du liquide dans la limite, bien sûr, des fonds disponibles sur votre compte.

# Allocations

Il est relativement facile en Angleterre d'obtenir le *income support*, l'équivalent de notre RMI. Il suffit pour cela d'être sans emploi ou de travailler moins de 16 heures par semaine. Les sommes allouées sont fonction de l'âge du demandeur : 34,8 £/semaine pour les personnes âgées de 18 à 24 ans, 44 £/semaine pour les plus de 25 ans.

L'avantage du *income support*, c'est qu'il permet d'obtenir une autre aide, le *housing benefit*, ou allocation logement. Avant de pouvoir en bénéficier, vous devrez normalement attendre que votre logement subisse une inspection. Si les inspecteurs estiment que votre habitation n'a rien de luxueux par rapport à vos moyens, votre loyer sera pris en charge, en partie ou intégralement, par l'Etat.

Il est possible bien sûr d'abuser d'un tel système. Certaines personnes travaillent au noir et cumulent les aides gouvernementales. C'est un petit jeu peu moral et risqué. D'une part la personne employée au noir ne dispose d'aucun recours face à son employeur, d'autre part les autorités britanniques sont de plus en plus vigilantes quant aux fraudes possibles. Si vous vous faites prendre, vous aurez le choix entre une amende ou l'expulsion immédiate.

Pour plus d'informations, vous pouvez contacter le *department of social security*, les *job centres* (équivalents de nos ANPE) ou le *citizens' advice bureau* de votre *council* (adresses dans l'annuaire).

Pour toutes les questions d'ordre administratif, n'hésitez pas à vous rendre au Consulat général de France à Londres.

✉ *Consulat général de France - 21 Cromwell Road - London, SW7 2EN - Tél. : (171) 838 2000 - Demandez le service social ou le conseiller emploi-formation*

A noter également que la Chambre de commerce française de Grande-Bretagne publie un ouvrage intitulé *Vade-mecum des Français résidant au Royaume-Uni* qui fait le point sur tous les aspects administratifs de la vie en Grande-Bretagne. Prix de vente : 60 francs.

✉ *Chambre de commerce française de Grande-Bretagne - 197 Knightsbridge - London SW7 1RB - Tél. : (171) 304 40 40*

# Trouver un logement à Londres

La vie dans la capitale britannique est chère. Dès votre arrivée vous devrez consacrer votre énergie à rechercher un logement à la fois économique et proche de votre lieu de travail, car les transports en commun eux aussi sont onéreux. A titre d'exemple, si vous habitez dans le grand Londres, en banlieue (zone 4), une carte de transport vous coûtera environ 250 francs par semaine.

La solution la plus économique consiste à partager un appartement avec d'autres *roommates*. Cette formule est heureusement très courante à Londres.

Prévoyez en moyenne un loyer de 40 à 70 £ par semaine en fonction du quartier et de la façon dont l'appartement est aménagé (taille de la chambre, nombre de colocataires, machine à laver...). Si vous ne vous joignez pas à un appartement déjà occupé et auquel il manque un locataire, évitez de tomber dans LE piège du *flatshare* : rassembler plusieurs amis français pour partager un logement. Vos progrès en anglais risqueraient d'en souffrir.

## Dans la jungle des petites annonces

Pour trouver une chambre à louer, en appartement ou en maison, il existe un magazine incontournable, *Loot*. Ce quotidien imprimé sur papier de couleur, recense du lundi au samedi des centaines d'offres de logement pour petits budgets. Consultez les rubriques *flatshare & houseshare, student accommodation, shortlets* ou *bedsits & rooms*. Frédéric, 24 ans, a ainsi trouvé rapidement un logement.

*"Je suis arrivé à Londres avec ma voiture. Après les deux premières nuits passées sur la banquette arrière, j'ai commencé à éplucher les offres de Loot et à passer des coups de fil. Le problème : au téléphone, il est très difficile de capter les noms de rue en anglais et à chaque fois, je ne parvenais pas à localiser sur le plan la rue que l'on m'avait indiquée. J'ai donc dû procéder autrement et arrêter les personnes qui passaient à proximité de ma cabine téléphonique pour qu'elles notent l'adresse à ma place. Ça a marché. J'ai finalement trouvé une chambre dans une maison que je partage avec 5 autres co-locataires, principalement des étudiants. Ça me revient à 45 £ par semaine. "*

Un conseil. Téléphonez tôt le matin car les annonces de *Loot* sont très consultées.

On trouve également de nombreuses annonces dans *Time Out*, le magazine de la vie culturelle à Londres. A titre d'exemple, voici une annonce typique extraite de ses colonnes :

*"N15, Room available in small house, garden, near shops, tube, share with almost ex-smoker. No tories. 081-239 55 66. £45 incl. bills, excl. phone."*

(N15 : arrondissement, No tories : sensibilité politique, les tories sont le surnom des conservateurs, £45 : loyer hebdomadaire, incl. bills : charges comprises)

La Grande-Bretagne est très active en ce qui concerne le droit des minorités. *Capital Gay* est un des journaux de la communauté homosexuelle de Londres. Il paraît tous les jeudis et publie de nombreuses adresses de logement. Dans la presse grand public également, vous trouverez des annonces où les habitudes sexuelles des colocataires sont clairement indiquées.

Enfin, vous pouvez jeter un œil à *The Evening Standard*, LE quotidien londonien. Il publie 5 éditions par jour entre 11h et 17h. Procurez-vous celle de 11h, pour avoir quelques chances d'appeler parmi les premiers. Les annonces logement sont particulièrement fournies le mercredi.

## *Solutions de dépannage...*

Pour vos premières nuits, vous devrez vraisemblablement poser vos bagages dans un hôtel. Nous vous livrons quelques pistes :

- Comme toujours, les **auberges de jeunesse** offrent une solution économique. On en dénombre sept à Londres. N'oubliez pas d'acheter la carte internationale des auberges de jeunesse. Vous pouvez vous la procurer en France, auprès de la FUAJ (voir page 414), en Angleterre auprès de la Youth Hostel Association (YHA) ou directement dans les auberges.

✉ *Youth Hostel Association - Treveylan House - 8 St Stephen's Hill - St-Albans - Herts AL1 2DY - Tél. : (72) 785 5215*

- D'autres adresses de logements fréquentés par des étudiants peuvent vous dépanner sur le court terme :

✉ *International Student House - 229 Great Portland Street - London W1 - Tél : (171) 631 3223 - Métro : Great Portland Street*

*Tarifs : 23,40 £ par nuit en chambre simple ; 19,75 £ par personne et par nuit en chambre double ; 12,35 £ par personne et par nuit en dortoir. A noter que la International Student House possède son propre bar, un restaurant, un spectacle comique tous les vendredis et des listes d'autres hôtels bon marchés.*

✉ *London Friendship Centre - 3 Creswick Road - London W3 - Tél : (181) 992 0221 - Métro : West Acton*

*Tarifs : 13 £ par nuit en chambre simple ; 12,25 £ par personne et par nuit en chambre double ; entre 10,50 £ et 13 £ par personne et par nuit en dortoir ; petit déjeuner compris.*

Mais il est possible de trouver encore moins cher… à condition de faire des concessions sur le confort et la propreté.

Le magazine gratuit *TNT* (*The News and Travel International*), édité par la communauté australo-néo-zélandaise de Londres (plus communément appelée *aussie-kiwi*), contient beaucoup d'adresses d'hôtels bon marché, à partir de 5 £ la nuit. Evidemment, pour ce prix là, ne vous attendez pas à une chambre coquette aux draps fraîchement repassés. Vous trouverez *TNT* dans des présentoirs rouges disposés sur les artères les plus fréquentées de Londres, à Piccadilly par exemple, ou aux sorties de métro.

A titre d'information, l'un des hôtels les moins chers de Londres est le Tonbridge Karaté Club qui propose des chambres à 3 £ la nuit (en dortoirs).

✉ *Tonbridge Karaté Club - 120 Cromer Street - King's Cross WC1 Tél. : (171) 837 44 06*

Une autre solution économique consiste à dormir sous tente. Tent City arrange des campements (450 lits au total) dans l'ouest de Londres, de juin à début septembre. La nuitée revient à 5 £.

✉ *Tent City - Old Oak Common Lane - East Acton W3 7DP - Tél. : (181) 749 9074 ou 743 5708 (seulement l'été)*

Enfin, pour les personnes complètement fauchées, il reste la solution du squat. Vous serez peut-être surpris d'apprendre qu'il existe en Grande-Bretagne des associations tout à fait honorables de squatters, qui vous fourniront des adresses d'appartements ou de maisons où vous pouvez vous installer… sans l'aval de leurs propriétaires ! Attendez-vous bien sûr à être expulsé mais la législation anglaise demeure assez floue. La procédure peut prendre plusieurs mois. Pour plus d'informations, vous pouvez contacter à Londres l'Advisory Service for Squatters (ASS).

✉ *Advisory Service for Squatters - 2 St Pauls Road - London N1 2QN - Tél. : (171) 359 8814 - (Passez un coup de fil avant de vous y rendre)*

Si vous êtes vraiment coincé, vous pouvez vous rendre au Picadilly Advice Centre (PAC), qui diffuse de nombreuses adresses d'hébergement bon marché ou même gratuit (de type Armée du Salut…). Une mise en garde toutefois : ce centre a pour vocation d'aider les cas sociaux (sans-abri, chômeurs, immigrés sans ressource...). Les jeunes touristes français qui s'y rendent dans le seul but d'économiser quelques pounds risquent de s'y sentir un peu mal à l'aise.

Le Piccadilly Advice Centre est ouvert tous les jours de 14h à 18h et de 19h à 21h. En dehors de ces horaires, vous pouvez demander conseil par téléphone au (171) 434 2522.

✉ *Piccadilly Advice Centre - 100 Shaftesbury Avenue - Londres W1V 7DH - Tél. : (71) 434 3773*

# Trouver un job

La Grande-Bretagne n'est pas épargnée par la crise de l'emploi qui secoue l'Europe. Résultat : des chômeurs de longue durée se mettent à postuler à des emplois saisonniers traditionnellement occupés par les étudiants. De plus, un nombre croissant d'Européens de l'Est viennent tenter leur chance au Royaume-Uni, pensant sans doute y trouver une situation meilleure que chez eux.

Ceci dit, s'il est moins facile qu'auparavant de trouver des jobs, les opportunités restent nombreuses. Plusieurs milliers de Français dénichent chaque année des emplois de courte durée en Grande-Bretagne. Mais ne débarquez pas à Londres avec une poignée de francs en poche, en croyant dur comme fer que vous allez trouver un boulot intéressant et bien payé dans la journée : la désillusion serait brutale. Dans un premier temps, soyez prêt à accepter des jobs peu qualifiés et par conséquent peu payés. Votre niveau d'anglais est un élément déterminant. Une personne qui baragouine quelques mots peut trouver un job, mais les postes proposés auront systématiquement pour thème la plonge ou le balai... Même pour travailler dans un fast-food une maîtrise minimale de l'anglais vous sera demandée.

Les principales opportunités se situent dans le domaine de la restauration et de l'hôtellerie. Londres est l'étape obligée. Hôtels, pubs, boulangeries et restaurants français, fast-foods et autres pizzerias abondent dans la capitale. Les jobs sont relativement faciles à décrocher, même pour une personne ne possédant pas de réelle expérience professionnelle.

Les autres secteurs qui ont régulièrement recours à une main d'œuvre temporaire sont le tourisme (stations balnéaires de la côte sud, camps de vacances, festivals...), l'agriculture (cueillette de pommes, de houblon...), la vente au détail, les travaux domestiques (séjours au pair...), le secrétariat et l'enseignement. Vous avez également la possibilité de travailler en tant que bénévole pour le compte d'associations. L'absence de salaire sera alors largement compensée par l'intérêt des tâches que l'on vous confiera et vous serez la plupart du temps logé et nourri.

L'avantage d'un job, c'est sa souplesse. Vous pouvez prospecter en faisant du porte-à-porte, tomber sur un patron qui détecte en vous l'employé providentiel et bosser dans la demi-heure qui suit. Si le job ne vous plaît pas, vous pouvez rendre votre tablier tout aussi rapidement. Revers de la médaille, vous êtes très vulnérable vis-à-vis de votre employeur. Les exemples de Français qui ont eu le sentiment de se faire exploiter sont hélas courants. Avant de prendre un engagement, soyez sûr de connaître les réponses aux questions suivantes :

- Quand êtes-vous payé ? Tous les jours, à la fin de chaque semaine ?

- Comment est calculé votre salaire ? A l'heure, au rendement ?

- Comment êtes-vous payé ? En cash, par chèque, par virement bancaire ?

- Quels sont les horaires de travail ? En Angleterre, il n'y a pas d'obligation légale concernant le nombre d'heures de travail hebdomadaire. La norme se situe entre 35 et 39 heures par semaine (sauf dans la restauration où les horaires sont plus extensibles).

- Combien sont payées les heures supplémentaires ? Dans la restauration, les heures sup ne sont pas toujours payées. Les grandes chaînes ont coutume de majorer les salaires de 50%.

- Quels sont les avantages liés au job ? Repas ou logement fournis, prise en charge du transport pour se rendre sur le lieu de travail, du taxi le soir lorsqu'il n'y a plus de transports en commun ?

# Les organismes de jobs "clés en main"

Ayant bien senti l'angoisse de certains d'entre vous à franchir la Manche sans bouée, un certain nombre d'organismes proposent d'effectuer pour vous la recherche d'un job. Pratique, direz-vous. Sans doute, mais si vous optez pour ce service, il faudra le payer.

Pour notre part, nous pensons qu'il est un peu dommage d'avoir à rémunérer un organisme pour se retrouver derrière la caisse d'un restaurant ou vendeur dans une boutique de souvenirs. Autant de boulots assez faciles à obtenir par soi-même. En outre, l'un des intérêts d'un job à l'étranger ne réside-t-il pas dans la débrouillardise qu'il faut mettre en œuvre pour le dénicher ?

Quoiqu'il en soit, si vous préférez malgré tout avoir un job en poche lorsque vous arrivez en Grande-Bretagne, nous vous indiquons ci-dessous quelques organismes pouvant vous aider.

## • Vacances Jeunes

SERVICES     Vacances Jeunes propose aux étudiants des jobs de vente en boutiques et dans des restaurants à Londres et dans sa banlieue. La durée des jobs est de 2 mois minimum. La rémunération oscille entre 105 et 140 £/semaine (plus éventuellement les pourboires pour les jobs dans la restauration), pour 35 heures de travail hebdomadaire. Les frais d'inscription s'élèvent à environ 1800 francs. (Note : le transport reste à votre charge).

PROFIL     Un niveau correct d'anglais est exigé (testé lors d'un entretien).

     ***Vacances Jeunes - 88, rue de Miromesnil - 75008 Paris***
***Tél. : (1) 42 89 39 39***

**A savoir** : Vacances Jeunes fonctionne avec l'organisme anglais EWEP (European Work Experience Programme). EWEP est en fait représenté en France par un certain nombre d'agences (au pair et séjours linguistiques) : il revient presque toujours moins cher de s'adresser directement au bureau londonien. On évite ainsi les commissions (alias "frais de dossier") que les intermédiaires peuvent prendre au passage.

## • EWEP (European work experience programme)

SERVICES     Emploi et logement. Les jobs se déroulent dans l'hôtellerie et la restauration. Près de la moitié des jobs proposés par EWEP ont pour cadre les aéroports d'Heathrow et de Gatwick. Les hébergements sont par conséquent proches des aéroports... et assez éloignés du centre de Londres (environ une heure en train ou métro). Les logements sont soit en appartement partagé, soit en famille. Loyer : 45 £ par semaine, charges comprises. Vous disposez en général d'une télévision et d'une machine à laver. EWEP a récemment augmenté le nombre de ses emplois et de ses logements au centre de Londres. Horaires de travail envisageables : 8 heures par jour, 5 jours sur 7. Il faut parfois commencer très tôt le matin. Vous ne pouvez pas toujours obtenir des temps pleins. Salaires envisageables : pour 35 heures de travail par semaine, minimum 105 £ brut et maximum 140 £ brut. Vous pouvez espérer entre 5 et 10 £ de pourboires par jour. Les salaires sont payés une fois chaque semaine ou deux fois par mois par virement sur votre compte anglais.

ANCIENNETÉ     4 ans.

PROFIL     Age de préférence compris entre18 et 25 ans. Etre prêt à travailler en Grande-Bretagne pour au moins 2 mois. Bonne connaissance de l'anglais (niveau bac minimum). Etre ressortissant de la Communauté européenne.

PRIX     Au total 206 £, soit environ 1800 francs. A l'inscription, vous payez 26 £ (227 francs) non-remboursables ; à l'arrivée, vous réglez la différence, soit 180 £. Attention : il faudra aussi faire un chèque de caution de 3000 francs (non-encaissé) au cas où vous occasionneriez des dégâts dans votre logement.

     ***EWEP - Unity 9 - Red Lion Court - Alexander Road - Hounslow -***
***Middlesex TW3 1JS - Tél. : (181) 572 29 93***

## • Aigles

SERVICES     Aigles propose des jobs en hôtellerie pour les personnes avec ou sans expérience professionnelle, mais motivées par ce secteur. Aigles présente ces postes comme des "stages en hôtel" : ce sont des stages si votre métier ou vos études concernent l'hôtellerie. Sinon, il s'agit bien de "jobs". (Les stages en entreprise proposés par Aigles sont traités dans le chapitre stage). Un niveau correct d'anglais est exigé. Les jobs se déroulent essentiellement dans des hôtels situés en bord de mer ou à la campagne, en Angleterre, en Ecosse ou au Pays de Galles. Ils sont d'une durée de 6 semaines minimum. Les candidats sont logés (souvent en chambre de bonne), nourris et perçoivent une indemnité (de 40 à 90 £/semaine pour les plus expérimentés). Frais d'inscription : 2550 francs (si inscription plus de 4 mois avant le départ) ou 3350 francs (si inscription de 2 à 4 mois avant le départ).

 **_4bis, rue de Staël - 75015 Paris_**
**_Tél. : (1) 40 56 99 45_**

## • **Euro Agency**

SERVICES Euro Agency propose un service logement et un service emploi. Tarifs du service emploi : 24 £ de frais de dossier payable à votre inscription en France ; 67 £ d'adhésion payable à l'arrivée à Londres. En fait, il s'agit officiellement d'une prestation de conseil (fiscalité, aide linguistique, informations sur la protection sociale…) et non de recherche d'emploi. Demander une rétribution pour fournir des offres d'emploi n'est pas légal en Grande-Bretagne. Vous pouvez donc fort bien consulter Euro Agency pour trouver un job, sans être obligé de payer cette somme. Mais l'agence précise bien sûr que les "adhérents" se voient offrir les offres d'emploi en priorité…

Les jobs proposés sont ceux habituellement offerts dans les secteurs de l'hôtellerie, de la restauration et de la vente (plongeur, cuisinier, serveur, commis de salle, barman…).

Tarifs du service logement : 50 £ pour réserver la chambre ; 40 £ de frais d'agence ; 150 £ pour deux semaines de loyer et une semaine de caution (le loyer est en général de 50 £ par semaine ; normalement 2 personnes par chambre mais possibilité d'avoir une chambre individuelle pour 65 à 75 £ par semaine).

PROFIL Avoir entre 18 et 30 ans et être ressortissant de la Communauté européenne. La durée minimale du séjour doit être d'un mois. Les mineurs sont admis à condition qu'ils aient une autorisation parentale et qu'ils atteignent leur majorité dans l'année.

 **_Euro Agency - 53/54, Haymarket - Piccadilly - London SW1Y4RP -_**
**_Tél. : (171) 930 0321 ou (171) 925 0177._**

## *Prudence, prudence…*

A la lumière des témoignages de Job-trotters qui ont eu recours à des organismes de jobs, force est de constater que le meilleur côtoie le pire. En fait, ce type de services est surtout adapté aux jeunes sans expérience et à l'anglais balbutiant. Contre un simple chèque, on vous livre un emploi et un logement sur un plateau. De nombreux Job-trotters apprécient cette sécurité. Mais là où le bât blesse, c'est lorsque le job et le gîte ne correspondent pas à vos attentes. Et sur ce point, vous n'avez jamais aucune garantie. Le consulat de France à Londres recueille ainsi régulièrement des plaintes de jeunes qui ont eu le sentiment de se faire berner. D'autres en revanche sont très satisfaits des prestations offertes. Bref, il n'y a pas de règle. Seuls quelques conseils de bon sens permettent de limiter les risques :

- Essayez de vous inscrire avant juin pour l'été. En juillet-août, les services sont débordés et les offres de jobs très limitées.

- Faites-vous bien préciser les conditions pour changer d'emploi ou de logement.

- Etudiez bien les modalités de remboursement en cas d'échec.

Si vous avez le moindre problème avec une agence - citée ou non dans ce guide -, n'hésitez pas à contacter le consulat français à Londres. Particulièrement sensibilisé à ce sujet, il vous prêtera une oreille attentive.

# Les organismes qui facilitent vos recherches sur place

La recherche d'un job en Grande-Bretagne, à Londres principalement, est facilitée par l'existence de nombreuses sources d'informations.

## Les jobs centres

Le Ministère du travail britannique gère un réseau d'agences communément appelées *jobs centres*. Disséminés dans tout le Royaume-Uni, ces centres sont les équivalents de nos ANPE. La plupart diffusent des offres de jobs temporaires. Certains sont également spécialisés dans des secteurs comme l'hôtellerie et le tourisme. Vous y serez normalement reçu comme n'importe quel citoyen britannique, pour peu que votre anglais soit correct. En général, le personnel est aimable et compétent. Denis, 22 ans, témoigne :

*"Je me suis rendu dans le job centre sur Denmark Street, à Londres, spécialisé dans l'hôtellerie et la restauration. Des annonces y étaient affichées. J'ai noté la référence d'une offre qui m'intéressait puis me suis présenté à l'un des employés du centre. C'était un jeune et il a commencé par me dire "vous êtes français, vous ne parlez pas anglais couramment, allez donc plutôt voir du côté des restaurants français de Londres". Une autre employée, plus âgée, m'a fait signe de venir la voir. Après avoir pris connaissance de l'offre que j'avais sélectionnée, elle m'a informé sur le nombre de personnes qui avaient déjà consulté l'annonce, le salaire et les coordonnées de l'employeur. Elle m'a même proposé de le contacter pour moi. J'ai finalement obtenu un rendez-vous et ai décroché le job : plongeur/commis de cuisine à l'Université de Londres."*

Pour trouver l'adresse du *job centre* le plus proche de chez vous, regardez dans l'annuaire à la rubrique *job centre* ou *employment department*. Voici quelques *jobs centres* proposant régulièrement des offres d'emplois temporaires à Londres (les deux premiers cités concernent plus particulièrement la restauration) :

✉ *1 Denmark Street - WC2H 8LP - Tél. : (171) 497 2047*

✉ *35 Mortimer Street - W1 - Tél. : (171) 323 9190*

✉ *195 Wardour Street - W1V 4AQ - Tél. : (171) 439 4541*

✉ *119 Victoria Street - SW1E 6RA - Tél. : (171) 828 9321*

✉ *25-27 Watney Street, off Commercial Road - E1 2PP - Tél. : (171) 790 9033*

✉ *292-294 Kilburn High Road - NW6 2DB - Tél. : (171) 328 6543*

Le *job centre* de Denmark street est particulièrement accueillant. Les offres d'emploi concernent en priorité des cuisiniers (22% des demandes), puis des barmen et des serveurs. Tous les 3 mois, l'agence organise des *jobfairs*, sorte de grand raout entre employeurs et futurs employés.

## Les agences de travail temporaire

Il y a presque autant d'agences de travail temporaire (*temp agency*) que de pubs à Londres. Leur rendre visite est sans doute une bonne idée, mais sachez qu'elles exigent de plus en plus du personnel qualifié. Vous y trouverez essentiellement des jobs de secrétariat, mais aussi de manutention et des emplois dans le tourisme et l'hôtellerie. Les principales *temp agencies* sont Manpower, Alfred Marks et Brook Street Bureau. Ecco est également présent à Londres mais ne reçoit que les candidatures de Français qualifiés. Un conseil : n'hésitez pas à vous inscrire dans plusieurs agences pour multiplier vos chances de décrocher un job. La législation anglaise interdit de réclamer des frais d'inscription.

Le plus simple si vous êtes à Londres, c'est de vous promener le long d'Oxford Street. C'est là que se trouve la plus forte concentration d'agences de tout le Royaume-Uni. Vous pouvez également regarder dans les pages jaunes à la rubrique *employment agency* ou *personnel consultants*. Enfin, si vous souhaitez contacter ces agences depuis la France, adressez-vous à la Federation of Recruitment and Employment Services qui peut vous envoyer une liste de toutes ses agences membres (contre 3 £ par mandat postal).

✉ *Federation of Recruitment and Employment Services - 36/38 Mortimer Street - London W1 - Tél. : (171) 323 4300*

## Le Centre Charles-Péguy de Londres

Au moins ici, vous serez peu en concurrence avec des Job-trotters d'autres nationalités. Le Centre Charles-Péguy s'occupe prioritairement des jeunes Français. Fondé en 1957, le centre est aujourd'hui le point de passage obligé de tout chercheur de job qui se respecte. Mais attention. Il ne s'agit pas d'une mini-ANPE. Comme l'indique la brochure qui cherche à prévenir toute déception :

*"Nous ne sommes pas une agence de recrutement, au pair ou immobilière. C'est pourquoi nous ne garantissons aucun résultat. Mais nous mettons à votre*

*disposition des moyens pour réussir."*

Charles-Péguy endosse donc le rôle d'un centre d'information et de conseil, qui s'engage sur les moyens, pas sur les résultats. Le centre est accessible aux personnes âgées entre 18 et 30 ans. L'adhésion coûte 40 £ par an et n'est remboursable sous aucun prétexte. Il vous en coûte aussi 5 £ par mois. Conclusion : lorsque vous arrivez, utilisez à fond tout ce que le centre propose, à savoir :

- de la documentation sur tous les aspects de la vie quotidienne à Londres (santé, études, culture...) ;

- des brochure sur les différents services sociaux britanniques ;

- des journaux quotidiens avec annonces d'emploi et de logement ;

- des annuaires d'entreprises (dont les listes d'entreprises de la Chambre de commerce franco-britannique) ;

- un accès aux ordinateurs Macintosh pour concevoir vos CV et rédiger vos lettres.

- un accès à la photocopieuse (5 pences par photocopie) ;

- un accès au fax pour l'envoi de candidature (50 pences par page sur la Grande-Bretagne).

Et puis, bien sûr, des offres d'emploi, accessibles uniquement aux membres. Une soixantaine d'offres sont ainsi affichées en permanence, représentant un total de 1000 à 1200 postes par an. Ils concernent à plus de 60% la restauration (serveur, plongeur...), puis viennent les travaux administratifs, le secrétariat et l'enseignement du français. Des postes de commerciaux peuvent également être proposés aux personnes qualifiées (étudiants d'école de commerce). Parmi les autres offres affichées, on trouve des places de dentiste, de coiffeur, de boucher, de vendeuse, de jeune fille au pair...

Signalons également que Charles-Péguy dispose d'une cafétéria très conviviale. Les plats sont bon marché. Les jeunes artistes peuvent y exposer leurs œuvres (en espérant la visite d'un acheteur providentiel). Et les flâneurs y récolteront plein de tuyaux sur les jobs... et sur tout ce qui bouge à Londres.

✉ *Centre Charles-Péguy - 16 Leicester Square - London WC2 - Tél. : (171) 437 8339*

# Un petit tour chez les Kiwis

Si les Français ont leur propre lieu de ralliement, les Néo-Zélandais ne sont pas en reste. Juste derrière la New Zealand House, se trouve le bureau d'accueil des magazines *New Zealand News UK* et *Overseas*. Vous pouvez y consulter une cinquantaine d'offres d'emploi affichées sur les murs. Elles concernent en premier lieu des postes de serveur, de barman, de jeune fille au pair, de cuisinier et de coursier. Des boulots de manutention peuvent parfois aussi être proposés.

✉ *25 Royal Opera Arcade - Haymarket - London SW1*

## Les careers services

Londres dispose d'une série de centres de formation spécialisés pour les jeunes ; certains dépendent des universités mais la plupart sont accessibles à tous. Il s'agit des *careers services*, sorte de bureaux d'information et d'orientation. Vous pouvez bénéficier du centre de votre quartier (à Londres, on dit *borough*, plus ou moins l'équivalent d'un arrondissement). Pour avoir son adresse, consultez les pages jaunes de l'annuaire, mot clef *careers services*. Leurs prestations sont gratuites. Chaque centre dispose en général d'une importante documentation sectorielle, de conseillers avec lesquels vous pouvez prendre rendez-vous et d'annonces de recrutement. Sachez tout de même que leur mission première est de trouver un véritable emploi (ou une formation) à leurs visiteurs : ils pensent donc plus à long terme qu'un simple job d'été.

Un organisme coordonne et centralise les informations de tous les *careers services* de Londres, le LCCU (London Central Careers Unit). Vous ne pouvez vous y rendre qu'après avoir pris rendez-vous avec votre bureau local et si celui-ci ne peut répondre à vos demandes. Le LCCU dispose d'une très bonne documentation sectorielle sur l'emploi à Londres ; ses conseillers sont aussi spécialisés par secteur. Enfin, le LCCU peut vous donner quelques détails sur des entreprises avec lesquelles il entretient des contacts réguliers.

⌗ *LCCU, London Central Careers Unit - 3/6 Alfred Place - London WC1E 7EB - Tél. : (171) 631 00 77 - (A ne contacter qu'après être passé par votre careers service local)*

## Divers

Consultez aussi les petites annonces affichées chez les marchands de journaux (*newsagents*). Des panneaux sont installés dans les librairies françaises de Londres. Deux bonnes adresses dans South-Kensington, le quartier français de Londres :

⌗ *The French Bookshop - Bute Street, SW7*
⌗ *La Page - Harrington Gardens, SW7*

# *La presse et les ouvrages à consulter*

Les journaux anglais sont particulièrement dynamiques en matière de petites annonces. Plus de la moitié des offres d'emploi en Grande-Bretagne sont diffusées par voie de presse.

A Londres, l'*Evening Standard* est un must. Il contient une multitude d'annonces, regroupées par thèmes selon les jours. Le mardi pour la restauration et le tourisme, le mercredi pour les emplois dans le bâtiment et le secrétariat, le jeudi pour les postes dans le marketing et la vente. Le lundi et le vendredi, les annonces concernent indifféremment tous les secteurs.

Le quotidien *Loot*, mine d'infos pour l'hébergement, est aussi très précieux pour les jobs. Les annonces concernent tous types de boulots, des plus classiques (secrétariat, coursiers, hôtels, vente, travaux domestiques...) aux plus originaux (danseur exotique, jongleur à cinq balles, professeur d'arts martiaux...).

Tirons à nouveau notre coup de chapeau à la communauté aussie-kiwie de Londres qui édite plusieurs magazines gratuits, destinés à leurs ressortissants, mais qui peuvent s'avérer utiles.

Nous vous avons déjà parlé de *TNT* dans la partie sur l'hébergement à Londres. Ce magazine hebdomadaire regorge d'annonces de jobs non qualifiés : serveur, vendeur, au pair, personnel de bureau...

Dans la lignée, épluchez également les offres de l'hebdomadaire gratuit *New Zealand News UK*. On y trouve les postes habituels de serveur, cuisinier, aide aux travaux domestiques... mais aussi des annonces pour des conducteurs de tracteurs, des chauffeurs poids lourds, des mécaniciens, des manutentionnaires, des jardiniers, des bouchers, etc. *New Zealand News UK* est diffusé dans une centaine de points à Londres : agences de voyage, pubs, stations de métro (Leicester, Victoria, Charing Cross...).

Le *Southern Cross*, édité par des expatriés australiens, est un autre gratuit disponible dans les stations de métro contenant des offres de jobs (surtout au pair, barmen, chauffeurs).

D'autres journaux gratuits existent. Citons en particulier *Girl about Town* pour les jobs de secrétariat, ainsi que *Nine to Five* et *Ms London*. Ces journaux sont tous distribués aux sorties des stations de métro du centre ville.

Enfin, deux ouvrages en anglais vous fourniront de nombreuses adresses d'employeurs à contacter : *Working Holidays*, du Central Bureau for Educational and Exchanges Visits et *Summer Jobs in Britain*, édité par Vacation Work. Vous les trouverez normalement dans les librairies anglo-saxonnes. A Paris :

- ✉ *W.H. Smith - 248, rue de Rivoli - 75001 Paris - Tél. : (1) 44 77 88 99*
- ✉ *Brentano's - 37, avenue de l'Opéra - 75002 Paris - Tél. : (1) 42 61 52 50*

# Les secteurs qui embauchent

## *Hôtellerie et restauration, alimentaire mon cher Watson...*

C'est dans ce secteur que les jobs sont les plus faciles à décrocher, surtout pour des personnes sans grande expérience. Revers de la médaille : les salaires y sont faibles, le turn-over élevé et certains employeurs ne font pas grand cas d'une main-d'œuvre pléthorique et bon marché.

## Les hôtels

Les hôtels ont des besoins extrêmement variés : réceptionniste, aide-cuisine (*kitchen porter*), femme de ménage, portier, serveur, commis de salle, cuisinier... Il y en a pour tous les goûts. Les boulots de portier et d'aide cuisine peuvent être occupés par des personnes peu ou pas expérimentées. Les emplois nécessitant un contact avec le public, réceptionniste par exemple, ne sont accessibles qu'à des candidats parlant très bien anglais.

Il n'existe plus de salaire horaire minimal pour les employés de plus de 21 ans. La rémunération se fait donc à la discrétion de l'employeur. En moyenne, il faut compter pour ces jobs entre 90 et 150 £ par semaine. Le déjeuner est souvent offert. Le salaire doit être minoré si le logement est fourni. C'est rarement le cas à Londres mais fréquent dans les villes de moindre importance.

Il existe des hôtels susceptibles de vous embaucher dans tout le Royaume-Uni. Mais c'est à Londres et dans les stations balnéaires de la côte sud (Brighton, Eastbourne, Ile de Wight, Bornemouth, stations de la English Riviera...) que vos recherches ont le plus de chances d'aboutir. N'hésitez pas à entamer vos démarches en début d'année pour la saison estivale, en envoyant un CV accompagné d'une photo.

Il serait extrêmement long de dresser ici la liste de tous les hôtels embauchant de la main-d'œuvre temporaire.

Une première piste consiste à contacter les grandes chaînes d'hôtels (Hilton UK, Sheraton... dont vous pouvez trouver les coordonnées dans les pages jaunes). Elles offrent des emplois toute l'année et leurs effectifs se renouvellent très rapidement. Mais ces hôtels ont tendance à privilégier le personnel expérimenté.

✉ *Hilton UK - PO Box 137 - Clarenden Road - WD1 1JA - Watford - Tél. : (192) 3246 464*

✉ *Hilton International - International Ct - Rhodes Wy - WD2 4YW - Watford - Tél. : (192) 3231 333*

✉ *Sheraton - 20 Chesham Place - Londres SW1X 8HQ - Tél. : (171) 235 6040*

Les établissements accueillant des touristes, et notamment des touristes français, sont également des cibles privilégiées. Procurez-vous les listes d'hôtels remises par la Maison de la Grande-Bretagne ou, sur place, par le British Travel Centre à Londres ou les Offices du tourisme locaux (Tourist Information Centres).

Frédéric, titulaire d'un CAP de cuisine, s'est décidé à envoyer quelques CV à des hôtels de luxe relevés dans une brochure touristique :

*"Peu après, j'ai reçu un formulaire de candidature de la part du High Park Hotel, puis un entretien au téléphone a suivi. Comme mon niveau d'anglais n'était pas bon, j'ai été pris comme aide-cuisine. Une fois sur place, l'hôtel m'a*

*pris entièrement en charge. Je touchais un minimum de 1200 francs par mois, logé, nourri. Après 6 mois, j'ai décidé de partir car la direction refusait de m'engager comme serveur. J'ai alors pu trouver une place d'homme de ménage dans un autre hôtel cinq étoiles de la capitale, le Forum hotel."*

Une autre possibilité consiste à contacter les auberges de jeunesse (*youth hostels*). Celles-ci ont régulièrement recours à du personnel pour assurer la réception, faire la cuisine ou remplir des tâches domestiques. Ces jobs sont proposés d'avril à octobre. La Maison de la Grande-Bretagne à Paris diffuse une brochure intitulée *Hébergement économique en Angleterre, Pays de Galles, Ecosse et Irlande* qui contient les adresses de toutes les auberges de jeunesse. Vous pouvez aussi contacter la Youth Hostel Association à Londres (cf. chapitre trouver un logement).

Nous vous indiquons ci-dessous quelques établissements et chaînes d'hôtels qui ont régulièrement recours à des employés saisonniers.

## • The Bristol Marriott Hotel

ACTIVITÉ        Hôtel appartenant au groupe Marriott.

JOBS            Serveurs(ses) dans le restaurant de l'hôtel, barmen et barmaid. L'hôtel recrute environ 25 personnes par an, pour un nombre de candidatures 10 fois supérieur. Les recrutements ont lieu toute l'année. La durée de travail est de 39 heures par semaine. Vous êtes rémunéré environ 125 £ par semaine. Les repas sont offerts mais pas le logement (comptez environ 40 £ par semaine). Certains frais de transport peuvent être pris en charge. Une formation est assurée par l'hôtel.

PROFIL          Avoir plus de 18 ans. Les candidats avec expérience seront privilégiés. Bon anglais de rigueur.

CANDIDATURE     Envoyez CV et lettre de motivation.

*The Bristol Marriott Hotel - 2, Lower castle Street - Old market - Bristol BS1 3AD - Tél. : (1272) 294281 - Fax : (01272) 225838 - Contact : Jayne Setherton*

## • Caledonian Hotel

ACTIVITÉ        L'un des hôtels chics d'Edimbourg.

JOBS            Serveurs(ses), barmen/barmaid, femmes et hommes de ménage. 35 personnes sont embauchées chaque année. Les jobs durent d'avril à septembre. La rémunération est comprise entre 3 £ et 3,2 £ de l'heure, pour 30 heures minimales de travail hebdomadaire. Il n'est pas possible d'être logé dans l'hôtel. Les repas pendant le temps de travail sont offerts. Les employés reçoivent une formation, un uniforme et une carte de membre d'un club de loisirs.

PROFIL          Plus de 18 ans. Votre anglais doit être plus proche du niveau courant que du niveau scolaire. Une expérience préalable dans un établissement de même standing donnera un bon coup de pouce à votre candidature.

CANDIDATURE     Envoyez CV et lettre de motivation à partir de mars. N'oubliez pas la photo. Un entretien par téléphone pourra être arrangé.

 *Caledonian Hotel - Princes street - Edinburgh EH1 2AB - Tél. : (131) 225 2433 - Fax : (131) 225 6632 - Contact : Mrs Shona Allott (Assistant Personnel & Training Manager)*

## • Friendly Hotels PLC

ACTIVITÉ      Chaîne d'hôtels implantée à Birmingham, Burnley, Eastbourne, Hull, Londres, Milton, Keynes, Newcastle-under-Lyme, Newcastle-upon-Tyne, Nottingham, Walsall, Welwyn et en Ecosse.

JOBS      Femmes de ménage, portiers, serveurs. 39 heures de travail par semaine, réparties sur 5 jours, pour une rémunération horaire moyenne de 2,90 £. Le logement et les repas sont gratuits dans certains hôtels. 300 postes sont offerts sur l'année.

PROFIL      Bonne présentation et capacité à communiquer en anglais.

CANDIDATURE      Envoyez votre CV.

 *Premier House - 10, Greycoat Place - London SW1P 1SB - Tél. : (171) 222 8866 - Fax : (171) 233 0769 - Contact : Brian Worthington*

## • Ibis Heathrow

ACTIVITÉ      Hôtel de la chaîne Ibis (Groupe Accor). La chaîne dispose de 8 établissements en Grande-Bretagne, dont 3 à Londres. Il s'agit ici de l'hôtel proche de l'aéroport d'Heathrow, à Londres.

JOBS      Ibis Heathrow recrute des jeunes Français dans l'ensemble de ses départements : réception, réservation, restaurant et bar.

PROFIL      Avoir une qualification dans les domaines de l'hôtellerie/restauration.

CANDIDATURE      Envoyez CV et lettre de motivation.

 *Ibis Heathrow - 112/114, Bath Road - Hayes - Middlesex UB3 5AL - Tél. : (181) 759 4888 - Fax : (181) 564 7894*

## • George Inter-Continental Hotel

ACTIVITÉ      Hôtel de la célèbre chaîne Inter-Continental.

JOBS      Personnel de salle pour les départements restauration et banquets. Une trentaine de personnes sont recrutées chaque année, pour une durée entre 6 et 8 mois. Les jobs démarrent en avril. Le salaire est de 140 £ pour 39 heures de travail hebdomadaire. Les possibilités de logement au sein de l'hôtel sont limitées : les premiers postulants sont les premiers logés. Vous ferez l'objet d'une formation complète avant de débuter.

PROFIL      Avoir plus de 18 ans, une bonne maîtrise de l'anglais. Une expérience préalable est indispensable. L'hôtel insiste aussi sur l'excellence de la présentation (la clientèle est plutôt huppée…).

CANDIDATURE      Envoyez CV et lettre de motivation. Un entretien de recrutement, indispensable, sera alors organisé.

 *George Inter-Continental Hotel - 19 to 21, George street -*
*Edinburgh EH2 2PB (Scotland) - Tél. : (131) 225 1251 - Fax : (131)*
*226 5644 - Contact : Sandra Mackinnow*

## • London Hostel Association Ltd.

ACTIVITÉ     London Hostel Association Ltd. gère 10 centres d'hébergement pour étudiants et jeunes travailleurs à Londres.

JOBS     Pour les jeunes filles : servir les repas, laver les nappes et les serviettes, faire le ménage du réfectoire et des chambres, aider à l'accueil. Pour les jeunes gens : aider en cuisine (préparation des légumes et des sauces), faire la plonge, nettoyer les ustensiles de cuisine, faire le ménage des pièces communes (salle de TV, buanderie...). 30 à 40 heures de travail par semaine, avec un jour de congé entre le lundi et le vendredi plus une demi-journée libre le samedi ou le dimanche, pour une rémunération hebdomadaire qui varie entre 38 et 51 £. Le logement (en chambre à 2 lits) et les repas sont fournis. Des opportunités sont offertes toute l'année.

PROFIL     Il faut être âgé de plus de 17 ans. Aucune expérience préalable n'est exigée.

CANDIDATURE     Ecrivez pour recevoir un formulaire de candidature environ 2 mois avant la date souhaitée.

    *54, Eccleston Square - London SW1V 1PG - Tél. : (0171) 834 1545 -*
*Fax : (0171) 834 7146 - Contact : Personnel Department*

## • The Percy Arms Hotel

ACTIVITÉ     Hôtel appartenant au groupe The Pride Hotels Ltd.

JOBS     L'hôtel propose des postes en cuisine, au restaurant (serveurs) et au bar (barman, barmaid). Vous travaillerez 5 jours par semaine, environ 8 heures par jour. Le salaire est fonction du poste et de l'âge. Vous êtes logé et nourri.

PROFIL     Avoir entre 18 et 25 ans. Il est possible de postuler même sans grande expérience. Une compréhension correcte de l'anglais est demandée.

CANDIDATURE     Envoyez votre CV et une lettre de motivation en mars pour l'été.

    *The Percy Arms Hotel - Otterburn - Northumberland NE191NR -*
*Tél. : (1830) 520261 - Fax : (1830) 520567 - Contact : Alice*
*Emerson*

# Les restaurants

Avec un minimum d'initiative, un look soigné, un sourire engageant et un anglais à peu près compréhensible, vous ne devriez pas connaître de problèmes pour trouver un boulot dans la restauration. A Londres, les possibilités sont nombreuses.

Ces jobs sont loin de figurer au hit-parade des expériences les plus passionnantes. C'est surtout vrai des postes que vous avez le plus de chance d'occuper à vos débuts : plongeur, commis de salle, serveuse... Avec un peu d'expérience en cuisine, vous pouvez postuler au rang d'assistant de cuisine et vous occuper de la préparation des plats les plus simples et des légumes.

En général, un plongeur gagne autour de 3 £/h. Une serveuse environ 120 £/semaine plus les pourboires. Un chef cuisinier peut prétendre à 200 £/semaine. Mais les salaires dans la restauration ont une fâcheuse tendance à l'élasticité. On peut avoir de bonnes surprises... et de moins bonnes.

Sophie, 22 ans, ne garde pas un très bon souvenir de sa première expérience dans la restauration.

*"Après avoir prospecté quelques restaurants en porte-à-porte, j'ai été embauchée par un des restos de la chaîne Angus Steak House dans le centre de Londres. Mes horaires de travail étaient épuisants. Je finissais à 1h du matin. En plus, les patrons faisaient tourner le personnel à la baguette. Leur leitmotiv était "keep yourself busy !". Même sans client, il fallait sans cesse astiquer, balayer, ranger... Mais le plus déprimant était le salaire : 1 £ de l'heure ! En fait, la chaîne a souvent recours à du personnel polonais, turc ou tchèque. J'ai craqué au bout de deux semaines."*

Plus chanceuse, Marie-Pierre, 25 ans, a trouvé un emploi de serveuse dans un restaurant huppé de la City, le quartier des affaires londonien.

*"Je n'avais pas d'expérience professionnelle lorsque j'ai été embauchée et le patron m'a tout d'abord prise à l'essai comme serveuse. Dans la City, la plupart des compagnies ont des comptes dans les restaurants et le service, 10 à 15%, est toujours inclus dans la note. De plus, la clientèle, composée de traders, brokers, directeurs financiers... ne regarde pas trop à la dépense. Les pourboires, généreux, sont ensuite redistribués entre les employés. Mon patron déclarait un salaire de 90 £, mais je touchais en réalité 140 £/semaine pour un travail à mi-temps, de 9h45 à 15h30. Le plus rentable était la période de Noël. Les sociétés organisent des grands déjeuners de 12 à 15 personnes, avec vins et digestifs à volonté. Mon salaire atteignait alors 300 à 400 £ par semaine."*

A noter que certains restaurants pratiquent des politiques de salaire progressif qui ne sont pas favorables aux Job-trotters de passage. Exemple : 550 £ le premier mois, 650 le deuxième, 750 le troisième avant de plafonner à 850 à partir du quatrième mois.

Pensez à bien vous renseigner sur les périodes de préavis à respecter en cas de démission. Il n'est pas rare que le restaurant retienne votre premier salaire. Lorsque vous quittez le job, vous ne récupérerez la somme due que si votre employeur a été prévenu dans les délais (généralement une semaine à l'avance).

Les jobs dans la restauration s'obtiennent essentiellement en faisant du porte-à-porte. Dans un premier temps, privilégiez les restaurants français. N'oubliez pas que près de 100 000 Français vivent à Londres ; les enseignes aux couleurs tricolores sont légion. Beaucoup d'annonces du Centre Charles-Péguy concernent ainsi des postes de vendeuse dans des pâtisseries françaises comme Bagatelle ou La Madeleine. D'une manière plus générale, tous les restaurants des quartiers les plus touristiques, tels Soho ou Piccadilly, sont à prospecter minutieusement.

Najib, étudiant en école d'ingénieur, souhaitait effectuer son stage ouvrier de six semaines à l'étranger. Il s'est rendu à Londres et a entamé son démarchage sans perdre de temps :

*"Pendant quatre jours, je me suis présenté dans les hôtels et les restaurants. Sans grand succès. Les managers ou les responsables de personnel me disaient poliment : 'on vous rappelle si on a besoin de vous'. J'ai fini par être orienté vers une chaîne de sandwicherie, 'Prêt à manger'. J'ai rempli un personnel form, menti quelque peu sur la durée de mon séjour ('je reste 6 mois à Londres') et ai été embauché. Je travaillais à la préparation des sandwiches, à la caisse ou en salle, pour un salaire entre 130 £ et 180 £ par semaine."*

Si vos recherches dans les restaurants gastronomiques échouent, il vous reste la restauration rapide comme roue de secours. Mac Donald's, Burger King et Pizza Hut, par exemple, recrutent du personnel temporaire dans les mêmes conditions qu'en France. Pour travailler dans un fast-food, vous devez présenter un CV et rester au moins deux mois sur place. Ces emplois présentent l'avantage d'horaires souples adaptés pour les étudiants. Mais les salaires ne sont pas mirobolants : un peu moins de 3 £/h si vous travaillez à mi-temps.

Julie, ex-jeune fille au pair, a travaillé dans un Kentucky Fried Chicken à Enfield, dans la banlieue nord de Londres :

*"J'ai été embauchée suite à une candidature spontanée. Mon expérience de caissière en France a sans doute joué en ma faveur. Il y avait une très bonne ambiance parmi les employés, essentiellement des Indiens, des Pakistanais et des Marocains. Nous étions payés l'équivalent de 32 francs par heure. Les consignes étaient strictes : tenue de travail impeccable et interdiction de parler une langue étrangère pendant le service."*

Une chaîne de restaurants français se développe actuellement à un rythme impressionnant outre-Manche : le Groupe Pierre-Victoire. Ses dirigeants nous ont confirmé qu'ils étaient intéressés par les candidatures de jeunes Français.

## • Restaurants Pierre-Victoire

ACTIVITÉ     Chaîne de restaurants français proposant des menus à des tarifs abordables. Plus de 70 restaurants dans tout le Royaume-Uni, notamment à Edimbourg et Londres, et en Irlande à Dublin.

JOBS     Personnel en salle, plongeurs et cuisiniers. Les serveurs sont rémunérés 3 £/heure (40 heures de travail par semaine environ), les plongeurs, 3,25 £/heure. En cuisine, les commis gagnent 180 £ par semaine, les seconds 200 £ et les chefs 300 £.

PROFIL     Une bonne présentation et de l'expérience en matière de restauration suffisent généralement. Le fait d'être français est un avantage.

CANDIDATURE     Se présenter sur place dans le restaurant. Pour en obtenir la liste, vous pouvez contacter le siège social en Ecosse ou regarder dans les pages jaunes.

 ***Pierre-Victoire Ltd - 48 Albany street - Edinburg EH1 3QR - Tél. : (131) 479 0011 - Fax : (131) 479 0012.***

## Les pubs

Les pubs ont l'avantage d'offrir des boulots à temps partiel puisqu'ils commencent à se remplir vers 17h et que la cloche du comptoir annonçant la dernière tournée retentit quelques minutes avant 23h. Les pubs ont besoin de barmen, of course, mais aussi de barmaids, des serveuses travaillant derrière le bar. Les salaires sont compris entre 100 et 130 £/semaine. Il n'y a pas de pourboires. On y travaille 6 jours par semaine.

Mélanie, 24 ans, fraîchement débarquée en Grande-Bretagne, ne regrette pas sa première expérience de job dans un pub.

*"C'est grâce à une annonce affichée dans une agence d'intérim spécialisée dans la restauration que j'ai trouvé un emploi de barmaid dans un pub appartenant à la chaîne Charrington Pubs. Je n'y connaissais rien en bière mais j'ai vite appris à faire la distinction entre une stout, une bitter ou une pale ale... Le pub est un endroit passionnant à vivre. Les Anglais s'y rendent en costard-cravate juste à la sortie du boulot et passent 5 heures debout, à descendre pinte sur pinte... L'ambiance était très sympa et je connaissais la plupart des clients. J'étais payée 110 £/semaine pour 42 heures de travail."*

De très nombreux Australiens occupent des jobs de barmen dans les pubs londoniens. Sans doute parce qu'en matière de consommation de bière, ils sont les seuls à pouvoir tenir tête aux Britanniques... Par voie de conséquence, les journaux TNT et New Zealand News UK font le plein d'annonces pour des barmen et barmaids.

# Le tourisme

## Les camps de vacances

Ce concept venu tout droit des Etats-Unis s'est considérablement développé en Grande-Bretagne ces dernières années. Les camps de vacances sont désormais de gros recruteurs de main-d'œuvre saisonnière dans des domaines très variés : animateurs, réceptionnistes, domestiques, chauffeurs, cuisiniers, garde d'enfants, maîtres nageurs... Une expérience préalable est souvent souhaitée mais, dans la plupart des cas, c'est l'enthousiasme et la capacité à vivre en groupe qui font la différence.

Les postes de moniteurs sportifs s'adressent en général à des personnes diplômées, mais l'expérience prouve que de bons amateurs peuvent être recrutés.

La rémunération est faible pour les emplois non qualifiés. Aux alentours de 40 £/semaine. Le logement et la nourriture sont fournis.

Adressez votre candidature tôt en début d'année pour la saison d'été. Nous vous fournissons ci-dessous les coordonnées de centres prêts à recruter des candidats français. A Paris, la Maison de la Grande-Bretagne diffuse gratuitement deux brochures recensant les centres de loisirs sportifs et les camps estivaux : *Multi-activity Centres, Summer Camps and Day Camps* et *Watersports*. Vous pouvez aussi contacter la British Activity Holiday Association qui sera en mesure de vous fournir une liste des centres de loisirs affiliés. Le Sports Council publie un guide intitulé *Sport for All : Guide to coaching courses and activity holidays*. Joignez à votre demande une grande enveloppe à votre nom et adresse ainsi qu'un coupon réponse international.

✉ *British Activity Holiday Association - Norton Terrace - Llandrindod Wells - Tél. : (159) 7823 902*

✉ *Sports Council Information Centre - The Sports Council - 16 Upper Woburn Place - Londres WC1H OQP. Tél. : (171) 3881 277*

## • **Bearsports Outdoor Centres**

ACTIVITÉS        Centres d'activités de plein air : canoë-kayak, randonnées, escalade, course d'orientation, bivouac, voile, planche à voile, body-board.

JOBS             Monitorat, animation de soirées, travaux ménagers. Etre disponible 24 heures sur 24, 6 jours par semaine. Le logement et les repas sont assurés. Des séances de formation sont aussi données. 11 postes bénévoles sont à pourvoir entre avril et octobre.

PROFIL           Etre âgé de plus de 18 ans. Des qualifications et une expérience sont exigées pour les moniteurs. Il faut être enthousiaste et avoir le sens de l'humour. Une bonne connaissance de l'anglais est indispensable.

CANDIDATURE   Ecrivez directement à Bearsports pour recevoir un dossier. Il faudra y indiquer les coordonnées de personnes pouvant vous recommander.

✉        *30, West Street - Belford - Northumberland NE70 7QE - Tél. : (1668) 213 289 - Contact : Carole Feldman*

## • **Butlin's Holiday Worlds Ltd.**

ACTIVITÉ         Butlin's est avec PLG Young Adventures Ltd. le leader de l'industrie des loisirs outre-Manche. Sur cinq bases géantes (Wonderwest World en Ecosse, Southcoast World dans le West Sussex, Somerset World dans le Somerset, Starcoast World dans le nord du pays de Galles et Funcoast World dans le Lincolnshire), la firme propose un ensemble complet de prestations : restauration, logement, parcs d'attractions, boutiques...

✉ *Siège social : Bognor Regis - West Sussex PO21 1JJ*

A titre d'exemple des possibilités de jobs offertes par Butlin's, voici les postes proposés dans le centre de Starcoast World :

## • Butlin's Starcoast World

ACTIVITÉ | Centre familial de loisirs.

JOBS | Cuisiniers, personnel d'entretien et de nettoyage, serveurs, vendeurs en boutique, secouristes et personnel de sécurité. 39 heures de travail par semaine réparties sur 5 ou 6 jours pour une rémunération hebdomadaire de 70 £. Le gîte, le couvert ainsi que des réductions sur les prestations du centre (valable pour les membres du personnel et leur famille) sont fournis. Une formation est assurée. 1000 postes sont offerts entre mai et octobre (pour 10000 candidatures).

PROFIL | Aucune expérience préalable n'est exigée, mais une très bonne maîtrise de l'anglais est nécessaire.

CANDIDATURE | Ecrivez ou téléphonez pour demander le formulaire.

DIVERS | Vous devez travailler en chaussures noires. Pensez donc à en apporter une paire. Les uniformes de travail sont fournis.

✉ *Pwllheli - Gwynedd LL53 6HX - North Wales - Tél. : (1758) 612 112 - Fax : (1766) 810 379 - Contact : Mrs. S.V. Henri*

## • Castle Head Field Centre

ACTIVITÉS | Organisation indépendante, visant à éduquer et à responsabiliser l'individu en matière d'environnement. Organise des activités pour les écoles, les groupes de jeunes, les personnes individuelles et les familles.

JOBS | Volontariat. Encadrement d'activités de vacances variées, pour les enfants et les familles. Travail d'entretien et de nettoyage (cuisine, salle à manger et chambres), entretien des bâtiments et des extérieurs, assistance du personnel pour les activités de plein air.

Vous êtes recruté pour juillet et août, et travaillerez deux semaines minimum. Vous devez être disponible à tout moment. Vous n'êtes pas rémunéré, mais logé et nourri. Le trajet A/R de Castle Head à Londres est pris en charge par l'organisation.

20 à 30 postes par an, occupés la plupart du temps par des étudiants.

PROFIL | Bonnes capacités de communication, sens de l'humour, bonne humeur, intérêt pour les adolescents. Avoir l'envie de faire des progrès en anglais, être sensible aux problèmes de l'environnement. Bonne condition physique et volonté de travailler en équipe.

CANDIDATURE | Envoyez un CV, une lettre de motivation manuscrite et le nom d'un Anglais vivant actuellement dans le pays, qui vous recommandera.

✉ *Castle Head Field Centre - Grange-over-Sands- Cumbria LA11 6QT - Contact : F. C. Dawson*

## • Ceilidh Place

ACTIVITÉ | Centre d'arts (expositions, concerts, lectures de poèmes) et de loisirs (randonnées pédestres et équestres, librairie, hôtel, clubhouse, restaurant, café).

JOBS | Aide générale (administration, ménage...), plongeur, aide-cuisine. 8

heures de travail par jour, 6 jours par semaine pour une rémunération hebdomadaire minimale de 85 £. Le logement et les repas sur
place sont gratuits. D'autres avantages en nature pourront être éventuellement envisagés lors de la candidature. Période minimale de travail requise : 16 semaines de mars à octobre. Une vingtaine de
postes offerts par an.

PROFIL        Une expérience préalable de la restauration n'est pas exigée mais est
un plus, de même que la connaissance de langues étrangères. Age
minimum 18 ans.

CANDIDATURE   Ecrivez pour recevoir un formulaire ou envoyez directement un CV
détaillé.

DIVERS        Les détails sur la tenue de travail adéquate seront fournis au moment
de votre candidature.

 *14, West Argyle St. - Ullapool - Ross-shire IV26 2TY - Scotland
(Ecosse) - Tél. : (1854) 61 2103 - Fax : (1854) 61 2886 - Contact :
Jean Urquihart*

## • Devon & Dorset Adventure

ACTIVITÉ      Cette organisation gère 2 centres de loisirs de plein air : le Woodside
Adventure Centre à Bideford dans le nord du Devon et le Hyde
House Activity Holiday Centre à une quinzaine de kilomètres de
Poole dans le Dorset. Les activités proposées aux enfants sont
variées : planche à voile, ski nautique, canoë, course d'orientation,
randonnée, tir à l'arc, équitation...

JOBS          Moniteurs. 5 jours et demi de travail par semaine pour une rémunération hebdomadaire de 50 £. Le gîte et le couvert sont fournis. Une
formation est assurée. Plus de 200 postes sont offerts de mars à
octobre.

PROFIL        Qualification dans l'une des activités proposées par le centre.

CANDIDATURE   Envoyez un CV en mars.

 *c/o 6, Kew Green - Richmond - Surrey - Tél. : (181) 940 7782
Fax : 181) 948 4999 - Contact : Chris McCarthy*

## • Eden Valley Centre

ACTIVITÉ      Centre de loisirs de plein air à Ainstable.

JOBS          Cuisiniers (préparer les repas d'une trentaine de jeunes), personnel
d'entretien et de nettoyage. Vous travaillez 5 jours certaines
semaines et êtes en congé pendant les autres. La rémunération est de
40 £ par semaine. Vous êtes nourri-logé, mais avez à votre charge
transport et assurance. Vous bénéficiez d'une formation. 2 postes par
an, pour 6 demandes.

PROFIL        Tout profil.

CANDIDATURE   Envoyer CV et lettre de motivation.

 *Eden Valley Centre - Ainstable - Carlisle - Cumbria - CA4 9QA -
Contact : Margaret Wilson*

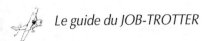 

## • Flysheet Camps Scotland

ACTIVITÉ    Camp de plein air pour enfants.

JOBS    Animer bénévolement un groupe d'une vingtaine d'enfants âgés de 6 à 16 ans et socialement défavorisés. Camping en pleine nature (logement à la belle étoile ou sous des tentes), à 25 kilomètres de toute installation électrique, téléphonique ou autre commodité de la vie contemporaine. Il faut être disponible 24 heures sur 24, 7 jours sur 7, pendant les 2 semaines que dure le job, en juillet ou en août. La nourriture est fournie et l'assurance payée. Selon le directeur du camp, *"ce job bénévole constitue une expérience inestimable pour tout jeune envisageant une carrière dans l'enseignement ou dans les œuvres sociales"*.

PROFIL    Maîtrise courante de l'anglais. Etre âgé de plus de 18 ans.

CANDIDATURE    Ecrivez pour recevoir une première lettre d'information préliminaire. Si vous êtes toujours intéressé, envoyez 2 £ et l'on vous retournera une information plus détaillée ainsi qu'un formulaire de candidature.

✉    ***Childrens Wilderness Sanctuary - Finniegill, Lockerbie - Dumfriesshire DG11 2LP***

## • Kids Klub Activity Holidays

ACTIVITÉ    Centre de vacances et de loisirs de plein air pour enfants âgés de 6 à 15 ans. Atmosphère familiale garantie. 10 heures de travail par jour, 5 jours par semaine. Le salaire est négociable et dépend de l'expérience du candidat. Le gîte et le couvert sont fournis. Une formation préalable est assurée. 30 postes sont offerts à Pâques et en été.

JOBS    Moniteurs, assistants, personnel d'entretien et de nettoyage.

PROFIL    Etre âgé de plus de 19 ans. Les moniteurs doivent être qualifiés.

CANDIDATURE    Ecrivez en décembre pour que l'on vous envoie un formulaire de candidature.

DIVERS    Apportez un sac de couchage et des tenues décontractées.

✉    ***The Hall - Great Finborough - near Stowmarket - Suffolk IP14 3EF Tél. : (1449) 675 907 - Fax : (1449) 771 396 - Contact : Mike Garling***

## • Newlands Adventure Centre

ACTIVITÉ    Centre d'activités de plein air.

JOBS    Encadrement d'activités sportives. Vous êtes moniteur d'escalade, de voile, de kayak, de canoë, de VTT ou de tir à l'arc.

12 postes par an à pourvoir, de mars à octobre, pour un peu plus de 70 demandes. Vous travaillez 6 jours par semaine, parfois le soir, à des horaires variés, pour une rémunération de 60 £ par semaine. Vous êtes nourri-logé et couvert par l'assurance du centre pendant votre job. En revanche, les frais de transport sont à votre charge.

PROFIL    Vous devez avoir plus de 20 ans. Expérience et qualification sont essentielles.

CANDIDATURE  Téléphonez ou écrivez pour recevoir un formulaire.

✉ ***Newlands Adventure Centre - Stair - Keswick - Cumbria - CA12 5UF - Tél. et Fax : 07687 78463 - Contact : Steve Beinder***

## • PGL Adventure

ACTIVITÉ  De nombreux centres de loisirs pour enfants, à travers l'Angleterre, l'Ecosse et le Pays de Galles.

JOBS  Moniteurs et assistants d'activités de plein air, cuisiniers, personnel d'entretien et de nettoyage, recrutés pour une période allant de fin mars à septembre. Vous travaillez 8 heures par jour, 6 jours par semaine, pour une rémunération hebdomadaire minimale de 37 £. Gîte et couvert sont offerts, mais les frais de transport et d'assurance sont à votre charge. 2500 postes pour 12000 demandes.

PROFIL  Vous devez avoir plus de 18 ans.

CANDIDATURE  Demandez un formulaire à partir d'octobre.

✉ ***PGL Adventure - Alton Court - Penyard Lane - Ross-on-Wye - Herefordshire - HR9 5NR - Contact : Seasonal Recruitment Dept - Tél. et Fax : (1989) 767833***

## • Rockley Point Sailing School

ACTIVITÉ  Ecole de voile pour groupes et particuliers.

JOBS  Enseigner la voile dans le port de Poole. 5 à 6 jours de travail par semaine. Un complément de formation en voile est assuré, ce qui doit permettre de devenir moniteur RYA (Royal Yacht Association Certificate : label reconnu en Grande-Bretagne). 30 postes sont offerts de mai à septembre.

PROFIL  Avoir une qualification en voile, être âgé de plus de 18 ans et parler convenablement l'anglais.

CANDIDATURE  Envoyez un CV et des références (diplômes, lettres de recommandation) en janvier.

DIVERS  Apportez un sac de couchage (un gilet de sauvetage et une bouée sont fournis).

✉ ***Hamworthy - Poole - Dorset BH15 4LZ - Tél. : (1202) 677 272 Fax : (1202) 668 268 - Contact : Peter Gordon***

## • Tighnabruaich Sailing School

ACTIVITÉ  Ecole de voile et de planche à voile.

JOBS  Enseigner la voile et la planche à voile sur la côte écossaise (Tighnabruaich et île de Bute, à quelques kilomètres de Glasgow). 6 jours de travail par semaine de 9h30 à 17h30 pour une rémunération hebdomadaire de 46 £. Le logement est fourni mais pas la nourriture. Si le moniteur n'a pas encore le niveau du certificat RYA, il peut être gratuitement formé pour l'obtenir. 20 postes sont offerts entre mai et septembre.

PROFIL  Etre expérimenté dans l'un des deux sports nautiques proposés par l'école, et avoir de préférence la qualification RYA (Royal Yacht Association). Avoir plus de 18 ans et une bonne connaissance de l'anglais.

CANDIDATURE    Envoyez votre CV détaillé en mars.

DIVERS    Apportez votre sac de couchage.

    ***Tighnabruaich - Argyll PA21 2BD - Tél. : (1700) 811 396***
***Contact : Robin Stephens***

## • Tyddyn Philip Activity Centre

ACTIVITÉ    Centre d'activités de plein air, proposant notamment VTT, canoë, escalade, tir à l'arc, stages de survie, courses d'orientation...

JOBS    Le centre recrute chaque été 5 instructeurs de canoë. La rémunération est variable. Elle dépend notamment des possibilités d'hébergement sur place.

PROFIL    Avoir de l'expérience.

CANDIDATURE    Envoyez CV et lettre de motivation.

    ***Tyddyn Philip Activity Centre - Brynteg - Anglesey - North Wales***
***LL78 8JF - Tél. : (1248) 853 439 - Contact : G. Corbett***

## • YMCA National Centre

ACTIVITÉ    Centre d'activités de plein air.

JOBS    Encadrement d'activités de plein air très diverses. Vous travaillez 5 jours par semaine, jusqu'à 15 heures par jour. Rémunération de 30 £ par semaine. 25 postes pour plus de 250 demandes, les jobs durent 6 mois, d'avril à septembre. Gîte et couvert sont fournis, mais vous avez à charge frais de transport et d'assurance.

PROFIL    18 ans minimum, avoir une large expérience des activités de plein air et une formation en matière de secourisme. Maîtriser parfaitement l'anglais.

CANDIDATURE    Postulez de novembre à février, après avoir demandé un formulaire.

    ***YMCA National Centre - Lakeside - Ulverston - Cumbria - LA12***
***8BD - Tél. : 05395 31758 - Fax : 05395 30015 - Contact : J. Bowyer***

## • Young Leisure Activity Holidays

ACTIVITÉ    Centre de loisirs de plein air.

JOBS    Moniteurs ou assistants moniteurs de sports. Par exemple : kayak, escalade, tir à l'arc, planche à voile... 5 à 6 jours de travail par semaine. Les horaires ne sont pas fixes. 10 postes sont offerts de juin à août (le centre précise qu'il reçoit 100 candidatures par an). La rémunération varie entre 50 et 60 £ par semaine. Le moniteur est logé et nourri.

PROFIL    Parler anglais couramment et posséder une qualification dans le sport que l'on veut enseigner.

CANDIDATURE    Envoyer son CV, une lettre de motivation et des attestations de qualification, entre octobre et mars.

*Rock Park Center - Llandrindod Wells - Powys LD1 6AE - Pays de Galles - Tél. : (1597) 822 021 - Fax : (1597) 822 024*
*Contact : Liz Higginson*

## Autres opportunités dans le tourisme

Les parcs d'attraction sont également de gros recruteurs de main-d'œuvre saisonnière. Les plus fameux sont Chessington World of Adventure, Alton Towers et Thorpe Park. Ces parcs sont fermés de novembre à mars. Les services de recrutement sont submergés de demandes chaque année mais vous pouvez fort bien vous présenter sur place à l'ouverture de la saison et être embauché pour remplacer une défection de dernière minute.

✉ *Chessington World of Adventure - Leatherhead Road - Chessington - Surrey KT9 2NE - Tél. : (1372) 727 227*

✉ *Thorpe Park - Staines Road - Chertsey - Surrey KT16 8PN Tél. : (1932) 562 633*

✉ *Alton Towers - Alton - Staffordshire ST10 4DT - Tél. : (1538) 702 200*

Les festivals touristiques sont également de bons viviers à jobs, pour des postes de caissiers, gardiens de parking, monteurs de stands, vendeurs dans une buvette... Ne manquez pas le festival d'Edimbourg qui se déroule de la mi-août à début septembre ; ses organisateurs font appel à une abondante main-d'œuvre temporaire. La Maison de la Grande-Bretagne à Paris sera en mesure de vous procurer une liste complète des festivals au Royaume-Uni.

# L'agriculture

Malgré une mécanisation croissante, le secteur agricole continue à recruter des bras costauds et des doigts agiles pour cueillir, couper, ramasser ou empaqueter les fruits et légumes. L'occasion de quitter Londres et ses pubs enfumés pour respirer le bon air des cottages.

Les principales régions agricoles sont l'Ecosse (Inverness, périphérie de Dundee), l'Essex, le Fens, le Kent, l'East Anglia (Norfolk, Suffolk, Essex) et la vallée d'Evesham. Les fruits et légumes sont essentiellement les cerises, les fraises, les framboises, les groseilles, les pommes, les myrtilles, les pommes de terre, les haricots et les courgettes. Le houblon, qui sert à aromatiser la bière, est également une des récoltes traditionnelles de l'Angleterre (dans le Kent et la région d'Hereford) mais bon nombre d'exploitations ont fermé leurs portes au cours de ces dernières années et les opportunités se font plus rares.

La récolte des fruits s'étale généralement entre mi-juin et août. Les premières récoltes dans le sud de l'Angleterre sont celles des fraises et des groseilles. Les plus tardives, les pommes et le houblon, démarrent fin août et s'achèvent en octobre.

Les travaux de cueillette sont rémunérés à la pièce. Ce système constitue un avantage pour les travailleurs expérimentés mais peut s'avérer décourageant pour les débutants. De plus, n'oubliez pas que le climat anglais est capricieux. En cas d'intempéries, vous serez dans l'impossibilité de récolter des fruits... et donc d'améliorer vos finances.

Heureusement, la plupart des fermes prévoient le soir des tâches d'emballage de fruits rémunérées à l'heure. Cela permet de compenser une récolte journalière maigre ou gâchée par la pluie. Des travaux d'élagage des pommiers sont également proposés dans les vergers.

Quelques exemples de rémunération : 15 pences/livre pour les fraises (1 livre = 0,454 kg). Les travaux d'emballage sont payés autour de 3 £ de l'heure. La cueillette des pommes est la mieux rétribuée : à 30 p/livre, elle peut rapporter 25 £ par jour.

Si vous êtes rémunéré sur la base d'un forfait, c'est le cas pour le houblon, le Ministère de l'agriculture a fixé un salaire minimum horaire de 2,69 £ pour les travailleurs de plus de 20 ans. Le nombre d'heures de travail hebdomadaire est compris entre 30 et 45 heures. Un cueilleur de houblon gagne ainsi en moyenne 120 £ par semaine.

Dans les deux cas, le paiement a généralement lieu en liquide a la fin de chaque journée.

Les travaux de cueillette sont loin d'être de tout repos. On finit souvent la journée sur les rotules. D'ailleurs les fermiers ont tendance à apprécier les travailleurs d'Europe de l'Est et d'Afrique du Nord parce qu'ils sont durs à la tâche. Le soir, ne vous attendez pas non plus au confort douillet d'un bon lit au coin du feu. L'hébergement est rudimentaire : sous tente, en caravane ou dans des dortoirs. Parfois, le propriétaire se contentera de vous allouer un champ sur lequel vous devrez installer votre propre campement. Mais vous pouvez aussi avoir la chance d'être hébergé chez l'habitant dans une petite ferme traditionnelle.

Il existe plusieurs types d'exploitations agricoles : les fermes individuelles, les camps agricoles internationaux et les fermes de culture biologique.

- Pour les exploitations individuelles, la meilleure technique consiste à prospecter sur le terrain. Rendez visite aux *jobs centres* locaux et renseignez-vous auprès des marchés ou des épiceries pour connaître les adresses des fermiers qui les approvisionnent. Pour les fermes de taille importante, il est préférable d'entamer vos démarches à l'avance. Vous trouverez ci-après les coordonnées d'établissements auxquels vous pouvez adresser votre candidature.

- Les camps agricoles internationaux regroupent des travailleurs de toutes nationalités. Le Home Office accorde à ces camps le droit d'engager, pour la cueillette, du personnel non ressortissant de la CE sans permis de travail. Ces camps sont un excellent moyen de se familiariser aux travaux agricoles. L'accent est mis autant sur le travail que sur la vie en communauté. Dans certains centres, les loisirs tiennent une place importante : soirées TV, parties de tennis, pétanque ou fléchettes, excursions, discothèque, etc. Les deux principaux organismes sont Concordia, qui s'adresse aux étudiants, et HOPS (Harvesting Opportunity Permit Scheme).

- Les fermes organiques sont des établissements bannissant l'usage de tout produit chimique dans le processus de récolte. Un concept cher aux Anglo-saxons. Ces fermes fonctionnent sur la base du volontariat.

## • Cutliffe Farm

ACTIVITÉ    Située près du Parc national d'Exmoor, cette exploitation produit des fraises, des framboises, des groseilles et des haricots.

JOBS    Cueillir les fruits et les emballer (ils sont notamment destinés à la vente sur les marchés). Travail de 6h du matin à 13h ou 14h, du dimanche au vendredi. Ce labeur est rémunéré au rendement. Les employés saisonniers peuvent être logés dans des caravanes équipées. Des toilettes et des douches sont mises à leur disposition. Il leur est également possible de faire leurs courses à la boutique de la ferme. Une centaine de travailleurs saisonniers sont recrutés pour la période qui s'étend de début juin à mi-juillet.

PROFIL    Avoir plus de 18 ans. Aucune expérience préalable n'est nécessaire, puisqu'une formation est assurée.

CANDIDATURE    Postulez le plus tôt possible. Au moment de l'acceptation de votre candidature, il vous faut la confirmer en versant un dépôt de garantie de 30 £ (qui vous sera remboursé).

DIVERS    Apportez des ustensiles de cuisine.

*Sherford - Taunton - Somerset TA1 3RQ - Tél. : (1823) 253 808 - Fax : (1823) 325 983 - Contact : A.P. & S.M. Parris*

## • Fiveways Fruit Farm

ACTIVITÉ    Fiveways est une exploitation de 32 ha qui produit essentiellement des fraises et des pommes. Elle possède des serres et une boutique où elle vend une partie de sa production.

JOBS    Récolte des fraises et cueillette des pommes ; divers travaux dans les vergers (élagage, etc.) et les serres.

La récolte des fraises a lieu de fin mai à fin août, 7 jours sur 7, de 6h du matin à 12h ou 13h30 : il faut en effet cueillir les fraises le plus tôt possible dans la journée pour qu'elles puissent être vendues aux consommateurs dès qu'elles sont récoltées et avant qu'elles ne pourrissent !

La cueillette des pommes commence en août avec celle de variétés mineures mais la récolte principale a lieu de mi-septembre à mi-octobre avec les pommes Bramley, Cox et Jonagold.

Les cueilleurs sont payés chaque jour (en liquide) au rendement. La rémunération varie de 15 p à 30 p par livre cueillie, selon la difficulté de la récolte.

Après la cueillette du matin, il est possible de travailler dans les vergers et dans les serres sur la base d'une rémunération horaire : par exemple, tailler les arbres, emballer les fraises, etc. Attention, le salaire horaire dépend de votre âge : 2,14 £/heure pour les 16/17 ans ; 2,41 £/heure pour les 18/19 ans ; 2,69 £/heure pour les plus de 20 ans. Vous serez là encore payé en espèces sonnantes et trébuchantes à la fin de la journée.

Vous pouvez monter votre tente sur une pelouse située près des bâtiments de la ferme. Contre 8,5 £ par semaine, Fiveways met aussi à votre disposition une caravane parfaitement équipée : eau chaude, cuisinière électrique, four micro-onde, télévision, réfrigérateur.

De mi-mai à fin octobre, la ferme emploie en permanence 12 à 15 travailleurs saisonniers.

PROFIL     Aucune expérience préalable n'est exigée.

CANDIDATURE     Envoyez un bref CV et une enveloppe timbrée avec vos coordonnées.

DIVERS     Apportez votre tente, des vêtements chauds et contre la pluie.

✉     *Fiveways - Stanway - Colchester - Essex CO3 5LR*
*Tél. : (1206)330 653 - Contact : M. A.D.G. Mead*

## • **Great Hollanden Farm**

ACTIVITÉ     Exploitation produisant différents types de fruits et principalement des fraises et des framboises.

JOBS     Cueillir et emballer les fraises de la mi-mai à fin septembre. 6 jours de travail par semaine, de 6h du matin à 13h ; après ces 7 heures de dur labeur, on vous offre aussi la possibilité de travailler en soirée, mais ce n'est pas obligatoire. Les jobs sont payés au rendement et permettent de gagner en moyenne 3 £/heure. Il est possible de loger dans des mobile-home par groupe de 6. Vous pouvez faire la cuisine dans le bungalow central. Deux soirées par semaine, vous avez la possibilité de suivre des cours d'anglais. Des excursions touristiques sont organisées lors des jours de congé, ainsi que des barbecues, des soirées en discothèque, etc. 300 à 400 travailleurs saisonniers sont recrutés chaque année, pour 4 à 6 semaines chacun.

PROFIL     Etudiants (18-24 ans).

CANDIDATURE     Ecrivez au plus tard en avril (Great Hollanden Farm reçoit des candidatures dès le mois de décembre : ne traînez pas trop !).

DIVERS     Apportez des vêtements contre la pluie, un sac de couchage et des ustensiles pour faire la cuisine et prendre vos repas.

✉     *Mill Lane - Hildenborough - near Sevenoaks - Kent TN15 0SG -*
*Tél. : (1732) 832 276 - Fax : (1732) 838 011*
*Contact : Alistair Brooks*

## • **Oak Tree Farm**

ACTIVITÉ     Exploitation produisant des fraises et des framboises.

JOBS    Cueilleur de fraises et de framboises, de fin juin à fin juillet. 6 h de travail par jour, 5 jours par semaine. Le job est payé au rendement. Les travailleurs saisonniers sont logés sur place et du matériel de cuisine est mis à leur disposition. Une vingtaine de personnes sont recrutées pour la saison.

PROFIL    Aucune expérience préalable n'est exigée.

CANDIDATURE    Ecrivez avant fin avril.

DIVERS    Apportez un sac de couchage.

*Hasketon - Woodbridge - Suffolk IP13 6JH - Tél. : (1473) 735 218 - Contact : R. Stephenson*

## Les camps agricoles internationaux

### • Concordia (Youth Service Volunteers) Ltd.

ACTIVITÉ    L'objectif premier de cette organisation au nom si éloquent est de promouvoir la compréhension mutuelle (quant aux idées, la façon de vivre, etc.) des jeunes du monde entier. Concordia est le principal organisme de placement dans les camps agricoles internationaux. Elle recrute des cueilleurs désireux de travailler entre mai et octobre, qu'elle place dans plus de 150 camps agricoles en Angleterre et en Ecosse : récolte du houblon dans le Kent ; cueillette de fruits en Ecosse, dans le Kent, le Lincolnshire, l'Oxfordshire, le Herefordshire, le Sussex et le Devon ; cueillette de légumes dans le Cambridgeshire, le Devon, le Kent et le Somerset.

JOBS    Les postulants doivent être prêts à travailler dur, en général 6 jours par semaine. Si possible, un job alternatif à la cueillette sera trouvé en cas de mauvais temps ou de mauvaise récolte. Les cueilleurs de fruits sont généralement rémunérés au rendement tandis que ceux de houblon reçoivent un salaire horaire. Dans tous les cas, la rémunération est conforme aux grilles de salaires minimaux établies par l'Agricultural Wages Board. Les conditions dans lesquelles vous êtes logé et nourri varient selon le camp, mais généralement on met à votre disposition un terrain de camping (vous devrez alors apporter votre propre tente et votre matériel de cuisine) ou, contre une somme modique, une caravane ou un bungalow tout équipé. Dans certains camps, vous avez également la possibilité de suivre gratuitement des cours d'anglais.

PROFIL    Etudiants (19-25 ans).

CANDIDATURE    Envoyez en début d'année une brève lettre précisant la région dans laquelle vous souhaitez travailler. A noter que Concordia peut placer tous les candidats.

*8 Brunswick Place - Hove - East Sussex BN3 1ET*
*Tél. : (1273)772 086 - Fax : (1273) 327 284 - Contact : Mrs. Lumb*

### • Friday Bridge International Farm Camp Ltd.

ACTIVITÉ    Friday Bridge International Farm Camp est un camp agricole international fondé par une coopérative d'agriculteurs au cœur de la région des Fens. Le camp est entièrement équipé : douches, buanderies, salle TV, téléphones, salle de jeux. Des terrains de sport permettent de jouer au football, au volley-ball, au basket-ball, au ping-pong et à la pétanque. 2 courts de tennis sont à la disposition des participants. Des soirées en discothèque et des excursions sont également organisées le week-end. Des cours d'anglais de niveau débutant et avancé sont donnés en juillet et en août. Le camp est ouvert de début juin à fin octobre.

JOBS · Cueillette et pré-emballage des fruits. La rémunération est fonction du rendement. Contre 55 £ par semaine, vous êtes logé en bungalow pour 12 personnes et le petit déjeuner, le panier-repas du midi et le dîner vous sont offerts. Attention : en juin, septembre et octobre, les salaires compensent largement le coût de la participation au camp (logement et repas) ; en revanche, en juillet et en août, le travail est moindre (et donc la rémunération plus faible), mais les activités organisées sont plus nombreuses. Un séjour au camp dure 3 semaines.

PROFIL · Etre lycéen ou étudiant (16-30 ans).

CANDIDATURE · Ecrivez pour recevoir une brochure d'information et un dossier de participation. En renvoyant votre dossier, vous devrez payer un droit d'inscription de 35 £, ainsi qu'un dépôt de garantie de 25 £ (sur le paiement du logement et des repas), soit 60 £ au total.

DIVERS · Il vous faut apporter : au moins 150 £ (pour couvrir l'excédent éventuel de vos frais sur vos gains pendant 3 semaines) ; un sac de couchage ; des bottes ; des vêtements contre la pluie ; des gants robustes ; un cadenas (pour fermer le placard qui vous sera alloué) ; des couverts ; un réveil.

*March Road - Friday Bridge - Wisbech - Cambridgeshire PE14 0LR - Tél. : (1945) 860 255 (de juin à octobre), (1603) 662052 (de novembre à mai) - Fax : (1603) 760556 (de novembre à mai) - Contact : The Manager*

## • HOPS (Harvesting Opportunity Permit Scheme)

ACTIVITÉ · HOPS place de jeunes européens (y compris ceux d'Europe centrale et orientale) dans des fermes agréées, pour 7 à 13 semaines entre mai et novembre.

JOBS · Cueillette de fruits, de légumes et de houblon. La rémunération, fonction du rendement, varie suivant les fermes.

PROFIL · Etudiants âgés de 19 à 25 ans et qui ne sont pas dans leur dernière année d'études. Aucune expérience préalable n'est exigée, mais il faut pouvoir communiquer en anglais.

CANDIDATURE · Ecrivez entre septembre et décembre (pour un placement l'année suivante) afin de recevoir un dossier de candidature. Vous devrez vous acquitter d'un droit d'inscription de 35 £ avant le 31 décembre.

*Grande-Bretagne*

 *YFC Centre - National Agricultural Centre - Stoneleigh Park - Kenilworth - Warwickshire CV8 2LG - Tél. : (1203) 696 589 - Fax : (1203) 696 559*

## • International Farm Camp

ACTIVITÉ    Camp agricole international bien équipé : douches chaudes, buanderies, boutique, tables de ping-pong, TV.

JOBS    Cueillette de fruits. 6 à 7 heures de travail par jour, 5 jours par semaine. La rémunération est fonction du rendement. Le logement et les repas sont assurés contre 40 £ par semaine. Plus de 200 places sont offertes en juin-juillet. Le séjour ne doit pas excéder 6 semaines.

PROFIL    Etudiants (18-25 ans).

CANDIDATURE    Ecrivez au *camp organiser.*

DIVERS    Apportez un sac de couchage.

 *Hall Road Tiptree - Colchester - Essex CO5 0QS - Tél. : (1621) 815 496 - Contact : Camp Organiser*

## • R. & J. M. PLACE Ltd.

ACTIVITÉ    Fermes fruitières, centre de conditionnement des fruits produits et camp agricole international situé à 20 km de la cité historique de Norwich, célèbre pour son imposante cathédrale et son château, et à 10 km de la plage. L'exploitation est au cœur du Broadland National Park, site lacustre dans le creux des vallées de la Bure, de la Thurn et de l'Ant. Le camp est bien équipé : buanderies, douches, TV par satellite, vidéos, piscine, tables de ping-pong, terrains de football, de volley-ball et de badminton, salle de jeux, etc.

JOBS    Cueillir les fruits produits : la rhubarbe d'avril à mai ; les fraises en mai (pour la première récolte), en juin-juillet (pour la récolte principale), en août-septembre (pour la récolte d'automne), les framboises en juillet-août, les mûres en août-septembre. Le travail commence à 8h et se termine à 15h30, 5 jours par semaine. La rémunération, fonction du rendement, est identique à celle des travailleurs saisonniers locaux.

Il y a quelques opportunités de jobs rémunérés par un fixe à la semaine, comme caissier ou employé à la congélation. Seuls les premiers arrivés au camp en bénéficient généralement.

Contre 34 £ par semaine, le logement (dans des dortoirs de 20 lits) et le petit déjeuner sont assurés. Les autres repas peuvent être préparés dans la cuisine commune. Il est possible de faire vos courses dans la boutique de la ferme.

Vous avez la possibilité, dans le cadre du Canoeing Club du camp, d'explorer gratuitement en canoë les rivières des environs, notamment la pittoresque Ant. Des excursions à Cambridge et au port de Great Yarmouth sont également organisées. Le week-end, le réfectoire est transformé en discothèque et vous pouvez vous détendre tous les soirs au "Norfolk Bar" du camp.

153

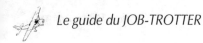
La durée du séjour est généralement de un à deux mois (3 mois au maximum).

PROFIL          Etudiants (17-30 ans).

CANDIDATURE     Ecrivez (en joignant un coupon réponse international) pour recevoir un dossier de candidature. A la réservation de votre séjour, vous devrez verser 30 £ (25 £ de frais d'inscription et 5 £ de dépôt de garantie pour la clé de votre placard).

DIVERS          Apportez un sac de couchage, des vêtements contre la pluie, des bottes et des gants robustes, ainsi qu'un minimum de 70 £ pour le cas où vos frais seraient supérieurs à vos gains (notamment si le temps est mauvais).

✉ *International Farm Camp - Church Farm - Tunstead - Norwich - Norfolk NR12 8RQ - Tél. : (1692) 536 337 - Fax : (1692) 536 928 - Contact : Mrs. Wendy Atkins*

## *Bénévolat dans une ferme de culture biologique*

### • WWOOF (Working Week-ends On Organic Farms)

ACTIVITÉ        La WWOOF est une organisation à but non lucratif qui aide les petites fermes "bio" à trouver la main-d'œuvre bénévole nécessaire du fait de la non-utilisation d'engrais et de fertilisants.

JOBS            Petits travaux bénévoles dans des exploitations "bio" : construction d'une clôture, fenaison, tonte des moutons, travaux d'entretien, etc. En échange de ses services, le bénévole est formé par l'exploitant sur les différentes techniques qu'il doit mettre en œuvre et le gîte et le couvert lui sont offerts. Une façon intéressante d'expérimenter la vie familiale britannique en milieu rural.

PROFIL          Avoir plus de 16 ans. Aucune expérience préalable n'est exigée.

CANDIDATURE     Ecrivez (en joignant une enveloppe timbrée à votre nom et adresse) afin que l'on vous envoie un dossier d'inscription. L'adhésion à l'association coûte 8 £ et permet de recevoir la lettre d'information bimensuelle qui contient des offres de jobs dans des exploitations "bio" faisant partie du mouvement. Après avoir fait vos preuves, c'est-à-dire avoir passé au moins 2 week-ends dans une ferme "bio", vous pourrez recevoir la liste de l'ensemble des exploitations impliquées dans le mouvement et donc entrer directement en contact avec les fermes qui vous intéressent.

✉ *19 Bradford Road - Lewes - Sussex BN17 1RB*
*Tél. : (1273) 476 286*

# *Séjours au pair*

Les séjours au pair sont pour les jeunes filles l'occasion rêvée de perfectionner leur anglais dans le cadre d'une immersion totale en famille. En Grande-Bretagne, la durée d'un séjour est normalement comprise entre 6 mois et un an.

Mais des postes de 2 ou 3 mois peuvent être proposés pendant les vacances d'été.

Il est facile de trouver une place dans une famille anglaise. Voila peut-être l'un des rares secteurs qui ne soit pas en crise en Grande-Bretagne. Les conditions pour être élue : avoir entre 17 et 27 ans, ne pas être mariée et ne pas avoir de personne à charge.

Une jeune fille au pair est logée, nourrie et reçoit un peu d'argent de poche, en général 30 £ par semaine. En contrepartie, elle accompagne et va chercher les enfants à l'école, les fait jouer, leur donne un coup de main pour les devoirs à la maison. Elle est aussi chargée de quelques tâches domestiques : vaisselle, ménage, repassage, rangement des chambres... De plus, elle doit effectuer 3 ou 4 baby-sittings par semaine. Au total, vous devez compter 30 heures de travail par semaine, soit 6 heures par jour.

Vous pouvez tomber sur des annonces pour des postes de demi-pair, au pair plus ou mother's help. Les anglais ont en effet développé des formules plus ou moins intensives en complément des séjours au pair classiques :

- L'appellation **demi-pair** s'applique à des séjours de courte durée généralement pendant l'été. Vous travaillez à mi-temps 3 à 4 heures par jour, à répartir entre les activités ménagères et la garde d'enfant et consacrez 2 ou 3 soirées par semaine à du baby-sitting. Vous bénéficiez d'un jour de congé par semaine et touchez éventuellement un peu d'argent de poche (20 £ maxi/semaine).

- Une **au pair plus** a une charge de travail plus lourde (45 heures maximum). Vous devez notamment vous occuper des enfants durant les vacances scolaires. La rémunération est en conséquence : minimum 40 £/semaine.

- **Mother's Help** : encore plus fort, avec cette formule, vous travaillez 60 heures par semaine... pour 60 £ d'argent de poche.

Pour trouver une place de jeune fille au pair, trois possibilités :

- La plus simple consiste à vous adresser à une des nombreuses agences de placement françaises. Elles demandent des frais d'inscription et de recherche compris entre 500 et 1000 francs. Reportez-vous à notre chapitre général sur les séjours au pair pour plus d'informations.

- La deuxième solution consiste à passer directement par une agence au pair britannique. Gros avantage, la législation leur interdit de réclamer des frais d'inscription pour le placement de jeunes filles sur le sol britannique. Le recours à ces agences est donc gratuit. Bien sûr, votre anglais doit être correct. La plupart des agences demandent des lettres de référence attestant que vous avez déjà une expérience des enfants et des tâches domestiques. Une lettre de parents dont vous avez gardé ou fait travailler les enfants ou tout simplement de votre mère, certifiant que vous ne rechignez pas à mettre le couvert et à préparer la cuisine, fera très bien l'affaire.

- Enfin, rien ne vous empêche de trouver une famille par vous-même. Il est préférable alors de posséder une expérience car vous devrez négocier directement avec les familles les conditions de votre séjour. Le Centre Charles-Péguy diffuse des annonces de postes au pair. Vous pouvez également consulter le magazine hebdomadaire *The Lady* (vendu en kiosque), ou les magazines gratuits *TNT* et *The New Zealand News UK*.

# Agences au pair en Grande-Bretagne

## • Avalon Au Pair Agency

ACTIVITÉ — Chaque année, l'agence place environ 500 au pair (filles et garçons) et aides familiales, surtout dans le sud de l'Angleterre, avec quelques opportunités à Londres, dans le nord, au Pays de Galles et en Ecosse.

JOBS — Au pair et aide de famille. Les au pair travaillent 5 heures par jour, 6 jours par semaine contre 30 à 35 £ d'argent de poche hebdomadaire. Les aides familiales travaillent entre 40 et 50 heures par semaine pour une rémunération hebdomadaire de 40 à 60 £. La durée minimale de séjour est de 6 mois (sauf en été, où des placements de 2 mois sont possibles). Vous avez la possibilité de suivre des cours d'anglais (à vos frais).

PROFIL — Avoir entre 17 et 27 ans et une expérience de la garde d'enfants.

CANDIDATURE — Ecrivez pour recevoir une brochure d'information et un dossier.

✉ *Thursley House - 53 Station Road - Shalford - Guildford - Surrey GU4 8HA - Tél. : (1483) 63640 - Fax : (1483) 36648 Contact : Miss P. Penfold*

## • Centre Charles-Péguy - Service au pair

JOBS — Les postes d'au pair pourvus par le centre sont standards : 5 à 6 heures de travail par jour, 5 jours par semaine et 3 soirées de baby-sitting par semaine. Vous signez pour des périodes de 6 mois ou un an. Vous avez droit à une chambre individuelle. Vous devez pouvoir suivre des cours d'anglais et avoir suffisamment de temps pour pratiquer votre religion. Côté salaire : un minimum de 35 £ d'argent de poche par semaine.

PROFIL — Filles et garçons sont acceptés ; mais le Centre précise que la loi concernant les jeunes hommes au pair date seulement de 1991. Il y a donc pour l'instant assez peu de familles qui acceptent les garçons. Il faut être âgé(e) de 17 à 27 ans, ne pas avoir de charge familiale et posséder des références morales (lire le guide du Job-trotter ne suffit pas !).

CANDIDATURE — Il est possible de s'inscrire sur place si vous vous engagez pour une période d'au moins 6 mois. Autrement, passez par le CEI/Club des 4 vents à Paris.

✉ *Centre Charles-Péguy - 16, Leicester Square - London WC2 Tél. : (171) 437 8339*

## • Euroyouth

ACTIVITÉ  L'agence place entre 300 et 400 au pair par an.

JOBS  Au pair, 30 heures de travail par semaine réparties sur 5 ou 6 jours, contre 30 £ d'argent de poche hebdomadaire. Les séjours ont lieu entre début septembre et fin mai (il n'y a aucun placement en été).

PROFIL  Avoir entre 18 et 27 ans, une petite expérience de la garde d'enfants et un anglais correct.

CANDIDATURE  Ecrivez pour recevoir une brochure d'information et un dossier à retourner au moins 2 mois avant la date désirée de début de séjour.

*301 Westborough Road - Westcliff - Southend-on-Sea - Essex SS0 9PT - Tél. : (1702) 341 434 - Fax : (1702) 330104*
*Contact : Mrs. R. Hancock*

## • Helping Hands Au Pair Agency

ACTIVITÉ  L'agence place plus de 400 au pair et aides familiales par an, principalement dans la banlieue de Londres.

JOBS  Demi pair, au pair, au pair plus, aide familiale. De 3 heures de travail par jour pour les demi pair à 8 heures pour les aides familiales, 6 jours par semaine, pour une rémunération hebdomadaire qui varie de 20 £ à 70 £ selon le poste. Vous avez l'opportunité de vous inscrire (à vos frais) à des cours d'anglais.

PROFIL  Avoir plus de 17 ans et une expérience de la garde d'enfants (l'expérience exigée est naturellement plus importante pour un emploi d'aide familiale que pour un poste de demi pair). Il faut aussi pouvoir communiquer en anglais.

CANDIDATURE  Envoyez d'abord une lettre accompagnée d'un coupon réponse international. Vous recevrez une brochure d'information et un dossier que vous retournerez avec des lettres de recommandation.

*39 Rutland Avenue - Thorpe Bay - Essex SS1 2XJ - Tél. : (01702) 602 067 - Fax : (1702) 462 857 - Contact : Mrs. Sandra Clark*

## • Home from Home

ACTIVITÉ  L'agence place 200 au pair par an.

JOBS  Au pair, 30 heures de travail avec au moins un jour de congé par semaine, contre 35 £ d'argent de poche hebdomadaire. La durée minimale du séjour est de 6 mois, et l'agence place de préférence de septembre à juin. Les au pair ont la possibilité de s'inscrire à des cours d'anglais afin d'obtenir le Cambridge Certificate en juin (les frais d'inscription sont payés par les au pair).

PROFIL  Avoir entre 18 et 27 ans et une petite expérience des travaux ménagers et de la garde d'enfants. Des connaissances élémentaires d'anglais sont indispensables.

CANDIDATURE  Ecrivez pour recevoir un dossier de candidature, à retourner avec 2 lettres de recommandation, un certificat médical, 3 photos et une lettre dans laquelle vous vous présentez à la famille d'accueil

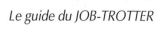 

potentielle.

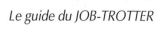
*Walnut orchad - Chearsley - Aylesbury - Buckinghamshire HP18
0DA - Tél. : (1844) 208561 - Fax : (1844) 208561
Contact : Carolyn Taylor*

## • Just The Job Employment Agency

ACTIVITÉ    L'agence place environ 200 au pair par an, à Aberdeen, Blackpool, Cardiff, Derby, Glasgow, Leeds, Leicester, Londres, Manchester, Newcastle, Norwich, Nottingham et Sheffield.

JOBS    Au pair, 5 heures de travail par jour, 6 jours par semaine, contre 32-35 £ d'argent de poche hebdomadaire.

PROFIL    Avoir entre 18 et 27 ans et une petite expérience de la garde d'enfants. Des connaissances élémentaires d'anglais sont indispensables.

CANDIDATURE    Ecrivez pour recevoir un dossier de candidature, à retourner avec 2 lettres de recommandation, un certificat médical, des photos et une lettre pour vous présenter à la famille d'accueil potentielle.

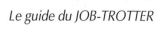
*32 Dovedale Road - West Bridgford - Nottingham NG2 6JA - Tél. :
(1602) 452482 - Fax : (1602) 452482 - Contact : Hilary Markson*

## • Problems Unlimited Agency

ACTIVITÉ    L'agence place de 400 à 600 au pair par an, principalement dans le sud-est bien qu'elle propose aussi des postes en Ecosse et au Pays de Galles.

JOBS    Au pair et au pair plus. Jusqu'à 5 heures de travail par jour pour les au pair, 7 heures de travail pour les au pair plus, 5 ou 6 jours par semaine. Les au pair reçoivent 35 £ d'argent de poche hebdomadaire et les au pair plus 40 £. Généralement, les au pair participent deux fois par semaine à des cours d'anglais de 2 heures en moyenne. L'inscription à ces cours est à la charge des au pair (comptez 50 £-60 £ par trimestre).

PROFIL    Avoir entre 18 et 27 ans et une petite expérience des travaux ménagers et de la garde d'enfants. Des connaissances élémentaires d'anglais sont indispensables.

CANDIDATURE    Ecrivez pour recevoir un dossier de candidature, que vous retournerez avec 6 photos, un certificat médical, 2 lettres de recommandation témoignant de votre expérience avec les enfants et une autre dans laquelle vous vous présentez (vos hobbies...).

A NOTER    Hilli Matthews parle français.

*86 Alexandra Road - Windsor Berks - Berkshire SL4 1HU - Tél. :
(1753) 830101 - Fax : (1753) 831194 - Contact : Hilli Matthews*

## • Universal Care Limited

ACTIVITÉ    L'agence place une centaine d'au pair par an, à Londres et dans toute la Grande-Bretagne.

| JOBS | Au pair. 6 jours de travail et 35 £ d'argent de poche par semaine. Les au pair ont la possibilité de s'inscrire (à leurs frais) à des cours d'anglais. |
|---|---|
| PROFIL | Avoir entre 17 et 27 ans et aimer les enfants. |
| CANDIDATURE | Ecrivez pour recevoir un dossier d'inscription, à retourner avec une lettre de motivation, deux de recommandation et des photos. |

**Chester House - 9 Windsor End - Beaconsfield Bucks HP9 2JJ - Tél. : (1494) 678811 - Fax : (1494) 671259**
**Contact : Jenny Stanton**

# Enseigner le français

Le français est la première langue étrangère apprise outre-Manche.

Si vous souhaitez enseigner le français dans l'enseignement primaire et secondaire britannique, vous devez normalement posséder un diplôme de professeur qualifié en France (CAPE, CAPES, agrégation). Il est toutefois possible, dans certains cas, d'enseigner dans le secondaire sans être qualifié. Vous aurez alors le statut de *licenced teacher*. Ces postes sont accessibles si vous avez plus de 25 ans et possédez un diplôme sanctionnant au moins deux années d'études supérieures. Pour poser votre candidature, contactez le Local Education Authority de la région qui vous intéresse ou consultez le supplément *Education* du *Times* qui paraît tous les vendredis ; des postes de *licenced teacher* peuvent y être proposés.

Si vous êtes étudiant en anglais, vous pouvez occuper des postes d'assistant ou de lecteur en Grande-Bretagne. Reportez-vous au chapitre sur l'enseignement du français (page 44) pour plus d'informations. Attention, la demande est très importante.

Enfin, il vous reste la possibilité d'enseigner dans des écoles privées. Londres abonde d'écoles qui proposent des cours aux particuliers comme aux entreprises. Le Centre Charles-Péguy et le consulat de France communiquent une liste d'une trentaine d'écoles. Les pages jaunes de l'annuaire sont une autre bonne source d'adresses (rubrique *Language schools*, concentrez-vous sur les établissements qui passent des encarts publicitaires).

La plupart des écoles cherchent désormais des professeurs expérimentés, capables d'enseigner le français des affaires à des cadres d'entreprise, surtout dans la City. Si vous êtes diplômé ou étudiant d'une école de commerce, vous bénéficierez d'un gros avantage. L'enseignement du français dans les écoles privées paye bien : la rémunération horaire varie entre 8 et 15 £. Autre avantage : les embauches se font toute l'année.

Stéphane, 24 ans, diplômé d'école de commerce, a ainsi enseigné près d'un an à des businessmen de la City :

*"J'ai commencé par adresser six CV aux directeurs des écoles que j'avais sélec-*

tionnées dans les pages jaunes. J'ai reçu une réponse pour un entretien. Je m'y suis rendu en costume/cravate impeccable et surtout en chaussures noires parfaitement cirées. En Grande-Bretagne, si vous portez des chaussures marrons lors d'un entretien, vous passez pour un touriste ! J'ai alors insisté sur ma formation commerciale et l'expérience de l'enseignement que j'avais acquise en France (j'ai donné des cours dans des prisons). Le directeur m'a embauché. J'enseignais environ 4h par jour, étalées dans la journée. C'était crevant, mais bien payé : 12 £ de l'heure."

## Travaux de secrétariat

Savoir taper à la machine est un atout majeur ; les secrétaires bilingues, temporaires ou permanentes, sont très recherchées à Londres, en particulier dans la City. Attention, vous devez pouvoir utiliser un clavier anglais (QWERTY). Si vous savez seulement taper sur un clavier français (AZERTY), un entraînement intensif d'une semaine minimum s'impose. D'autant que toutes les agences d'emploi temporaire testeront votre vitesse : 50 à 60 mots par minute en français comme en anglais. Elles vous demanderont également si vous connaissez quelques logiciels de traitement de texte : Word, Word Perfect... Votre évaluation à l'agence peut parfois aussi inclure un test d'orthographe (repérer et corriger des fautes) et un jeu de rôle durant lequel on vous demandera de réagir, en anglais, à une situation donnée. Un anglais professionnel est donc nécessaire. Les tarifs pour les emplois temporaires varient de 5 £ de l'heure pour un(e) réceptionniste à 10 £ de l'heure pour un(e) assistant(e) de direction.

## Jobs divers

### Pour les as du deux-roues

A Londres, vous avez sûrement remarqué ces cyclistes fous qui slaloment entre les taxis et les autobus à impériale, au guidon de VTT, talkie-walkies en main et sacoches en bandoulière. Ce sont des coursiers. Un job à votre portée si vous avez de bons mollets, connaissez bien les rues de la capitale et avez une excellente compréhension de l'anglais (vous devez capter du premier coup le nom des rues et des sociétés). Les compagnies de coursiers recrutent des candidats du monde entier. Le job est très populaire auprès des Néo-Zélandais. L'idéal est de posséder votre propre VTT. Autrement vous serez obligé d'en louer un (autour de 30 £ par semaine). Quant à la rémunération, elle dépend bien sûr de votre expérience et de votre vélocité. Un coursier expérimenté peut gagner 150 £ par semaine. Si vous avez une moto, il est également possible de délivrer des colis dans la capitale. On parle alors de *despatch rider*.

A savoir avant de postuler : si les perspectives de rémunération sont assez bonnes, le job de coursier est éprouvant physiquement et les risques d'accident sont malheureusement élevés (il pleut souvent à Londres... les chaussées sont glissantes).

Des offres d'emploi sont régulièrement passées dans les journaux gratuits londoniens, tels *TNT*. Dans *Loot*, regardez à la rubrique *Driving & Despatch job*.

Francis, après avoir abandonné un job de serveur dans un restaurant chinois, a trouvé un job de coursier grâce au Centre Charles-Péguy :

*"J'étais livreur de plats cuisinés japonais dans la City. Nous étions deux et nous livrions essentiellement des banques japonaises. J'étais payé 3 £ de l'heure et j'ai fait ça pendant deux mois et demi. Nous conduisions des mobylettes. Je peux même dire que nous étions les deux seules personnes en Grande-Bretagne à avoir des 103 Peugeot : le patron les avait importés exprès. Côté folklore, c'était assez impressionnant : j'étais habillé d'une combinaison blanche avec un gros drapeau japonais dans le dos. De vrais kamikazes ! Tout le monde nous parlait. Les chauffeurs de taxis s'arrêtaient à notre hauteur et nous baragouinaient des trucs incompréhensibles en argot. Probablement au sujet de notre tenue. J'ai rapidement découvert Londres et j'ai pu pratiquer mon anglais. Mais pour la bouffe : je ne peux plus manger de sushis..."*

## Les temps modernes

Vous pouvez aussi vous essayer au travail à la chaîne. Les agences de travail temporaire de l'industrie recrutent des employés à la journée et ne demandent aucune qualification. Voilà pour le côté pile. Côté face : pas de garantie à long terme, un travail très fatigant et des salaires horaires plutôt limités : comptez sur 2,5 £ de l'heure environ. Pour vous faire embaucher : consultez les pages jaunes de l'annuaire à la rubrique *Employement agencies* et repérez celles qui sont spécialisées dans l'industrie. Fabrice, 22 ans, a essayé l'agence Extraman, située à Earl's Court, un quartier très australien :

*"Il suffit d'aller s'inscrire ; ils ne demandent en gros qu'un passeport. Il ne faut pas de CV, pas de référence. En revanche, il faut appeler souvent ou se rendre à l'agence régulièrement pour prouver sa motivation. Les boulots ne sont pas terribles mais permettent de survivre : j'ai commencé par être manutentionnaire dans un entrepôt : juste une journée à 3,40 £ de l'heure (brut), ce qui n'est pas trop mal pour cette agence. Ensuite, j'ai passé un jour dans une exploitation agricole dans la banlieue de Londres. Un travail assez pénible et salissant, payé 3,50 £ de l'heure (brut). Et ainsi de suite, d'extra en extra, j'ai fini par travailler un mois et demi, plus ou moins à la chaîne, dans un entrepôt".*

Astrid, seule française "exilée" dans une ville de province du Norfolk, a passé un mois à découper des laitues et des choux à la hachette, dans une usine de conditionnement :

*"Je suis passée par l'agence de recrutement de l'usine. Le job était payé à la pièce. Au départ, on m'avait annoncé un salaire horaire de 3,70 £. Mais j'étais*

*loin d'atteindre ce rendement. J'ai débuté à 2 £, pour grimper jusqu'à 2,8 £ à la troisième semaine. J'ai laissé tomber après un mois. L'ambiance de travail était rude. Et puis je rentrais fatiguée le soir, porteuse d'une tenace odeur de chlore, (utilisé pour laver les légumes)."*

## Starmania

Si les feux de la rampe vous attirent, pourquoi ne pas tenter une carrière de jeune premier sur la scène londonienne ? Après tout, votre accent français est un plus de ce côté-ci du Channel. Bien sûr, la concurrence est rude. Mais si vous avez la chance de taper dans l'œil d'une agence de casting, vous pouvez compter sur une rémunération royale.

Laurent, 25 ans, originaire de Troyes, plongeur dans un restaurant, a ainsi fait de la figuration pour la télévision et des agences de publicité.

*"J'ai trouvé une annonce au Centre Charles-Péguy. En fait, il s'agissait d'une agence de pub qui tournait un spot pour une marque de vin et recherchait des francophones. Ils ne filmaient que les mains, avec une voix-off. Ils m'ont pris sans doute à cause de la voix et aussi parce que j'avais fait une figuration pour la BBC quelques semaines avant. Je jouais un supporter de foot fasciste qui essayait de tabasser un noir ! Pour la pub, j'ai bossé une journée de 8h30 à 19h30 et j'ai touché 300 £. Les tarifs normaux tournent autour de 80 £ par jour mais j'ai eu droit à deux suppléments : un pour les mains, l'autre pour la voix en français."*

Si le showbiz vous tente, faites le tour des quelques agences de casting spécialisées dans la figuration et lisez l'hebdomadaire *The Stage*. Ce journal des professionnels du spectacle publie une liste des castings en cours. Pour augmenter vos chances, présentez quelques photos et surtout tâchez d'avoir un téléphone et un répondeur.

## Pour les photographes

Des plans pour ceux qui ont des talents - ou un brin d'expérience - dans la photographie. L'AFAEP (l'association, entre autres, des photographes de mode) passe quelques annonces pour des assistants photographes. Les pros peuvent espérer jusqu'à 100 £ par jour ; les débutants iront travailler chez des photographes moins établis pour 150 £ par semaine. Ils risquent de ne pas faire que de la photographie... un peu de ménage les attend aussi.

🖂 *AFAEP - Association of Photographers - 9-10 Domingo Street - London EC1 Tél. : (171) 608 14 41*

Si vous êtes bon en portrait, partez en Grande-Bretagne avec votre portfolio et laissez des annonces dans les agences d'acteurs et écoles de théâtre. Les stars de demain auront besoin d'immortaliser leurs irrésistibles traits. Vous pouvez demander entre 50 et 100 £ pour des séances qui vont de une heure à 4 heures. Mais le résultat doit être professionnel. Pascal, 28 ans, est photographe ; il vous met en garde quant à certaines démarches :

*"Si un jeune ne vient que pour quelques mois, pour améliorer son anglais et vendre ses talents de photographe, il vaut mieux qu'il évite la presse et les agences de presse. Ils mettent trois mois à payer, quand ils paient. C'est très bien pour se bâtir un portfolio et des contacts, mais inutile pour assurer l'alimentaire. Certaines agences qui travaillent pour les tabloïds réservent parfois quelques surprises : un jour je me suis retrouvé devant un modèle, type page 3 du Sun : elle s'est complètement déshabillée et l'agence ne m'avait pas vraiment laissé toutes les instructions pour que je puisse décider ce que je devais en faire..."*

# Bénévolat et volontariat

Le bénévolat est très ancré dans la culture britannique. Fort de vos motivations altruistes, vous avez la possibilité de vous impliquer dans des actions de solidarité, de restauration de patrimoine ou de protection de l'environnement.

Avant de vous décider pour une mission de solidarité, gardez à l'esprit que l'engagement auprès de personnes handicapées ou malades peut être éprouvant, physiquement et mentalement. En échange, les satisfactions que l'on en retire sont immenses. Un très bon niveau d'anglais est indispensable. Les personnes que vous rencontrerez ont avant tout besoin de réconfort moral et votre capacité à communiquer avec elles est essentielle.

Les bénévoles dans des organismes sociaux doivent s'engager pour des durées généralement comprises entre un mois et un an. Le couvert et le gîte sont offerts. Vous pouvez aussi recevoir un peu d'argent de poche.

Les actions dans les domaines de l'environnement et du patrimoine sont de plus courte durée : entre une semaine et un mois. Il est parfois demandé une légère participation pour la nourriture et l'hébergement.

Pour participer à une action bénévole, vous avez le choix entre partir avec un organisme français de chantiers (voir page 69) ou contacter directement les organisations bénévoles anglaises.

**A noter :** le programme ICYE (International Christian Youth Exchange) permet d'être bénévole pendant un an en Grande-Bretagne. Renseignez-vous auprès de l'association Jeunesse et Reconstruction :

✉ *Jeunesse et Reconstruction - 10, rue de Trévise - 75009 Paris*
*Tél. : (1) 47 70 15 88*

En Angleterre, les Students Community Action Groups (SCA) peuvent vous aider à trouver un job bénévole. Ces associations gérées par les élèves de l'enseignement supérieur, visent à créer des liens entre le monde étudiant et la vie locale. Elles organisent des programmes d'action communautaire et des campagnes de sensibilisation aux problèmes des sans-logis, des handicapés et plus généralement des personnes défavorisées. En mai/juin, elles publient une brochure d'information sur les opportunités de bénévolat offertes au niveau local en été.

Pour plus d'informations, contactez l'Association Nationale SCADU à Londres :

✉ *Student Community Action Development Unit (SCADU) - Oxford House - Derbyshire Street - London E2 6HG - Tél. : (171) 7399 001*

# Organismes de bénévolat anglais

## *Aider les personnes défavorisées*

### • ATD Fourth World

| | |
|---|---|
| ACTIVITÉ | Cette organisation travaille en étroite collaboration avec les familles les plus démunies et marginalisées de Londres, qu'elle aide à s'insérer dans la société. |
| JOBS | Les bénévoles travaillent au centre familial de Surrey, lieu de rencontre et d'échange avec les familles pauvres. Encadrés par les membres permanents, ils effectuent surtout des travaux manuels d'entretien, ainsi que des tâches administratives. 40 heures de travail par semaine, réparties sur 5 jours et demi. Le logement est assuré, mais vous devez contribuer aux frais de nourriture. Vous pouvez participer pendant 2 semaines en juillet ou pendant 3 mois entre juin et septembre. |
| PROFIL | Avoir plus de 18 ans. Les bénévoles doivent être désireux de travailler en équipe et d'aller au-delà d'une approche superficielle de la pauvreté. |
| CANDIDATURE | Ecrivez pour demander la brochure d'information et un dossier de candidature. |
| DIVERS | Apportez un sac de couchage. |

✉ *The General Secretary - 48 Addington Square - London SE5 7LB - Tél. : (171) 703 3231*

### • AFASIC (Association For All Speech Impaired Children)

| | |
|---|---|
| ACTIVITÉ | Association visant à améliorer le bagage éducatif des enfants ayant des problèmes orthophoniques. |
| JOBS | Dans un centre de loisirs de plein air en Angleterre, au Pays de Galles ou en Ecosse, s'occuper pendant une semaine d'un jeune ayant des problèmes orthophoniques (âgé de 6 à 18 ans), en l'aidant à participer aux activités proposées et à améliorer ainsi ses capacités de communication. Il faut être disponible 24h/24, 7 jours sur 7. Le logement (dans le centre même ou en auberge de jeunesse), les repas et l'assurance sont fournis. De 50 à 70 bénévoles sont recrutés pour le mois d'août. |
| PROFIL | Avoir plus de 18 ans et une bonne maîtrise de l'anglais. Aimer s'occuper des enfants. |
| CANDIDATURE | Ecrivez pour recevoir la brochure d'information en janvier. |
| DIVERS | Apportez votre sac de couchage. |

*347 Central Markets - Smithfield - London EC1A 9NH - Tél. : (171) 2363 632 - Fax : (171) 2368 115 - Contact : John Richards*

## • Christian Movement for Peace (CMP)

JOBS
Le CMP propose traditionnellement des places d'animateur pendant 2 à 3 semaines. Par exemple : animer un centre de plein air, un projet théâtral pour enfants, etc.

PROFIL
Avoir plus de 18 ans. Les chantiers d'animation nécessitent une bonne connaissance de l'anglais.

AUTRES
Pour plus de renseignements sur le MCP (Mouvement Chrétien pour la Paix), adressez-vous en France à Solidarités Jeunesses :

*38, rue du Faubourg St-Denis - 75010 Paris - Tél. : (1) 48 00 09 05 - Fax : (1) 42 46 49 32*

*CMP - Bethnal Green United Reformed Church - Pott Street - London E2 0EF - Tél. : (171) 729 7895*

## • Community Service Volunteer (CSV)

ACTIVITÉ
Association à vocation sociale.

POSTES
Aide aux enfants, aux handicapés, aux toxicomanes, aux sans-abri... Les missions durent de 4 à 12 mois. Les volontaires sont logés, nourris et perçoivent une indemnité hebdomadaire de 20 £. Le coût total de participation au programme est de 4950 francs (hors transport).

PROFIL
Avoir moins de 35 ans et posséder un niveau d'anglais correct. Hormis ces deux critères, l'association n'impose pas de conditions et tout type de motivation est acceptable (désir d'améliorer son anglais, de vivre dans une autre culture, d'acquérir une expérience dans le domaine social...). La CSV s'est donnée pour devise de "ne refuser à aucun jeune la possibilité de donner son temps aux autres".

CANDIDATURE
Passer par l'organisme français Jeunesse et Reconstruction.

*10, rue de Trévise - 75009 Paris Tél. : (1) 47 70 15 88*

## • International Voluntary Service (IVS)

JOBS
Les chantiers durent de 2 à 3 semaines et rassemblent de 6 à 20 bénévoles. Les thèmes sont variés : aider à la gestion d'un théâtre pour handicapés mentaux et physiques à Birmingham, travailler dans un centre Quaker pour jeunes délinquants à Cambridge, nettoyer un site où une association de promotion des énergies alternatives construit un chemin de fer qui roule sur l'eau, aider la communauté de la petite île écossaise de Fair (Iles Shetlands) à assurer les tâches liées à son mode de vie traditionnel (fenaison, construction de murets, nettoyage de fossés, peinture), etc.

PROFIL
Avoir plus de 18 ans.

*Old Hall - East Bergholt - Colchester - Essex CO7 6TQ En France, adressez-vous à :*

*SCI (Service Civil International) - 2, rue Eugène Fournière - 75018 Paris - Tél. : (1) 42 54 62 43*

## • Tadworth Court Trust

ACTIVITÉ     Hôpital pour enfants handicapés (Tadworth Court Children's Hospital).

JOBS          Etablir une relation amicale privilégiée avec les enfants. Ceci implique : les aider dans leurs besoins élémentaires (se laver, s'habiller, se nourrir), ainsi que les divertir (les accompagner dans des sorties, leur apprendre à chanter, à jouer d'un instrument de musique...). Les bénévoles travaillent 37 heures par semaine réparties sur 5 jours. Le logement leur est offert à l'hôpital et ils bénéficient d'une subvention de 5,5 £ par jour pour couvrir leurs frais de nourriture. La fondation leur rembourse également leurs frais de transport à l'intérieur de la Grande-Bretagne. 15 bénévoles sont recrutés pour le programme d'été qui s'étend de la mi-juillet à la fin août.

PROFIL        Etre majeur, enthousiaste et parler l'anglais couramment. Une expérience préalable de bénévolat auprès d'enfants handicapés est un plus.

CANDIDATURE   Ecrivez avant mars/avril pour recevoir un dossier de candidature. Les recrutements fermes ont lieu en juin.

📧  *Tadworth - Surrey KT20 5RU - Tél. : (1737) 357 171 - Fax : (1737) 373 848 - Contact : Rachel Turner, Voluntary Services Organiser*

## • The Shaftesbury Society Holiday Centre

ACTIVITÉ     Géré par l'association chrétienne The Shaftesbury Society, le centre, situé à deux minutes à pied du bord de mer, offre une ou deux semaines de vacances à des personnes âgées.

JOBS          Aider les personnes âgées dans leurs besoins quotidiens (se laver, s'habiller, se coucher...), et les accompagner dans leurs sorties (plage, shopping...). Il s'agit surtout de communiquer avec des personnes qui, bien souvent, se sentent très seules. Les bénévoles doivent être disponibles toute la journée, mais peuvent faire des pauses s'ils le désirent. Le logement, la nourriture et l'assurance sont fournis par le centre. Environ 250 bénévoles sont recrutés chaque année pour une ou deux semaines entre mai et octobre.

PROFIL        avoir entre 18 ans et 70 ans.

CANDIDATURE   Ecrivez à Mme Pat Ford qui vous enverra un dossier de candidature avec une brochure d'information.

📧  *New Hall - Low Road - Dovercourt - Harwich - Essex CO12 3TS - Tél. : (1255) 504 219 - Fax: (1255) 241 896 - Contact : Pat Ford, Volunteers Secretary*

## • The Leonard Cheshire Foundation

ACTIVITÉ     La Fondation gère plus de 80 foyers pour adultes gravement handicapés (principalement physiques).

JOBS      Les bénévoles aident les habitants d'un des foyers de la Fondation dans leur vie quotidienne (se laver, se nourrir, faire les courses...) et dans leurs loisirs. 37 heures de travail par semaine réparties sur 5 jours. Les bénévoles bénéficient de la gratuité du logement (au sein du foyer, en chambre individuelle ou partagée), des repas et reçoivent 26,5 £ d'argent de poche hebdomadaire. L'engagement minimal est de 3 mois, mais la Fondation donne la préférence à ceux qui peuvent rester 6 à 12 mois. 120 à 150 bénévoles sont recrutés par an, notamment pour les mois d'été.

PROFIL      Avoir entre 18 et 35 ans et très bien parler anglais.

CANDIDATURE      Ecrivez pour recevoir un dossier. Avec ce dernier, vous devez fournir les coordonnées de 2 personnes pouvant vous recommander.

 *26-29 Maunsel Street - London SW1P 2QN - Tél. : (171) 828 1822 - Fax: (171) 976 5704 - Contact : Personnel Secretary*

## • The Simon Community

ACTIVITÉ      Association travaillant pour et avec les sans-logis. Elle dispose d'un centre d'accueil de nuit et de trois foyers résidentiels (pour les sans-domicile-fixe désirant ne plus vivre dans la rue et intéressés par la vie communautaire).

JOBS      Les bénévoles gèrent le centre d'accueil de nuit et les foyers en collaboration avec leurs résidents. Ils sont en contact permanent avec "la rue" : aller discuter avec les sans-logis, leur offrir des cigarettes, les conseiller, leur remonter le moral... ; ils organisent aussi des tournées de distribution de thé et de vêtements. Ils participent à des campagnes de sensibilisation et de récoltes de subventions en faveur des sans-logis. Après 48 heures d'essai (du vendredi soir au dimanche après-midi), un engagement de 3 mois est exigé. 40 heures de travail par semaine réparties sur 6 jours. Les bénévoles logent et mangent gratuitement dans le foyer où ils sont affectés et reçoivent 15 £ d'argent de poche hebdomadaire. Tous les 3 mois, les volontaires bénéficient de 15 jours de congé et d'une prime de 250 £. Une cinquantaine de bénévoles sont recrutés sur l'année.

PROFIL      Avoir au moins 19 ans et posséder une bonne maîtrise de l'anglais.

CANDIDATURE      Ecrivez pour recevoir un dossier et une brochure d'information.

 *129 Malden Road - PO Box 1187 - London NW5 4HW - Tél. : (171) 485 6639 - Contact : The Community Leaders*

## • University College London Hospitals

ACTIVITÉ      Les University College London Hospitals incluent principalement le University College Hospital (Gower Street, London WC1) et le Middlesex Hospital (Mortimer Street, London W1).

JOBS      3 types de jobs sont proposés :

- Services de garde : 3 équipes de garde (matin : 10h-13h ; après-midi : 14h-17h ; soir : 18h-21h) sont chargées de communiquer avec les patients (notamment ceux de longue durée), de les écouter, de leur remonter le moral. Il s'agit par exemple de les emmener se promener dans les jardins et les boutiques environnants. Des services plus spécialisés existent : le service "poste" (collecter et distribuer le courrier, vendre du papier à lettre, des timbres et des enveloppes) ; le service "bibliothèque" (emprunter des livres au nom des patients) ; le service "artisanat" (aider les patients à fabriquer des petits objets), etc.

- Services généraux : aider aux services d'accueil, de restauration, etc.

- Services spéciaux : pour satisfaire des besoins ponctuels, par exemple, raccompagner chez lui un patient âgé.

Un engagement d'au moins 4 semaines à raison de 18 heures par semaine ou de 3 mois à raison de 3 heures par semaine, est exigé. Le logement n'est pas assuré, mais vous pouvez bénéficier d'un repas pendant le service. Une centaine de bénévoles sont recrutés par an.

PROFIL          Avoir plus de 16 ans et une bonne connaissance de l'anglais.

CANDIDATURE     Envoyez votre demande accompagnée de 2 lettres de recommandation et d'une photographie, 2 à 3 mois avant la date souhaitée de début du job.

 *The Middlesex Hospital - Mortimer Street - London W1N 8AA*
*Tél. : (171) 380 9052 (ligne directe) - Contact : Lesley Borzoni*

## Préservation de l'environnement

### • British Trust for Conservation Volunteers (BTCV)

ACTIVITÉ        Association visant à la protection et à la restauration des réserves naturelles, domaines ruraux, monuments classés et parcs nationaux. Le BTCV gère chaque année plus de 600 projets dans toute la Grande-Bretagne : par exemple, couper des conifères pour élargir les clairières et favoriser la prolifération de papillons rares dans le Wiltshire, construire des habitats en bois pour les oiseaux et les chauve-souris dans le Surrey, aménager des haies, bâtir des ponts en pierre, etc.

JOBS            Une douzaine de bénévoles, dirigée par une personne expérimentée, travaillent sur chaque projet. Une participation à un projet dure une ou deux semaines, avec un jour de congé par semaine pour explorer la région. Contre 27,5 £ (prix minimum), le gîte (en auberge de jeunesse, bâtiment de ferme, hall communal, etc.) et le couvert sont assurés : chaque membre de l'équipe est en charge de la préparation des repas, à tour de rôle. Les bénévoles sont formés à l'utilisation des outils et des techniques traditionnelles.

PROFIL          Avoir plus de 18 ans et pouvoir communiquer en anglais.

CANDIDATURE     Pour participer à un projet, il faut auparavant devenir membre du BTCV : pour les candidats non anglais, il en coûte 20 £, payables par Eurochèque ou carte de crédit.

DIVERS    Vaccination antitétanique indispensable. Apportez un sac de couchage, des bottes et des vêtements contre la pluie.

*Room WH - 36 St Mary's Street - Wallingford - Oxfordshire*
*OX10 0EU - Tél. : (1491) 39766*

## • Concordia (Youth Service Volunteers) UK

JOBS    Les chantiers de Concordia durent de 2 à 3 semaines en juillet et en août, et concernent surtout la rénovation, la construction et l'aménagement en faveur de l'environnement ou de communautés défavorisées. Par exemple : aménagement intérieur d'un camp de réfugiés vietnamiens, éthiopiens et croates à Keffolds, à une soixantaine de km au sud-ouest de Londres ; travaux d'entretien de champs de bruyère dans la région autour de Low Weald, dans le Sussex, etc.

PROFIL    Avoir plus de 18 ans.

*8 Brunswick Place - Hove - East Sussex BN13 1ET - Tél. : (1273)*
*772 086 - Fax : (1273) 327 284 - Contact : Miss J. Spencer*
*En France, adressez-vous à :*
*Concordia - 1, rue de Metz - 75010 Paris - Tél. : (1) 45 23 00 23*

## • Dyfed Wildlife Trust

ACTIVITÉ    Cette association gère l'Ile de Skomer, au large des côtes du Pays de Galles, célèbre réserve ornithologique ouverte au public de fin mars à fin septembre.

JOBS    Entretenir les bâtiments et les sentiers ; aider à répertorier les oiseaux ; accueillir les visiteurs. 8 à 10 heures de travail par jour, tous les jours de la semaine. Le logement est assuré. En revanche, les bénévoles doivent apporter leur propre nourriture (un matériel de cuisine est mis à leur disposition sur place). De Pâques à fin octobre, 6 bénévoles en moyenne sont recrutés par semaine pour une durée maximale de quinze jours.

PROFIL    Avoir plus de 16 ans. Aucune expérience préalable n'est exigée, mais il faut s'intéresser à l'histoire naturelle.

CANDIDATURE    Ecrivez pour recevoir la "booking form", la fiche de réservation (de votre placement sur l'île en tant que bénévole), et renvoyez-la entre septembre et octobre pour un placement l'année suivante. Attention : les placements de mai à juillet sont très vite réservés.

DIVERS    Apportez un sac de couchage, des vêtements chauds et contre la pluie, une torche et des allumettes. On vous fournira un ticket pour prendre le bateau vous permettant d'accéder à l'île à partir de Martins Haven, une petite plage à la sortie du village de Marloes.

*7 Market Street - Haverfordwest - Dyfed SA61 1NF - Tél. : (1437)*
*765 462 - Fax : (1437) 767 163 - Contact : Mme J. Glennerster*

## • The Monkey Sanctuary

ACTIVITÉ    Habitat d'une colonie de singes "laineux". Seul endroit où cette espèce de singe a pu survivre et prospérer en dehors de la forêt tropicale amazonienne. Le "Sanctuaire" a été constitué en 1964 afin de recueillir les singes initialement importés pour être exhibés dans les zoos ou servir d'animaux domestiques. Le "Sanctuaire" est ouvert au public d'avril à octobre.

JOBS Toute l'année, préparation de la nourriture des singes. D'avril à octobre : assistance dans les boutiques du "Sanctuaire", travaux de nettoyage et de jardinage. D'octobre à avril : entretien de l'habitat des singes. 8,5 heures de travail par jour (y compris les pauses), 5 jours par semaine. Tout le personnel du "Sanctuaire" (permanents et bénévoles) loge dans une grande maison sur place. Tous les repas sont assurés. Le "Sanctuaire" recrute 4 ou 5 bénévoles tous les quinze jours. Le premier placement dure de 2 à 4 semaines. Certains bénévoles peuvent être invités à rester plus longtemps et à travailler davantage en contact avec les singes.

PROFIL Avoir au moins 18 ans et une bonne maîtrise de l'anglais. Aucune expérience préalable n'est exigée. Une formation est dispensée sur place.

CANDIDATURE Envoyez une lettre de motivation indiquant vos dates de préférence et les jobs que vous souhaiteriez accomplir, en janvier pour un placement au printemps, en avril pour un placement en été, en juillet pour un placement en automne et en septembre pour un placement en hiver.

 *Looe - Cornwall PL13 1NZ - Tél. : (1503) 262 532 - Contact : Pamela Stirrat, Volunteer Coordinator*

## • The Royal Society for the Protection of Birds (RSPB)

ACTIVITÉ La RSPB s'est donnée pour objectif l'entretien et la promotion auprès du grand public de réserves ornithologiques réparties sur l'Angleterre, l'Ecosse et le Pays de Galles.

JOBS La RSPB recrute des volontaires pour des missions d'une semaine au moins dans ses différentes réserves. Les tâches confiées aux volontaires varient selon les sites. Elles concernent essentiellement l'accueil et l'encadrement des visiteurs dans les réserves (exposés sur les oiseaux présents dans la forêt, réponses aux questions...), ainsi que des tâches d'entretien (aménagement de sentiers...). Les volontaires sont logés mais doivent apporter leur propre nourriture pendant la durée de leur mission. Ils disposent bien sûr de temps libre pour se consacrer à l'observation des oiseaux.

Il est conseillé de prendre avec soi un sac de couchage, une lampe torche, un carnet de notes et des jumelles d'observation.

PROFIL Avoir plus de 16 ans. Aucune autre condition préalable n'est demandée, si ce n'est un intérêt pour l'ornithologie et la protection de la nature. Dans le formulaire de candidature, on vous demandera de préciser votre niveau d'anglais.

CANDIDATURE Un formulaire, délivré sur simple demande, est à remplir et à retourner au Reserve Management Department, à l'adresse indiquée :

> *The lodge - Sandy - Bedfordshire - SG19 2DL -*
> *Tél. : (1767) 680 551 - Fax : (1767) 692 365 -*
> *Contact : Reserves Management Department*

## • The Scottish Conservation Projects Trust

ACTIVITÉ — Association qui vise à impliquer le plus grand nombre de personnes dans la protection des sites naturels de la lande écossaise. De mars à novembre, le SCPT gère environ 70 projets à travers toute l'Ecosse, y compris les Iles Orchades et Shetland. Par exemple, restaurer les berges d'une rivière pour améliorer l'habitat des loutres à Strathyre, près de Balquhidder ; stabiliser les dunes de sable de la Baie de Dunnet, à Caithness.

JOBS — Une douzaine de bénévoles, dirigés par une personne expérimentée, travaillent sur chaque projet. Une participation à un projet dure une ou deux semaines, avec 8 heures de travail par jour et un jour de congé par semaine pour explorer la région. Contre 4 £ par jour (3 £ pour les non-salariés), le gîte (en auberge de jeunesse, bâtiment de ferme, hall communal...) et le couvert sont assurés : tout le monde contribue à la préparation des repas. Les bénévoles sont formés à l'utilisation des outils et des techniques traditionnelles.

PROFIL — Avoir plus de 18 ans et pouvoir communiquer en anglais. Certains projets sont assez éprouvants physiquement et les bénévoles doivent être prêts à travailler dans des sites éloignés des sentiers battus.

CANDIDATURE — Pour participer à un projet, il faut auparavant devenir membre du SCPT : le coût normal de l'adhésion est de 10 £ pour les étrangers.

AUTRES — Vaccination antitétanique. Apportez un sac de couchage, des bottes, des vêtements contre la pluie et un insectifuge.

> *Balallan House - 24 Allan Park - Stirling FK8 2QG - Tél. : (1786)*
> *479697 - Fax : (1786) 465359 - Contact : Rita Crowe*

## • Thistle Camps

ACTIVITÉ — Fondation visant à la préservation des sites naturels dans toute l'Ecosse. Chaque année, elle élabore environ 25 projets, qui ont lieu entre mars et octobre.

JOBS — 10 bénévoles sont recrutés par projet, chacun pour une durée moyenne d'une semaine, deux au maximum. 7 heures de travail par jour, 5 jours par semaine. La fondation pourvoit au logement, aux repas et aux frais d'assurance.

PROFIL — Avoir entre 16 et 70 ans et une bonne maîtrise de l'anglais. Aucune expérience préalable n'est exigée.

CANDIDATURE — Adressez-vous en France à l'organisation REMPART, 1 rue des Guillemites, 75004 Paris.

AUTRES — Apportez votre sac de couchage, des vêtements chauds et contre la pluie.

> *National Trust for Scotland - 5 Charlotte Square - Edinburgh EH2*
> *4DU - Tél. : (131) 226 5922 - Fax : (131) 243 9302 -*
> *Contact : Jim Ramsay, Conservation Volunteer Coordinator*

## Archéologie et histoire

### • Cathedral Camps

ACTIVITÉ     Association visant à préserver et restaurer les cathédrales et autres monuments religieux de première importance.

JOBS     Les bénévoles effectuent tantôt des travaux spectaculaires, tantôt des besognes routinières : travaux d'entretien sous la direction d'artisans qualifiés (ravaler les motifs de pierre, les escaliers en colimaçon, repeindre les ouvrages de fer forgé, jardiner, débroussailler les sentiers, etc.) ; nettoyage (laver les sols...). Le logement (en école, dans la cathédrale, quelquefois en auberge de jeunesse) et les repas (des équipes de bénévoles sont chargées de les préparer à tour de rôle) sont assurés. Chaque camp dure une semaine (du mercredi au mercredi) entre mi-juin et début septembre, mais les bénévoles peuvent participer à plusieurs camps. La journée de travail commence normalement à 9h et s'achève à 17h, sauf le samedi (où on ne travaille que le matin) et le dimanche (jour de congé). Tous les bénévoles reçoivent une carte, valable pendant un an, qui leur permet d'être admis gratuitement dans la plupart des cathédrales anglaises. Environ 700 bénévoles sont recrutés par an.

PROFIL     Avoir entre 16 et 30 ans. Aucune expérience préalable n'est exigée.

CANDIDATURE     Ecrivez pour recevoir une brochure d'information et un dossier. Si vous postulez pour la première fois, vous devez fournir une lettre de recommandation. Le coût d'admission dans un camp s'élève à 33 £.

AUTRES     Vaccination antitétanique. Apportez un sac de couchage.

*Cathedral Camps - Manor House - High Birstwith - Harrogate - North Yorkshire HG3 2LG - Tél. : (1423) 770 385 - Fax : (1423) 770 714 - Contact : Robert Aagaard, Chairman*

### • The Ironbridge Gorge Museum Trust

ACTIVITÉ     Cette association s'est fixée pour objectif de préserver, restaurer et interpréter l'héritage du Gorge, berceau de la révolution industrielle. Il s'agit en fait d'un musée comprenant 6 sites.

JOBS     Accueil du public, travaux d'entretien, recherche documentaire, animation (vendeurs et artistes de rue), visites guidées (expliquer aux visiteurs la fonction et le fonctionnement des articles exhibés). Un job au musée constitue un poste idéal pour ceux qui rêvent de remonter dans le temps et d'éprouver pleinement l'atmosphère du début de la révolution industrielle : au musée de plein air de Blists Hill, les guides bénévoles sont en costume de style victorien ! 8 heures de travail par jour, 5 jours par semaine. Le déjeuner est offert les jours de travail. Il est possible d'être logé sur le site de Blists Hill pour 1,15 £ par nuit, mais il faut réserver à l'avance. Une formation est assurée et, si le job l'exige, un costume est fourni. Le musée prend en charge tous les frais d'assurance et les bénévoles peuvent visiter gratuitement toutes les expositions pendant leur temps libre.

Une centaine de bénévoles sont recrutés pour au moins 2 semaines entre début mars et fin octobre.

PROFIL — Avoir plus de 18 ans et une excellente maîtrise de l'anglais.

CANDIDATURE — Écrivez pour recevoir un dossier et une brochure d'information.

DIVERS — Apportez un sac de couchage et des couverts.

*The Wharfage - Ironbridge - Shropshire TF8 7AW - Tél. : (1952) 583 003 - Fax : (1952) 433 204 - Contact : Ms. Jan Jennings, Volunteer Coordinator*

# Trouver un stage

En Grande-Bretagne, les stages (*work placements*) sont beaucoup moins pratiqués qu'en France. Certaines sociétés britanniques n'en connaissent même pas l'existence. Les lycéens anglais doivent depuis peu passer deux à trois semaines dans une entreprise pour voir un peu ce qui les attend. Les étudiants quant à eux poursuivent encore des études très académiques. Lorsqu'ils sont embauchés, leur formation professionnelle est à la charge de l'entreprise et se déroule sur une période de un à trois ans, le *traineeship*. Il est donc souvent difficile de faire comprendre à une entreprise ce que l'on entend exactement par stage. De plus, la situation économique outre-Manche ne permet guère aux employeurs de passer du temps à former un jeune étranger qui ne va pas nécessairement rester dans le pays. Dans tous les cas, un anglais opérationnel est de rigueur. Moralité, trouver un stage par vous-même relève de l'exploit. Et d'une solide motivation, puisque même si vous décrochez un stage, il y a de fortes chances pour qu'il ne soit pas rémunéré. Magalie, 24 ans, diplômée de sciences économiques, relate les étapes de sa longue quête :

*"J'étais déjà à Londres et j'avais enchaîné plusieurs petits boulots pour améliorer mon anglais. Je recherchais un stage de marketing. J'ai donc décidé d'envoyer des candidatures spontanées : une centaine au total. Je n'ai reçu en fin de compte qu'une seule réponse positive. Il s'agissait d'une chaîne d'hôtels française. La mission proposée supposait que je travaille avec un autre Français. J'ai refusé, car mon objectif était de m'immerger complètement dans la culture britannique. Les autres réponses étaient très polies et très négatives. J'avais demandé une 'work experience' et je crois que les Britanniques n'ont pas vraiment compris ce que je recherchais. Un conseil : il vaut mieux parler de 'work placement'."*

La Chambre de commerce française à Londres est assaillie de demandes de stages. Sachez que certaines sociétés membres ont demandé à ne plus paraître dans son annuaire suite au nombre ingérable de candidatures spontanées qu'elles recevaient. Il vaut mieux vous orienter vers d'autres pistes. Toutes les institutions françaises de Londres orientent les demandes spontanées qu'elles reçoivent vers le Centre d'échanges internationaux (CEI, voir plus loin).

Une solution consiste à cibler des entreprises britanniques auxquelles vous pouvez apporter des connaissances linguistiques, ou une connaissance du marché français pour les stages commerciaux. Les petites et moyennes entreprises sont à privilégier. Pour cela, consultez des annuaires d'entreprises comme le Kompass. Pensez à votre école ou université et aux contacts qu'elle peut avoir en Grande-Bretagne. Vérifiez également les accords éventuels de jumelage existant entre votre ville, votre département ou votre région et leurs homologues outre-Manche.

Si vous prospectez les entreprises par vous-même, il est indispensable de pouvoir présenter un CV rédigé selon les règles britanniques. Les informations concernant la rédaction d'un CV en anglais sont traitées dans le chapitre "Soignez votre candidature".

# Des organismes pour vous aider en France

Un certain nombre d'associations d'échanges internationaux peuvent vous aider à trouver des stages en Grande-Bretagne.

Reportez-vous au chapitre Trouver un stage pour avoir des informations sur :

- Les programmes de stages européens. Sont concernés les étudiants, notamment en sciences et technologies et les jeunes professionnels entre 15 et 28 ans. (voir page 80).
- L'AIESEC, pour les étudiants en sciences économiques, (voir page 86)
- L'IAESTE, pour les étudiants ingénieurs, (voir page 88)
- SESAME, pour les jeunes agriculteurs, (voir page 86)

# Des organismes pour vous aider en Angleterre

## La Safe Start Foundation

Certaines organisations offrent des programmes d'aide à la recherche d'emploi. Parmi elles, la Safe Start Foundation. Les techniques (rédaction de CV, de lettres de candidature, techniques de prospection…) que vous pouvez y acquérir sont celles dont vous aurez besoin lors de votre recherche de stage. Il vous sera difficile d'obtenir un stage de France pour votre premier séjour en Angleterre. Utilisez le programme de la Safe Start Foundation lors d'un premier passage, alors que vous effectuez un séjour linguistique ou un job d'été.

Cette association est d'abord conçue pour les chercheurs d'emploi. Créée par des Irlandais, Safe Start a l'habitude de recevoir des non-Britanniques.

Quelles sont les conditions à remplir pour participer à ce programme ?

- Avoir un numéro de Sécurité sociale.
- Etre inscrit au chômage à Londres.
- Habiter la capitale depuis 6 mois maximum.

- Avoir un anglais correct, puisqu'il s'agit d'un programme assez intensif.

☒ *Safe Start Foundation - 189 The Broadway - West Hendon - London NW9 Tél. : (181) 203 7788 - Demandez Angela, Barbara ou Marie.*

## Focus

Focus est une association qui doit vous permettre de mettre en pratique une technique très anglo-saxonne : le networking ; il s'agit de rencontrer le plus grand nombre de personnes possibles pouvant vous ouvrir la voie d'un emploi ou en l'occurrence d'un stage. Focus a été créé par des femmes de cadres américains expatriés en Grande-Bretagne : elles entendaient s'entraider pour pouvoir suivre leur mari tout en poursuivant leur carrière. Attention : Focus n'est pas une agence de placement, encore moins une agence de recrutement ; ce n'est même pas un centre d'information. Il s'agit en fait d'un lieu de contacts et d'auto-documentation : personne n'est là pour vous conseiller.

Focus dispose d'un certain nombres d'ouvrages sur la recherche d'emploi en Grande-Bretagne. Les techniques de prospection, la conception de CV et la rédaction de lettres de candidature concernent évidemment les chercheurs de stages. Une Française s'occupe plus particulièrement de nos compatriotes de passage : téléphonez pour obtenir ses heures de permanence. Essayez aussi de connaître les dates des séminaires sur la recherche d'emploi : attention ! ils sont payants (environ 30 £ pour une demi-journée ; réduction pour les membres de l'association ; coût de l'adhésion : 35 £). Sachez que la langue de travail et de communication reste l'anglais. Souvenez-vous avant tout que Focus s'adresse en priorité aux cadres : ici, pas de Job-trotter poussiéreux ; non, plutôt le futur cadre aux dents qui ne demandent qu'à être affûtées.

☒ *Focus - Saint-Mary Abbots Hall - Vicarage Gate - Kensington - London W8 4HN - Tél. : (171) 937 0050*

## La City Business Library

La City Business Library est la bibliothèque de Londres la plus complète pour tout ce qui concerne l'information sur les entreprises : annuaires, informations sectorielles, données conjoncturelles. Bref, tout ce dont le stagiaire potentiel a besoin pour devenir un stagiaire effectif : cibler les bonnes boîtes, glisser des remarques judicieuses et personnalisées dans sa lettre de candidature et savoir quoi répondre aux questions tordues de l'employeur vicieux. La bibliothèque est hantée par des hommes d'affaires, des étudiants et des responsables d'études de marché.

☒ *City Business Library - 1 Brewers Hall Garden - London EC2V 5BX Tél. : (171) 638 82 15*

# Des organismes de stages "clés en main"

Hormis les associations d'échanges et les programmes européens, un nombre croissant d'organismes privés proposent leurs services payants de recherche de

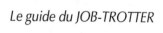
stages. Renseignez-vous avant de vous inscrire sur le nombre d'années d'existence, de stagiaires placés, les conditions de paiement et de remboursement. En cas de problèmes, n'hésitez pas à vous plaindre auprès des autorités françaises en Grande-Bretagne et auprès des médias lorsque vous rentrez en France. Mais ces organismes privés peuvent aussi parfois découvrir un stage miraculeux. Magalie a échoué en direct mais réussi grâce à l'un d'entre eux.

*"L'organisme que j'ai contacté m'a trouvé précisément le stage que je recherchais, dans la filiale anglaise d'une grosse agence de pub française. J'ai travaillé pendant trois mois au media planning. J'étais même rémunérée : 50 £ par semaine. En plus, l'ambiance de travail était excellente. Et je vais même peut-être être embauchée à l'issue de mon stage."*

La liste d'organismes que nous vous proposons n'entend pas être exhaustive. Lorsque vous contactez ces sociétés, soyez strict. Comme vous allez le voir, les tarifs demandés vous en donnent le droit. Demandez par exemple à parler à d'anciens stagiaires placés grâce aux services de votre interlocuteur. Vous risquez de vous heurter à une réponse du type : *"Désolé, mais vous devez (pouvez) me faire confiance."* N'oubliez pas : c'est vous qui allez devoir débourser plusieurs milliers de francs. Vous pouvez donc faire jouer la concurrence.

## • Aigles

| | |
|---|---|
| SERVICES | Stages et logement. |
| ANCIENNETÉ | 9 ans. |
| STAGES | Tous secteurs (import/export, marketing, informatique, secrétariat...). Stages partout en Grande-Bretagne, même si surtout concentrés dans la région de Birmingham. Les candidats doivent passer un test de langue ainsi qu'un entretien individuel. Si vous ne pouvez passer à Paris pour l'entretien, tout se déroulera par téléphone. Les stages sont parfois rémunérés, mais c'est hélas, aux dires de l'agence, "exceptionnel". Dans tous les cas, n'espérez pas d'indemnités supérieures à 2000 francs par mois. |
| FRAIS | Pour la recherche d'un stage, 2600 francs si inscription plus de 4 mois avant le départ ou 3450 francs si inscription de 2 à 4 mois avant le départ. Aigles peut trouver des logements en famille et demi-pension à partir de 90 £ par semaine. Les frais de recherche de logement sont de 450 francs. Au total donc, si vous vous y prenez suffisamment à l'avance et que vous choisissez la formule emploi et logement, il vous en coûtera 3000 francs. |

 **4bis, rue de Staël - 75015 Paris**
**Tél. : (1) 40 56 99 45**

## • HOET (Home and Overseas Educational Travel)

| | |
|---|---|
| SERVICES | Stages et logement. |
| ANCIENNETÉ | 20 ans. |
| STAGES | Tous secteurs (banque, tourisme, marketing, commerce internatio- |

nal...). Les durées sont de trois semaines à six mois. Les stages ne sont pas rémunérés. Un bon niveau d'anglais est exigé : vous devez pouvoir communiquer avec votre employeur et vos collègues.

FRAIS    150 £ pour un stage.

***4, Gipsy Hill - London SE19 1NL***
***Tél. : (181) 7614 255***

## • Eagle UK

SERVICES    Stages et logement.

ANCIENNETÉ    8 ans.

STAGES    Tous secteurs. Selon Keith Locker, le responsable, tous les secteurs sont vraiment couverts à deux exceptions près : le secteur médical et le secteur bancaire. Durées de quatre semaines à un an. Les stages sont rémunérés dans 50% des cas ; de 70 à 75 £ par semaine en moyenne (plus si vous habitez à Londres, Oxford ou Cambridge). La rémunération record obtenue par Eagle UK est de 175 £ par semaine. L'entreprise peut parfois décider de tester votre anglais au téléphone.

FRAIS    40 £ d'inscription (non remboursables), 145 £ au moment où vous acceptez le stage proposé. Loyers pour le logement en demi-pension : 75 £ par semaine en moyenne. Frais pour l'obtention d'un logement : 30 £. Donc frais totaux avec les frais de recherche de logement : 215 £. A noter que si vous obtenez un stage rémunéré, Eagle prend une commission égale au montant d'une semaine de salaire.

DIVERS    Les candidats ont en général un niveau BTS ou Bac+2/3. Certains sont déjà en maîtrise. Vous devez remettre avec le dossier à remplir un CV et une copie de vos diplômes. Le stage n'est pas garanti à l'inscription, mais un résumé de votre CV paraît dans un bulletin mensuel adressé à 1000 entreprises. Une recherche personnalisée se déroule simultanément. Eagle UK estime placer environ 400 à 450 stagiaires par an. Les stages se déroulent dans l'ensemble de la Grande-Bretagne avec une prédilection (environ 20% du total) pour la région des West Midlands.

***Eagle House - 177 Stourbridge Road - Halesowen - West Midlands***
***B63 3UD - Tél. : (121) 5856 177***

## • Proeuropa

ACTIVITÉS    Stages et logement en Grande-Bretagne. La moitié des stages se déroulent dans l'hôtellerie, les autres ont lieu en entreprise. Ils durent en moyenne 1 à 2 mois ; il arrive que certains hôtels aient besoin d'extras pour des périodes plus courtes, 15 jours au moment des fêtes de Noël par exemple. Les stages ont souvent pour cadre la région du Devon, où Proeuropa a commencé à travailler. La responsable de l'agence tient maintenant à souligner que les stages peuvent se dérouler sur l'ensemble du territoire. Il y avait 120 participants en 1993. Le logement est en famille, en auberge de jeunesse ou en studio.

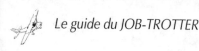
PROFIL    En priorité BTS commerce international et école de commerce, mais ouvert à toutes les formations. Teste votre niveau en anglais au téléphone.

FRAIS    2500 francs, remboursables si vous ne trouvez pas de stage. Le logement coûte de 60 à 80 £ par semaine. Les logements en famille et en demi-pension reviennent évidemment plus cher : comptez environ 90 £ par semaine. Les stages en hôtel sont indemnisés entre 900 et 2000 francs par mois. Le montant de la rémunération dépend de l'hôtel et de la saison ; vous serez bien sûr plus payé en haute saison. Le stagiaire est également nourri et logé par l'hôtel. Les stages en entreprise ne sont pas rémunérés.

    ***BP 295 - 13, Rue Bruat - 68000 Colmar -***
***Tél. : 89 23 51 61***

## • BHTA (Brighton and Hove Training)

ACTIVITÉS    Stages et logement en Grande-Bretagne. Tous secteurs. Ils durent environ 1 mois et se déroulent dans la région du Sussex.

PROFIL    Tous profils. Etre capable de converser en anglais.

FRAIS    250 £ de frais de placement (acompte de 125 £). Avec le logement en famille et demi-pension en semaine (et pension complète le week-end), le programme pour 4 semaines coûte 750 £. Les stages en entreprise sont rarement rémunérés.

    ***1 Bristol Road - Kempton - Brighton BN2 1AP***
***Tél. : (1273) 691 806 - Fax : (01273) 684 691***

## • CEI UK Division (Centre d'échanges internationaux) / OSE service stages

SERVICES    Stages, logement, cours d'anglais.

DIVERS    A noter que le CEI travaille en étroite collaboration avec le Centre Charles-Péguy de Londres. Les 2 services se situent en fait à la même adresse dans la capitale anglaise.

ANCIENNETÉ    14 ans à Londres.

STAGES    Tous secteurs. Deux durées possibles :

- 3 à 8 semaines (première expérience professionnelle à l'étranger) : plus particulièrement conçus pour les étudiants en CAP, BEP, Bac Professionnel, BTS, IUT ou DEUG ; ou en formation continue.

- 2 à 6 mois (quasiment un premier emploi) : notamment pour les étudiants en licence, maîtrise, DESS ou DEA, ainsi que les étudiants en écoles de commerce.

Le niveau d'anglais peut être élémentaire pour les stages courts, doit être bon (oral et écrit) pour les stages longs. Les stages courts ne sont jamais rémunérés ; les stages longs font parfois l'objet d'une indemnité forfaitaire : environ 45 £ par semaine, mais c'est l'entreprise qui prend la décision.

FRAIS    250 francs de cotisation, 400 francs de frais administratifs et 1300 francs de recherche de stage. Total : 1950 francs. A noter que les adhérents d'un certain nombre de mutuelles étudiantes (SMEREP, SMERRA, SMEREB, SMECO, SMENO et MEP) bénéficient d'une réduction de 250 francs. Le CEI dispose de son propre centre d'hébergement : séjour court, 800 francs par semaine, séjour long, 554 francs par semaine. LE CEI peut aussi vous organiser un logement en famille.

DIVERS    Le CEI, en théorie, ne sélectionne pas les stagiaires mais attend d'eux une énorme motivation, qui doit le cas échéant compenser un anglais de base.

 **157, rue Jeanne d'Arc - 75013 Paris**
**Tél. : (1) 43 29 95 07**

Stéphane, 20 ans, est étudiant à l'ESTA, à Belfort. Il devait effectuer un stage obligatoire à l'étranger ; stage qu'il a obtenu par son école et le CEI.

*"Avant ces 6 mois de stage à l'étranger, j'ai dû passer un test écrit en anglais, écrire une lettre de motivation et un CV en anglais. Un des responsables du CEI m'a également appelé pour évaluer mon anglais oral. Je travaille dans une petite entreprise d'informatique et essaie de mettre un peu d'ordre dans le service marketing. Pour l'instant, je ne suis pas rémunéré, mais la boîte paie le transport et le repas de midi. En fonction de mon travail, j'espère obtenir une prime à la fin du stage. Un conseil pour les stagiaires en Grande-Bretagne : ici, il faut déjà faire accepter aux entreprises la notion de stage. Donc, quand vous arrivez, ne parlez pas de rémunération. Essayez de prouver que votre travail a une valeur. Vous pouvez, ensuite, espérer une compensation."*

En fait Stéphane est VRAIMENT organisé : son stage était budgété longtemps à l'avance. Il a aussi âprement recherché les moyens de le financer :

*"J'avais évalué le coût des 6 mois de stage à 20 000 francs : logement, transport, tout compris. En fait, ça revient à 1000 francs par semaine. Pour le financement, j'ai utilisé mes économies (5000 francs), mon prêt étudiant (15 000 francs qui vont durer 6 mois au lieu d'un an) et mes parents ont payé la différence (6000 francs). Ensuite je suis parti à la chasse aux bourses et j'ai déposé des dossiers absolument partout : COMETT avec l'école, Conseil régional d'Alsace, etc. J'espère qu'une partie des frais seront remboursés."*

# ALLEMAGNE

Selon certains préjugés poussiéreux, les Français sont débrouillards et les Allemands organisés. Objection ! En fait, les Allemands ont su organiser la "débrouille" : vous voyagerez grâce aux *Mitfahrzentralen* (associations qui planifient et disciplinent l'auto-stop) et vous habiterez dans des *Mitwohngemeinschaften* (appartements partagés entre étudiants, intellos alternatifs ou artistes au chômage). Deux systèmes parmi d'autres qui facilitent les rencontres et allègent les budgets. Qu'en est-il des petits boulots ? Certes, l'Allemagne n'a pas encore totalement digéré l'absorption de feu l'Allemagne de l'Est. Certes, beaucoup de travailleurs d'Europe centrale viennent chercher en RFA un havre économique et politique de plus en plus improbable. Polonais et Yougoslaves acceptent avec joie les emplois traditionnellement destinés aux jeunes et aux étudiants.

La situation économique est donc moins favorable qu'il y a quelques années. Pourtant, une expérience en allemand, sur le terrain, sera un atout majeur pour votre carrière et vous permettra de profiter des possibilités futures en Europe centrale. Orientez vos recherches vers l'ouest du pays. Si vous espérez une vie culturelle animée, privilégiez Berlin, Munich ou Hambourg ; mais les opportunités se situent surtout dans les villes petites et moyennes. Avec un allemand correct, vous aurez bien sûr accès aux métiers du tourisme. L'Allemagne dispose aussi de nombreux chantiers d'été et de postes à vocation sociale. Sachez profiter du grand nombre d'organismes de coopération entre les deux pays : investissez du temps en préparation et en recherche et les occasions ne manqueront pas.

**Pour les taux de change, voir P.12**

# Des organismes pour vous aider

## Le centre d'information et de documentation de l'ambassade d'Allemagne

Vous pouvez y éplucher des journaux, des magazines et des ouvrages allemands de référence. Les grands quotidiens en consultation contiennent des annonces de jobs et de logements. Vous y trouverez également des annuaires d'entreprises dont le *ABC der deutschen Wirtschaft* et le *Wer liefert was* ? Il est possible de photocopier les adresses. Le personnel, très efficace, est prêt à vous aider. Le Centre possède de nombreuses brochures thématiques sur la vie en Allemagne.

Le serveur minitel du Centre (3615 Allemagne) vous permet de lire ou de passer des annonces d'emploi. Evidemment, le nombre de demandes s'avère beaucoup plus important que celui des offres. Lors de nos consultations, il y avait surtout des propositions pour des postes au pair.

🖂 *Centre d'information et de documentation de l'ambassade d'Allemagne - 24, rue Marbeau - 75116 Paris - Tél. : (1) 44 17 31 31*

## Ambassades et consulats d'Allemagne

A titre indicatif, nous vous communiquons les coordonnées des représentations diplomatiques et consulaires allemandes en France. Elles seront surtout utiles aux non-ressortissants de l'union européenne qui désirent se renseigner sur les démarches à accomplir pour travailler en Allemagne.

🖂 *Ambassade d'Allemagne - 13/15, avenue Franklin D. Roosevelt - 75008 Paris - Tél. : (1) 42 99 78 00*

🖂 *Consulat général d'Allemagne - 34, avenue d'Iéna - 75016 Paris - Tél. : (1) 42 99 78 00*

Les autres consulats généraux se trouvent à Bordeaux, Lille, Lyon, Marseille, Montpellier, Nancy et Strasbourg.

## Le centre d'information et de documentation jeunesse

Le CIDJ publie une fiche d'information (numéro 8.631) qui présente les principaux aspects d'un séjour en Allemagne. Cette fiche payante (10 francs si vous l'achetez sur place, 20 francs par correspondance) contient les adresses utiles et les renseignements essentiels.

🖂 *CIDJ - 101, quai Branly - 75015 Paris - Tél. : (1) 44 49 12 00*

## L'Office franco-allemand pour la jeunesse (OFAJ)

L'OFAJ centralise tous les programmes d'échanges entre les deux pays. Son activité s'exerce dans les domaines de la vie associative, l'école, la formation professionnelle, la culture ou encore les jumelages entre les villes. Nous vous détaillons plus loin les programmes de stages développés par l'Office.

✉ *L'OFAJ (Office franco-allemand pour la jeunesse) - 51, rue de l'Amiral-Mouchez - 75013 Paris - Tél. : (1) 40 78 18 18 - Minitel : 3615 OFAJ*

## L'Office national allemand du tourisme

Afin d'obtenir des adresses utiles pour une recherche de job dans le tourisme (comme animateur, accompagnateur, employé de service...), rendez-vous à l'Office national allemand du tourisme. Celui-ci dispose de listes d'hôtels, de centres de loisirs et d'organismes de séjours linguistiques. Son serveur minitel vous informe également sur les dates des principaux salons professionnels ou fêtes populaires ainsi que sur les coordonnées de leurs organisateurs.

✉ *Office national allemand du tourisme - 9, boulevard de la Madeleine - 75001 Paris - Tél. : (1) 40 20 01 88 - Minitel : 3615 OTRFA*

## Le DAAD (Deutscher Akademischer Austauschdienst ou l'Office allemand d'échanges universitaires)

Pour les métiers de l'enseignement et de la recherche, le DAAD propose chaque année des bourses et des missions pour les Français souhaitant enseigner ou travailler en Allemagne. Par exemple, il existe pour les jeunes juristes un programme d'études et de stage d'une période de 10 mois. Renseignez-vous auprès du :

✉ *DAAD - 15, rue de Verneuil - 75007 Paris - Tél. : (1) 42 61 58 57*

✉ *Service d'information et de documentation du DAAD - 20, rue de Verneuil - 75007 Paris - Tél. : (1) 42 61 19 45 - Ouvert du lundi au vendredi de 10h à 12h30*

## L'Association franco-allemande des stagiaires professionnels (AFASP/DEFTA)

Cette association de 400 membres a pour but de motiver les jeunes à faire un stage dans le pays partenaire et de renforcer l'amitié entre les deux pays. Selon l'ancien président de l'association, Alain Damotte, le bouche à oreille marche bien parmi les membres. Lors d'une rencontre autour d'un verre, parlez de votre envie de travailler en Allemagne. Chacun essaiera de voir parmi ses relations s'il peut trouver un poste vacant. De plus, l'association bénéficie de l'aide du Fördererkreis zur Unterstützung der Berufsbildung deutscher und französischer Jugendlicher, qui est chargé du placement des stagiaires. La cotisation annuelle s'élève à 130 francs (ou 40 DM en Allemagne).

A Paris, comme dans de nombreuses villes allemandes et françaises (Lyon, Strasbourg, Reims...), l'AFASP/DEFTA organise régulièrement des Stammtische ("tables des habitués"). Dans la capitale, les membres se réunissent tous les mardis, à partir de 20h, au Café des Armes de la Ville (Métro : Hôtel de Ville).

## L'Institut Gœthe

Le vénérable Institut Gœthe est l'ambassadeur de la culture allemande à l'étranger. Pour la recherche de jobs ou de stages, seuls des classeurs disposés généralement dans les halls d'entrée peuvent vous être utiles. On y trouve parfois des offres d'emploi, principalement des postes au pair. A Paris, la bibliothèque de l'avenue d'Iéna reçoit le journal hebdomadaire des services allemands pour l'emploi : *le Markt und Chance*.

⌨ *Institut Gœthe - 17, avenue d'Iéna - 75116 Paris - Tél. : (1) 44 43 92 30*
*ou*
⌨ *Galerie Condé - 31, rue de Condé - 75006 Paris - Tél. : (1) 43 26 09 21*

*Adresses régionales :*

⌨ *16 ter, rue Boudet - 33000 Bordeaux - Tél. : 56 44 67 06*

⌨ *4, rue du Rhin - 68000 Colmar - Tél. : 89 23 79 23*

⌨ *98, rue des Stations - 59800 Lille - Tél. : 20 57 02 44*

⌨ *171, rue de Rome - 13006 Marseille - Tél. : 91 47 63 81*

⌨ *39, rue de la Ravinelle - 54052 Nancy - Tél. : 83 35 44 36*

⌨ *16, rue François Dauphin - 69002 Lyon - Tél. : 78 42 88 27*

⌨ *4, quai Kléber - 67055 Strasbourg - Tél. : 88 22 42 38*

⌨ *6 bis, rue Clémence-Isaure - 31000 Toulouse - Tél. : 61 23 08 34*

## La Maison de Heidelberg

Montpellier, dans le cadre de son jumelage avec la ville de Heidelberg, a créé un centre culturel allemand qui, à l'image des Instituts Gœthe, organise des manifestations culturelles. Le Centre dispose d'une bibliothèque de prêt. Il n'existe pas de service emploi à proprement parler mais ce centre peut parfois, au coup par coup, dénicher un stage dans la région de Heidelberg.

⌨ *Maison de Heidelberg - Centre Culturel Allemand - 4, rue des Trésoriers de la Bourse - BP 2077 - 34025 Montpellier Cedex 1 - Tél. : 67 60 48 11*

## Les librairies allemandes

Pour vous préparer à l'immersion outre-Rhin, vous pouvez arpenter les rayons de quelques librairies allemandes, toutes situées à Paris. Nous vous citons les deux qui possèdent des ouvrages sur la rédaction de CV et de lettres de candidature en allemand.

⌨ *Calligrammes - 8, rue de la Collégiale - 75005 Paris - Tél. : (1) 43 36 85 07*

⌨ *Marissal Bücher - 42, rue Rambuteau - 75139 Paris Cedex 03 - Tél. : (1) 42 74 37 47*

# Revues à consulter

## Allemagne-France services

Un mensuel gratuit, distribué dans les Instituts Goethe, les consulats allemands et à l'office du tourisme. En Allemagne, il est diffusé grâce au réseau des Instituts français. Ce journal ne comporte pour l'instant que quatre pages et les offres d'emploi demeurent extrêmement rares. Vous pouvez insérer votre propre annonce au prix de 80 francs pour 5 lignes. Pour cela, contactez le bureau à Paris au (1) 42 23 77 17.

### Contact

Revue mensuelle publiée par la Chambre franco-allemande de commerce et d'industrie, à Paris. Contact contient un cahier d'annonces. Le numéro coûte 50 francs (450 francs pour l'abonnement annuel) et est diffusé à 5 000 exemplaires auprès d'entreprises en France et en Allemagne. Les annonces sont surtout des demandes d'emplois et de stages. Vous pouvez également les retrouver en pianotant sur le minitel (3617 CFACI). Au moment de notre enquête, les offres de job ou de stage étaient hélas très discrètes.

# Les joies de l'administration

## Permis de travail et permis de séjour

Les ressortissants de l'Union européenne ont seulement besoin d'une carte d'identité ou d'un passeport (même périmé depuis moins de 5 ans) pour séjourner et travailler en Allemagne.

Toutefois, pour un séjour supérieur à 3 mois, un certain nombre de formalités deviennent nécessaires. Il faut tout d'abord vous inscrire au *Einwohnermeldeamt* (service municipal chargé des résidents). Vous aurez besoin de plusieurs photos et d'un document soit de votre propriétaire, soit de votre employeur, prouvant que vous habitez ou travaillez dans la région où vous vous inscrivez.

Vous devez ensuite vous procurer une *Aufenthaltserlaubnis* (autorisation de séjour), auprès des *Ausländerbehörde* (service de l'immigration). Pour les adresses de tous ces services administratifs, consultez l'annuaire à la rubrique *Stadtverwaltung* (services municipaux).

## Certificat médical

Pour certains emplois dans la restauration, l'agro-alimentaire et la santé, vous aurez à passer une visite médicale. Les coûts de cette visite, souvent à votre charge, varient selon les régions (par exemple, 50 DM à Mannheim, en Baden-Württemberg).

# Impôts, charges sociales et allocations

Vous devez tout d'abord vous procurer une *Lohnsteuerkarte* (carte fiscale) auprès de votre mairie. Cette carte doit être remise à votre employeur jusqu'à la fin de votre activité. L'impôt sur le revenu et les charges sociales sont prélevés à la source par l'intermédiaire de votre employeur. Le taux de ces prélèvements varie suivant les régions. Selon l'Office fédéral de la statistique, la moyenne nationale est de 32,5% du salaire brut.

Chaque fin d'année, ou à la fin de votre contrat, demandez un *Lohnsteuerjahreausgleich* (remboursement d'impôt) auprès du *Finanzamt* (perception des impôts) de votre région : une partie des impôts qui ont été amputés de votre salaire peut ainsi vous être remboursée. Vous devez en particulier préciser les frais que vous avez encourus dans le cadre de votre travail : déplacements, frais de visite médicale entre autres.

Le salaire minimum imposable est de 787,66 DM par mois.

# Protection sociale

Pour un séjour de courte durée, il faut vous munir du formulaire E111, que vous vous procurerez auprès de votre caisse de sécurité sociale avant votre départ. Sur place, adressez-vous à la *Allgemeine Ortskrankenkasse* (AOK) (caisse locale d'assurance maladie) pour des renseignements plus précis (adresse dans l'annuaire). Vous serez soumis aux mêmes règles que les employés allemands.

# Ouvrir un compte en banque

Les banques interrogées (Deutsche Bank, Commerzbank, Dresdner) ont confirmé qu'il était relativement aisé d'ouvrir un compte en Allemagne : le plus souvent, il suffit de présenter une pièce d'identité pour bénéficier des services bancaires standard. Vous n'obtiendrez pas de chéquier immédiatement, sauf si vous négociez âprement. En général, un ou deux mois après l'ouverture de votre compte, la banque vous accordera des Eurochèques : carnet de chèques utilisable en Allemagne et dans certains pays européens.

# Trouver un logement

- Les prix des logements individuels sont assez prohibitifs, en particulier dans des villes comme Berlin ou Munich. C'est encore plus vrai pendant la période universitaire. Un studio meublé à Berlin, dans un quartier résidentiel, coûte

1000 à 1300 DM par mois.

Vous pouvez parcourir les petites annonces des journaux locaux, en particulier les éditions du samedi. Votre statut d'étranger n'est pas toujours rassurant pour votre futur propriétaire. Si vous êtes en stage, une lettre de référence de votre employeur sera du meilleur effet. Une tenue correcte voire professionnelle n'est jamais superflue. Olivier, coopérant à Sarrebruck, raconte ce concours de beauté pas comme les autres.

*"Nous étions trois à venir visiter le même studio à Sarrebruck, près de la frontière française. On nous a fait asseoir et nous nous sommes présentés. Le premier candidat a fait une erreur stratégique en avouant que sa copine venait de le quitter. La seconde était vraiment agressive, accompagnée de sa mère qui insistait lourdement sur les qualités de sa fille. Mais la lettre de référence de ma société et ma cravate ont rassuré. Ma chance a été que la famille était francophile. Le loyer s'élevait à 500 DM par mois."*

- La meilleure solution pour se loger est une *Wohngemeinschaft* (communauté de logement, WG pour les initiés), qui offre des appartements à partager. Très populaires parmi les étudiants, les WG vous permettront de vivre avec des locaux et d'apprendre, entre autres choses, à partager un réfrigérateur. Les WG passent des annonces dans les quotidiens locaux ou dans les universités sur des panneaux souvent situés près de la *Mensa* (le restaurant universitaire), du *Studentenwerk* (le bureau des œuvres universitaires) ou de la bibliothèque. Essayez également à l'ASTA (bureau comparable au CROUS mais autogéré par les étudiants).

Exemple d'une annonce dans le *Süddeutsche Zeitung*, dans le genre WG artiste, mais assez chère :

> *"Für nettes, unverkrampftes Mädchen (junge Frau) Zimmer (16m2) in Musiker-Künstler-WG. Grosse Wohnung am Johannisplatz in Haidhausen. Warm DM 600."*

Dans une annonce, Nk signifie *Nebenkosten* (charges) et Kt signifie *Kaution* (caution).

Agnès, 27 ans, habite dans une WG à Kiel.

*"Les Allemands ont une manie, ils collent des annonces partout. Tout se vend, s'achète, s'échange par annonce. J'ai trouvé presque tous mes logements comme cela. L'université concentre bien sûr la plupart de ces offres. Il est très utile d'être étudiant en Allemagne, vous bénéficiez de beaucoup d'avantages : réductions pour les transports, accès au restaurant universitaire et aux annonces du bureau des jobs. Pour s'inscrire à l'université, il suffit d'avoir son Bac. Ici à la WG, je paie 195 DM par mois, toutes charges comprises pour une petite chambre de 7m2. Mais l'appart' est grand et très agréable."*

- En vous adressant au *Studentenwerk,* vous obtiendrez la liste des différentes résidences universitaires. Vous pouvez les visiter et y rencontrer directement les étudiants allemands : il arrive que l'on obtienne ainsi une chambre offerte à prix réduit par un occupant qui part en voyage. Pendant les mois d'été, le *Akademisches Auslandamt* (service des étudiants étrangers) alloue les chambres en cité universitaire aux étudiants de passage. Elles coûtent de 200 à 300 DM par mois. Pour les adresses de toutes les universités allemandes, contactez le Centre d'information et de documentation de l'ambassade (adresse précédemment citée).

- Les *Mitwohnzentralen* sont des agences spécialisées dans les séjours de courte durée et qui proposent des logements momentanément inoccupés. Avant de vous engager, exigez des renseignements très précis quant aux frais facturés par ces agences : elles demandent en général au minimum un mois de loyer de commission.

Les adresses des *Mitwohnzentralen* peuvent être obtenues dans les pages jaunes de l'annuaire en Allemagne ou auprès de :

✉ *Allo Logement Temporaire Paris - 4, place de la Chapelle - 75018 Paris - Tél. : (1) 42 09 00 07*

Il suffit d'écrire en joignant 7 francs par chèque et une enveloppe à votre adresse et vous obtiendrez les coordonnées de toutes ces organisations, y compris celles des fameuses *Mitfahrzentralen* (sociétés qui centralisent les offres de voyages en auto-stop).

L'Office national allemand du tourisme peut aussi vous adresser gratuitement une brochure avec les numéros de téléphone de certaines *Mitwohnzentralen.*

# En attendant de trouver un chez-soi...

Les tarifs pour les moins de 27 ans dans **les auberges de jeunesse allemandes** varient de 8 à 13,50 DM la nuit. L'Office du tourisme allemand tient à la disposition du public un dépliant sur les auberges en Allemagne. N'oubliez pas d'acheter la carte internationale des auberges de jeunesse. Vous pouvez vous la procurer en France, auprès de la FUAJ (voir page 415). En Allemagne, adressez-vous à la fédération des auberges de jeunesse :

✉ *Deutsches Jugendherbergswerk - Hauptverband für Jugendwandern und Jugendherbergen e.V. - Bismarcksstrasse 8 - PO Box 220 - 32756 Detmold 1 Tél. : (5231) 74 01 ou 74 00*

Si vous êtes vraiment fauché, il existe des possibilités d'hébergement temporaire. En voici quelques unes :

• *A Munich :*

✉ *Jugendcamp - Am Kapuzinerhölzl - in den Kirschen - 80992 München 19*

*Immense tente sous laquelle s'alignent 420 lits, un espace cuisine, un réfectoire, des douches, une aire de jeux. N'y sont admis que les jeunes jusqu'à 23 ans et pour 3 nuits maximum, de fin juin à début septembre. Prix : 6 DM par nuit, petit déjeuner inclus.*

• *A Stuttgart :*

✉ *International Stuttgart Camp - Wiener Strasse 317 - 70469 Stuttgart-Feuerbach
Tél. : (711) 81 77 476 - Station de tram: Sportplatz*

*Ouvert d'août à septembre pour les 16-26 ans. Une nuit dans une tente commune
revient à 9 DM, le petit déjeuner coûte entre 3 et 4 DM. Vous ne pouvez y passer
que 3 nuits consécutives maximum.*

• *A Berlin :*

✉ *Internationales Jugendcamp - Reinickendorf - Ziekowstrasse 161 - 13509 Berlin
Tél. : (30) 433 86 40 - Bus : 222 à partir de la station de métro Tegel.*

*Ouvert de juin à septembre aux jeunes de 14 à 23 ans pour trois nuits consécutives
maximum. Une nuit coûte 9 DM.*

# Trouver un job

Quelques idées clés doivent guider votre recherche. L'Allemagne dispose d'un
service central de recherche d'emploi pour les étrangers très bien organisé.
Vous n'y trouverez sans doute pas le stage idéal dans une grande agence de
publicité de Munich. En revanche, des jobs raisonnablement payés, situés dans
des provinces plutôt rurales et authentiques sont régulièrement proposés. Suivez
les flèches, la route est très bien balisée.

Si vous souhaitez effectuer des recherches par vous-même, utilisez les syndicats
professionnels qui sont en général disposés à fournir des listes d'entreprises.

Si vous préférez chercher directement sur place, pensez en priorité aux quotidiens régionaux et aux bureaux locaux des services de l'emploi.

## *Les organismes qui facilitent vos recherches sur place*

### La ZAV

La ***Zentralstelle für Arbeitsvermittlung der Bundesanstalt für Arbeit*** (ZAV pour
les intimes) est l'agence centrale pour l'emploi. Elle gère un ensemble de jobs
d'été répartis sur tout le territoire allemand. Ces emplois ne nécessitent pas de
permis de séjour et, en théorie, aucune expérience professionnelle spécifique
n'est requise. Vous devez remplir deux conditions : être âgé de 18 à 30 ans (vos
chances diminuent lorsque vous avez plus de 25 ans) et présenter une attestation d'études dans un lycée ou un établissement d'enseignement supérieur, sti-
pulant que vos études continuent après la période de travail. Des connaissances
en allemand sont indispensables. La durée du job est comprise entre deux et
trois mois. Demandez au ZAV une brochure intitulée Emplois vacanciers en

RFA *(Merkblatt für ausländische Studenten und Studentinnen. Ferienarbeit in der Bundesrepublik Deutschland)*.

Les postes offerts par le ZAV se situent en priorité dans l'agriculture, l'hôtellerie et la restauration. Quelques emplois sont également proposés dans des hôpitaux et dans l'industrie. Presque tous sont situés dans des villes de petite ou moyenne importance. La situation économique actuelle et le nombre croissant de demandes sur l'Allemagne ne permettent pas au ZAV de garantir un emploi : il est clairement précisé dans la brochure que les demandes sont supérieures aux offres.

Pour poser votre candidature, écrivez à la ZAV et demandez une fiche de candidature *(Bewerbungsbogen)*, que vous devrez remplir et renvoyer, accompagnée d'un certificat de scolarité et d'une photo d'identité. Inutile de joindre en plus un CV. La date limite de candidature est le 1er mars pour un job d'été.

✉ *ZAV (Zentralstelle für Arbeitsvermittlung) - Auslandsabteilung - Feuerbachstr. 42-46 - 60325 Frankfurt am Main - Tél. : (69) 71 11-0*

# Les agences pour l'emploi

Le **Bundesanstalt für Arbeit** (agence fédérale pour l'emploi) gère l'action de 146 *Arbeitsämter* (agences pour l'emploi) et de 501 autres représentations, ainsi que des organes de coordination inter-régionale. Chaque ville dispose aussi d'un *Studentenarbeit-Vermittlung* (bureau de l'emploi pour étudiants), qui dépend du Arbeitsamt. Il faut que vous soyez étudiant. Les murs de ces bureaux sont souvent recouverts d'annonces de jobs.

Les jobs proposés sont généralement de vraies galères, mais vous êtes presque sûr d'être embauché. Parfois mal payés et peu agréables, ces boulots constituent un dépannage pratique lorsqu'on vient d'arriver. Stéphanie, 27 ans, titulaire d'un BTS de secrétariat, conseille le système et remarque que certaines offres ne manquent pas d'intérêt.

*"Les annonces à la Studentenarbeit-Vermittlung ont parfois l'air un peu informelles, mais il ne faut pas hésiter : trouver un job n'est pas si dur. J'ai déniché un emploi dans une Sozialstation, sorte de bureau d'aide sociale. Je m'occupais de personnes âgées : je les aidais à faire leurs courses et préparer leurs repas. Je discutais pas mal avec elles, ce qui m'a fait accomplir des progrès importants en allemand. Je gagnais 15 DM de l'heure."*

# Les agences d'intérim

Depuis peu, la Bundesanstalt für Arbeit ne jouit plus du monopole du placement sur le marché du travail. Auparavant, seule une poignée d'agences d'intérim avaient pu recevoir l'agrément d'exercer. Désormais, toute agence privée y est autorisée.

Il est important de préciser que les coûts de placement sont à la charge du futur employeur. Evitez toute agence qui vous réclamerait de l'argent pour trouver du travail. Comme nous l'a dit un responsable de l'emploi, "*les agences sérieuses sont celles qui ne vous demandent rien*". Méfiance, donc.

Si à quelques semaines de votre départ, vous n'avez toujours pas de travail, vous pouvez fort bien contacter une agence d'intérim depuis la France. Envoyez un courrier ou un fax décrivant clairement le type d'emploi convoité.

Selon ces agences, les opportunités de travail temporaire s'adressent surtout à du personnel qualifié et il ne faut plus espérer trouver de postes d'ouvrier. En revanche, si votre grammaire allemande est irréprochable et que vous savez taper à la machine, vous pouvez postuler à un poste de secrétariat. Les opportunités pour des postes à temps partiel de secrétaires multilingues demeurent assez nombreuses. Une année d'expérience environ est demandée. L'agence teste votre grammaire allemande et la précision de votre frappe. Même si la vitesse n'est peut-être pas aussi importante que la précision, on attend environ 200 caractères à la minute. Les salaires varient selon les régions : à Francfort vous pouvez compter sur 20 DM brut, de l'heure.

Voici quelques unes des agences d'intérim les plus importantes (leurs bureaux centraux) :

✉ *ADIA - Personaldienstleistungen - Pappelallee 33 - 22089 Hamburg - Tél. : (40) 20 20 30*

✉ *MANPOWER - Stiftstr. 30 - 60313 Frankfurt/Main - Tél. : (69) 29 98 050*

✉ *OFFIS - Personaldienstleistungen - Justus-Liebig-Stasse 6 - 36093 Fulda-Künzell - Tél. : (661) 9 39 80*

✉ *Persona service GmbH - Freisenbergstr. 31 - 58513 Lüdenscheid - Tél. : (2351) 9500*

✉ *PPE - Georg Sailer & Partner KG - Knöbelstr. 24 - 80358 München - Tél. : (89) 22 90 12*

✉ *Randstad Zeitarbeit - Düsseldorfer Strasse 40 - 65733 Eschborn - Tél. : (6196) 40 80*

✉ *Time power - Personaldienstleistungen - Gustav-Heinemann-Ufer 68 - 50968 Köln - Tél. : (221) 37 69 40*

## Les Jugendinformationszentren

Les centres d'information jeunesse ne sont ni des agences immobilières ni des agences de travail mais peuvent fournir des conseils sur la vie culturelle et sociale de votre ville. Ils sont présents dans la plupart des grands centres urbains :

*HAGEN*
✉ *Jugendinformationszentrum - Volkspark - Postfach 4249 - 58042 Hagen 1*
*MUNICH*
✉ *Jugendinformationszentrum - Paul-Heyse Strasse 22 - 80336 München 2*
*MÜNSTER*
✉ *Jugendinformations- und Beratungszentrum - Hafenstrasse 34 - 48153 Münster*

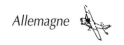
*NUREMBERG*
✉ *Jugendtreff Tratzenzwinger - Hintere Insel Schütt 20 - 90403 Nürnberg 1*

*STUTTGART*
✉ *Jugendinformationszentrum Tip'n'Trips - Hohestr. 9 - 70174 Stuttgart*

*AUGSBOURG*
✉ *Jugendinformationsstelle Tip - Schwibbogenplatz - 86153 Augsburg*

*BAD URACH*
✉ *Kultur-und-Informationszentrum - Forum 22 - Ulmer Strasse 22 - 72574 Bad Urach*

*ESSEN*
✉ *Jugendinformationszentrum - Hammacher Strasse 33 - 45127 Essen 1*

*HAMBOURG*
✉ *Jugendinformation - Holzdamm 53 - 20099 Hamburg*

*FRANCFORT / MAIN*
✉ *Intertreff - Jugendinformation - Hauptwache/ B. Ebene - 60313 Frankfurt/Main*

*BERLIN*
✉ *Berlin RATSEL - Verein Aktive Erziehung - Charlottenbrunnerstrasse 31 - 14193 Berlin 33*

## Autres adresses utiles

Le service minitel du Centre d'information et de documentation de l'ambassade d'Allemagne à Paris (3615 ALLEMAGNE) dispose de toutes les adresses des représentations diplomatiques et consulaires françaises en RFA.

✉ *Ambassade de France - Kapellenweg 1a - 53179 Bonn 2 - Tél. : (228) 36 20 31*

# Les journaux à consulter

Des annonces d'emploi peuvent être trouvées dans les principaux quotidiens allemands. Il s'agit avant tout d'emplois qualifiés et de longue durée.

Les organes de presse les plus importants sont :

- *Frankfurter Allgemeine Zeitung* (FAZ)

- *Süddeutsche Zeitung*

- *Die Welt*

- *Die Zeit* (hebdomadaire)

Mais pour les annonces de jobs et de logement, concentrez-vous sur les quotidiens locaux, comme par exemple :

**Munich** : *Abendzeitung*

**Francfort/Main** : *Frankfurter Rundschau*

**Berlin** : *Berliner Morgenpost, Berliner Zeitung*

**Hambourg** : *Hamburger Abendblatt, Tagesblatt Tip*

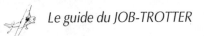 

**Stuttgart** : *Die Stuttgarter Zeitung*
**Dusseldorf** : *Die Rheinische Post*
**Cologne** : *Kölner Stadtanzeiger*
**Bonn** : *Bonner Stadtanzeiger*

La presse gratuite ou culturelle constitue aussi une très bonne source d'annonces d'emploi ou de logement. A titre d'exemple, vous pouvez vous procurer :

**Berlin** : *Zitty, Tip,* (tous deux bimensuels) et *Zweite Hand* (journal d'annonces en tous genres qui paraît trois fois par semaine).

# Les secteurs qui embauchent

## Hôtellerie, restauration et tourisme

L'industrie hôtelière germanique emploie beaucoup d'étudiants étrangers pendant les mois d'été. Mais la concurrence des pays de l'Est est très vive. Pour dénicher un emploi temporaire, les meilleures méthodes semblent être le porte-à-porte et le déchiffrage des petites annonces des journaux locaux. Si vous préférez la sécurité d'une institution, posez votre candidature auprès du ZEHOGA à Francfort.

✉ *ZEHOGA (Zentrale Nationale und Internationale Fachvermittlung für Hotel- und Gastättepersonal) - Feuerbachstrasse 42-46 - 60325 Frankfurt/Main - Tél. : (69) 71 11-0*

Le responsable de cet organisme, Monsieur Schnell, nous a confirmé que les Français étaient bienvenus en Allemagne, même si les conditions économiques rendent les recherches plus difficiles qu'auparavant. Les postes proposés s'adressent en priorité à des personnes qualifiées ou expérimentées. Toutefois, des places pour du personnel non-qualifié peuvent être pourvues pendant la saison touristique, du printemps à l'automne. Il faut adresser une lettre de candidature et un CV avec une photo. Les apprentis qualifiés peuvent espérer des salaires bruts de départ de l'ordre de 2350 DM par mois ; le personnel de service non-qualifié peut en général prétendre à 2000 DM. Une visite médicale est exigée, sauf si vous en avez déjà passé une dans le cadre d'études hôtelières. Un bon niveau d'allemand est demandé.

Voici un bref lexique qui vous aidera à comprendre les petites annonces :

| | |
|---|---|
| *Küchenhilfe* | commis de cuisine |
| *Spüler* | plongeur |
| *Kellner* | serveur |
| *Schenkekellner* | barman |
| *Büffetkräfte* | employé de fastfood |

Pour financer ses études universitaires, Christine, 26 ans, assure la réception d'un hôtel dans le nord de l'Allemagne. Son expérience démontre que ces emplois sont relativement faciles à trouver et particulièrement souples.

*"J'ai repris le poste d'une étudiante qui partait et cherchait une remplaçante. Les horaires sont très flexibles. Je peux travailler soit le matin, soit l'après-midi et je me fais facilement remplacer lorsque je pars en vacances. Je gagne 11 DM par heure le matin et 9,50 DM l'après-midi. Je suis payée en liquide et ne verse aucune contribution sociale, ce qui signifie bien sûr que l'employeur ne nous déclare pas. En cas de contrôle, c'est surtout lui qui risque gros."*

A titre d'exemple, voici les conditions d'embauche spécifiées par un grand hôtel de Mannheim :

## • Holiday Inn Mannheim

JOBS — Tout travail hôtelier, payé selon le Tarifvertrag en vigueur, ce qui revient à environ 2 200-2 500 DM par mois.

PROFIL — Bonnes connaissances en allemand et en anglais. Plus des connaissances en informatique pour ceux qui souhaitent travailler à la réception. Une expérience compte autant qu'un diplôme.

CANDIDATURE — Demandez un *Bewerbungsbogen* (dossier de candidature) que vous devrez remplir et retourner, accompagné d'une lettre de motivation et d'un CV. L'embauche se fait surtout en fonction des places qui se libèrent. Vous pouvez donc les contacter toute l'année. Ils embauchent pour un minimum de 3 mois dans le service et 6 mois pour les autres postes.

*Holiday Inn - z. H. Personalleiter - Kurfürstenarkade N6, 3-7 - 68161 Mannheim - Tél. : (621) 10 71 0*

La qualité des jobs que vous obtiendrez sera fonction de votre niveau d'allemand. Il est toujours possible d'obtenir un poste sans connaître un mot d'allemand, mais ce sera vraisemblablement à la plonge. Essayez en priorité les grandes villes, en particulier Munich et Berlin ainsi que les zones touristiques comme les Alpes Bavaroises, la Forêt Noire et les littoraux de la mer du Nord et de la Baltique.

Selon Isabelle, 24 ans, étudiante franco-allemande en LEA, le porte-à-porte fonctionne encore très bien pour trouver un emploi dans ce secteur. Il vaut mieux cibler les bars ou pubs gérés par des jeunes ou des Italiens, moins suspicieux que des restaurateurs allemands. Les tarifs horaires varient de 8 DM pour les plongeurs à 12 DM pour les serveurs. Isabelle conseille de ne pas accepter en dessous de 10 DM.

Si vous souhaitez envoyer votre candidature à des hôtels ou des restaurants, vous pouvez obtenir des adresses auprès de l'office allemand du tourisme à Paris.

Les offices du tourisme locaux (*Fremdenverkehrsamt*) ont souvent besoin de personnel multilingue pour accueillir les touristes étrangers. Vous trouverez leurs adresses à l'office central du tourisme à Francfort.

✉ *Deutsche Zentrale für Tourismus (DZT) - (Office central du tourisme) - Beethovenstrasse 69 - 60325 Frankfurt/Main - Tél. : (69) 75 720*

Anne, 27 ans, a étudié l'allemand à Nantes. Elle a réussi à trouver un job à l'office du tourisme d'une ville minuscule proche de la frontière des Pays-Bas. Son excellent niveau d'allemand, à l'oral comme à l'écrit, lui a assuré un emploi intéressant.

*"J'avais repéré une annonce à l'université alors que j'étudiais à Sarrebruck dans le cadre du programme Erasmus. L'office du tourisme m'a d'abord prise en stage comme traductrice-interprète français-allemand, mais la plupart des touristes étaient hollandais ! Grâce à mon allemand, je suis passée responsable de l'accueil et de l'orientation. Je devais aussi rédiger quelques courriers."*

# Industrie et services hors tourisme

## Commerces de proximité

Les petits boulots dans le commerce en France (caissier, vendeur, livreur...) se retrouvent en Allemagne. Les boutiques et les supermarchés doivent figurer en bonne place dans votre liste de prospects.

Isabelle, après une expérience dans la restauration, a été embauchée dans un supermarché de la région de Stuttgart. *"Je suis tout simplement allée voir le gérant de Kaufring, un supermarché. Il m'a d'abord prise comme assistante au rayon des cigarettes, puis je suis passée caissière. Au début, ils m'ont proposé 8 DM de l'heure, mais j'ai obtenu 10 DM."*

Eric, 23 ans, étudiant en allemand, démontre qu'il ne faut vraiment rien négliger pour trouver un job :

*"Mon premier job en Allemagne, je l'ai effectué chez un grossiste-libraire d'Offenburg, dans le Bade-Wurtemberg. Il vendait des livres allemands aux universités françaises. Je l'avais appelé un grand nombre de fois pour commander des bouquins. Un jour, je lui ai demandé un job d'été, comme ça, à tout hasard. Il m'a pris, pour 1000 DM par mois."*

## Distribution de journaux

Vous pouvez être embauché comme distributeur de journaux ou livreur de matériel publicitaire pour les kiosques. Pour cela adressez-vous aux éditeurs de journaux, de quotidiens en particulier. L'été est la saison la plus favorable. Les salaires horaires varient entre 10 et 25 DM. Il est conseillé d'avoir son permis et son propre véhicule.

Valérie, une parisienne de 24 ans, déconseille ce job aux adeptes de la grasse matinée :

*"J'ai trouvé ce poste grâce à une annonce à la Studentenarbeit-Vermittlung. C'était mon premier job en Allemagne. Il consistait à distribuer le journal local de Kiel, une petite ville au nord de Hambourg. Vous êtes payé au nombre de*

*journaux et vous vous débrouillez pour le transport : au début je l'ai fait à pied, par la suite à vélo. Attention : je travaillais de 3 heures à 6 heures du matin. J'ai calculé, ça me rapportait 8 DM de l'heure."*

## Chauffeur de taxi

Si vous maîtrisez très bien l'allemand et connaissez la ville dans laquelle vous vous trouvez, vous pouvez devenir chauffeur de taxi. Jobs souvent occupés par des étudiants allemands, avec lesquels vous serez donc en concurrence. De plus, ce job n'est rentable que sur une longue durée car il demande un lourd investissement en temps et en argent.

Vous devez être âgé de plus de 21 ans et être en bonne condition physique (la visite médicale coûte 78 DM). Un examen, organisé par les chambres de commerce locales, permettra d'évaluer votre connaissance de la ville (prix : 33 DM). Enfin, l'obtention de la licence (valable 3 ans) coûte 44 DM. Certaines grosses sociétés de taxis organisent des cours gratuits de préparation à l'examen. Les cours privés coûtent jusqu'à 500 DM. Moralité : la route est longue et difficile avant de pouvoir conduire. Première étape : les pages jaunes pour obtenir les adresses des principales sociétés.

Si vous travaillez de façon temporaire, vous serez payé au pourcentage : entre 40 et 55% de la recette. Un mois de travail intensif (6 fois 10 heures par semaine) peut vous rapporter jusqu'à 3500 DM brut.

Berlin n'est pas vraiment le lieu où commencer : l'agglomération est immense et la concurrence vive. Les villes petites ou moyennes sont plus indiquées, à condition que la situation économique locale soit favorable.

## Travail à la chaîne

L'Allemagne a pendant longtemps attiré les étudiants à la recherche d'un job sur une chaîne de production, en particulier dans l'industrie automobile. Les constructeurs automobiles affirment désormais que de telles opportunités n'existent plus : cette évolution s'explique par la situation économique difficile. Si vous voulez absolument tenter votre chance, adressez-vous directement aux usines. Les rémunérations avoisinent les 20 DM par heure. Il est conseillé de cibler des PME, sans doute moins sollicitées que les grands constructeurs automobiles.

# Enseignement

Pour les postes de lecteur ou d'assistant de français en Allemagne, reportez-vous au chapitre général sur l'enseignement.

Les écoles de langues privées ont recours régulièrement à des professeurs de français. Chaque école disposant de ses propres méthodes d'enseignement, les nouveaux professeurs font tout d'abord l'objet d'une période de formation. Conséquence : il n'y a pas d'embauche pour des courtes durées. Inlingua et

Berlitz, par exemple, prennent des professeurs pour un an en général.

Les écoles ont souvent besoin de personnes à temps partiel, pour les cours supplémentaires ou les remplacements occasionnels. Le recrutement se fait sur place.

Sans parler un mot d'allemand, Brigitte est partie pour Hamburg où elle a enseigné le français dans l'école Berlitz. *"Pendant deux ans, j'ai été prof de français dans une des meilleures écoles de langue. La méthode américaine Berlitz est vraiment excellente ! C'était un travail très intéressant, mais crevant. De plus, je parlais uniquement français, ce qui fait qu'au bout de deux ans, je ne maîtrisais toujours pas la langue allemande. J'ai rencontré beaucoup plus d'étrangers que d'Allemands ! Le salaire est d'environ 12 DM pour un cours de 45 minutes."*

Pour obtenir les adresses des écoles de langues privées (type Berlitz, Inlingua, Krautz, Eurocenter), consultez les pages jaunes à la rubrique *Sprachschulen*. Evitez les mois creux de juillet et août.

Afin d'arrondir vos fins de mois, vous pouvez aussi concentrer vos efforts sur les petits cours de français. Avec une expérience de l'enseignement, vous êtes en droit de demander entre 25 et 35 DM pour une heure de cours. Sans expérience ni diplôme, vous devrez sûrement vous contenter de moins : environ 20 DM de l'heure.

Pour recruter vos élèves, le meilleur moyen consiste à essaimer des petites annonces :

- dans les journaux locaux (celui du quartier dans les grandes villes) ;
- dans les écoles de langue ;
- dans les institutions françaises (Instituts par exemple) ;
- dans les clubs franco-allemands ;
- dans les départements de français des universités ;
- dans les lycées français.

## Séjours au pair

Pour les adresses des organismes français de séjour au pair, reportez-vous page 52.

La directrice d'une organisation franco-allemande de séjours au pair nous avoue que les familles allemandes se plaignent de ne pas trouver de jeunes filles françaises.

Les séjours au pair en Allemagne ont à peu de choses près les mêmes modalités qu'ailleurs. Ils durent de six mois à un an. L'argent de poche est d'environ 350 DM par mois. Si vous souhaitez assister à des cours de langue, sachez que les frais d'inscription varient autour de 120 DM par semestre pour 6 heures de cours par semaine. Vous suivrez les cours dans une *Volkshochschule*, une école publique de formation continue. Les meilleurs mois pour commencer sont septembre et janvier/février, périodes qui correspondent aux dates des

cours d'allemand. Le voyage aller-retour et les dépenses pour les transports en commun sont à votre charge.

Voici quelques organismes allemands que vous pouvez contacter directement :

## • In Via

JOB
5 à 6 heures de travail par jour. Selon les cas, on vous demandera également de faire du baby-sitting 2 à 3 soirs par semaine. Vous touchez 350 DM d'argent de poche par mois.

PROFIL
Vous devez avoir entre 18 et 27 ans, parler allemand, avoir des connaissances ménagères élémentaires, une certaine expérience des enfants et faire preuve d'adaptabilité. Les Françaises sont très demandées. Les familles allemandes sont de plus en plus disposées à accueillir des jeunes hommes, même si les places restent limitées.

Le bureau central est à Freiburg. Vous pouvez lui demander les coordonnées des antennes locales de Aachen (Aix-la-Chapelle), Augsburg, Bamberg, Hildesheim, Köln (Cologne), München (Munich), Nürnberg (Nuremberg), Osnabrück, Paderborn, Passau, Stuttgart et Würzburg.

*In Via - Deutscher Verband Katholischer Mädchensozialarbeit e.V. - Ludwigstrasse 36 - 79104 Freiburg - Tél. : (761) 200 206*

## • Verein für Internationale Jugendarbeit e.V.

JOB
Vous travaillez 30 heures par semaine et recevez 350 DM d'argent de poche par mois.

PROFIL
Les jeunes hommes sont acceptés mais il est plus difficile de les placer. L'agence dispose également d'un réseau sur tout le territoire allemand, mais vous posez votre candidature à Paris. Frais d'inscription : 300 francs.

*Verein für Internationale Jugendarbeit e.V. - Foyer le Pont - 86, rue de Gergovie - 75014 Paris - Tél. : (1) 45 43 47 42*

## • G.I.J.K. (Gesellschaft für Internationale Jugendkontakte)

JOB
Les places, dispersées dans tout le pays, sont offertes toute l'année. La durée varie de 6 à 12 mois mais l'agence préfère un minimum de 10 mois. Vous travaillez 5 à 6 heures par jour, 30 heures par semaine. Argent de poche : 95 DM par semaine.

PROFIL
18-25 ans. Possédant un allemand correct, vous devez avoir une expérience dans la garde d'enfants. Cet organisme a des partenaires en France : pour avoir le nom de ce partenaire dans votre région, contactez l'agence en Allemagne.

*G.I.J.K. (Gesellschaft für Internationale Jugendkontakte) - Ubierstrasse 94 - 53173 Bonn - Tél. : (228) 957 300*

# Camps de vacances, animateurs de groupes

Alors qu'en France le fameux BAFA (Brevet d'aptitude aux fonctions d'animateurs) fait office de visa obligatoire pour tout job d'animateur, les recruteurs allemands n'exigent aucun diplôme particulier. C'est l'expérience qui compte avant tout. Si vous n'en avez pas, vous serez formé sur le tas, comme tous les animateurs allemands.

Pour les centres de vacances, ciblez en priorité la mer Baltique et la mer du Nord. Une brochure intitulée *Locations en Allemagne* est disponible à l'office du tourisme allemand à Paris. Elle contient les coordonnées de nombreux centres de vacances où vous pouvez proposer vos services.

Les centres de vacances suivants nous ont confirmé qu'ils recherchaient régulièrement du personnel saisonnier d'animation.

## • Camping Wulfener Hals

ACTIVITÉ        Terrain de camping-caravaning, centre de loisirs, centre de sports.

JOBS            Animateurs (pour les activités sportives, les activités pour les enfants, les spectacles...), vendeurs, serveurs et aides cuisine. La période s'étend du 15 juin au 15 août, les jobs peuvent durer de 6 semaines à 3 mois. Comptez 8 à 9 heures de travail quotidien, 6 jours sur 7, pour un salaire de 2500 DM par mois environ. Logement dans des caravanes pour 70 à 150 DM par mois et réductions sur la nourriture.

PROFIL          Bonne connaissance de l'allemand. Expérience souhaitée. Motivation nécessaire. La direction embauche surtout des étudiants.

CANDIDATURE     Adressez votre candidature par écrit avant le 28 février, en incluant un CV, une photo et les certificats de vos diplômes.

***Camping Wulfener Hals - 23769 Wulfen/Fehmarn***
***Tél. : (4371) 56 53 ou 42 50***

## • (BILD) Bureau international de liaison et de documentation

ACTIVITÉ        Rencontres de jeunes, formation d'animateurs.

JOBS            Animateurs de rencontres franco-allemandes. Vous vous occupez d'un groupe toute la journée et percevez 2000 francs par mois. Votre logement et votre nourriture sont pris en charge. Votre formation est assurée par l'organisme. 30 postes sont à pourvoir chaque année.

PROFIL          Avoir entre 21 et 28 ans, de bonnes connaissances en allemand, être disponible pour un stage de formation de 8 jours au mois de février (pendant les vacances scolaires).

CANDIDATURE     Adressez votre candidature à BILD avant la mi-janvier.

***(BILD) Bureau international de liaison et de documentation - 50,***
***rue de Laborde - 75008 Paris - Tél. : (1) 43 87 25 50***

Une autre piste consiste à contacter les mairies allemandes. Soucieuses du bien-être de leurs bambins administrés, les services municipaux montent des centres de vacances et de loisirs pour enfants pendant les vacances scolaires. Pour participer à ces séjours en tant qu'animateur, contactez la mairie (*Rathaus / Personalabteilung*) de la localité qui vous intéresse. Parfois ce sont les *Landkreise* (sorte de cantons) qui proposent des camps. Dans ce cas, adressez un courrier au *Landratsamt / Personalabteilung* de la région qui vous attire.

Brigitte est partie en Bavière, à l'âge de 19 ans, travailler comme animatrice. Elle a été embauchée par le Landkreis Oberallgäu de début août à mi-septembre. *"Au début, je ne comprenais pas tout ce qu'on me disait et je n'arrivais pas à m'exprimer en allemand. Mais quand on travaille avec des enfants, on apprend vite leur langue car ils se font un plaisir à nous l'enseigner. Au total, j'ai travaillé six semaines dans différents villages de l'Allgäu, aux alentours de Sonthofen. Une région qui offre de multiples activités en plein air : randonnée, baignade, équitation, escalade, ski... J'ai travaillé pour un "Spielmobil". C'était un camion rempli de jeux et jouets, qui se déplaçait dans les villages et les écoles à la rencontre des enfants. L'ambiance était très sympa. Enfin, les deux dernières semaines, j'ai été animatrice dans un "Ferienlager", c'est-à-dire un centre de vacances."* Brigitte gagnait 50 DM (net) par jour.

En Allemagne, les grandes vacances durent 6 semaines. Les dates sont décalées d'un Land à l'autre et d'une année sur l'autre. Renseignez-vous à l'Office national allemand du tourisme.

## Festivals et salons professionnels

- Le Bundesanstalt für Arbeit est aussi responsable des **Service-Vermittlung**, sorte d'agences mobiles pour l'emploi qui se constituent lorsqu'un fort besoin de main-d'œuvre se fait sentir localement (par exemple lors de foires ou de festivals). Si dans la ville où vous vous trouvez, vous entendez parler d'une manifestation importante (par exemple, la Fête de la Bière à Munich), n'hésitez pas à contacter le *Service-Vermittlung* qui se sera alors constitué et dont les coordonnées pourront vous être communiquées par l'*Arbeitsamt*.

- L'**Office national allemand de tourisme** dispose de la liste de toutes les fêtes populaires en RFA ainsi que de toutes les foires et salons professionnels : de la fête de l'oignon à Weimar au salon du livre de Francfort, il y en a pour tous les goûts. Les dates de ces manifestations sont également accessibles par minitel 3615 OFTRA. Ce service télématique inclut aussi les adresses des représentations françaises des principaux organisateurs de salons professionnels.

Sylvie, étudiante en DEUG de psycho, a travaillé trois semaines sur un des stands de la fête franco-allemande qui a lieu chaque été à Berlin.

*"Je me suis rendue sur l'emplacement de la fête deux jours avant son ouverture. Au bout du cinquième stand visité, on m'a proposé un job. Le premier jour, j'ai dû nettoyer la friterie et aménager le stand. Puis ma tâche consistait à vendre des produits gastronomiques typiquement français : crevettes, cuisses de grenouille, camembert frit... Je gagnais environ 60 DM par jour."* Selon Herr

Ellerich de l'Arbeitsamt de München, un serveur peut gagner en deux semaines d'Oktoberfest ce qu'il gagne normalement en deux mois.

Les principales fêtes populaires se situent à :

- Wiesbaden, Mayence et Rüdesheim (semaine du vin) : en août.

- Neustadt (fête des vendanges), Wiesbaden-Rheingau (fête du vin), Stuttgart (fête du vin et du folklore), Munich (fête de la bière) : fin septembre-début octobre.

## Agriculture

Que ceux que la bière n'inspire pas se rassurent, les Allemands produisent d'excellents vins et les vendanges offrent de nombreuses possibilités de jobs. Il existe traditionnellement 13 terroirs viticoles en Allemagne. Ils se concentrent essentiellement dans les vallées du Rhin, de la Moselle et du Main à l'ouest et dans les vallées de la Saale et de l'Elbe (autour de Dresde) à l'est. Vous pouvez soit vous adresser directement aux viticulteurs, soit au *Weinbauverband* (leur fédération), soit encore, et c'est probablement le plus simple au *Arbeitsamt*. Vous avez sans doute intérêt à vous écarter des régions proches de la frontière française, où la concurrence est très dure. Choisissez des zones plus reculées. Ainsi, Monsieur Sudermann, le directeur du *Arbeitsamt* de Wurtzbourg, en Bavière, nous l'a affirmé : *"Herzlisch Willkommen"* (soyez les bienvenus). Les salaires horaires dans cette région varient de 9 à 11 DM. Les jeunes Français n'ont pas encore l'habitude de partir dans cette région et M. Sudermann est très clair : *"Qu'ils nous envoient une carte postale nous expliquant ce qu'ils recherchent, nous leur proposerons un poste."* Si vous voulez un emploi saisonnier pour le temps des récoltes, adressez un courrier aux *Arbeitsämter / Abteilung Arbeitsvermittlung* des régions agricoles qui vous intéressent en précisant quel type de travail vous recherchez. Par exemple, si vous voulez faire les vendanges, votre lettre pourrait être formulée ainsi : *"Ich suche ein Job für drei Wochen, um bei den Weinernten helfen zu können. Bitte senden Sie mir Stellenangebote von Betrieben, die Helfer brauchen."* Précisez aussi vos dates de disponibilité.

✉ *Arbeitsamt - Ludwigkai 3 - 97072 Würzburg - Tél. : (931) 8 07-0*

✉ *Arbeitsamt - Rudolf-Virchow-Str. 5 - 56073 Koblenz - Tél. : (261) 4 05-0*

✉ *Arbeitsamt - Schönbornstr. 1 - 54295 Trier (Trêves) - Tél. : (651) 2 05-0*

✉ *Arbeitsamt - Rosenbergstr. 50 - 74074 Heilbronn - Tél. : (7131) 9 69-0*

✉ *Arbeitsamt - Altonaer Str. 25 - 99085 Erfurt - Tél. : (361) 65 70-0*

✉ *Arbeitsamt - Semperstr. 2 - 01069 Dresden - Tél. : (351) 46 71-0*

Pour les adresses des syndicats professionnels locaux adressez-vous au :

✉ *Deutsche Wein Information - Gutenbergplatz 3-5 - Postfach 1707 - 55116 Mayence - Tél. : (6131) 28 290*

Cet organisme publie une brochure gratuite avec la liste des fêtes du vin et une

carte des différentes régions viticoles. Cette brochure, *Deutsche Winzerfeste*, est disponible à l'office allemand du tourisme à Paris.

Comme dans de nombreux pays, vous avez la possibilité d'être volontaire dans une ferme biologique.

## • WWOOF (Willing Workers On Organic Farms)

ACTIVITÉ  Agriculture et horticulture biologiques. Une centaine de fermes adhèrent à cette organisation.

JOBS  Travaux bénévoles. La durée minimum est de trois jours. Il n'y a pas, a priori, de durée maximum. Le temps et les conditions de travail sont à définir avec l'employeur. En retour de votre travail, vous recevez logement et nourriture. Parfois, on peut vous verser un peu d'argent de poche. Opportunités toute l'année.

PROFIL  Il n'y a pas d'exigence particulière mais un vague intérêt pour l'agriculture biologique est un avantage.

CANDIDATURE  Envoyez votre candidature par écrit ; lors de ce premier contact, vous pouvez demander des renseignements supplémentaires, un CV n'est pas indispensable.

✉  *WWOOF (Willing Workers On Organic Farms) - Stettiner Strasse 3 - 35415 Pohlheim*

# *Bénévolat et volontariat*

La grande majorité des organismes de chantiers en France proposent des actions en Allemagne, tout au long de l'année (voir page 69).

L'organisme Jeunesse et Reconstruction propose deux programmes de volontariat à moyen terme :

- le programme ICYE (International Christian Youth Exchange) reçoit pendant un an des volontaires qui travaillent dans des infirmeries, des jardins d'enfants ou des foyers de travailleurs immigrés.

- le programme Freiwilliges Sociales Jahr, également d'une durée d'un an, permet de mener diverses actions sociales : animation de centres sociaux, aide aux sans-abri, éducation d'enfants en difficulté... Contactez Jeunesse et Reconstruction pour plus d'informations.

✉ *10, rue de Trévise - 75009 Paris - Tél. : (1) 47 70 15 88*

Plusieurs organismes caritatifs allemands peuvent accueillir des bénévoles français :

## • Heimsonderschule Brachenreuthe

ACTIVITÉ  Centres d'hébergement et d'enseignement pour enfants handicapés mentaux. Dix centres à Brachtenreuthe.

MISSIONS  Aider à la prise en charge des enfants et au fonctionnement général des communautés. Possibilités toute l'année. Ces jobs impliquent en général un séjour d'un an minimum. Des séjours de 6 mois sont également prévus. La journée de travail varie en fonction des besoins. Vous travaillez six jours par semaine et recevez 350 DM par mois d'argent de poche. Les différents centres fournissent en général la nourriture et le logement en chambres collectives.

PROFIL    Vous devez être âgé de 19 ans minimum, posséder un allemand opérationnel, aimer les enfants et faire preuve de volonté.

CANDIDATURE    Adressez directement votre CV.

✉    *88662 Überlingen*
*Tél. : (7551) 80 07 0*

## • IBG-Internationale Begegnung in Gemeinschaftsdiensten

ACTIVITÉ    Travaux de rénovation et dans le domaine de l'environnement.

MISSIONS    Des postes sont proposés de juin à septembre mais sont publiés dès avril. Chaque job, bénévole, dure en général 3 semaines. Vous travaillez environ 30 heures par semaine, réparties sur 5 jours. Le logement et la nourriture sont fournis.

PROFIL    Vous devez être âgé de 18 ans minimum et de 27 ans maximum, et parler au moins anglais.

CANDIDATURE    Demandez le programme annuel des chantiers dès le mois d'avril. Les frais d'inscription sont de 140 DM.

✉    *Schlosserstrasse 28 - 70180 Stuttgart*
*Tél. : (711) 649 11 28*

## • Pro International

ACTIVITÉ    Chantiers internationaux.

MISSIONS    Rénovation de bâtiments, environnement/protection des rivages, entretien de la forêt, chemins à tracer, moniteurs d'enfants ou d'handicapés... Vous participez activement au projet du chantier (5/6 heures par jour) et aux tâches quotidiennes (cuisine, vaisselle, nettoyage...). Pro International prend en charge le logement, l'assurance et la nourriture.

PROFIL    Etre âgé entre 16 et 26 ans. Des connaissances en allemand, anglais ou français sont nécessaires.

CANDIDATURE    Demandez le programme annuel au mois de mars. Les frais d'inscription sont de 100 DM.

✉    *Aufbauwerk der Jugend - Bahnhofstr. 26 A - 35037 Marburg*
*Tél. : (6421) 65277*

## • Internationaler Bauorden

ACTIVITÉ    Chantiers de vacances.

MISSIONS    Proposés de juin à octobre et d'une durée de 3 à 4 semaines. Vous travaillez 8 heures par jour, 5 jours par semaine. Ces jobs ne sont pas rémunérés, mais le logement et la nourriture sont pourvus.

CANDIDATURE    S'adresser à l'Association des Compagnons Bâtisseurs à Castres

*Liebigstrasse 23 - Postfach 14 38 - 67551 Worms*
*Tél. : (6241) 31 95*

## • NFD (Nothelfergemeinschaft der Freunde e.V.)

ACTIVITÉ    Aide sociale dans les hôpitaux, maisons de retraite, foyers pour personnes handicapées. Travaux agricoles.

MISSIONS    Ces stages bénévoles durent de deux à quatre semaines, 5 jours sur 7, 6 heures par jour. Logement et nourriture sont fournis.

PROFIL    Vous devez avoir entre 18 et 25 ans et être intéressé par l'action sociale.

CANDIDATURE    Adressez-vous directement à l'organisation.

*Függerstr. 3 - 52351 Düren*
*Tél. : (2421) 76 569*

## • Vereinigung Junger Freiwilliger

ACTIVITÉ    Chantiers internationaux (surtout dans les nouveaux Länder).

MISSIONS    Vous travaillez environ 30 heures par semaine. Le week-end est libre.

- programme écologique : 10 postes par an ;

- programme social : 15 postes par an pendant 2 à 3 semaines (surtout l'été).

PROFIL    Vous avez entre 17 et 30 ans. Le travail ne demande pas de compétences particulières et s'adresse indifféremment aux hommes et aux femmes. La langue de travail est l'anglais.

CANDIDATURE    Demandez la nouvelle brochure annuelle en avril. Les droits d'inscription s'élèvent à 200 DM.

*Müggelstr. 22a - 10247 Berlin*
*Tél./Fax : (30) 588 38 14*

## • Involvement Volunteering-Deutschland

ACTIVITÉ    Involvement Volunteering est une association australienne à but non lucratif qui organise des actions dans les domaines de l'environnement, de l'archéologie et de l'aide sociale.

MISSIONS    En Allemagne, plusieurs programmes sont proposés.

- Assistance en centres de vacances

- Préservation de la nature

- Gestion d'une ferme écologique

- Action sociale

En général, les volontaires individuels sont logés et nourris, bien qu'une somme minimale soit parfois recueillie pour la nourriture.

PROFIL    Bonnes connaissances de l'anglais requises. Aucune autre qualification demandée pour bon nombre d'activités, mais un intérêt pro-

noncé pour les cultures étrangères. L'âge minimum est de 17 ans, la majorité des membres ayant entre 20 et 27 ans.

CANDIDATURE Il est demandé 100 DM à l'inscription, puis 250 DM pour confirmer votre engagement. Contactez l'association (avec coupon réponse international) pour recevoir une feuille d'inscription et un exemplaire de la newsletter.

*Internationale Volontär Projekte - Giesbethweg 27 - 91056 Erlangen - Tél. : 91 35 80 75*
*Contact : Herr K. Werner Mayer (Président de l'association)*

**La Croix Rouge Allemande** emploie régulièrement des jeunes à temps partiel pour assister ses infirmiers et infirmières. Il s'agit essentiellement de travail à domicile, auprès de malades ou de personnes âgées. Une formation est parfois nécessaire. Les exigences varient selon les régions et vous devez contacter les antennes locales pour en connaître les détails. En général, mieux vaut être qualifié.

Le secrétariat général peut vous renseigner et fournir les coordonnées des antennes locales :

✉ *Deutsches Rotes Kreuz (DRK) - Generalsekretariat - Friedrich-Ebert-Allee 71 53113 Bonn - Tél. : (228) 54 10*

Agnès, 27 ans, étudiante en maîtrise d'allemand à Kiel, a même bénéficié d'un stage de formation auprès de la Croix Rouge locale :

*"La formation était gratuite. J'ai juste payé 20 DM de frais d'inscription. Elle s'est répartie sur 40 jours et 15 jours de stage en hôpital. Par la suite, j'étais régulièrement envoyée chez des particuliers, surtout tôt le matin et tard le soir. Kiel utilisait un groupe de 60 à 70 aides soignantes (SchwesterhilferInnen) à temps partiel. Je gagnais 12 DM par heure en semaine et 14 DM le week-end."*

Ce type de services manque, selon Agnès, de personnel masculin.

# Trouver un stage

Les étudiants allemands ont presque tous un *praktikum* (stage) prévu dans leur cursus. Les entreprises sont donc familiarisées avec la notion de stage. Pour vos recherches d'adresses d'entreprises, rendez-vous aux centres d'information cités en début de chapitre. Les *Verbände* (fédérations professionnelles) disposent aussi de listes d'entreprises par secteur d'activités. Enfin, les *Industrie-und Handelskammern, IHK* (chambres de commerce) peuvent parfois vous aider sur la zone géographique dont elles sont responsables (pour obtenir leurs adresses, voir plus loin).

# Des organismes pour vous aider

Consultez le chapitre général "Trouver un stage" pour des informations sur les organismes vous permettant de partir en stage à l'étranger. Reportez-vous en particulier aux paragraphes concernant l'AIESEC, l'IAESTE, SESAME et les différents programmes européens.

## L'Office franco-allemand pour la jeunesse (OFAJ)

Cet organisme est incontournable. Il a pour mission de promouvoir tout programme d'échanges et de rencontres individuelles ou de groupes entre les deux pays. L'Office n'est pas une agence de recherche de jobs ou de stages. En revanche, il est une excellente source d'information. Sa brochure présente la liste des organismes qui facilitent les échanges entre les deux pays et qui bénéficient de son soutien financier. L'OFAJ n'a pas l'exclusivité du savoir-faire sur le secteur mais a pu tester un grand nombre d'associations pendant ses 30 ans d'existence. Renseignez-vous en particulier auprès de votre établissement scolaire ou universitaire pour connaître les programmes d'échanges subventionnés par l'OFAJ.

Pour toutes les questions concernant une recherche de stage, adressez-vous directement au bureau allemand de l'OFAJ, qui pourra vous donner des informations utiles. Tous ses employés sont bilingues, vous pouvez donc les contacter en français. Vous recevrez entre autre la fiche *Bourse pour stages pratiques en Allemagne*, qui explique dans quelles conditions vous pouvez bénéficier du soutien financier de l'OFAJ une fois que vous avez trouvé votre stage. Ce bureau ne dispose pas de listes de postes à pourvoir. Vous devrez effectuer cette recherche vous-même.

✉ ***Deutsch-Französisches Jugendwerk - Rhöndorfer Strasse 23 - 53604 Bad Honnef 1 - Tél. : (2224) 18 08 0***

Voici quelques programmes individuels proposés par l'OFAJ :

### • DAA (Deutsche Angestellte-Akademie)

ACTIVITÉ    Le DAA est un organisme de formation créé par le syndicat allemand des employés. Il propose des formations professionnelles et linguistiques.

AVERTISSEMENT    Ce programme exige de poser sa candidature environ 6 mois avant le départ.

PROGRAMME    3 semaines (90 heures) d'allemand général ; 3 semaines (90 heures) d'allemand spécialisé ; stage de 2 à 6 mois dans un service commercial d'une entreprise munichoise ou des environs. Certains stages se déroulent dans de grandes entreprises comme Siemens ou BMW.

PROFIL    Ouvert aux étudiants ou aux diplômés. Première connaissance de l'allemand demandée.

COUT    Les coûts totaux de ce programme s'élèvent à près de 3000 DM (dont 2400 DM pour les cours de langue, 400 DM pour la recherche du stage et du logement et 150 DM pour le suivi du stagiaire). Le coût du logement en demi-pension est de 250 à 300 DM par semaine.

RÉMUNÉRATION Les grandes entreprises rémunèrent leurs stagiaires à hauteur de 1100 DM par mois. Les PME ne paient pas toujours leurs stagiaires. L'OFAJ propose une bourse de 1880 DM maximum pour les cours d'allemand et participe aussi aux frais de transport jusqu'à Munich. Il peut également dans certains cas accorder une bourse pour le stage pratique, vous permettant de couvrir une partie des frais de logement.

Pour les dates exactes de début des programmes et des renseignements plus détaillés contactez le :

 ***DAA (Deutsche Angestellte-Akademie) - im Bildungswerk der DAG - e.V. - Landwehrstrasse 73-75 - 80336 München***
***Tél. : (89) 54 43 02 - 25***

- L'Office propose des bourses, intitulées Partir en Allemagne, pour une personne ou des petits groupes de quatre maximum. Vous devez être âgé de 18 à 27 ans et vouloir effectuer un projet, en général une étude, visant à découvrir un aspect précis de la vie en RFA. Exemples de projets retenus : étude de l'argot allemand dans les casernes en Allemagne (réalisé par une jeune fille !), étude du traitement des déchets ménagers. L'OFAJ prend en charge une partie des frais de voyage et alloue un forfait variant de 1000 à 2300 francs selon la durée du séjour.

- L'OFAJ subventionne des stages de 3 à 12 mois pour jeunes travailleurs manuels dans le cadre de jumelages de Chambres de métiers. Il faut avoir entre 18 et 30 ans et achevé sa formation professionnelle. Les stages sont rémunérés et incluent un cours de langue. Adressez-vous à votre Chambre des métiers.

- Pour les jeunes journalistes, des bourses sont accordées lors de stages dans des rédactions de quotidiens, d'hebdomadaires, de stations de radio et de télévisions allemandes. Vous devez être de nationalité française, âgé de moins de 30 ans, faire partie d'une rédaction en France (permanent ou pigiste régulier) et être titulaire de la carte de presse.

Le programme inclut des cours d'allemand (4 semaines maximum) pour les stagiaires n'ayant pas de connaissances linguistiques suffisantes ; le stage dans la rédaction allemande dure 4 semaines maximum. La date limite de dépôt des candidatures est le 31 janvier. Adressez-vous au bureau allemand de l'OFAJ : il semble que toutes les places ne puissent être pourvues chaque année.

L'OFAJ dispose de programmes dans le domaine des arts plastiques et de la recherche.

- Si vous êtes titulaire d'un CAP, âgé de 18 à 24 ans et possédez au moins deux ans d'expérience professionnelle, les Compagnons du Devoir organisent des stages professionnels subventionnés par l'OFAJ. Ce programme concerne une très grande variété de métiers, de la mécanique à la boulangerie, en passant par les tailleurs de pierre.

✉ *Association Ouvrière des Compagnons du Devoir du Tour de France - 82, rue de l'Hôtel de Ville - 75004 Paris - Tél. : (1) 42 71 23 22*

ou directement en Allemagne :

✉ *Fettenhof - Venloer Strasse 1203 - 50829 Köln Bocklemund - Tél. : (221) 50 47 60*

## Le Conseil général d'Ille-et-Vilaine

Par l'intermédiaire de son association JTM, **Jeunes à Travers le Monde**, ce Conseil général propose un programme d'aide pour les départs à l'étranger, en particulier sur l'Allemagne. Il est réservé **aux résidents du département d'Ille-et-Vilaine**, âgés de 18 à 30 ans, disposant d'une bonne expérience professionnelle et motivés par l'apprentissage de la langue allemande. Il se déroule sur 3 mois : 1 mois de formation linguistique, 2 mois de stage en entreprise.

✉ *JTM - 1, quai Chateaubriand - 35000 Rennes - Tél. : 99 78 35 36*

## Eurodyssée

Un autre organisme public, **Eurodyssée**, regroupe plusieurs régions françaises et organise des stages dans le Bade-Wurtemberg. Attention, il ne prend en compte que les candidatures des résidents des régions suivantes : Franche-Comté, Champagne-Ardenne, Poitou-Charentes, Limousin et Rhône-Alpes. Les stages, d'une durée de 3 à 6 mois sont rémunérés à hauteur de 4500 francs par mois, en DM, un peu moins si l'entreprise prend en charge le logement. Ils concernent a priori tous les domaines, mais en particulier le secrétariat et le commerce international. Tous les niveaux de formation sont considérés. Adressez-vous **à votre Conseil régional** et demandez le service Eurodyssée. Vous pouvez aussi vous renseigner auprès du Conseil régional de Franche-Comté, qui coordonne le programme :

✉ *Eurodyssée - 4, square Castan - 25031 Besançon - Tél. : 81 61 61 61*

## AFS Vivre sans Frontière

Les programmes **"Jeunes professionnels"** proposés par AFS concernent des secteurs très divers : administration, secrétariat, tourisme, hôtellerie, commerce, etc. La durée du séjour est de 3 mois : 1 mois de cours d'allemand intensifs et 2 mois de stage en entreprise. Les participants sont logés en famille durant toute la durée du séjour. Il y a deux sessions : au printemps (de début avril à début juillet) et en automne (de début septembre à début décembre). Attention : les inscriptions sont closes 4 mois avant le départ. Les candidats sont présélectionnés sur dossier et au cours d'une journée nationale de préparation et de sélection. Le coût du programme est de 7 300 francs payables à la signature de l'accord de participation, deux mois avant le début du programme, plus 200 francs de frais de dossier (non remboursables). Ajoutez un dépôt de garantie de 1 500 francs, qui vous sera remboursé à l'issue du programme, après rédaction du rapport de stage obligatoire. Les prestations assurées sont : le voyage aller-retour depuis Paris, l'hébergement en pension complète, les cours de langue, le suivi de chaque participant pendant toute la durée du programme, l'adhésion à AFS VSF et l'assurance.

✉ *AFS Vivre sans Frontière - "Les Malerettes" - 170, cours du Maréchal Galliéni 33400 Talence - Tél. : 57 81 75 65*

# International Dialog

L'association **International Dialog** propose, en partenariat avec le Jugendferienwerk de la ville de Mannheim, des stages d'une durée de quatre à huit semaines dans des entreprises allemandes. Ces stages peuvent se dérouler dans tous les secteurs (commerce, informatique, gestion, marketing, droit...). Des stages ouvriers sont également possibles.

Tout étudiant français, quel que soit son domaine d'études, peut bénéficier de ce programme, à condition d'avoir de bonnes connaissances d'allemand.

Dans l'industrie, l'indemnité versée par les entreprises se situe entre 500 et 1 000 DM par mois. Pour les littéraires qui obtiennent un stage dans la fonction publique, les stages sont rarement rémunérés.

Vous avez plusieurs possibilités de logement : en résidence universitaire (dans la limite des places disponibles), en chambre individuelle au sein d'un foyer allemand ou… selon vos propres moyens. En cité universitaire, une caution de 400 francs sera exigée à votre arrivée à Mannheim.

Pour vous inscrire, envoyez votre CV et une lettre de motivation dactylographiée en allemand, les photocopies de vos diplômes, 4 photos et un chèque de 250 francs (adhésion et assurance) libellé à l'ordre d'International Dialog. Les frais pour la recherche du stage s'élèvent à 2 000 francs. Si vous partez un mois, ce programme vous revient donc entre 2 250 francs, logement non compris, et 4 650 francs, hébergement et repas compris.

✉ *International Dialog - 24, rue Barbès - 92120 Montrouge - Tél . : (1) 47 46 97 43*

# La Chambre franco-allemande de commerce et d'industrie (CFACI)

Elle dispose d'un centre de documentation où vous pouvez consulter les annuaires des entreprises françaises en Allemagne : la visite coûte 50 francs.

✉ *CFACI (Chambre franco-allemande de commerce et d'industrie) - 18, rue Balard - 75015 Paris - Tél. : (1) 40 58 35 35*

# Les Chambres de commerce et d'industrie allemandes

Certaines Chambres de commerce et d'industrie allemandes avaient créé un service stage qui mettait en contact futurs stagiaires et entreprises. Ces programmes se sont arrêtés pour des raisons que nous a expliquées M. Grobe de la Chambre de commerce de Hambourg.

*"Le premier problème est la conception irréaliste qu'un étudiant peut avoir de sa mission de stage : en Allemagne, un stagiaire est d'abord là pour apprendre et pour observer. L'entreprise ne lui donnera pas de responsabilités. De plus, les étudiants tendent à énerver les entreprises en mentionnant dans leur lettre de candidature des concepts éthérés de type Marketing International. Si vous écrivez à une entreprise, expliquez simplement et clairement ce que vous savez déjà faire et ce que vous souhaitez apprendre, c'est tout. Enfin, la situation économique actuelle n'est pas du tout favorable à l'embauche de stagiaires. Dernier conseil : la période estivale est à éviter."*

Quelques IHK continuent néanmoins de donner des listes d'entreprises prêtes à accueillir des stagiaires et des apprentis. Pour obtenir gratuitement le répertoire (Verzeichnis) de toutes les Chambres de commerce en Allemagne, contactez le DIHT, leur bureau central, à Bonn.

✉ *DIHT - Informationsstelle - Adenauerallée 148 - 53113 Bonn*

# Les fédérations professionnelles

Si vous êtes intéressé par un métier particulier ou par une branche spécifique de l'industrie, essayez d'obtenir l'aide de la fédération professionnelle concernée (l'envoi d'une liste par exemple). Les syndicats professionnels (Verband ou Verein) jouent un rôle clé dans l'organisation de l'économie allemande et pourront peut-être vous conseiller sur la façon d'approcher certains de leurs membres : surtout si vous affirmez votre désir d'apprendre.

Certaines fédérations communiquent la liste de leurs membres ; d'autres ne le font pas, mais elles peuvent insérer votre annonce dans le journal diffusé auprès de leurs membres. Elles ont parfois la gentillesse de ne pas faire payer ces services aux jeunes candidats.

Pour les adresses des syndicats professionnels, contactez le Centre d'information et de documentation de l'ambassade d'Allemagne.

# Le Comité consulaire pour l'emploi et la formation professionnelle

Le Comité consulaire pour l'emploi et la formation professionnelle a été créé en 1986 par le consulat général de France à Hambourg. Il peut être d'une aide précieuse pour votre recherche de stage. Il communique des listes d'adresses de sociétés travaillant avec la France, des listes d'organismes procurant des stages et les coordonnées des différentes chambres de commerce et associations professionnelles. Vous y trouverez également des renseignements sur la situation locale de l'emploi et sur les possibilités de cours intensifs d'allemand.

Un étudiant peut y envoyer un CV. Celui-ci sera diffusé auprès des associations et entreprises françaises, des chambres de commerce et d'industrie et surtout de l'Amicale franco-allemande des hommes d'affaires de Hambourg. Cette association compte environ 150 membres. Le Comité vous proposera aussi de contacter le Handelsdienst GmbH Unternehmensberatung, Personalberatung (une société privée de conseil en entreprise) pour qu'elle diffuse une annonce dans son bulletin. Le prix de ce service est de 50 DM pour 3 lignes.

✉ *Consulat général de France à Hambourg - Comité consulaire pour l'emploi et la formation professionnelle -Pöseldorfer Weg 32 - 20148 Hambourg*
*Tél. : (40) 41 41 06-0*

# ESPAGNE

Mais qu'avez-vous fait pour mériter ça ?

Un taux de chômage de 36% chez les moins de 25 ans. Des petits boulots - ceux du tourisme et de l'agriculture- occupés soit par les Espagnols eux-mêmes, soit par des Marocains ou des Sud-Américains. Des entreprises qui n'ont découvert que très récemment le mot "stage". Aucun organisme en France capable de véritablement vous assister !

Job-trotters au bord de la crise de nerfs, gardez espoir ! Sachez que l'économie souterraine représenterait jusqu'à 25% du produit intérieur brut espagnol. Autrement dit : secouez-vous, frappez aux portes, proposez vos services et dénichez votre job.

Quant aux stages, l'Espagne, même en crise, a besoin de talents : une formation au commerce international ou la maîtrise de langues étrangères vous aideront à trouver un poste. Beaucoup d'étudiants espagnols poursuivent leurs études sans mener d'expérience pratique. Avec quelques stages derrière vous, votre connaissance du monde du travail pourra intéresser certaines entreprises. Toutefois, n'arrivez pas en pays conquis, vous serez reconnu sur vos mérites, pas sur vos diplômes. Concentrez votre recherche de stage sur Madrid et Barcelone. A ce sujet, il faut souligner le remarquable travail d'une association madrilène, Dialogo, qui fournit plus de 1500 stages par an à des Français.

Enfin, avant de partir, pensez à vos contacts personnels, qui demeurent la première source d'embauche, surtout pour de jeunes étrangers.

Et souvenez-vous : la maîtrise de l'espagnol vous autorisera à rêver à des voyages plus lointains.

**Pour les taux de change, voir P.12**

# Des organismes pour vous aider

N'espérez pas trop des organismes installés à Paris. Le parcours vers l'Espagne est beaucoup moins balisé que celui vers l'Allemagne ou les Etats-Unis.

L'**Office du tourisme espagnol** dispose de la liste des auberges de jeunesse et des résidences universitaires. Il peut aussi vous fournir quelques adresses pour des séjours au pair, en particulier à Barcelone, ainsi que la liste des principaux hôtels et des colonies de vacances. Son service minitel propose des renseignements pratiques sur les formalités en matière de santé, les adresses des représentations diplomatiques françaises et les coordonnées des organisateurs de foires et salons.

⊠ *Office du tourisme espagnol - 43ter, avenue Pierre 1er de Serbie - 75381 Paris Cedex 08 - Tél. : (1) 47 20 90 54 ou 40 70 19 92 - Minitel : 3615 Espagne*

La **Chambre de commerce d'Espagne** reçoit un grand nombre d'étudiants à la recherche de stages, leur propose quelques pistes et tente actuellement de développer une bourse de stages. Vous y serez très bien accueilli et pourrez poser toutes vos questions d'ordre pratique, juridique et fiscal. Le centre d'information n'est ouvert que le mercredi sur rendez-vous. Attention : comptez un mois d'attente avant d'obtenir un rendez-vous. Vous aurez alors accès, en payant 50 francs, à des informations macro-économiques, des bulletins statistiques, des analyses sectorielles et surtout à la liste des filiales françaises en Espagne, classées par secteurs et régions. Des exemples de CV et de lettres de motivation sont en consultation. Le service minitel de la Chambre de commerce est aussi une bonne source de renseignements : il inclut un grand nombre d'adresses utiles et permet de commander des listes d'entreprises ou de poser des questions auxquelles la Chambre répond dans les deux jours.

⊠ *Chambre de commerce d'Espagne - 32, avenue de l'Opéra - 75002 Paris Tél. : (1) 47 42 45 74 - Minitel : 3616 Espana*

Vous pouvez aussi vous brancher sur le serveur minitel de l'association Dialogo à Madrid (voir plus loin "Trouver un stage"). Il présente les activités de l'association et propose un service de messagerie. Dialogo répond à vos questions dans les 48 heures.

⊠ *Association Dialogo - Gran via, 68 - 3e G - 28012 Madrid - Tél. : (1) 559 72 77 - Minitel : 3615 DIALOGO*

Le **consulat d'Espagne** à Paris sera d'une aide limitée. Pour toutes les questions d'ordre pratique, il renvoie directement à la monographie de l'ACIFE (Accueil et information des Français à l'étranger), vendue 60 francs.

⊠ *Consulat d'Espagne - 165, boulevard Malesherbes - 75017 Paris Tél. : (1) 47 66 03 32*

Parmi les librairies disposant d'ouvrages sur le monde ibérique, deux proposent des ouvrages sur la rédaction de CV en espagnol :

⊠ *Librairie Espagnole - 72, rue de Seine - 75006 Paris - Tél. : (1) 43 54 56 26*

⊠ *Hispano Americanas - 26, rue Monsieur Le Prince - 75006 Paris Tél. : (1) 43 26 03 79*

Les ouvrages mentionnés par ces librairies sont en espagnol :

- *Como redactar un CV eficaz* (E. Cobalchini Conti et A. Marin Hill ; Editions

De Vecchi) se consacre uniquement à la rédaction de CV.

- *Como conseguir el empleo* (Luis César Segovia ; Editions De Vecchi) aborde tous les aspects de la recherche d'emploi avec des conseils sur la rédaction d'une lettre de candidature, d'un CV, la préparation à un entretien et à d'éventuels tests d'embauche.

- *Como hacer un CV y presentar una historia profesional* (Editions Iberico Europeo de Ediciones) a également été conseillé par les librairies.

# Les joies de l'administration

## *Permis et visas*

Les ressortissants de l'Union européenne ont seulement besoin d'une carte d'identité ou d'un passeport en cours de validité pour séjourner et travailler en Espagne. Au delà de 3 mois, il faut se rendre à la DGPE (Direccion General de Policia Para Extranjeros) pour y retirer un formulaire de résidence.

A Madrid, l'adresse est la suivante :

▣ *DGPE - Calle de los Madrazos - 28014 Madrid - Tél. : (1) 521 93 50*

## *Salaires et impôts*

L'impôt sur le revenu est prélevé à la source. Les contribuables remplissent une déclaration annuelle au mois de mai grâce à laquelle ils peuvent parfois bénéficier d'une *Devolucion* (remboursement d'un trop-perçu de l'Etat). Le salaire minimum imposable est d'environ 1 000 000 pes par an. Les formulaires de déclaration ainsi que des renseignements supplémentaires peuvent être obtenus au bureau local du Ministère des finances.

## *Santé*

En vous rendant dans un centre de sécurité sociale espagnole avec votre formulaire E111, vous obtiendrez une carte d'assuré social (*cartilla*). Cette carte vous donne droit à des heures fixes de visite chez un médecin. En fait, votre carte française et le E111 suffisent généralement. Beaucoup de médecins et les hôpitaux en cas d'urgence accepteront de vous recevoir. La consultation est gratuite, les médicaments payants. Certains organismes conseillent de s'inscrire chez un médecin privé pour être sûr d'être soigné rapidement et efficacement : mais dans ce cas, les visites, non remboursables, coûtent entre 5 000 et 15 000 pes.

## *Ouvrir un compte en banque*

Les formalités sont très simples : on vous demande seulement une pièce d'identité. Les paiements en Espagne se font soit en liquide, soit en carte bancaire ou de crédit. Les Espagnols n'utilisent quasiment jamais les chèques. En tant que non-résident, vous n'aurez droit à aucune facilité de découvert. La carte bancaire que vous obtiendrez est vraisemblablement la 4B : elle permet de retirer du liquide dans les distributeurs.

Les banques principales sont : Banco Santander, Banco Central, Banco Popular, Banco Bilbao y Viscaya, Banco Sabadell, la Caja Madrid et la Caixa (Barcelone). Pour effectuer des transferts plus facilement, vous pouvez aussi choisir une des banques françaises installées en Espagne.

# Trouver un logement

Il n'est pas facile de trouver des logements bon marché dans les grandes villes espagnoles : le loyer mensuel pour un studio meublé varie, selon les quartiers, de 80 000 à 140 000 pes à Madrid et de 50 000 à 90 000 à Barcelone. Les prix sont 20 à 30% moins chers dans le reste de l'Espagne.

A Madrid, il existe un journal d'annonces incontournable, le *Segunda Mano*, paraissant le lundi, le mercredi et le vendredi. Il coûte 225 pes, est très largement distribué et vous pouvez y annoncer gratuitement. Un autre journal d'annonces, moins important est le *Vendo tu y yo*. A Barcelone, l'équivalent de ces journaux est la *Primera Ma. A Valence*, consultez le gratuit *El Baul*.

Dans la capitale, l'association **Madrid Accueil** vous aide à trouver une chambre chez l'habitant pour un loyer de 50 000 à 60 000 pes par mois :

✉ *Madrid Accueil - Hermosilla, 13, entreplanta 9-10 - 28001 Madrid - Tél. : (1) 435 15 29 (lundi, mercredi et vendredi de 10h à 13h. Fermé en juillet-août).*

Vous pouvez également vous adresser à l'Association Dialogo.

Des chambres en résidence universitaire peuvent être réservées à Madrid. Le prix pour une chambre simple est de 14 000 pes par semaine, petit déjeuner compris.

✉ *Residencia EASO - Gran Via, 64, 8 - 28013 Madrid - Tél. : (1) 542 31 83*

Vous pouvez aussi obtenir une fiche de réservation à l'Office du tourisme espagnol.

Les adresses des 147 auberges de jeunesse sont disponibles à l'Office du tourisme. Les tarifs pour les moins de 26 ans sont d'environ 1100 pes pour une nuit, petit déjeuner compris.

A Madrid, deux antennes des services espagnols de l'éducation et de la jeunesse pourront vous donner des informations sur les logements et les problèmes juridiques et administratifs.

✉ *Département Education et Culture - Calle Braganza, s/n - 28025 Madrid*
*Tél. : (1) 580 47 56*

✉ *Direction Générale de la Jeunesse - Calle Alcala, 31 - 28014 Madrid*
*Tél. : (1) 580 42 42*

Dans la plupart des villes espagnoles, Il existe des bureaux de tourisme spécialisés pour les jeunes "T.I.V.E." qui vous informeront sur les meilleures pistes de logement et de voyage bon marché. L'Office du tourisme espagnol à Paris dispose de leurs adresses.

# Trouver un job

## *Des organismes utiles sur place*

✉ *Consulat général de France - Paseo de la Castellana 79 - 28046 Madrid*
*Tél. : (1) 597 32 67*

✉ *Consulat général de France - Paseo de Gracia, 11 - 08007 Barcelone*
*Tél. : (3) 317 81 50*

### Instituto nacional de empleo (INEM)

Pour chercher du travail, vous devez vous inscrire à l'INEM, l'équivalent de l'ANPE française. En théorie, sans cette inscription, une simple formalité, un employeur ne peut pas vous embaucher. L'INEM ne vous sera que d'un secours limité. Vous pouvez y exposer votre cas mais, pour un poste donné, il est fort probable qu'un local aura priorité. Vous trouverez les adresses de ces bureaux pour l'emploi dans les pages jaunes.

### Les agences de travail temporaire

Le travail intérimaire est actuellement en pleine expansion en Espagne. Les profils recherchés correspondent surtout au secrétariat multilingue, au commercial ou à l'informatique. Vous trouverez leurs coordonnées dans l'annuaire à la rubrique *Servicios Empresariales*. A titre indicatif, voici les coordonnées du bureau ECCO à Madrid :

✉ *ECCO - Plaza Carlos Trias Beltran, 4 - 28020 Madrid - Tél. : (1) 556 90 10*

## *Les journaux à consulter*

Les journaux principaux sont *El Pais* (les annonces du supplément économique du dimanche concernent surtout des emplois qualifiés), *El Mundo*, *ABC* et, à

Barcelone, *La Vanguardia*.

Hors des deux villes principales, consultez l'édition du dimanche du journal local.

Nous vous avons déjà parlé, dans la rubrique logement, des journaux *Segunda Mano* et *Vendo tu y yo* à Madrid, *Primera Ma* à Barcelone et *El Baul* à Valence. Ils sont également incontournables pour la recherche de jobs.

# Les secteurs qui embauchent

## Hôtellerie, restauration et tourisme

Le secteur de l'emploi saisonnier et des petits boulots est en crise. En outre, les jobs dans les hôtels et les restaurants sont la chasse gardée des Espagnols. Seule chance, le démarchage en direct et les contacts. Les sources officielles estiment les salaires entre 90 000 et 200 000 pes par mois. Dans la pratique, il est rare de toucher plus de 130 000 pes par mois. Les employeurs exigent de très longues heures de travail : les bars ne ferment pas avant 3h du matin. Certains hôtels ou restaurants offrent le gîte et le couvert. En attendant une hypothétique place derrière le bar, vous pouvez peut-être miser sur les sorties de bars. Les *ticketeros*, ces jeunes qui distribuent des affichettes publicitaires pour attirer le client sur tel ou tel bar sont très recherchés dans les villes touristiques ou les stations balnéaires. Ils travaillent soit de 11h à 15h sur la plage, soit de 20h à 23h dans les rues, et peuvent gagner en une journée 3 000 pes.

Les régions touristiques, comme la Costa del Sol, au sud, accueillent beaucoup d'Européens du Nord. Parler anglais ou allemand est donc un énorme atout. Les touristes français, eux, se rendent surtout dans la région de Valence et en Catalogne (Tarragone, Gérone, Cadaques...), que vous devez cibler en priorité.

Comme dans toute la burger-galaxie, les Mac Donald's et autres Burger King recherchent des jeunes en permanence. Leurs offres sont affichées devant les restaurants.

L'immobilier sauvage a depuis longtemps envahi les littoraux espagnols. Les techniques de vente peuvent être tout aussi sauvages, en particulier dans le "time-share". Les sociétés de vente d'appartements en temps partagé recherchent des commerciaux sans état d'âme pour vendre leurs paradis en béton. Attention, ce secteur d'activité a une réputation déplorable et risque de faire l'objet d'une réglementation européenne. Cathya, 23 ans, s'est essayée à la "vente émotionnelle" sur la Costa del Sol et s'en souviendra :

*"J'ai trouvé le boulot grâce à des amis qui travaillaient déjà dans la société. Toutes ces sociétés de time-share passent des annonces dans les journaux, en particulier à Madrid et à Barcelone. Vous pouvez occuper deux types de postes : rabatteur ou vendeur. Les rabatteurs arpentent les rues, les plages, les*

sorties d'hôtels et doivent convaincre les touristes de se rendre à une réunion d'information. En général, ils leur promettent qu'ils vont gagner un cadeau. Les rabatteurs reçoivent une commission pour chaque famille qui se rend à la réunion et y reste plus d'une heure : je gagnais environ 300 francs par famille. Je travaillais en espagnol mais certaines sociétés ciblent les touristes étrangers : les compétences linguistiques sont les bienvenues. Les vendeurs, eux, manipulent et sont manipulés. Ils sont quasiment embrigadés par les directeurs des ventes. Quant à la vente même, tout est permis pour convaincre les clients. On doit souffler le chaud et le froid, charmer et agresser. Il n'y a pas de salaire fixe. Les rares ventes que j'ai réussies ont été annulées et je n'ai rien gagné."

# Agriculture

Ce secteur d'activités accueille de nombreux travailleurs d'Afrique du Nord, en particulier marocains. Les travailleurs journaliers espagnols sont eux aussi à la recherche d'emplois tout au long de l'année. Comme vous le voyez, la concurrence est rude. Elle l'est d'autant plus que la fermeture d'usines a entraîné d'anciens ouvriers vers l'agriculture. Des employés de la fonction publique passent aussi leurs vacances d'été à participer aux récoltes.

Pour se faire embaucher, il faut soit se présenter directement dans une ferme ou une coopérative, soit être sur la place du village le soir vers 18h et se faire engager pour le jour suivant. On peut aussi repérer, dans un village, le café fréquenté par les propriétaires fermiers et les accoster à la sortie.

Voici, région par région, les principales récoltes et les rémunérations. La plupart de ces travaux sont payés au noir.

## Région d'Almeria

Au sud du pays, et en particulier dans les villes d'El Ejido ou Campus Nijar. La plupart des cultures se font sous serre : chaleur tropicale garantie !

### Courgettes

A partir de novembre pendant 4 mois. Vous êtes payé 3500 pes par jour, en général le samedi pour la semaine écoulée.Vous travaillez 8 heures par jour. Les courgettes sont très fragiles. Le travail est assez pénible puisque vous devez rester courbé afin de découper les queues au couteau.

### Poivrons

A partir du 15 octobre jusqu'en février. Mêmes rémunérations que pour les courgettes. Les conditions de travail sont également exigeantes.

### Pastèques

De fin avril à début juillet. Vous travaillez au transport ou au chargement des fruits. Vous êtes payé soit 6000 pes la journée (ville d'El Ejido), soit au poids (ville de Campus Nijar) : 1,5 pes le kilo pour le transport, 1 pes le kilo pour le chargement. La récolte est pesée tous les soirs et les différentes équipes se partagent les rémunérations.

**Melons**

A partir de la première semaine de mai. Vous gagnez entre 4000 et 5000 pes par jour.

### Région de Valence et Castellon

Sur la côte est. Les coopératives agricole abondent : il faut s'y rendre tôt le matin pour être embauché, avec des dizaines d'autres saisonniers.

**Oranges et mandarines**

De début novembre à février. Vous êtes payé 180 pes par cageot.

### Région de Huelva
*A l'extrême sud-ouest du pays.*

**Fraises**

Pendant près de deux mois, à partir de début mai. La cueillette est rémunérée environ 3500 pes par jour pour 6 heures de travail, concentrées sur le matin et le début d'après-midi.

### Région de Saragosse et Lerida
*Dans l'Aragon.*

**Cerises**

De début mai jusqu'à fin juin. Travaillant en général 10 heures par jour, vous recevez 500 pes de l'heure.

**Pommes et poires**

A partir de mi-juillet. Vous êtes payé 500 pes de l'heure.

**Tomates**

D'août à octobre. Le grand cageot est rémunéré environ 1600 pes. Les fermes se situent entre Saragosse et la Navarre.

### Région de Logrono
*Dans la région de Rioja, la plus réputée pour la viticulture.*

**Raisins**

Les vendanges commencent aux alentours du 10 septembre. Vous gagnez 6000 pes pour 8 heures de travail quotidien. Vous êtes habituellement logé et très souvent nourri.

### Région de Vilafranca
*Près de Barcelone.*

**Raisins**

Les vendanges commencent vers la seconde quinzaine d'août. Vous êtes payé entre 4500 et 5000 pes la journée.

Il existe d'autres possibilités comme la récolte des olives dans la région de Jaen, en Andalousie (pendant un ou deux mois à partir de décembre, paiement au kilo) ; la récolte des pommes de terre dans les environs de Burgos et Vitoria (à partir de la fin novembre, paiement au kilo) ; la récolte des pastèques entre Almeria et Valence, près de Cuevas del Almanzora, le chargement des melons dans la région de Ciudad Real début août, la récolte des salades et des oignons près de Murcia.

Une des difficultés est de trouver des logements bon marché au moment des cueillettes : vous pouvez choisir l'auberge de jeunesse la plus proche. Il est aussi courant de partager un loyer avec d'autres saisonniers.

# Séjours au pair

Pour plus de détails sur les agences au pair françaises reportez-vous au chapitre général sur les séjours au pair.

Sur place, vous pouvez rentrer en contact avec l'association Madrid Accueil (déjà citée) qui recueille des offres de jeune fille au pair. Vous avez toutes vos chances : de nombreuses demandes de familles espagnoles restent insatisfaites.

Il vous reste également la possibilité de contacter des agences espagnoles. Quelques adresses :

## • ASHSA Languages

ACTIVITE     Propose, toute l'année, des séjours au pair à Madrid pour apprendre la langue et vivre dans une famille espagnole. Les familles d'accueil paient les droits d'inscription. La jeune fille au pair ne prend en charge que les frais de voyage.

JOBS     Aider aux tâches ménagères et s'occuper d'enfants. Nourrie, logée, blanchie, la jeune fille reçoit de 7 à 8 000 pes pour 30 heures de travail, deux nuits de baby-sitting et une journée de repos par semaine.

CANDIDATURE     Demandez un dossier d'inscription à retourner accompagné d'une lettre de présentation-motivation rédigée en espagnol, de deux lettres de référence, l'une en espagnol, l'autre en français, de cinq photos d'identité, d'une photocopie du passeport et d'un certificat médical.

    *P.° Gral Martínez Campos, 15, 5° izq - 28010 Madrid - Tél. : (1) 446 10 17 - Fax : (1) 447 17 22 - Contact : Mercedes Blas, directora.*

## • Centros Europeos

ACTIVITÉ     L'agence emploie beaucoup d'au pair durant l'année scolaire, moins en été. Les droits d'inscription s'élèvent à 15 000 pes (20 000 pour les mois d'été) dont 4 000 ne sont pas restituées si aucune famille n'est trouvée.

JOBS     Au pair deux-trois mois en été, six mois à partir de janvier et neuf-dix mois à partir de septembre-octobre. Nourrie, logée, blanchie, la jeune fille reçoit 6 500 pes minimum d'argent de poche par semaine.

PROFIL     Niveau de base en espagnol, le permis de conduire et un certain

niveau en anglais peuvent également être utiles.

CANDIDATURE   Adressez, de préférence en février-mars pour un placement l'été et en mai-juin pour la rentrée, un CV avec deux lettres de référence, quatre photos d'identité, quatre photos en pied, une lettre de présentation-motivation en espagnol pour la famille, un certificat médical et les droits d'inscription.

✉   ***Príncipe, 12 6° A - 28012 Madrid - Tél. : (1) 532 72 30 - Fax : (1) 521 60 76 - Contact : Lucía Roperh.***

## • Interclass

ACTIVITE   Propose toutes les formules au pair. Les droits d'inscription sont de 11 000 pes (3 000 remboursables).

JOBS   Demi-pair, vous disposez de vos matinées ou de vos après-midi et d'une journée par semaine pour 3-4 000 pes d'argent de poche ; Au pair, vous travaillez cinq-six heures par jour, avec une journée de libre par semaine pour 5-6 000 pes ; Assistante, vous aidez huit-neuf heures par jour la maîtresse de maison, pour une journée de libre par semaine et 8-10 000 pes. Les séjours durent de six à douze mois durant l'année scolaire et trois mois l'été. Il est très difficile de trouver des places en août.

PROFIL   18-30 ans, capable, dès le début, de répondre au téléphone en espagnol.

CANDIDATURE   Demandez un dossier d'inscription et adressez deux mois avant votre départ 4 photos d'identité, une photo avec des enfants, une lettre de présentation-motivation pour la famille, deux lettres de référence, un certificat médical et une photocopie de tous ces documents.

✉   ***Bori i Fontestá, 14, 6°, 4° - 08021 Barcelona - Tél. : (3) 414 29 21 - Fax : (3) 414 29 31***

Un poste d'au pair peut permettre de se créer des contacts sur place, en vue d'un stage ou d'un boulot ultérieur. Ainsi, Valérie, 24 ans, a participé à l'implantation d'une société de marketing direct à Madrid.

*"Je suivais des cours d'espagnol à l'université de Madrid et j'ai rencontré une jeune fille au pair qui rentrait en France. J'ai pu la remplacer très facilement. Après six mois, mon espagnol avait fait beaucoup de progrès et j'ai commencé une école de communication. Un de mes amis allait lancer une société en Espagne et m'a demandé de l'aider. Cela m'a permis d'acquérir une première expérience et j'ai ensuite été engagée pour monter la bourse de stages de l'association Dialogo."*

# Enseignement

Les cours de français sont beaucoup moins demandés que les cours d'anglais. Bon nombre d'Espagnols réfugiés en France sous Franco parlent français. A Madrid, la concurrence est assez vive, à cause de la présence de 30 000 Français.

Pour trouver des cours particuliers, parcourez les annonces du *Segunda Mano*. Vous pouvez aussi y passer des annonces. Mais attention : si vous êtes une fille et proposez vos services d'enseignante dans les journaux, vous risquez de recevoir des appels qui ne correspondent pas nécessairement à vos attentes. Depuis l'époque franquiste, les Françaises ont en effet une réputation de filles faciles, dont les services ne sont pas que didactiques. Gare !

Vous avez aussi intérêt à consulter les panneaux d'affichage dans les deux universités de Madrid (Autonoma et Complutense) et à l'Institut français (Calle Marqués de Ensinada, métro Colon). Les tarifs pour les cours particuliers se situent autour de 2000 pes de l'heure. Ils peuvent aller jusqu'à 3000 pes si vous avez la chance de tomber sur une riche famille madrilène.

Plus rentables, les cours donnés dans les *academias* (écoles de langues privées ; adresses dans les pages jaunes) situées à Madrid et dans les principales villes. Isabelle, 25 ans, a terminé sa maîtrise d'espagnol alors qu'elle habitait Madrid. Elle a été employée par une *academia*.

*"Les cours les mieux payés sont ceux donnés aux entreprises : ils insistent sur le français commercial. Si vous voulez augmenter vos chances et vos revenus, préparez-vous dans ce domaine. J'ai trouvé plusieurs annonces dans Segunda Mano : je me suis rendue à quatre entretiens et ai obtenu deux résultats positifs. Avant de m'embaucher, l'école a testé à deux reprises mon niveau de grammaire française. Je travaillais 21heures par semaine et devais assister à 3 heures de réunion avec les autres professeurs. J'enseignais de 16h à 22h tous les jours. Les cours duraient 1h30 chacun. J'étais rémunérée 95 000 pes net par mois, en liquide et j'avais un contrat, ce qui est rarissime dans le secteur."*

Approchez en priorité les petites *academias*, dès la seconde quinzaine du mois d'août si vous souhaitez être retenu pour la rentrée de septembre. Repérez les petites annonces ou déposez directement votre CV. Rares sont les écoles qui insistent sur les diplômes : la langue maternelle est la première condition. Des écoles comme Berlitz, après un premier test, peuvent vous proposer une période d'essai d'une semaine avant de vous prendre : attention cette période test n'est habituellement pas rémunérée. Il est aussi possible d'être embauché à temps partiel.

## • The Mangold Institute

JOBS    Professeur de français. L'institut reçoit environ une centaine de candidatures par an. Vous travaillez au maximum 6 heures par jour, 34 heures par semaine. Pour 34 heures par semaine, vous gagnez 130 000 pes brut par mois. Vous pouvez suivre gratuitement des cours de perfectionnement en espagnol.

PROFIL    Vous devez être âgé de plus de 23 ans et avoir au minimum un an d'expérience dans l'enseignement. Vous devez parler espagnol.

CANDIDATURE    Les postes sont offerts en octobre pour 9 mois, en janvier pour 6 mois et en juillet pour 2 mois. Vous écrivez à l'école au moins deux à trois mois avant le début souhaité de votre contrat. Elle vous adressera un dossier de candidature que vous devrez retourner avec des références.

 **The Mangold Institute - Avdd. Marqués de Sotelo, No. 5 - (Pasaje Rex 2) - 46002 Valence - Tél. : (6) 352 77 14**

## Bénévolat et volontariat

Les organismes de chantiers internationaux sont très actifs sur l'Espagne. Le Service Civil International propose plusieurs actions consacrées à l'encadrement de camps pour handicapés mentaux ou à la rénovation de refuges dans les Pyrénées. Etudes et Chantiers organise, entre autres actions, le nettoyage de plages aux Canaries, la fouille de sites archéologiques, l'organisation de festival folklorique. Concordia mène plus d'une cinquantaine de chantiers, répartis sur l'ensemble du territoire, et couvrant les domaines de l'écologie, de l'archéologie et de la restauration. Pour connaître les adresses de ces organismes, reportez-vous au chapitre sur les chantiers.

Le programme d'un an ICYE (voir page 66) est offert aux jeunes âgés de 16 à 25 ans. Votre travail de volontaire se déroule dans des centres d'enfants, des fermes biologiques, des centres de désintoxication. Vous pouvez aussi participer à la publication d'un bulletin d'information multilingue.

# Trouver un stage

Les stages ne sont encore que faiblement reconnus par les entreprises espagnoles. Le mot même correspondant à stage ou stagiaire n'est pas toujours clairement défini : il peut s'agir soit de *practica* (stage), soit de *beca* (bourse) ou de *becario* (boursier). Les sociétés en Espagne sont assaillies de demandes françaises et n'ont que peu de temps pour s'en occuper. Vos meilleures chances résident dans vos contacts personnels.

Un recherche en direct peut parfois aboutir. Ainsi, Hélène, 24 ans, DESS d'études ibériques, a effectué une série de stages en Espagne. Malgré un espagnol parfait, elle a dû lancer des mailings volumineux et utiliser tous ses contacts personnels.

"J'ai obtenu mon premier stage pendant l'été 1991 en écrivant directement à des entreprises dont j'avais obtenu les coordonnées à la Chambre de commerce d'Espagne à Paris. Une très grosse entreprise d'exportation de citrons, dans la région de Murcie, m'a embauchée pour deux mois. J'étais assistante du chef du personnel, chargée de tous les problèmes de fiches de paye. Mon avantage est d'être à moitié espagnole et comme j'avais de la famille dans la région, j'ai pu être hébergée gratuitement. Je n'étais pas indemnisée.

"Le seul vrai stage rémunéré, je l'ai obtenu par piston, comme assistante chef

Espagne

de produit chez Lancôme à Madrid. J'étais payée 65 000 pes par mois. Grâce à une amie, j'ai trouvé une chambre chez l'habitant pour 40 000 pes par mois. L'ambiance d'une entreprise espagnole est beaucoup plus conviviale que celle d'une entreprise française : le tutoiement est immédiat et rend l'atmosphère plus décontractée. En revanche, lorsque j'étais à Barcelone, les relations d'affaires étaient à la limite du professionnel : personne ne respectait les rendez-vous. J'étais obligée de les confirmer la veille pour être sûre de trouver mon contact à l'heure dite, ou presque."

Pour rédiger un bon CV en espagnol, reportez-vous au chapitre "Soignez votre candidature" (page 78).

A savoir : les autorités françaises à Madrid, en particulier le consulat et la Chambre de commerce adressent toutes les demandes de stage à l'association Dialogo.

## L'association Dialogo

Basée à Madrid, cette association ne vous demande en tout et pour tout que... 3000 pes (150 francs) pour vous fournir un stage.

Afin de légaliser la situation des stagiaires français dans les entreprises espagnoles, Dialogo a créé un système de bourses. En effet, selon la loi espagnole, les entreprises n'ont pas le droit de rémunérer les stagiaires. Si vous passez par Dialogo, deux options sont possibles :

- vous avez déjà une offre : Dialogo établit un contrat permettant à l'entreprise de payer l'association. L'argent vous est ensuite reversé sous forme de bourse d'études.

- vous n'avez pas de stage : Dialogo trouve un poste, puis fournit le contrat.

Dans les deux cas, l'entreprise paye à l'association une commission équivalente à 10% de votre salaire mensuel.

Toutes les candidatures sont a priori retenues par Dialogo. En 1995, l'association a reçu 2 300 demandes de stages, dont 1 700 ont abouti. L'association teste votre niveau d'espagnol sur place ou au téléphone et évalue votre personnalité. Vous êtes plus jugé en fonction de votre attitude, vos objectifs, votre vision de l'Espagne qu'en fonction de votre expérience. Votre CV, avec celui d'autres candidats, est ensuite adressé à des entreprises qui effectuent elles-mêmes la sélection.

Les compétences les plus recherchées sont le secrétariat multilingue, les BTS de commerce international, les écoles de commerce, l'informatique, la traduction et le tourisme. Le niveau d'études est très variable. Dialogo parvient parfois à placer des jeunes qui viennent d'avoir leur bac. Tous les secteurs d'activités peuvent être envisagés. Les stages de plus de trois mois sont rémunérés de 50 000 à 200 000 pes par mois (80 000 pes en moyenne) et vous ne payez pas d'impôts puisque vous êtes considéré comme boursier. Ils se déroulent dans

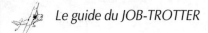 

80% des cas à Madrid.

Dialogo propose d'autres services à ses adhérents (40 francs par an) : information et conseil sur place, recherche de logement, conception de CV, abonnement à un journal bimestriel, organisation de soirées et de tournois sportifs, rencontres avec des chefs d'entreprises…

✉ *Association Dialogo - Gran via, 68 - 3e G - 28012 Madrid - Tél. : (1) 559 72 77 - Fax : (1) 548 01 17 - Minitel : 3615 Dialogo*

# ITALIE

Le lieu : une table de café.

L'arme : une tasse de cappuccino.

La méthode : la débrouille.

Voilà, en résumé, le manuel du Job-trotter en Italie. Les contacts sont la clef d'un séjour réussi, aucune lettre ne peut les remplacer, aucun organisme les tisser pour vous. Dans un pays où l'économie souterraine est aussi peu sous terre que la Tour de Pise, il faut se déplacer, frapper aux portes, se faire des amis et proposer ses services. Comme la tour susnommée, l'économie et la situation politique ont tendance à pencher dangereusement : *è pericoloso sporgersi* ! Le chômage dépasse 11% et l'Etat, en lutte avec lui-même, contrôle avec peine les forces au sud et au nord qui veulent lui échapper.

Pour les stages, vous pourrez utiliser quelques structures françaises implantées à Rome ou à Milan. Elles vous guideront parmi le labyrinthe d'une administration qui a tendance à ne pas posséder les formulaires qu'elle vous demande de remplir. Les sociétés italiennes ne connaissent pas vraiment les stages, mais trouvent le principe alléchant dès lors qu'il leur est expliqué. Quant aux jobs, visez les bars, cafés et restaurants des principales régions touristiques. Ils accueillent favorablement les serveurs étrangers. En revanche, gare aux récoltes agricoles dans le sud du pays : elles sont tenues par des mafias.

**Pour les taux de change, voir P.12**

# Des organismes pour vous aider

Les administrations basées à Paris ou en province ne peuvent pas grand chose pour vous : elles sont mentionnées à titre indicatif et nous vous conseillons plutôt soit de contacter les structures françaises en Italie, soit de trouver directement sur place.

✉ *Consulat italien - 5, boulevard Emile Augier - 75016 Paris - Tél. : (1) 44 30 47 00*

✉ *Office national italien du tourisme - 23, rue de la Paix - 75002 Paris Tél. : (1) 36 68 26 28*

L'**Institut italien pour le commerce extérieur** dispose d'un centre d'information avec des annuaires professionnels en consultation. Il vaut mieux téléphoner avant de s'y rendre.

✉ *Institut italien pour le commerce extérieur - 140, avenue des Champs-Elysées - 75008 Paris - Tél. : (1) 45 62 24 50*

Il existe une librairie italienne à Paris :

✉ *Maison du Livre italien - 54, rue de Bourgogne - 75007 Paris*
*Tél. : (1) 45 51 53 13*

# Les joies de l'administration

## *Permis et visas*

Les ressortissants de la CE ont seulement besoin d'une carte d'identité ou d'un passeport en cours de validité pour séjourner en Italie. Dès que vous souhaitez travailler ou si vous demeurez dans le pays plus de trois mois, un certain nombre de formalités sont à remplir :

- Vous devez obtenir un *permesso di soggiorno* (permis de séjour) en vous présentant à la Questura (équivalent de la préfecture). Vous devez être muni d'une pièce d'identité (et de deux photocopies de celle-ci), de deux photos et de votre contrat de travail si vous travaillez. Si vous êtes sans travail, il vous sera délivré un permis de séjour *In attesa di lavoro* (de demandeur d'emploi). Les renouvellements du permis de séjour s'effectuent auprès des *circoscrizione* (commissariats de quartiers).

L'adresse de la préfecture à Rome est :

✉ *Questura di Roma - Via Genova - 00184 Rome - Tél. : (6) 46 86*

- Vous devez ensuite obtenir un *libretto di lavoro* (livret de travail). Munissez-vous du permis de séjour, d'une pièce d'identité et de 500 lires. A Rome :

✉ *Anagraffe Centrale - Ufficio stranieri - Via Petroselli 50 - 00186 Rome*
*Tél. : (6) 67101*

- La troisième étape de ce parcours du combattant consiste à obtenir un *codice fiscale* (numéro d'immatriculation fiscal). Il s'obtient facilement, sur présentation d'une simple carte d'identité. Adressez-vous à Rome à :

✉ *Ufficio delle imposte dirette - Via della Conciliazione 5 - 00193 Rome*

Les Français à la recherche d'emploi doivent, comme les Italiens, s'inscrire au *Collocamento* (équivalent de l'ANPE), seul organisme autorisé à placer des demandeurs d'emploi. Sans cette inscription, les employeurs ne peuvent pas légalement vous embaucher. Munissez-vous d'une pièce d'identité, d'un *permesso di soggiorno*, d'un *libretto di lavoro*, d'un *stato di famiglia* (fiche d'état civil qui, à défaut, peut être remplacée par un *autocertificazione*, ou déclaration sur l'honneur). A Rome :

✉ *Ufficio del Collocamento Centrale - Via Rolando Vignali 141 - 00173 Rome - Tél. : (6) 721 27 41*

# Salaires et impôts

Les impôts sont prélevés à la source. Le salaire minimum imposable annuel est de 8 047 000 lires pour un salarié. On peut récupérer un trop-perçu de l'administration, mais le système fiscal est tellement compliqué que tout citoyen normalement constitué fait appel à un fiscaliste pour s'en occuper. Les fiscalistes eux-mêmes semblent connaître certaines difficultés dans leur étonnante profession. Un cas de suicide a même fait l'objet d'articles dans la presse italienne. Pour trouver un bon fiscaliste, efficace et équilibré, consultez vos amis installés en Italie.

# Santé

Pour bénéficier de la sécurité sociale, trois possibilités :

- Etre résident permanent en Italie.

- Etre inscrit au chômage en Italie et prouver que l'on a déjà cotisé aux ASSEDIC en France.

- Etre inscrit à la sécurité sociale française et demander le célébrissime formulaire E111 avant son départ. Muni de votre E111, vous vous rendez à l'USL (Unité Sanitaire Locale) de votre quartier et vous obtiendrez votre inscription à la sécurité sociale italienne ainsi qu'un choix de médecins correspondant à votre lieu de résidence. Les consultations médicales sont alors gratuites et le coût des médicaments dépend de vos revenus. En cas d'urgence, il est toujours possible d'avoir gratuitement recours au Pronto Soccorso, les services d'urgence hospitaliers.

# Ouvrir un compte en banque

Pour ouvrir un compte en banque, vous avez besoin d'une carte d'identité ou d'un passeport, d'un *codice fiscale* et d'une lettre de votre employeur ou d'une personne connue de la banque.

Les principales banques sont la Banca di Roma, le Credito Italiano, la Banca Nazionale del Lavoro et la Banca Commerciale Italiana.

# Trouver un logement

A Rome, le loyer d'une chambre chez l'habitant varie entre 400 000 et 600 000 lires par mois et entre 700 000 et 1 200 000 lires pour un petit appartement. A Milan et Turin, le loyer pour un studio varie entre 600 000 et 900 000 lires.

Le centre d'accueil des Français à Rome peut vous aider à trouver un logement dans la capitale. Il existe aussi un centre à Milan.

✉ *Rome-Accueil - Via Montebello 104 - 00185 Rome - Tél. : (6) 444 01 02 ou 03*

✉ *Milan-Accueil - Via Bigli 2 - 20121 Milan*

Les différents centres culturels et librairies français affichent des offres de logement :

✉ *Centre Saint-Louis de France - Largo Toniolo 22 - 00186 Rome - Tél. : (6) 686 48 69 ou 686 52 91*

✉ *Librairie La Procure - Piazza San Luigi dei Francesi 23 - 00186 Rome - Tél. : (6) 654 93 ou 654 75 98*

# Trouver un Job

## *Des organismes pour vous aider*

Le premier conseil que le Consulat donne au nouveau venu est de rencontrer le plus de monde possible dans le but de se faire des contacts utiles. Ils faciliteront beaucoup votre recherche : si vous n'en avez pas, créez-les. Il faut adhérer à des associations et en premier lieu aux associations françaises. Rome-Accueil, déjà citée pour la recherche de logement en est une, l'Union des Français de Rome en est une autre (Adhésion : 30 000 lires / 20 000 lires pour les 18-25 ans).

✉ *Union des Français de Rome - Via Guidubaldo del Monte 45 - 00197 Rome - Tél. : (6) 80 97 42 20*

Dans les principales villes italiennes, il existe des centres d'information pour la jeunesse : les *Informagiovani* (les noms changent d'une ville à l'autre). Les adresses de tous ces centres sont données dans la fiche du CIDJ sur l'Italie. Ils renseignent les jeunes sur les possibilités d'études, de voyages, de logement et parfois de jobs. Celui de Rome, en particulier, édite deux guides : le premier sur "Comment trouver du travail en Italie", le second sur "Comment trouver un logement bon marché".

✉ *Centro Turistico Studentesco e Giovanile - Via Nazionale 66 - 00184 Rome - Tél. : (6) 46791*

✉ *Informshop - Via Donizetti - 20122 Milan - Tél. : (2) 77 40 28 43 et 44*

# Les journaux et les ouvrages à consulter

Les quotidiens à lire sont *La Repubblica*, journal national (en particulier le vendredi et le supplément romain du jeudi, *TrovaRoma*) ou le *Messagero*, uniquement à Rome. Il existe aussi de nombreuses annonces dans le *Lavorare*, le mercredi et dans le *Porta Portese*, le mardi et le jeudi. Tous ces journaux sont payants (1300 lires environ). *TrovaRoma*, *Lavorare* et *Porta Portese* diffusent gratuitement des annonces de demandes d'emploi. Pensez à proposer vos services d'enseignant ou de traducteur.

A Rome, procurez-vous un magazine en anglais vendu en kiosque et rempli de petites annonces : *Wanted in Rome*.

A Milan, tous les 15 jours paraît un journal riche en annonces de logement et d'emploi pour les jeunes : *Il Sole 24 ore Giovani*. Il existe également un journal de petites annonces, *Secondamano*, où vous pouvez trouver des adresses de logement. Les offres de jobs qui y sont présentées ne sont pas toujours sérieuses. Vous pouvez aussi y passer votre demande d'emploi ou de logement.

Pour vos lettres de candidature et vos CV, vous pouvez commander auprès de la Maison du livre italien l'ouvrage suivant : *Come trovare un lavoro - chi sono chi voglio essere* (Furio Colombo - Ed. Rizzoli).

# Les secteurs qui embauchent

## Hôtellerie et restauration

Dans la plupart des régions touristiques, les serveurs, et surtout les serveuses, étrangers sont les bienvenus : pensez à Rome, Venise et Florence pour les grandes villes, à la côte amalfitaine (au sud de Naples), à Capri, aux Iles Eoliennes pour les régions balnéaires. Il faut absolument, pour être engagé, obtenir un *libretto sanitaria* (carnet de santé) auprès de l'antenne locale du ministère de la santé. Le patron du café ou du restaurant vous indiquera son adresse. Il s'agit d'effectuer quelques vaccinations et examens ; le processus, très simple, s'étale sur une semaine en deux ou trois visites. Il coûte 20 à 30 000 lires en timbres fiscaux.

Sophie, 23 ans, avait l'habitude de prendre son cappuccino toujours au même café, à Rome, jusqu'au jour où on lui proposa un poste de serveuse pour le week-end :

*"J'ai impérativement dû me rendre au laboratoire pour les vaccinations : si la police trouve un serveur sans carnet de santé, elle ferme immédiatement le restaurant. Le carnet de santé est plus important que le permis de travail, dont presque personne ne dispose. En deux mois, nous avons été contrôlés deux fois. Je travaillais de 18h à 2h du matin pendant le week-end : j'étais payée en*

*liquide tous les soirs, entre 8000 et 9000 lires par heure. A Rome, pour obtenir ce type de boulot, il suffit de faire du porte-à-porte : les filles sont avantagées."*

De façon générale, il semble que les restaurants, bars et autres cafés n'hésitent pas à embaucher des serveurs au noir, même s'ils ne parlent qu'un italien approximatif : porte-à-porte et bonne présentation de rigueur. Cette façon de procéder fonctionne surtout sur les côtes touristiques et dans le centre du pays. Les Lombards dans le nord sont moins accommodants, les mafieux dans le sud le sont un peu trop.

## Culture

Il serait dommage de ne pas profiter d'un passage à Rome pour goûter à la culture italienne : si vous le désirez, il est même possible d'y participer. Sans qualifications particulières, sans compétences linguistiques, âgé de 20 à 60 ans, de sexe quelconque, vous pouvez devenir figurant dans des représentations d'opéra à Rome, pendant l'été. Il faut vous présenter directement à l'Opéra. Bien sûr, on jugera de votre physique. Les représentations ont lieu en juillet et août aux Thermes de Caracalla. Vous assistez en général à 5 ou 6 répétitions de 3 heures et participez à une dizaine de représentations. Votre cachet sera d'environ 500 000 lires. On vous demandera probablement un numéro d'immatriculation fiscale. Présentez-vous avant mi-juin à :

✉ *Teatro dell' Opera - Via Firenze 72 - 00184 Rome*

## Enseignement du français

Si vous avez un niveau universitaire Deug ou plus, vous pouvez tenter votre chance comme professeur de français auprès des écoles de langues privées. Leurs adresses se trouvent facilement dans l'annuaire. Carole, qui au cours de ses deux ans passés à Milan a enchaîné de nombreux jobs, conseille en particulier les établissements suivants :

✉ *Linguarama - Via Larga 13 - 20122 Milan - Tél. : (2) 58 30 69 93*

✉ *The Professionals - Via Carcana 4 - 20149 Milan - (2) 48 00 00 35*

## Bénévolat et volontariat

Les organismes de chantiers français sont présents en Italie. Jeunesse et Reconstruction, Concordia et Solidarités Jeunesses déploient une très large gamme de camps d'été, du stage de pantomime à la lutte contre les incendies de forêt en passant par le drainage d'un parc naturel. Le Service Civil International y ajoute, entre autres, le nettoyage de plages et la construction d'enclos empêchant les voitures de pénétrer dans une réserve naturelle.

Vous pouvez partir comme volontaire pendant un an avec le ICYE (programme géré par Jeunesse et Reconstruction). Les postes consistent principalement à s'occuper de personnes âgées, de malades ou d'handicapés. Il existe aussi des projets en collaboration avec Amnesty International ou des mouvements pacifistes.

Vous avez la possibilité de partir restaurer un hameau dans la province de Côme ou une abbaye dans le sud de l'Italie avec une petite organisation française :

● **La Sabranenque**

ACTIVITÉ        Chantiers de restauration en France et en Italie.

PROFIL          Vous devez être âgé de 18 ans minimum. Les participants sont euro-péens et nord-américains. Coût : 100 francs par jour ; vous êtes nourri et logé.

✉             *La Sabranenque - Rue de la Tour de l'Oume - 30290 Saint Victor la Coste - Tél. : 66 50 05 05*

# Trouver un stage

La notion de stage n'est absolument pas reconnue par la loi et donc par les sociétés italiennes. Le mois d'août voit la fermeture massive des entreprises. Pourtant, les compétences, la maturité et le faible coût d'un stagiaire français sont des atouts auxquels les sociétés italiennes ne sont pas indifférentes. Sachez par ailleurs que les Français ont une bonne réputation dans le monde du travail. Les profils les plus recherchés sont les secrétaires multilingues, les commer-ciaux et les comptables. L'industrie du tourisme est momentanément en crise mais représente en temps normal une bonne source d'emplois. Multipliez les contacts et tâchez de présenter un stage dans un cadre juridique acceptable.

## Le Comité emploi-formation du consulat de France à Rome

Le CEF du consulat de Rome a développé un soutien particulier pour les cher-cheurs de stage. Légalement ne sont reconnus en Italie que les contrats à durée indéterminée, exception faite pour le secteur agricole et le tourisme *"lorsqu'il s'avère nécessaire d'intensifier l'activité et que l'on ne peut pas y faire face avec le personnel existant."*

En théorie, le système juridique est rigide en matière d'emploi et ne permet pas d'accommoder les demandes et les objectifs d'un stage d'application. En théo-rie également, les sanctions encourues par une entreprise violant ces textes sont très lourdes. Toutefois, les stages sont tolérés, si :

- ils s'inscrivent dans le cadre des études.

- ils excluent toute réelle activité de la part du stagiaire, alors cantonné à des tâches d'observation et de rédaction de rapports.

En pratique, il faut prendre des précautions et se conformer à un cadre contrac-tuel précis : ce cadre est aménagé par le Comité emploi-formation grâce à une lettre d'explication du Consul et un contrat type que vous pouvez joindre à votre candidature. En aucun cas, bien entendu, ce soutien logistique du consulat ne peut engager sa responsabilité. Une fois acceptés, les stagiaires occupent, selon le consulat, des postes très intéressants. Quant à la rémunération, elle peut se faire sous la forme d'une bourse d'études.

Les services du consulat donnent aussi des conseils quant à la rédaction et la conception de CV. Ils peuvent fournir gratuitement la liste des entreprises françaises implantées dans la région de Rome et du Latium (environ 60 sociétés) ; cette liste peut être obtenue de France mais il faut compter un certain délai. Le consulat donne priorité aux candidats déjà sur place.

✉ *Consulat général de France - Comité emploi-formation - Via Giula 251 - 00186 Rome - Tél. : (6) 68 60 15 44*

Le CEF conseille également aux chercheurs de stages de contacter l'**Union des chambres de commerce italiennes**, qui peut fournir des adresses d'entreprises.

✉ *Unione Italiana Camere di Commercia - Piazza Sallustio 21 - 00187 Rome - Tél. : (6) 47 041*

## Autres organismes utiles

Malgré une activité plus dense que dans le reste du pays et un taux de chômage beaucoup plus faible (6% contre 11% pour l'ensemble du territoire), la recherche d'un stage dans le nord du pays est une entreprise délicate.

Le consulat de France à Milan a délégué à la Chambre de commerce le conseil aux chercheurs de stage et demandeurs d'emploi. Le Comité Emploi-Formation donne la priorité aux Français installés en Lombardie et possède la liste de toutes les implantations de sociétés françaises en Italie (700 adresses). Il publie également un bulletin mensuel, *La Lettre*, qui leur est adressé et dans lequel des chercheurs de stage peuvent passer une annonce.

La Chambre vous conseille d'indiquer lors de vos candidatures une adresse en Italie. Votre contact italien devra vous prévenir des éventuelles réponses et vous devez être prêt à vous rendre chez les Transalpins sous un délai très court.

✉ *Chambre de Commerce Française - Comité Emploi-Formation - Via Borgonuovo 18 - 20121 Milan - Tél. : (2) 657 58 47*

L'association Mercurius, à Turin, agit comme un centre d'orientation et de conseil pour les jeunes diplômés. Elle publie des annuaires d'entreprises que vous pouvez soit consulter sur place, soit commander. L'adhésion à l'association coûte 30 000 lires.

✉ *Coordinamento Nazionale Associazione Mercurius - Via Vanchiglia 18 - 10124 Turin - Tél. : (11) 812 40 47*

# *EUROPE BLOC-NOTES*

La famille communautaire ne cesse de s'agrandir. Une bonne nouvelle pour les Job-trotters qui se voient ainsi affranchis de toute procédure administrative pour travailler dans la Communauté. A titre de rappel, voici les pays qui autorisent la libre circulation des travailleurs (en dehors de ceux abordés dans les chapitres précédents) : Irlande, Portugal, Grèce, Pays-Bas, Belgique, Luxembourg, Suède, Finlande, Autriche, Danemark. A noter que la Norvège a refusé de rejoindre le giron européen mais n'exige pas de permis de travail pour les ressortissants de la CE.

## *Autriche*

Avec des performances économiques plus qu'honorables dans le contexte européen actuel, l'Autriche est une terre riche de promesses pour les Job-trotters germanophones.

Le job-center international d'Innsbruck peut jouer un rôle précieux dans vos recherches. Il centralise un nombre conséquent d'offres d'emploi saisonniers, en particulier dans le secteur du tourisme. Pour poser votre candidature, il suffit d'envoyer un courrier ou un fax indiquant l'emploi recherché, les dates souhaitées, votre expérience professionnelle et votre formation. Le centre vous enverra alors les offres d'emploi qui conviennent le mieux à votre demande.

La meilleure période pour postuler est de janvier à mars. Mais généralement, il reste encore des places vacantes en plein été.

✉ *Job-center international - Südtiroler Platz 14-16 - 6020 Innsbruck - Tél. : 512-58 62 99 - Fax : 512-58 49 27 - Contact : Frau Sabine Platzer*

## *Irlande*

Oui, l'Irlande est en crise et le chômage touche durement les jeunes. Non, ce n'est pas mission impossible de trouver un job à Dublin pour un Français. La raison en est simple : le charme de l'accent hexagonal fait des ravages.

François, 23 ans, a choisi l'Irlande pour remettre son anglais à niveau. Il a trouvé un job dans un restaurant français du quartier de Temple Bar :

"*Moi qui souhaitais pratiquer l'anglais, j'ai été assez surpris. Les clients ne comprenaient rien au français ; mais le patron insistait pour que nous parlions français. Notre accent faisait la réputation du resto. Certaines clientes venaient pour bien manger mais aussi pour nous entendre parler : en fait, on faisait un peu le spectacle.*"

La tournée des établissements français est ainsi vivement recommandée. A noter une bonne période : les fêtes de Noël. Pour pallier leur besoin de personnel extra, les restaurateurs n'hésitent pas à embaucher à tour de bras, même des personnes sans grande expérience.

# Pays-Bas

## Cueilleur de fruits, de fleurs ou de bulbes de fleurs

Vous devez avoir entre 18 et 45 ans, parler impérativement anglais, allemand ou néerlandais. Les différentes saisons sont d'octobre à décembre pour les bulbes, d'août à octobre pour les fruits, d'avril à juin pour les fraises et les asperges. Vous pouvez espérer 380 fl, plus 136 fl de congés payés par semaine. Si vous avez moins de 22 ans, comptez 10 % de moins. Semaine de 38 heures. Les régions principales sont : Schagen, Alkmar, Lisse, Hillegrom pour les bulbes et les fleurs ; Zelande, Betuwe, Flevoland pour les fruits ; Brabant et Limbourg pour les fraises et les asperges. Adressez-vous au Arbeidsbureau (ANPE) ou faites du porte-à-porte auprès des Kwekerijen (exploitants agricoles). Vous trouverez leurs adresses dans les pages jaunes.

# Grèce

## Au pair

L'agence **Galentinas European Childcare**, à Athènes, indique qu'elle peut placer des jeunes filles au pair françaises en Grèce "*sans aucun problème*". Il semble que la demande des familles grecques soit importante.

Les jeunes filles au pair travaillent 30 heures par semaine. Les *Mother's help* et *Nannies* ont des horaires plus chargés. La rémunération est fonction des tâches confiées et du nombre d'heures de travail. Elle tourne généralement autour de 78 000 drachmes par mois. Vous devez rester au moins 12 mois. Vous êtes logée-nourrie. Le billet d'avion retour est payé par la famille. Les qualités que l'on attend de vous : une grande faculté d'adaptation, aimer les enfants et avoir le sens de l'humour et des responsabilités.

L'agence tient à préciser qu'il n'y a aucun frais de placement et que les familles grecques sont sélectionnées avec le plus grand soin.

Pour plus d'informations, contactez directement Galentinas, en n'omettant pas d'envoyer un coupon réponse international :

✉ *Galentinas European Childcare Consultancy - PO Box 51181 - GR 145.10 Kifissia - Athènes - Tél. et Fax : (1) 808 1005 - Contact : Maritsa C. Skissitis*

# Danemark

## Cueilleur de fraises

La cueillette de fraises fait chaque été de nombreux adeptes au Danemark. La saison démarre généralement autour du 15 juin et dure de 4 à 6 semaines. Les fermes ont alors besoin de travailleurs saisonniers et de nombreux jeunes européens en profitent pour renflouer leurs finances avant de remonter sur la Scandinavie. Mais attention, ce ne sont pas des vacances. Comme tout travail agricole, le job peut être éprouvant physiquement. Lever des troupes : 5 heures du matin !

### • Alstrup Frugtexport

ACTIVITÉ        Exploitation agricole spécialisée dans la cueillette des fraises. La ferme est située sur l'île de Samso.

JOBS        Cueillette des fraises. Vous travaillez généralement 6 heures par jour, 6 jours par semaine. 70 travailleurs sont recrutés chaque saison. Vous êtes payé au rendement : 5 KR brut par kilo de fraises collectées, avec bonus possible.

Il est nécessaire d'emporter avec soi son matériel de camping et de préparer sa nourriture. Interrogé sur les qualités requises pour ce job, le patron de la ferme indique simplement : "savoir se lever le matin".

CANDIDATURE        Envoyer un courrier avant le 15 mai.

✉        *Alstrup Frugtexport - Alstrupvej 1, Alstrup - 8305 Samso - Tél. : 865 91338 - Fax : 865 93138 - Contact : Carl Christian B. Jensen*

### • Birkholm Frugt & Baer

ACTIVITÉ        Petite exploitation familiale de 21 ha qui cultive des fraises et des cerises.

JOBS        Cueillette des fruits. Entre 5 et 7 heures de travail par jour, 6 jours sur 7. La rémunération est d'environ 4,5 KR par kilo. Ne pas oublier sa tente. La saison dernière, la ferme a reçu environ 50 candidatures. Pour être pris, il faut s'engager à rester au moins deux semaines.

CANDIDATURE        Ecrivez avant le 1er mai.

✉        *Birkholm Frugt & Bær - Hornelandevej 2 D - 5600 Faaborg - Tél. et fax : 62 60 22 62 - Contact : Mr. Bjarne Knutsen*

# Norvège

A l'**Office du tourisme norvégien** se trouve la section commerciale de l'ambassade et la Chambre de commerce franco-norvégienne : vous pouvez y consulter gratuitement des annuaires d'entreprises et de la documentation générale sur l'économie norvégienne.

✉ *Office du tourisme norvégien - 88, avenue Charles de Gaulle - 92200 Neuilly-sur-Seine - Tél. : (1) 46 41 49 00*

## Cueillette de fruits

La Norvège est réputée auprès des Job-trotters pour les emplois de cueillette des fraises. Dirigez-vous vers la vallée de Lier, au sud de Drammen (fin juin et début juillet) et vers Trondheim en juillet et en août. N'hésitez pas à vous renseigner dans les auberges de jeunesse qui sont en général au courant des opportunités d'emploi.

## Séjours à la ferme, séjours au pair

### • Atlantis ungdomsutveksling

ACTIVITÉ — Organisme d'échanges, de séjours actifs à la ferme et de séjours au pair.

JOBS — **Séjours à la ferme**

Vous participez à la vie quotidienne de la ferme, dans le travail et les loisirs. Les tâches incluent la cueillette de fruits et de légumes, la traite des vaches, le désherbage, le travail ménager et parfois du baby-sitting. Vous recevez un minimum de 600 NOK d'argent de poche par semaine pour un maximum de 35 heures de travail. Vous pouvez demeurer dans la ferme entre 1 et 3 mois. L'organisation essaie de tenir compte de vos préférences quant à la situation géographique. Il y a 400 places par an.

PROFIL — Avoir entre 18 et 30 ans, parler anglais et avoir de préférence une première expérience dans l'agriculture.

CANDIDATURE — Ecrire à l'organisation pour obtenir un dossier de candidature qu'il faut retourner en incluant une lettre de référence, deux photos, un certificat médical et 830 NOK de frais. Le nombre de candidatures est assez élevé, il est donc conseillé d'envoyer son dossier 2 à 3 mois avant la date désirée.

JOBS — **Séjours au pair**

Le séjour au pair varie entre 6 mois et 2 ans. La plupart des familles comptent sur un séjour de 6 à 12 mois, commençant en général en août ou en septembre. Vous travaillez 5 à 6 heures par jour, au maximum 30 heures par semaine. La famille peut vous demander deux ou trois soirées supplémentaires pour du baby-sitting. L'argent de poche s'élève à 2300 NOK brut par mois. Comme un poste d'au pair en

Norvège est considéré comme un travail normal, des impôts sont prélevés sur cette somme : le salaire net est de 1800 NOK. Vous avez droit à un jour de repos par semaine, jour qui, une fois par mois au moins, doit être le dimanche. Tous les six mois vous pouvez prendre une semaine de congés payés.

PROFIL      Avoir entre 18 et 30 ans, parler anglais et, si possible, avoir des notions de norvégien.

CANDIDATURE      Demander deux dossiers de candidature à remplir en anglais ou en norvégien, y joindre 3 photos d'identité, quelques photos de vous et de votre famille ainsi que des enfants que vous avez déjà gardés, un certificat médical, une lettre de deux pages vous décrivant et au moins deux lettres de référence (dont une venant d'une famille pour laquelle vous avez travaillé). Adressez votre candidature 2 à 3 mois à l'avance.

 *Atlantis ungdomsutveksling - Rolf Hofmos gate 18 - 0655 Oslo*
*Tél. : (22) 67 00 43 - Fax : (22) 68 68 08*

# Suède

L'**Ambassade de Suède** à Paris, si elle ne peut bien sûr vous trouver directement un stage ou un emploi, se montre particulièrement coopérante. Elle diffuse notamment des documents sur la recherche de stage en Suède (avec les coordonnées des principales institutions françaises à Stockholm), les études et le logement en résidence universitaire.

✉ *Ambassade de Suède - 17, rue Barbet-de-Jouy - 75007 Paris*
*Tél. : (1) 44 18 88 00 - 3614 SUEDE*

Le **Centre suédois du commerce extérieur** dispose d'un annuaire édité en collaboration avec la Chambre de commerce France-Suède, ainsi que de la liste des 420 filiales suédoises en France. Ces annuaires peuvent être consultés sur place, mais ne peuvent pas être photocopiés. La consultation coûte 150 francs, il est préférable de prendre rendez-vous.

✉ *Centre suédois du commerce extérieur - 67, boulevard Haussmann - 75008 Paris*
*- Tél. : (1) 42 66 08 88*

## Cueillette de fraises

### • Olle Svensson AB

ACTIVITÉ      Producteur de fraises et de baies sauvages.

JOBS      1000 cueilleurs de fraises sont nécessaires chaque année entre juin et juillet, pendant 5 à 6 semaines. L'entreprise ne reçoit généralement que 800 demandes. Vous travaillez habituellement 6 jours par semaine et êtes payé au carton de 500 grammes. Vous pouvez normalement espérer 145 francs par jour, un peu plus si vous travaillez le dimanche. Vous campez sur place et devez donc emporter une tente.

PROFIL     Il suffit d'avoir plus de 18 ans et de parler anglais.

CANDIDATURE   Adressez un CV en mars ou avril.

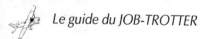

*Olle Svensson AB - P.J. Rösiös väg 110 - Box 4 - 293 21 Olofström*
*Tél. : (454) 98 800 - Fax : (454) 98 820*
*Contact : Ann-Louise Franzen.*

## Séjours au pair

Les directives régissant le travail au pair en Suède sont les suivantes :

- temps de travail maximum : 25 heures par semaine.

- le temps de loisir doit principalement être consacré à l'étude du suédois.

- argent de poche minimum : 2000 SKR (environ 1400 francs) par mois.

### • IRCA International

ACTIVITÉ    Agence d'au pair.

JOBS       Reçoit 50 jeunes filles au pair par an. Les séjours sont d'un an, commençant en janvier ou en septembre. La jeune fille au pair travaille 25 heures par semaine et est rémunérée 2500 SKR par mois. Un cours de langue hebdomadaire est payé par la famille.

PROFIL     Avoir entre 18 et 25 ans et une première expérience du baby-sitting.

CANDIDATURE   Demandez le dossier de candidature à l'agence.

*IRCA International - Box 293 - 291 23 Kristianstad*
*Tél. : (44) 12 22 63*

# Finlande

### • ALLIANSSI (Alliance finlandaise pour la coopération dans le domaine de la jeunesse)

ACTIVITÉ    Organisme d'échanges et de coopération pour les jeunes. Organise des séjours au pair.

JOBS       Vous travaillez une trentaine d'heures par semaine, recevez environ 1200 FIM (environ 1300 francs) par mois d'argent de poche. Durée des séjours : de 6 à 12 mois.

PROFIL     Quelques places, rares, sont offertes à des garçons mais l'activité principale concerne des jeunes filles.

CANDIDATURE   S'adresser à un des correspondants de l'Allianssi en France. Reportez-vous au chapitre sur les séjours au pair : dans notre liste, Riviera International et Mary Poppins travaillent avec ALLIANSSI.

*ALLIANSSI Nokiantie 4 - 00510 Helsinki*
*Tél. : (0) 701 71 56*

Un des projets les plus "New Age" de ce guide est offert par un monastère orthodoxe finlandais :

### • Valamo Monastery

ACTIVITÉ  Monastère orthodoxe : selon les moines eux-mêmes, ce lieu de recueillement est aussi une grande ferme où il y a toujours quelque chose à faire tout au long de l'année.

JOBS  300 volontaires chaque année travaillent au monastère : activités en cuisine, cueillette de champignons et de baies en été, entretien des bâtiments. Vous pouvez y travailler deux semaines consécutives maximum (6 jours par semaine, 7 heures par jour) tout au long de l'année. Vous n'êtes pas payé mais êtes logé et nourri. Le monastère fournit des vêtements de travail si nécessaire. A noter que les femmes sont supposées porter une jupe longue et un foulard : un moine a tout de même précisé que ce n'était pas indispensable.

PROFIL  Pas de qualification particulière demandée pour peler les patates ou ramasser les champignons. Il convient d'être non-fumeur.

CANDIDATURE  Demandez votre dossier de candidature au monastère par écrit. Les candidatures doivent parvenir au printemps.

✉  *Valamo Monastery - 79850 UUSI-Valamo - Tél. : (72) 57 0111 - Fax : (72) 57 01510*

# Turquie

## Assistant de français

Le CEI/Club des 4 vents offre une vingtaine de postes d'assistants de français. Vous devez avoir entre 18 et 25 ans. Vous habitez dans une famille turque à Istanbul pendant un mois et parlez uniquement français avec les enfants. Vous donnez aussi des cours plus structurés à raison d'une heure par jour. Vous êtes nourri, logé et participez pleinement à la vie de famille. Coût : 3980 francs, incluant le vol A/R, les frais d'organisation et le suivi. Vous devez ajouter 150 francs d'adhésion au Club. Les départs ont lieu en juillet et en août ; vous devez déposer vos dossiers de candidature avant la mi-avril ou la mi-mai.

✉ *CEI/Club des 4 vents - 1, rue Gozlin - 75006 Paris - Tél. : (1) 43 29 60 20*

## Bénévole sur un chantier

### • Gençtur

ACTIVITÉ  Cette organisation gère des chantiers internationaux dans les villages turcs.

MISSION  350 jeunes participent chaque année aux chantiers. Le travail est manuel. Les responsables soulignent que vous aurez un excellent aperçu de la vie dans les campagnes turques. Peut-être aurez-vous la chance d'être invité dans les maisons pour un mariage ou une fête

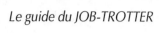 

religieuse (bayrams). Les chantiers se déroulent entre juillet et septembre et durent deux semaines. La participation est de 100 Deutsche Mark.

PROFIL       Avoir plus de 18 ans. La langue des chantiers est l'anglais (quelquefois le français).

CANDIDATURE       Vous devez normalement passer par un organisme partenaire en France (Jeunesse et Reconstruction, Concordia, Solidarités-Jeunesses, UNAREC, Service Civil International). Mais vous pouvez aussi vous présenter directement au bureau à Istanbul.

*Gençtur - Yerebatan CAD 15/3 Sultanahmet - 34410 Istanbul*
*Tél. : (212) 520 52 74/75 - Fax : 212 519 08 64*
*Contact : Mr. Zafer Yilmaz, Workcamps coordinator.*

# Europe de l'Est

L'Europe de l'Est est toujours en phase de transition depuis la chute du mur. Les jobs sont encore rares. Pour les stages, passez par des organismes comme l'AIESEC (voir page 86) ou l'IAESTE (voir page 88). Reste le bénévolat. Vous pouvez contacter les organismes de chantiers en France (voir page 69). Laurence, qui prépare un doctorat de lettres modernes, recommande vivement cette formule pour la Russie :

*"Je suis partie avec Jeunesse et Reconstruction (J&R). J'ai sélectionné un chantier à Irkoutsk, près du lac Baïkal. Il s'agissait de restaurer une église orthodoxe du XVIIème siècle, pendant deux semaines. Cela m'a permis de voyager avec un budget minimum. Le voyage de Moscou à Irkoutsk, en train, était pris en charge par l'association locale. Mes seuls frais : 1000 francs d'inscription et l'aller-retour Paris-Moscou. L'autre grand avantage de la formule concerne les visas. Tout est arrangé par J&R. Certains volontaires en ont profité pour voyager en Russie après la fin du chantier, en obtenant une prolongation de visa sur place."*

## Bénévole dans l'ex-Yougoslavie

Le Service civil international et Concordia proposent des chantiers de 3 semaines en Serbie et en Croatie. Les bénévoles mènent des tâches d'animation auprès d'enfants réfugiés ou assurent des travaux de reconstruction. Contactez les organisateurs pour plus d'informations (adresses page 70).

## Biélorussie

### • ATM (Association of International Youth Work)

ACTIVITÉ       Chantiers, voyages.

MISSION       Travaux dans les domaines suivants : écologie, restauration, animation, recherche de fonds. Participation à des chantiers dans le cadre du "Projet anti-Tchernobyl". 300 à 400 volontaires sont recrutés dans le monde. Chantiers en été, mais possibilité de rester trois mois et plus, pour les candidats motivés et possédant des notions de russe. Coût : entre 100 et 150 Deutsche Mark. Vous êtes logé et nourri. Emportez un sac de couchage et des vêtements de travail.

PROFIL     Avoir entre 17 et 50 ans. Parler anglais.

CANDIDATURE     La plupart des organismes français de chantiers travaillent en collaboration avec ATM mais vous pouvez contacter l'association directement.

*ATM (Association of International Youth Work) - PO Box N. 64 - Minsk, Belarus - 220119 - Tél. : 0172 278183 - Fax : 0172 768662 - Contact : Alesa Zalevskaia.*

# Lettonie

## • International Exchange Center

ACTIVITÉ     Echanges de jeunes, camps de vacances.

JOBS     50 postes d'animateurs à pourvoir en été. Les animateurs s'occupent de groupes d'enfants âgés entre 7 et 15 ans. Possibilités de travailler sur des sites en Lituanie, en Ukraine et en Russie.

Tous les participants sont nourris et logés et reçoivent de l'argent de poche (entre 10 et 100 $). La langue de travail est l'anglais. Des notions et un intérêt pour le letton ou le russe sont appréciés. Les frais de participation sont de 50 $.

CANDIDATURE     Ecrire à l'organisation.

*International Center - 2, Republic Square - Riga LV-1010 - Lettonie (Latvia) - Tél. : 3712-327476 - Fax : 3717-830257*

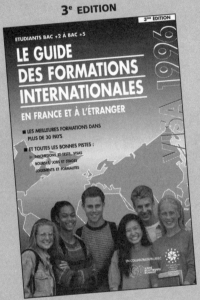

# ETATS-UNIS

Des gratte-ciel de New York aux casinos de Las Vegas, des boîtes de jazz de la Nouvelle-Orléans aux parcs nationaux de Californie, les Etats-Unis sont une source intarissable de jobs. Pas étonnant qu'ils soient la destination favorite des Job-trotters. Mais le gouvernement américain est extrêmement strict en matière d'immigration. Il est loin le temps où le poème d'Ema Lazarus, inscrit sur la statue de la liberté pouvait être pris au pied de la lettre :

*"Confiez-moi vos masses fatiguées,*
*Misérables, entassées, éperdues de liberté,*
*Tous les malheureux exclus de vos rivages grouillants,*
*Envoyez-moi les sans-abri, les naufragés,*
*Je lève ma torche au-dessus de la porte dorée."*

Conséquence, trouver un job ou un stage aux Etats-Unis doit se faire dans la légalité. Sinon vous encourez les foudres de l'administration américaine. Mais rassurez-vous. Décrocher un visa de travail pour un séjour temporaire n'a rien d'impossible. Plusieurs organismes d'échanges franco-américains se chargent de vous aider. En plus, les Américains sont rompus à la formule des stages. Beaucoup de compagnies ont des programmes *Internships* ouverts aux étudiants étrangers. So just do it !

**Pour les taux de change, voir P.12**

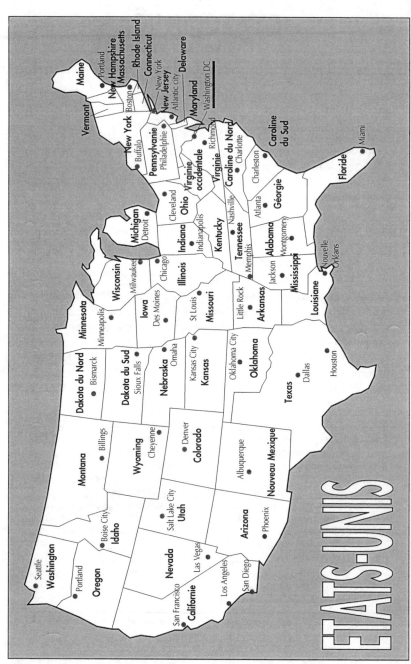

# Des organismes pour vous aider

## La Commission franco-américaine d'échanges universitaires et culturels

Bien que spécialisée sur les échanges universitaires, la Commission franco-américaine d'échanges universitaires et culturels peut vous aider dans votre recherche. Dans son centre de documentation, en accès libre, vous pouvez vous procurer un feuillet d'information sur les stages. La Commission publie également une brochure, vendue 30 francs, intitulée USA Jeunes été, qui contient de nombreuses informations sur les cours d'été dans les universités américaines, la recherche de jobs et stages, les hébergements bon marché, les transports, l'assurance, etc. Le personnel bilingue et sympathique vous aidera au mieux à réaliser vos projets américains.

Le centre de documentation met également à votre disposition la liste du CFCE des filiales françaises implantées aux Etats-Unis.

✉ *Commission franco-américaine d'échanges universitaires et culturels - 9, rue Chardin - 75016 Paris - Tél. : (1) 44 14 53 60*

## Les bibliothèques américaines

Il existe six American Libraries en France. Ces bibliothèques vous permettent de consulter un grand nombre de périodiques américains. A Paris, il y a un droit d'accès de 50 francs à la journée (abonnement annuel de 525 francs - 420 francs pour les étudiants- permet d'emprunter des ouvrages).

✉ *American Library - 10, rue du Général Camou - 75007 Paris Tél. : (1) 45 51 46 82*

✉ *Grenoble - Tél. : 76 44 82 18*

✉ *Angers - Tél. : 41 24 97 07*

✉ *Montpellier - Tél. : 67 58 13 44*

✉ *Nancy - Tél. : 83 36 78 13*

✉ *Toulouse - Tél. : 61 23 07 50*

A Rennes, l'Institut franco-américain dispose d'un centre de documentation ouvert à tous.

✉ *Institut franco-américain - 7, quai Chateaubriand - 35000 Rennes Tél. : 99 79 20 57*

## Les associations franco-américaines

L'Office du tourisme des Etats-Unis mentionne les associations suivantes, avant tout centrées sur les échanges culturels :

✉ *France-Amérique - 9, avenue Franklin Roosevelt - 75008 Paris Tél. : (1) 43 59 51 00*

✉ *France Etats-Unis - 6, bd de Grenelle - 75015 Paris - Tél. : (1) 45 77 48 92*

✉ *Association Route 66 - BP 47 - 92603 Asnières Cedex - Tél. : (1) 47 93 16 64 - 3615 Route 66*

L'association **TELI** (Travail études et loisirs internationaux), basée à Annecy, a mis en place une banque de donnée rassemblant des informations dans tous les domaines (immigration, jobs, stages, échanges, etc.) sur les Etats-Unis et le Canada. Elle publie une Newsletter et une Lettre de l'emploi, adressées aux adhérents, qui contient des informations pratiques et de nombreuses petites annonces. L'adhésion est de 190 francs. Pour tous renseignement :

✉ *TELI - 1, place de Chatillon - BP 21 - 74961 Cran-Gevrier Cedex Tél. : 50 57 70 96*

## Des Américains à Paris

Pour nouer des contacts, ou tout au moins vous plonger dans l'ambiance des bars outre-Atlantiques, voici quelques adresses d'endroits fréquentés par la communauté américaine à Paris.

Pour commencer, faites un tour à l'**American Church** qui, en dépit de son nom, n'est pas le lieu de rendez-vous des catholiques américains à la sauce télé-évangéliste. La Church est un très bon centre d'infos branchées pour savoir ce qui se passe dans la communauté américaine. Au sous-sol, les petites annonces marchent très fort.

✉ *American Church - 65, quai d'Orsay - 75007 Paris - Tél. : (1) 47 05 07 99*

Les bars américains sont légion à Paris. Les soirées y sont particulièrement chaudes le 4 juillet (fête nationale), le 31 octobre (Halloween) et le dernier jeudi de novembre (Thanksgiving). Allez-y de bonne heure : en "happy hour" (entre 17 et 20 heures généralement), les consommations sont moitié prix. Quelques adresses :

✉ *Le Conway's - 73, rue Saint-Denis - 75001 Paris - Tél. : (1) 42 33 22 86*

✉ *Harry's bar - 5, rue Daunou - 75002 Paris - Tél. : (1) 42 61 71 14*

✉ *City Rock - 13, rue de Berri - 75008 Paris - Tél. : (1) 43 59 52 09*

✉ *Violon dingue - 46, rue de la Montagne Sainte-Geneviève - 75005 Paris Tél. : (1) 43 25 79 93*

# Des ouvrages et journaux à consulter

Deux ouvrages en anglais recensent de très nombreuses adresses d'employeurs auxquels vous pouvez adresser votre candidature :

- *Summer Jobs USA* (Peterson's Guides)

- *USA Internships, on-the-job Training Opportunities for Students and Adults*, (Peterson's Guides)

Ces deux guides sont en consultation à la Commission franco-américaine d'échanges universitaires et culturels. Vous pouvez aussi les acheter dans les librairies anglophones de Paris telles :

☞ *W.H. Smith - 248, rue de Rivoli - 75001 Paris - Tél. : (1) 44 77 88 99*

☞ *Brentano's - 37, avenue de l'Opéra - 75002 Paris - Tél. : (1) 42 61 52 50*

L'ONISEP publie une brochure assez complète, intitulée *Faire des études aux Etats-Unis* qui inclut des chapitres sur les stages et les jobs d'été aux Etats-Unis. Elle est vendue 55 francs. Vous pouvez la commander auprès de :

☞ *ONISEP Diffusion - 75635 Paris Cedex*

Enfin, deux magazines diffusés gratuitement pourront vous donner des informations sur les Etats-Unis :

- Le magazine *France-USA Contacts* (plus communément appelé FUSAC) est le journal de petites annonces de la communauté américaine. Vous y trouverez les adresses des bars américains à Paris, ainsi que des annonces pour échanger votre appartement ou donner des cours de conversation. FUSAC est diffusé dans 300 établissements à Paris ayant un rapport avec l'Amérique (bars américains, librairies anglophones...).

- Le Magazine *Travels* (édité par Dakota Editions) publie régulièrement des dossiers sur les USA. Ce magazine distribué dans les universités, écoles de commerce, d'ingénieurs, etc. contient beaucoup de tuyaux pour voyager pas cher aux States. Renseignements au (1) 48 42 08 09.

# Les joies de l'administration

## *Permis de travail*

C'est l'obstacle de taille sur votre route pour les USA. Vous pouvez a priori envisager trois hypothèses : partir sans visa (ou avec un visa tourisme) et improviser sur place, essayer d'obtenir par vous même un visa de travail ou passer par un organisme d'échanges qui effectuera pour vous les formalités administratives.

La première solution est fortement déconseillée, la seconde difficile à mettre en œuvre et la troisième... celle que nous vous recommandons.

### *Partir sans visa ou avec un visa tourisme*

Il n'est pas nécessaire d'avoir un visa pour des séjours touristiques de moins de trois mois. Certains Job-trotters profitent de l'occasion pour se rendre aux Etats-Unis en supposés touristes et, sur place, se mettent discrètement à rechercher un boulot. Cette méthode illégale était peut-être envisageable il y a quelques années. Plus maintenant. Les services de l'immigration américains frappent d'amendes très lourdes les employeurs qui embauchent au noir. Conséquence, la première question que l'on vous pose quand vous cherchez du boulot est "*avez-vous un visa de travail ?*" Frédéric, 24 ans, a essayé de trouver du boulot à San Franciso sans visa.

"*J'avais choisi San Francisco car une importante communauté française y vit. J'ai vite déchanté. Les services d'immigration ont renforcé leurs contrôles sur tous les employeurs susceptibles de prendre de la main-d'œuvre clandestine : restaurants, hôtels, exploitations agricoles... Il paraît que la dénonciation va bon train. J'ai galéré pendant deux mois. Personne n'a voulu me prendre. J'ai donc laissé tomber les Etats-Unis. Ça me coûtait trop cher. Maintenant, je bosse à Londres.*"

L'expérience de Frédéric n'est pas un cas isolé. Bien sûr, quelques débrouillards arrivent à trouver un job au noir, surtout à New York ou dans des endroits touristiques comme les îles Keys, au sud de la Floride. Mais la recherche peut prendre plusieurs semaines. Et les risques ne sont pas négligeables. Joël en a fait la douloureuse expérience alors qu'il vendait des tee-shirts à la sauvette en Californie :

"*Je me suis fait coincer un soir par les policiers. Ils ont vérifié mon passeport. Pas de pot : j'avais un visa tourisme périmé ! La suite n'a pas traîné. Après trois semaines en prison, ils m'ont expulsé vers Paris, avec une interdiction de revenir sur le sol américain pendant 5 ans.*"

Un cas reste ambigu : le travail volontaire. Logiquement, le bénévolat ne nécessite pas de visa particulier. Pourtant, si vous annoncez à l'immigration américaine que vous comptez travailler comme bénévole dans une association humanitaire, alors que vous n'avez pas de visa, vous risquez d'être refoulé. Le cas s'est produit pour un volontaire de Jeunesse et Reconstruction. Il est conseillé dans ce cas bien précis de jouer au parfait touriste à la douane.

D'une manière plus générale, sachez que les douaniers américains sont extrêmement suspicieux. Si vous venez pour travailler alors que vous affichez le statut de touriste, ne commettez pas de gaffe. Au moindre doute (allers-retours fréquents entre la France et les Etats-Unis par exemple), les douaniers fouilleront vos affaires pour retrouver une éventuelle lettre d'employeur. S'ils mettent la main sur un document compromettant, c'est le retour direct à la maison et une interdiction de territoire de 5 ans. D'après le consulat américain, de telles mésaventures frappent régulièrement des jeunes filles au pair venues avec un visa de tourisme.

## Décrocher par soi même un visa de travail

Vous avez trouvé un stage ? Vous pouvez alors espérer obtenir un des visas de résident temporaire délivrés par le consulat (série des visas H). C'est à votre employeur américain de faire les démarches auprès des services d'Immigration et de Naturalisation (INS) qui délivrent une *notice of approval*, document que vous devrez présenter au consulat. Mais ces démarches sont très coûteuses (entre 1500 et 5000 US$) et très longues (3 mois minimum). Il y a peu de chances que vous trouviez une entreprise prête à engager de tels frais pour un job ou un stage de quelques mois.

### Passer par un organisme d'échanges

C'est la solution la plus simple et la plus sûre. Pour des jobs d'été ou des stages, des organismes vous aident à légaliser votre situation, en obtenant un visa J-1 (*exchange visitor visa*).

En France, quatre organismes principaux sont habilités à délivrer le formulaire IAP-66 (*certificate of eligibility*), nécessaire pour obtenir le visa J-1 : le Council on International Educational Exchange (CIEE), le CEI/Club des 4 vents, l'Office des migrations internationales (OMI) et les French-American Centers (qui développent un programme intitulé Camp America).

En plus de ces organismes, les agences de séjours au pair agréées par le consulat délivrent aussi des formulaires IAP-66 pour les jeunes gens qu'elles envoient.

Nous détaillons un peu plus loin les services de tous ces organismes (conditions d'accès, coûts et prestations offertes).

Pour plus d'informations sur les visas, vous pouvez consulter le serveur minitel du consulat américain (3614 ETATS UNIS) ou le répondeur du consulat au (1) 42 96 14 88.

Trois consulats en France sont habilités à délivrer des visas : Paris, Marseille et Bordeaux.

✉ *Paris - Consulat des Etats-Unis - 2, rue Saint-Florentin - 75382 Paris Cedex 08 - Tél. : (1) 42 96 14 88 - Ouvert de 8h45 à 11h du lundi au vendredi*

✉ *Marseille - Consulat des Etats-Unis - 12, bvd Paul Peytral - 13286 Marseille Cedex 6 - Tél. : 91 54 92 01*

✉ *Bordeaux - Consulat des Etats-Unis - 22, cours du Maréchal Foch - 33080 Bordeaux - Tél. : 56 44 82 22*

# Protection sociale

En arrivant aux Etats-Unis, vous devez faire vous-même les démarches pour obtenir une carte de sécurité sociale. Rendez-vous auprès du bureau de sécurité sociale local (adresse dans l'annuaire à la rubrique Social Security Administration), muni de votre passeport et du formulaire IAP-66. Vous recevrez au bout de quelques jours votre carte avec un numéro de sécurité sociale (comportant 9 chiffres). Ce numéro est surtout utile à votre employeur. Il lui permet d'être en règle vis-à-vis des services de l'impôt. Il est également indispensable si vous voulez ouvrir un compte en banque.

**Important** : Les frais de santé aux Etats-Unis sont prohibitifs. Il existe bien un accord de réciprocité entre les USA et la France concernant le remboursement des frais de santé, mais celui-ci se fait sur la base des tarifs français, bien inférieurs aux tarifs américains.

Il est par conséquent vital d'avoir un contrat d'assurance privé couvrant tous vos frais médicaux. Les organismes d'échanges comme le CIEE incluent un tel contrat dans leurs services. Reportez-vous autrement à notre chapitre "Voyage mode d'emploi", en fin d'ouvrage, pour plus de détails sur les compagnies d'assurance en France. Olivier, 21 ans, en stage à New York, a eu l'occasion d'apprécier l'utilité d'un bon contrat :

*"Au cours de mon séjour, j'ai dû aller une fois chez le médecin. Mon index s'était infecté suite à une piqûre de guêpe. Le praticien m'a fait attendre une heure, m'a examiné quelques secondes pour finalement me donner une pommade. Coût de la visite : 65 $ ! Et encore, c'était en banlieue. A New York, j'en aurais eu pour 100 $. Heureusement, avec mon assurance j'ai été remboursé sans problème. Le chèque m'attendait au retour en France."*

## Salaires et impôts

Les cotisations à la sécurité sociale, l'impôt sur le revenu et les taxes locales sont prélevés à la source. Le total, environ 20% du salaire, est donc déduit directement de votre paye par l'employeur. Si vous voyagez avec un visa J-1, vous n'avez pas à payer de cotisations sociales. Assurez-vous que votre employeur ne les retranche pas abusivement de votre paye (ou si elles sont déduites, que vous serez remboursé à la fin de votre contrat).

Il existe un salaire minimal horaire valable pour la plupart des jobs. Il est fixé à 4,25 $. Toutefois, l'employeur peut décider de vous payer moins si vous recevez des pourboires ou bénéficiez d'avantages en nature (repas ou logement fourni).

# Trouver un logement

Se loger aux Etats-Unis n'est pas si difficile que ça. Dans les grandes villes, le partage d'appartement est une coutume très répandue. De nombreux Américains recherchent des sous-locataires ou co-locataires (*roommates*) pour les aider à payer le loyer.

### Les auberges de jeunesse

Pour vos premières nuits, en attendant de trouver un appartement ou une maison, la solution la plus économique consiste à dormir en auberge de jeunesse. Procurez-vous avant de partir le guide *Where to stay USA* publié par Fodor's (vendu dans les librairies anglophones). Il contient des adresses d'hôtels à partir de 5 $ la nuit.

Les auberges de jeunesse aux Etats-Unis sont regroupées sous l'appellation

Youth Hostels. Nuit à partir de 10 $.

**Bon plan** : Dans de nombreuses auberges de jeunesse, il est possible d'échanger quelques heures de travail par jour (ménage, lessive, réception...) contre des nuitées gratuites. Renseignez-vous auprès du responsable de l'auberge.

Il est conseillé d'acheter en France la carte internationale des auberges de jeunesse (100 francs, 70 francs pour les moins de 26 ans), ainsi que le guide des auberges de jeunesse hors-Europe (40 francs), auprès de la FUAJ.

✉ *Fédération unie des auberges de jeunesse - 27, rue Pajol - 75018 Paris Tél. : (1) 44 89 87 24*

Aux Etats-Unis :

✉ *American Youth Hostels - National Administrative Office - 733 15th street NW Suite 840 - Washington DC20005 - Tél. : (202) 783 6161 - Fax : (202) 783 6171*

## Echange d'appartements

Encore moins cher, l'échange d'appartements. A Paris, le magazine FUSAC (déjà cité) propose quelques annonces d'échanges de logements. Il existe également des organismes spécialisés dans cette formule (voir page 415).

## Louer un appartement

Pour trouver un appartement à partager, la meilleure solution consiste à parcourir les petites annonces des journaux locaux. Les éditions du dimanche sont en général les plus fournies. Au début, vous aurez sans doute du mal à décoder les annonces. Le CIEE dans son livret de conseils au départ dresse le petit lexique suivant :

BR = bedroom

util = utilities (charges de gaz et électricité)

pvt = private

elev bldg = building with an elevator

co-op = la personne qui passe l'annonce est propriétaire et non pas locataire

A connaître également : GWM est l'abréviation de Gay White Male.

A New York, le *Village Voice* est incontournable. Cet hebdomadaire paraissant le mercredi est le meilleur plan pour trouver un appartement à partager ou à sous-louer. Un tuyau pour bénéficier des annonces avant tout le monde : il est possible de se le procurer le mardi soir à partir de 19h au kiosque à journaux à l'angle de Astor Place et Lafayette (mais attention, queues immenses !) ou au magasin King's magazine à l'angle de Astor place et 3rd avenue (beaucoup moins de monde).

Une autre possibilité consiste à faire le tour des annonces affichées à l'entrée des cafés et des magasins dans l'East Village, le quartier jeune et bohème de NY. L'hebdomadaire en français *France-Amérique*, distribué en kiosque, contient également quelques annonces de locations.

En vous débrouillant bien, vous pouvez trouver un studio pour deux personnes pour 500 $/mois, dans un quartier comme l'East Village.

A Chicago, ne manquez pas le *Reader*, hebdomadaire gratuit qui contient lui aussi profusion d'annonces de co-location.

### Autres pistes

En été, n'hésitez pas à faire un tour sur les campus. De nombreux étudiants cherchent à louer leurs chambres inoccupées. Consultez les panneaux d'annonces, en général situés près des associations étudiantes. Olivier, étudiant en commerce, recommande fortement l'International House à New York.

*"J'ai eu la chance d'être tuyauté par un VSNE. L'International House est une résidence qui accueille des étudiants du monde entier. L'été, elle fonctionne comme un hôtel. Tout le monde peut y accéder à condition de réserver 2 à 3 jours à l'avance. Selon les chambres, le loyer est compris entre 450 et 600$ par mois. C'est propre, certaines chambres ont une vue sur la rivière Hudson et il y a dans le complexe une laverie, une cafétéria... et une bonne ambiance. Beaucoup de soirées sont organisées."*

✉ *International House - 500 Riverside drive - New York, NY 10027-3916*
*Tél. : (212) 316 8400*

On trouve des International House dans la plupart des grandes villes aux Etats-Unis. Renseignez-vous sur place.

Si vous êtes fauché à New York et voulez éviter de dormir dans le hall de la gare centrale, sachez que l'une des adresses les moins chères est l'International Student Center. Un lit en dortoir coûte 10 $ la nuit. L'endroit est un repaire d'étudiants du monde entier qui se battent pour avoir des places. Comme il n'est pas possible de réserver, le principe est celui du premier arrivé, premier servi. Présentez-vous dès 8h du matin. Comme tout lieu étudiant qui se respecte, les tuyaux vont bon train et vous faites de nombreuses rencontres. Un excellent endroit en somme pour commencer une recherche de job dans la Grosse Pomme.

✉ *International Student Center - 38 West 88th street - New York, NY 10024 - Tél. :*
*(212) 787 7706*

# Trouver un job

Les opportunités de jobs sont innombrables aux States. D'après le CIEE, "en été, les offres d'emploi sont supérieures aux demandes". Les Américains sont spontanés. A partir du moment où vous êtes en règle, les embauches peuvent se décider très rapidement. Vous devriez trouver en l'espace de quelques jours, et dans des secteurs très divers. Ariane a passé deux ans à New York dans la peau d'une Job-trotteuse dynamique :

*"En combinant petites annonces, porte-à-porte et relations, j'ai enchaîné une quantité de jobs. J'ai été tour à tour baby-sitter, house-keeper, jeune fille au pair, serveuse dans un resto italien qui a fait faillite au bout d'un mois, vendeuse dans un magasin de jeans sur Broadway (une mauvaise expérience, le patron me faisait des avances). J'ai alors retrouvé un job de vendeuse dans une boutique de chaussures, puis j'ai cumulé deux postes de serveuse, dans un resto indien et dans une pizzeria de Little Italy..."* La preuve que les occasions de jobs, il est vrai souvent précaires, ne manquent pas outre-Atlantique. Mais choisissez bien votre région avant de partir. New York et Los Angeles sont deux destinations très courues l'été. Y décrocher un emploi demande plus de temps, parfois plus d'une dizaine de jours. Certaines stations sur la côte est, comme Ocean City dans le New Jersey, sont devenues le repaire des Job-trotters français pendant la période estivale. Vous êtes sûr d'y trouver un boulot. En revanche, vous aurez moins l'occasion d'expérimenter l'*american way of life*. Les régions moins fréquentées ne sont pas à négliger. Votre qualité de Français y deviendra même un atout. Sébastien a reçu un très bon accueil alors qu'il cherchait du boulot à Philadelphie :

*"Je suis persuadé que le fait d'être Français a constitué un plus. Les Américains étaient surpris de me rencontrer. Mais ils aiment bien voir des jeunes de culture différente tenter leur chance sur leur sol, et retrousser leurs manches."*

La période de prospection est également un élément déterminant. En arrivant fin juillet, vous aurez la mauvaise surprise de constater que la plupart des petits boulots sont déjà occupés par des étudiants américains. Il vaut mieux arriver en juin. Septembre est une période favorable. Les étudiants reprenant leurs cours fin août, la concurrence est moindre, les salaires augmentent.

Ce chapitre ne saurait être exhaustif. Son objet est plus de vous donner une idée des jobs les plus populaires ou insolites que l'on peut occuper aux States. D'autant que les conditions d'entrée draconiennes définies par le gouvernement américain modifient les règles du jeu. Les organismes d'échanges par lesquels vous devez passer pour décrocher un visa ne se contentent pas de vous faciliter la paperasserie. Ils vont en plus vous proposer soit un job clés en main, soit des informations très détaillées pour orienter votre quête. Vous ne partez pas à l'aveuglette.

# Les organismes de jobs "clés en main"

## Le Council on International Educational Exchange (CIEE)

Le CIEE est le principal organisme d'échanges de jeunes entre la France et les Etats-Unis. Chaque année, il permet à plus de mille Français de trouver un stage ou un job d'été outre-Atlantique.

Pour les jobs, le Council a développé le programme Work and Travel. Vous pouvez y participer si vous avez 18 ans ou plus et êtes inscrit dans un établissement d'enseignement supérieur. Ce programme ne vous fournit pas de job "clés en main". Mais il fait tout pour vous faciliter la tâche. Vous bénéficiez notamment d'un visa J-1, qui vous autorise à sillonner le territoire américain sur une période allant du 1er juin au 19 octobre, pour y trouver du boulot. Vous recevez en plus une *job list* qui regroupe des employeurs potentiels ainsi qu'un *participant handbook* qui inclut de nombreux conseils pour trouver un boulot (rédiger un CV, se loger...). Les jobs recensés sont peu qualifiés. Ce que les Américains appellent des *entry level jobs* : barman, serveur, pousse-pousse, démarcheur, vendeur, caissier, réceptionniste, aide-cuisine, femme de ménage, gardien de parking...

La formule est très souple. A partir de la *job list*, vous avez la possibilité d'envoyer votre CV à l'avance afin de trouver un travail. Jean-Marc, étudiant ingénieur, a choisi cette méthode avec succès :

*"J'ai sélectionné une quarantaine d'offres auxquelles j'ai envoyé un CV avec photo, une lettre de motivation et un coupon réponse international. Il y a eu dix réponses, dont cinq positives : un parc naturel national, un parc d'attraction sur la côte est, un village de vacances dans l'Etat de New York, une proposition de vendeur dans un magasin de la Caroline du Sud et une offre de démarcheur pour la SUN (Support the United-Nations), une association caritative américaine à Los Angeles. C'est cette dernière que j'ai choisie car je voulais effectuer une action profitable à la communauté."*

Mais il se peut que vous ne trouviez rien depuis la France, soit parce que les postes que vous convoitez sur la *job list* sont déjà occupés, soit parce que vous préférez rechercher directement sur place. Quatre candidats sur dix se retrouvent dans cette situation. Vous devez alors présenter des garanties supplémentaires pour avoir le J-1. Ce peut être une lettre d'un citoyen ou résident américain se portant garant pour vous en cas de difficultés (financières ou autres). Ce peut être plus simplement la preuve que vos ressources seront suffisantes pendant votre séjour (photocopies de bordereaux d'achat de devises prouvant que vous possédez au moins 650 $ en travelers chèques ou en liquide). Une fois sur place, vous pouvez aller où bon vous semble. La liberté !

## Combien ça coûte ?

Tout dépend de votre date de départ. En 1995, le prix est de 2 290 francs, auquel il convient d'ajouter les frais consulaires (750 francs). Cette somme inclut l'aide pour trouver un job, l'obtention du formulaire IAP-66, une nuit à l'arrivée, une assurance complète et l'accès à toutes les brochures Council. Comptez 2000 à 3000 francs selon la saison pour l'aller-retour Paris-New York (90% des participants arrivent à New York, les autres choisissent San Francisco).

Cela peut sembler assez cher. Mais les jobs vous permettent souvent de rentrer dans vos frais. Surtout, vous aurez eu la chance de découvrir une autre facette de l'Amérique. La plupart des participants profitent de leurs dernières semaines pour voyager aux States en bus Greyhound ou en voiture de location.

Les inscriptions démarrent le 1er décembre. Il est conseillé de s'inscrire le plus tôt possible. Renseignements auprès du CIEE.

✉ *CIEE - 1, place de l'Odéon - 75006 Paris - Tél. : (1) 44 41 74 99*

# Le CEI/Club des 4 vents

Cet organisme propose trois programmes, qui permettent à environ 150 Français de travailler en Amérique chaque année.

## Summer jobs

Ce programme permet aux étudiants âgés de 18 à 28 ans d'exercer un petit boulot aux Etats-Unis pour une durée allant de 10 semaines à 5 mois l'été. A la différence du CIEE, le CEI/Club des 4 vents, par l'intermédiaire de son partenaire à New York InterExchange, recherche le job pour vous. Il vous délivre en prime l'IAP-66. Les jobs ont surtout pour cadre des motels, des restaurants de villes balnéaires, des parcs nationaux ou des parcs d'attraction. Ils sont rémunérés en moyenne 5 $ de l'heure. Au moment de votre inscription, vous ne savez pas où vous allez travailler. Les jobs impliquent une certaine dose de travail. InterExchange précise qu'ils peuvent être "fastidieux et répétitifs". A vous de faire preuve de bonne volonté. Le CEI/Club des 4 vents opère une double sélection, basée sur l'expérience des petits boulots en France et la maîtrise de la langue anglaise.

### Combien ça coûte ?

En 1996, ce programme revient à 6340 francs, incluant l'IAP-66, le billet aller-retour sur New York, la recherche d'un job, l'assurance et deux nuits à l'arrivée. Comme pour le CIEE, les participants rentrent normalement dans leurs frais à l'issue du séjour. Les inscriptions sont closes fin février.

## Job self-arranged program

Toujours si vous êtes étudiant, et si vous avez trouvé un emploi saisonnier par vous-même, le CEI/Club des 4 vents peut également se charger de vous obtenir, via son partenaire américain InterExchange, le formulaire IAP-66. Condition sine qua non : le job doit durer quatre mois maximum, du mois de juin au mois de septembre ou du mois d'août au mois de novembre. Votre dossier doit impérativement comprendre une copie de l'offre d'emploi (date, lieu, type d'emploi et rémunération au moins égale au salaire minimum de 4,25 $) et une attestation en anglais de souscription d'assurance santé. Il doit être déposé au moins deux mois à l'avance. Le quota de formulaires IAP-66 étant limité, plus vous vous y prenez tôt (janvier, février), plus vous avez de chances. Coût de l'opération : 2750 francs, cotisation au CEI/Club des 4 vents incluse.

## *YMAK / ICCP*

Ouverts aux 19-30 ans, ces deux programmes menés en partenariat avec les YMCA permettent de travailler l'été dans des camps de vacances pour enfants. Réservé aux étudiants, YMAK (Youth Maintenance and Kitchen) offre des jobs de personnel de service (cuisine, ménage, entretien des camps...). Deux conditions : avoir de l'expérience dans ces emplois et très bien parler anglais. Ouvert aux non-étudiants, ICCP (International Camp Counselor Program) concerne des postes d'animateurs qui travaillent en tant que *camp counselor*. Critères requis : un très bon niveau d'anglais et une expérience de l'encadrement de groupes d'enfants. Le BAFA n'est pas obligatoire, mais conseillé.

Les camps sont situés pour la plupart dans l'Est et le Middle-West. Vous vous engagez à travailler pour toute la durée du camp, en moyenne 10 semaines. Une disponibilité dès la fin mai augmente vos chances. La rémunération est pour l'essentiel en nature (logé, nourri) plus 350 $ en fin de contrat. Le voyage est en partie à votre charge. Vous recevez une participation d'environ 300 à 400 $ pour le vol transatlantique et le transport aller de l'aéroport au camp de vacances. Attention, les places sont convoitées et il faut s'y prendre très tôt. Le recrutement est souvent clos dès mi-décembre (date limite, le 1er mars). Les frais d'inscription sont de 1600 francs, plus 150 francs de cotisation.

Pour plus d'informations, adressez-vous au CEI/Club des 4 vents :

✉ *CEI/Club des 4 vents - 1, rue Gozlin - 75006 Paris - Tél. : (1) 43 29 60 20*

# Camp America

Ce programme est géré par l'American Institute of Foreign Study à Londres et représenté en France par les French-American Centers. Camp America propose deux formules de jobs dans les camps de vacances ou dans des familles. De très nombreux camps sont situés dans le Nord-Est. Bonne nouvelle : les responsables du programme souhaitent augmenter le nombre de participants français. La durée minimale est de 9 semaines, avec un départ en juin. Vous êtes logé, nourri, et bénéficiez d'argent de poche (entre 150 et 400 $) et d'un billet d'avion A/R Londres ou Amsterdam/New York. Trois options, toutes réservées aux plus de 18 ans :

- **Camp Counselor** pour être animateur ou moniteur de sports (voile, cheval...). Le BAFA est un "plus" mais n'est pas forcément suffisant. C'est votre expérience qui compte. L'entretien de sélection se déroule en anglais. Sur place, vous recevez entre 150 et 300 $ d'argent de poche (en fonction de votre âge).

- **Camp Power** est un programme qui vous permet d'être recruté comme personnel de service : cuisinier principalement mais aussi électricien, jardinier, femme de ménage, etc. Pour postuler, vous devez être étudiant. L'expérience est plus importante que le niveau d'anglais. Il est recommandé de vous munir d'une lettre de recommandation (employeur, université...) lors de l'entretien de sélection. Sur place, vous recevez une indemnité de 350 $.

- **Family Companion** est également réservé aux étudiants, entre 18 et 24 ans. Il s'agit de jobs au pair, d'une durée de 10 semaines minimum. Hébergé en famille, vous devez vous occuper des enfants et de tâches ménagères légères et recevez une indemnité de 400 $. Ces jobs sont ouverts aux garçons.

Les frais d'inscription à ces programmes sont de 175 $ pour l'assurance, 40 $ de cotisation et 40 $ de frais de placement (remboursés si pas de placement). S'y ajoutent les frais de visa, soit 750 francs. Les inscriptions commencent dès octobre, et se poursuivent jusqu'en mai. Ne perdez pas de temps !

Renseignez-vous dans les French-American Centers. Il en existe cinq en France. A noter, le serveur 3615 CAMP AMERICA.

✉ *French-American Center - 10, montée de la Tour - 30400 Villeneuve les Avignon - Tél. : 90 25 93 23*

✉ *French-American Center - 9, boulevard Jean-Jaurès - 13100 Aix en Provence - Tél. : 42 23 23 36*

✉ *French-American Center - 2, place Louis Pradel - 69001 Lyon Tél. : 78 30 07 25*

✉ *French-American Center - 7, rue Joseph Autran - 13006 Marseille Tél. : 91 54 11 66*

✉ *French-American Center - 4, rue Saint-Louis - 34000 Montpellier Tél. : 67 92 30 66*

# Les organismes qui facilitent vos recherches sur place

## Les Chambres de commerce locales

Un des premiers endroits à visiter en arrivant dans une ville, est la Chambre de commerce locale. Davantage tournée vers le public que leurs homologues françaises, elles sauront vous aiguiller sur les entreprises dynamiques de la région. Yamina, 20 ans, étudiante en LEA, a débarqué à Indiana Rocks Beach en Floride, au début du mois d'août.

*"Nous avons pris une chambre dans un hôtel. Le gérant nous a conseillé d'aller rendre visite à la Chambre de commerce locale. De là, j'ai trouvé sans difficultés un job de serveuse dans un fast-food, complété par quelques heures comme femme de ménage."*

## Les agences pour l'emploi

Aux Etats-Unis, vous éprouverez peu la nécessité de passer par des agences pour l'emploi ou des agences de travail temporaire. Rien ne remplace la prospection en direct. Les restaurants ou boutiques ne seront pas surpris de vous voir frapper à leur porte pour proposer vos services. La plupart auront même une *application form* toute prête à remplir. Les agences de l'emploi aux Etats-Unis sont gérées au niveau de chaque Etat. Dans les grandes villes, elles vous seront d'un faible secours. Ailleurs, ça ne coûte rien d'essayer. Martine, partie avec le CIEE, s'est retrouvée à Hilton Head, une île en Caroline du Sud, très prisée par la jet society. Elle a pu tester l'efficacité des services de l'emploi.

*"Je n'avais pas trop de pistes pour trouver un boulot. Alors j'ai fait un tour à l'ANPE locale. Ils m'ont pris mon CV et fait passer un entretien. A la fin, l'employée m'a donné quatre adresses. L'une d'elle était celle de l'hôtel Hyatt. J'y suis allée et le chargé de personnel de l'hôtel m'a proposé un boulot. Malheureusement il fallait que je patiente 15 jours avant de commencer. Je ne pouvais attendre. J'ai finalement trouvé un emploi de serveuse grâce aux petites annonces du quotidien local."*

## Les réseaux de Français

Rendez visite aux Alliances Françaises, instituts français ou centres d'accueil des Français. A New York, vous pouvez consulter des petites annonces dans les locaux de l'Alliance Française. Sophie, 25 ans, a ainsi décroché un poste de jeune fille au pair. De même, allez faire un tour aux Maisons françaises des universités de Columbia et de NYU (New York University). Ces Maisons ont d'abord un rôle de diffusion culturelle mais il est possible d'y laisser des annonces pour des baby-sittings ou des cours de Français.

Il y a 13 Alliances Françaises aux Etats-Unis (plus une à Porto Rico).

A New York :

✉ *French Institute/Alliance Française - 22 East 60th street - New York, NY 10022 - Tél. : (212) 355-6100*

Il existe 9 centres d'accueil des Français aux Etats-Unis. Pour savoir comment obtenir leurs adresses, vous pouvez contacter à Paris la Fédération internationale des accueils français et francophones à l'étranger (voir page 104).

## Les Chambres de commerce franco-américaines

Elles sont de bons réseaux pour entrer en contact avec la communauté d'affaires américaine francophile. Dans leurs locaux, vous pouvez généralement laisser des annonces pour proposer vos services de traducteurs, de jeune fille au pair, de professeur de français... Il existe 17 Chambres de commerce franco-américaines aux USA. Pour la liste complète, adressez-vous à la Chambre de commerce américaine à Paris :

✉ *Chambre de commerce américaine - 21, av. Georges V - 75008 Paris - Tél. : (1) 47 23 80 26 - ouvert les mardis et jeudis de 10h à 12h30*

✉ *French-American Chamber of Commerce - 1900-509 Madison avenue - New York, NY 10022 - Tél. : (212) 371 4466 - Fax : (212) 371 5623*

✉ *L.A. French-American Chamber of Commerce - 1608-6380 Wilshire Boulevard - Los Angeles, CA 90048 - Tél. : (213) 651 4741 - Fax : (213) 651-2547*

# Les journaux à consulter

Les quotidiens locaux sont des mines de petites annonces. Ne manquez pas les éditions du dimanche, généralement les plus fournies. Certains quotidiens comme le *Miami Herald*, publient des suppléments hebdomadaires intitulés *jobs opportunities*. On les trouve dans les distributeurs de journaux.

Nous vous avons déjà parlé de l'hebdo *Village Voice* pour trouver un logement à New York. Il est également très précieux pour les petits boulots. Les jobs les plus courants : coursiers, réceptionnistes, barmen, cuisiniers, serveurs, baby-sitters...

*France-Amérique* contient également quelques offres d'emploi de restaurants français qui recherchent des serveurs. Il est une bonne source pour connaître les adresses des restaurants et cafés français à New York.

A San Francisco, le centre d'accueil et d'information des Français publie le *Guide pratique de San Francisco,* qui inclut des conseils pratiques pour les personnes qui comptent s'y installer (ouvrir un compte en banque, logement, shopping, adresses d'établissements français... et même consignes en cas de tremblement de terre). Dans la même série, il existe un *Guide de la Californie du Nord.*

✉ *Centre d'Accueil et d'Information des Français - 490 sixth avenue - San Francisco, CA 94118 - Tél. : (415) 750-8026*

Pratiquement chaque ville et chaque université disposent d'un ou de plusieurs journaux gratuits, généralement hebdomadaires, qui contiennent les programmes des sorties, des coupons de réduction dans les restaurants et des petites annonces.

# Les secteurs qui embauchent

## Restaurants et bars

Dans les grandes villes, c'est là que vous avez les meilleures chances de trouver du boulot, comme *bus boy*, *waiter/waitress* (serveur) ou *bartender*. Pour tous ces emplois, le démarchage en porte-à-porte est incontournable. Soignez votre tenue vestimentaire, armez-vous de courage et... poussez les portes des restaurants. Les meilleures heures pour prospecter sont de 10h à 12h et de 15h à 18h. Pendant les heures de service, le manager n'aura vraisemblablement pas le temps de vous recevoir. Pendant l'entretien, n'hésitez pas à en rajouter un peu sur votre expérience (c'est de bonne guerre...).

Voici les différents postes proposés dans les restaurants :

- *Bus boy* est un poste généralement réservé aux hommes. Le bus boy aide le serveur, mais n'a pas de rapport direct avec le client. Il apporte l'eau, le pain, le beurre, il dessert les tables, etc. C'est moins bien payé qu'un poste de serveur mais plus accessible quand on ne parle pas bien anglais et que l'on n'a aucune expérience dans la restauration. Les annonces mentionnant *bus people* signifient que le poste est ouvert aux filles.

- Le *waiter* prend les commandes et sert le vin et les apéritifs. Sa principale qualité est la rapidité. L'anglais peut être un obstacle au début car il faut saisir les commandes du premier coup. Mais on apprend vite sur le tas.

- Le *bartender* s'occupe de la préparation des boissons, de l'approvisionnement des armoires frigorifiques (il doit toujours y avoir un Coke ou une bière au frais...) et de la bonne tenue générale du bar.

## Le training

Avant d'être embauché, vous devrez toujours passer par une phase de formation, le *training*. Pendant un jour ou deux, on vous demandera d'assister un waiter pendant le service, sous la surveillance discrète du manager. Votre rapidité, votre anglais et votre aisance relationnelle seront testés. Le *training* ne s'avère pas toujours concluant. Ségolène, qui effectuait sa dernière année de maîtrise à New York en garde un souvenir un peu amer.

*"J'avais trouvé un boulot de serveuse dans un petit restaurant américain dans l'East Village. Le patron me convoque pour la première journée de training. Ça s'est mal passé. J'étais un peu perdue devant toutes les subtilités du menu américain, les différentes sauces salade par exemple. Le patron m'a dit que je n'avais pas assez d'expérience et ne m'a pas gardée."*

Pour mettre toutes les chances de votre côté, essayez de vous préparer à l'avance en mémorisant les plats du menu et en anticipant les quelques phrases qui seront échangées avec les clients.

Vous pouvez heureusement bénéficier de la compréhension de votre employeur. Jean-Marc, en faisant du démarchage pour la SUN dans une banlieue résidentielle de Los Angeles, a eu la chance de rencontrer la jeune propriétaire d'un restaurant italien, qui l'a embauché comme bartender :

*"Le premier jour était consacré à la formation. J'ai passé la journée derrière le bar, avec chacun des serveurs et serveuses, ainsi que la manager et le caissier, qui venaient à tour de rôle m'expliquer comment préparer telle ou telle boisson. Du simple Ice Coke au Caesar Cooler en passant par le Mimosa. J'appris aussi les notations utilisées par les serveurs : faciles comme H2O pour l'eau, mais aussi plus difficiles comme celles du vin et des bières. Tout le personnel a vraiment été très sympa et a su me mettre rapidement dans le bain."*

## N'oubliez pas le pourboire...

Les salaires dans la restauration sont intéressants grâce aux *tips* (pourboires). Aux Etats-Unis, le service n'est pas inclus. Il est de coutume de laisser environ 15% de plus que la note. Les pourboires sont ensuite redistribués parmi les employés. Le restaurant reverse en général 2 à 3 $ de l'heure. A New York avec les pourboires, un *bus boy* peut espérer gagner entre 40 et 60 $ par soir. Un serveur entre 60 et 120 $. Son boulot de *bartender* rapportait à Jean-Marc 200 $ pour 28 heures de travail le week-end.

## A quelles portes frapper ?

Si vous n'avez que peu d'expérience, le plus simple est de commencer par démarcher les restaurateurs français (et suisses). Ils aiment bien recruter des compatriotes, pour leur accent et leur connaissance de la carte des vins.

A New York par exemple, il existe une centaine d'établissements français. Plusieurs solutions pour les identifier. Regarder dans les pages jaunes tous les noms à consonance française, consulter le *Zagat*, le guide-bible des restaurants ou, plus simplement, se promener dans les bons quartiers (remonter par exemple les 2ème et 3ème avenue, entre 45th et 80th street).

Les établissements à vocation davantage touristique que gastronomique sont également de bonnes pistes. Toujours à New York, passez déposer des dossiers de candidature dans les grandes cantines universelles que sont :

☒ *Planet Hollywood - Administrative office - 152 West 57th Street New York, NY 10019*

☒ *Hard Rock Café - 221 West 57th Street - New York, NY 10019*

☒ *Harley Davidson Café - 1370 Ave. of the Americas - New York, NY 10019*

Enfin, les enseignes plus modestes - pizzerias, coffee shops, sandwicheries... - vous permettront certainement de vous faire la main en attendant de trouver mieux. Et si vos recherches échouent, il est toujours possible de travailler dans un fast-food. Vous serez payé 4,75 $/h. Mais faites le vraiment en désespoir de cause. Au pays qui vit naître McDonald's et Burger King, les fast-foods sont dirigés à une allure frénétique. Sébastien, étudiant en gestion à Paris, a bossé à mi-temps dans un MacDo à Philadelphie : *"le rythme de travail est infernal. C'est pire que les temps modernes de Charlot !"*. Laurent, étudiant lui aussi, a bossé dans un MacDo à Atlantic City. Il est plus catégorique : *"c'est de l'esclavagisme. J'ai craqué au bout de trois semaines"*.

## D'autres pistes en hiver...

Si les restaurants haut de gamme ont peu de chance d'embaucher en salle une personne sans référence, ils offrent en revanche des places aux vestiaires pendant l'hiver. Selon Mathilde, qui a été *coat check girl* dans un restaurant huppé de Manhattan, c'est vraiment un "bon plan" :

*"C'est comme ça que j'arrivais à arrondir mes fins de mois. L'avantage de ce boulot est qu'on n'a pas besoin de bien parler anglais. L'échange avec les clients est limité. On est payé uniquement aux pourboires, en général 1 $ par manteau. Dans les restaurants qui tournent bien, on peut gagner entre 50 et 100 $ par soir. L'inconvénient : ça ne marche que l'hiver bien sûr."*

### Et sans permis de travail...

Un mot pour finir sur le travail au noir. Les Job-trotters en situation illégale connaissent des fortunes diverses outre-Atlantique. Certains se voient claquer les portes au nez de manière répétée, d'autres au contraire estiment n'avoir été que très peu gênés dans leur recherche de job. Pour Sophie, qui a travaillé dans plusieurs restaurants à New York *"les employeurs se doutent bien que vous n'avez pas de permis quand vous faites du porte-à-porte. Il est extrêmement rare que l'on m'ait demandé quel était mon statut..."* Gilles, aujourd'hui analyste financier à Manhattan, connaît bien le sujet :

*"Le plus dur, c'est de rentrer dans le bon réseau. Mais dans des endroits comme le Village, où les jobs sont tenus par des artistes, les tuyaux se propagent vite. Certains inventent de faux numéros de sécurité sociale. D'autres avouent de but en blanc qu'il n'ont pas de permis et finissent, au bout du centième restaurant ou bar par trouver quelque chose. En fait, il y a des employeurs qui ne sont pas trop regardants à partir du moment où une partie de leur personnel est déclarée."*

En fait, même si la restauration est un secteur parfois peu pointilleux, l'absence de permis constitue un réel handicap, surtout face à des employeurs américains. Et encore une fois, le travail au noir aux States est un jeu à hauts risques, sévèrement sanctionné : expulsion immédiate (vous aurez à peine le temps de récupérer vos affaires...) et interdiction de territoire pour une durée minimale de 5 ans.

## Le tourisme

Le tourisme aux Etats-Unis offre un champ quasi-illimité d'opportunités. Entre les stations balnéaires, les villages vacances, les parcs d'attraction, les camps de vacances et les parcs nationaux, ce sont des dizaines de milliers de jobs qui se créent chaque été. Voici quelques pistes pour vous aider :

### Les stations balnéaires et les centres de vacances

Les Américains aiment se déplacer massivement dans les stations balnéaires (*resorts*) l'été. La côte est, du Maryland au Massachusetts, abrite des stations très populaires comme Atlantic City et Ocean City (New Jersey) ou Cape Cod (Massachusetts). Myrtle Beach en Caroline du Sud ou les Catskills dans l'Etat de New York, des stations fréquentées par la middle-class américaine, sont également très prisées. Tout au sud de la Floride, à South Miami beach, des dizaines de restaurants, de bars et de boutiques s'animent l'hiver, le long d'Ocean Drive.

Dans toutes ces stations, il y a une très forte offre de jobs en tous genres. Tout est bon à prendre : vendeurs de crèmes glacées, de pop corn, de tee-shirts, femmes de ménage dans les hôtels, maîtres-nageurs, serveurs, barmen...

Martine, partie avec le CIEE, a débarqué à Myrtle Beach fin juillet, avec rien d'autre en poche que le guide *Let's Go USA*. Son expérience est caractéristique :

"J'ai commencé par faire le tour des restos, mais tous les postes de serveurs étaient déjà occupés. Une personne m'indique finalement un parc d'attraction à Myrtle Beach, The Pavillion, qui embauche beaucoup de jeunes Irlandais, Français, Anglais... Je suis prise comme serveuse. 8 heures par jour, je servais des hot dogs et des pizzas à des hordes d'Américains affamés. Pour un premier job, c'était bien. Il n'y avait pas besoin de connaissances poussées en anglais."

A Atlantic City, le Las Vegas de la côte est, l'un des jobs classiques est celui de *chair pusher* (pousse-pousse). La ville est le siège de toutes les grandes compagnies de casino, regroupées sur le front de mer. Les clients utilisent les pousse-pousse comme taxis, pour passer d'un casino à un autre ou regagner leur hôtel. Il y a deux compagnies de rolling chairs dans la ville mais une seule emploie des étrangers. Après avoir payé votre licence (50 $), vous louez votre chaise à la journée (35 $) ou à la semaine (200 $). Après c'est à vous de fixer le prix de chaque course avec les clients. Vous travaillez le nombre d'heures que vous voulez. Ce job est fatigant mais lucratif. Laurent, après avoir quitté sans regret le Mac Do, s'est décidé à louer un pousse-pousse :

"Les casinos étant ouverts 24h sur 24, c'est la nuit que l'on peut faire le plus d'argent car la concurrence est moindre. Les tarifs sont de 5 $ pour un petit trajet (150 m) et peuvent monter jusqu'à 20 $. La moyenne est entre 8 et 15 $. Il est très important d'être aimable avec les clients pour avoir des pourboires. Je gagnais environ 100 $ par jour. La meilleure journée a été celle du Labor's day : j'ai empoché 200 $ en un jour !"

Attention. Il faut être motivé et en bonne forme pour devenir *chair pusher*. Laurent met en garde les candidats trop "tendres" :

"L'atmosphère d'Atlantic City est glauque. La ville pue la misère. La drogue circule. Certains junkies sont pousse-pousse pour se payer leur dose. Sur la centaine de pushers, il y a beaucoup de Latins ou d'Européens de l'Est qui se tuent à la tâche pour amasser des dollars. Mais le plus épuisant, c'est l'attente... on passe son temps à attendre. On ne fait guère plus de 10 courses dans la journée... il y en a qui craquent au bout de quelques jours."

Il y a heureusement des boulots plus réjouissants dans les stations balnéaires. A Ocean City, Régis, étudiant en design industriel, a réussi à éviter les jobs de vendeur et serveur qu'on lui proposait, pour être caricaturiste :

"J'étais parti à Ocean City dans l'idée de dessiner. Un vendeur de pop corn a fini par m'indiquer une boîte de dessinateurs. Je m'y suis pointé. Installés sous une tente, une dizaine d'étudiants en art brossaient le portrait des touristes de passage. J'ai expliqué au boss que je voulais travailler avec lui. Il m'a mis au défi : "OK, dessine moi, tu as cinq minutes !". Je me suis exécuté... et il s'est tellement marré devant le résultat que j'ai été embauché sur le champ. Le boulot était bien payé mais fatigant. Je faisais 10 à 15 caricatures par jour. Je ne m'ennuyais pas. Certains Américains voulaient être dessinés sur un scooter des mers, d'autres avec un corps de gorille... Je gagnais environ 150 $ par jour."

En plus des stations balnéaires, les centres de vacances ou villages-vacances embauchent de la main-d'œuvre saisonnière, été comme hiver, pour des travaux d'entretien ou d'animation. Vous trouverez ci-dessous les adresses de centres de vacances qui nous ont indiqué être prêts à recevoir vos candidatures. Condition indispensable : avoir le visa J-1.

COLORADO

## • The Village Resort

ACTIVITÉ    Centre de vacances d'hiver avec hôtels et restaurants.

JOBS    300 personnes travaillent dans ce centre de vacances et occupent tous les postes possibles. Vous travaillez 5 à 6 jours par semaine, 8 à 10 heures par jour et êtes payé entre 6 et 8 $ par heure. Le logement n'est pourvu que dans les limites des disponibilités et vous avez droit à un repas gratuit par jour. Le transport entre le lieu de résidence et l'hôtel est assuré. Les uniformes de travail sont fournis. Attention : la température descend jusqu'à - 30° !

PROFIL    Il faut être âgé de 21 ans au moins, bien parler anglais et avoir un minimum d'expérience.

CANDIDATURE    Vous devez passer à l'hôtel pour être embauché. Le principe du premier arrivé, premier servi est appliqué.

✉    *The Village Resort - PO Box 8329 - Breckenbridge, CO 80424 -*
*Tél. : (303) 453-2000 - Fax : (303) 453-1878*
*Contact : Keith Schmotzer*

FLORIDE

## • Seacamp Association, Inc.

ACTIVITÉ    Camp de vacances en Floride spécialisé dans la plongée sous-marine, la voile, la planche à voile et les sciences de la mer.

JOBS    Ce centre embauche 65 à 70 personnes en été : moniteurs pour les différentes disciplines, animateurs pour les activités scientifiques et artistiques, etc. Les salaires varient selon les postes et vous êtes nourri et logé. Vous pouvez dans certains cas bénéficier d'une formation de secourisme ou de maître-nageur.

PROFIL    Vous devez avoir au moins 19 ans, un très bon anglais et une expérience préalable.

CANDIDATURE    Demandez au centre des renseignements précis sur le type d'équipement que vous devez emporter. Adressez CV et lettre de candidature.

✉    *Seacamp Association, Inc. - Rt. 3, Box 170 - Big Pine Key, FL*
*33043 - Tél. : (305) 872-2331 - Fax : (305) 872-2555 - Contact :*
*Grave Upshaw*

MINNESOTA

## • Grand View Lodge

ACTIVITÉ    Centre de vacances familial avec golf et tennis.

JOBS    Environ 4 postes sont offerts chaque année (pour 100 demandes), entre août et mi-octobre, pour des *bus people* et des femmes de ménage. Le salaire est de 4,60 $/h. Vous devrez retrancher 80 $ par mois pour vos frais de logement. Les repas sont à votre charge. Vous travaillez 35 à 40 heures/semaine sur 6 jours. Vous avez accès gratuitement aux installations du centre : golf, tennis, piscine couverte, jacuzzi...

PROFIL    Le centre recherche des étudiants motivés et ouverts, parlant très bien anglais.

CANDIDATURE    Adressez CV et lettre de motivation avant le 1er mars.

*Grand View Lodge - South 134 Nokomis - Nisswa , MN 56468 - Tél. : (218) 963-2234 - Fax : (218) 963-2269 - Contact : Paul Welch, Operations manager*

NEW YORK

## • Antonio's Resort

ACTIVITÉ    Centre de vacances familial.

JOBS    25 employés saisonniers travaillent dans ce centre de vacances situé dans les Catskills. Des postes de serveurs, barmen, réceptionnistes, aides cuisine, femmes de chambre, animateurs pour enfants sont offerts. Les salaires varient de 2,90 $ de l'heure (plus pourboire) à 5 $ de l'heure. Vous êtes nourri et logé mais une somme de 10 $ par jour est déduite de votre salaire. Les postes sont à pourvoir de fin mai à mi-octobre et de décembre à avril.

PROFIL    Vous devez bien parler anglais. Côté équipement, apportez des draps, une chemise blanche et un pantalon noir.

CANDIDATURE    Adressez votre CV entre février et mai pour l'été et entre octobre et décembre pour l'hiver.

*Antonio's Resort - Dale Lane - Elka Park - Greene County, NY 2427 - Tél. : (518) 589-5197 - Fax : (518) 589-5278 - Contact : Cathy or Nat Manzela*

## • Golden Acres Farm and Ranch Resort

ACTIVITÉ    Ranch pour vacanciers.

JOBS    25 postes en restauration, 5 postes pour l'entretien des pelouses, 15 postes d'entretien des chambres. Le job dure d'août à septembre, est payé 4,25 $ de l'heure plus 30 $ par semaine, prime attribuée en fin de saison. Vous travaillez 6 jours par semaine. Vous êtes logé et avez droit à trois repas gratuits par jour (sauf le déjeuner du dimanche). Mais on retranche près de 70 $ par semaine de votre salaire. Vous avez accès à la piscine, aux courts de tennis et, ô joie, à la discothèque. Vous devez vous habiller selon des règles assez strictes : chemise jaune, pantalon ou jupe et chaussures marron.

PROFIL    Avoir au moins 20 ans, une première expérience et un anglais courant.

CANDIDATURE    Adressez un CV et une promesse écrite que vous travaillerez jusqu'à la fin de la saison. Ne contactez pas le ranch par téléphone.

✉    ***Golden Acres Farm and Ranch Resort - C.R. 14 - Gilboa, NY 12076 - Tél. : (607) 588-7329 - Fax : (607) 588-6911***

WYOMING

## • Signal Mountain Lodge

ACTIVITÉ    Centre de vacances familial.

JOBS    Les emplois couvrent toute la gamme des tâches confiées à du personnel de service dans un centre de vacances. Le centre emploie 140 personnes par saison : du 1er mai au 20 octobre. Les horaires de travail annoncés par le centre sont de 48 heures par semaine sur 6 jours. Les salaires commencent à 2,21 $ de l'heure plus les pourboires pour les serveuses et atteignent 4,35 $ pour les autres postes. Le logement et la nourriture sont pourvus, votre salaire étant amputé de 195 $ par mois. Vous avez parfois droit à une prime si vous restez jusqu'à la fin de votre contrat.

PROFIL    L'anglais est nécessaire pour la plupart des postes. Une expérience est également demandée.

CANDIDATURE    Appelez le centre pour obtenir un dossier de candidature. L'embauche commence en janvier et les demandes sont acceptées jusqu'au 1er mai.

✉    ***Signal Mountain Lodge - PO Box 50 - Moran, WY 83013 - Tél. : (307) 543-2831 - Fax : (307) 543-2569 - Contact : Cindy Artist***

# Les hôtels

Dans les régions touristiques, les jobs d'hommes ou femmes de ménage (*housekeepers, chambermaids*) dans les hôtels ne sont pas difficiles à décrocher. Revers de la médaille, ils sont rarement passionnants. Nettoyer quarante chambres et vingt salles de bain par jour n'a rien d'une partie de plaisir. Sandra, partie avec le CIEE, a bossé dans un hôtel de Keystone, dans le Colorado. Elle voit le côté positif des choses :

*"Certes, le job n'était pas passionnant, mais quelle fierté quand je recevais mon salaire, gagné à grands renforts de coups de chiffon et de produits ménagers, accompagné de la petite carte "cleaned with care by Sandra."*

Ces boulots ménagers sont rémunérés autour de 5 $ de l'heure. Si vous êtes logé et nourri, attendez-vous à ce que des retenues soient faites sur votre salaire pour tenir compte de ces avantages.

N'hésitez pas à tenter votre chance partout. Des auberges de jeunesse aux cinq étoiles (Hyatt, Sheraton, Holliday Inn...), les hôtels recrutent à tour de bras.

# Les camps de vacances

Chaque été, les chères têtes blondes américaines débarquent par milliers dans des camps de vacances. L'équivalent de nos colonies. Pascal, étudiant en maî-

trise d'anglais, a été animateur dans un camp dans le Colorado. Il recommande vivement l'expérience :

*"Avec mon accent français, j'étais vite devenu la coqueluche des enfants et même des autres moniteurs. Les Américains adorent notre intonation. Au cours du séjour, je me suis créé un nombre de contacts impressionnant. Les parents voulaient m'inviter chez eux. Mon carnet d'adresses américain est plein à craquer."*

Nous avons mentionné précédemment les organismes qui permettent de partir comme animateur ou personnel de service dans ces camps (Camp America et CEI/Club des 4 vents). Vous trouverez ci-dessous les adresses de camps qui sont prêts à recevoir des Français. Vous pouvez leur adresser votre candidature en direct. A vous après d'obtenir un visa J-1 auprès d'un organisme habilité.

NEW HAMPSHIRE

## • Interlocken International Summer Camp

JOBS 40 moniteurs encadrent ce camp de vacances : ils enseignent des activités spécifiques : sports, musique, théâtre, arts plastiques, sports aquatiques...Vous travaillez à peu près 24 heures par semaine sur 7 jours, pendant 9 semaines, de fin juin à fin août. Vous avez droit à 3 jours de vacances par mois et êtes payé entre 1000 et 1400$ pour la saison. Vous bénéficiez d'une formation d'une semaine, incluant un brevet de secourisme.

PROFIL Vous devez avoir au moins 20 ans, très bien parler anglais et posséder une expérience de travail avec des enfants.

CANDIDATURE Adressez votre lettre de candidature et votre CV au camp qui vous retournera un dossier de candidature.

✉ *Interlocken International Summer Camp - RR2 Box 165 - Hillsboro, NH 03244 - Tél. : (603) 478-3166 - Fax : (603) 478-5260*

NEW YORK

## • Camp Wa-Klo

JOBS 30 moniteurs spécialisés animent ce centre. Vous travaillez 24 heures par semaine au moins sur 6 jours, de juillet à août. Vous êtes payé entre 1200 et 2500 $ pour la saison et êtes nourri et logé. Vous bénéficiez d'une bourse pour votre déplacement (environ 200 $) et d'une formation.

PROFIL Une première expérience comme animateur est préférable.

CANDIDATURE Adressez un CV et une lettre de candidature au camp.

✉ *Camp Wa-Klo - 3638 Lorrie Drive - Oceanside, NY 11572 Tél. : (603) 563-8531 - Fax : (603) 563-8129*

## • Sports and Arts Centre at Island Lake

JOBS 200 postes couvrant toutes les activités d'un camp de vacances sont offerts : moniteurs, animateurs, instructeurs, etc. Vous travaillez pen-

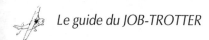
dant 8 semaines en été, six jours par semaine, de 8h à 22h. Le salaire varie en fonction de votre expérience. Vous êtes nourri et logé.

PROFIL        Vous devez avoir au moins 19 ans, parler anglais et posséder une expérience préalable.

CANDIDATURE   Adressez votre CV entre janvier et avril.

✉ ***Sports and Arts Centre at Island Lake - PO Box 800 - Pomona, NY 10970 - Tél. : (914) 354-5517 - Fax : (914) 362-3039***

## • YMCA Camp

JOBS          70 moniteurs sont recrutés chaque année. Le camp dure 9 semaines de fin juin à fin août. Les moniteurs sont nourris, logés et rémunérés 1000 $ pour le séjour. Vous travaillez de 10 à 16 heures par jour, six jours par semaine. Vous participez également à une semaine de formation et devez emporter un équipement classique : sac de couchage, sac à dos et, précise le responsable, "a good sense of humor".

PROFIL        Votre anglais doit être excellent. Il faut avoir 18 ans minimum et une première expérience avec les enfants.

CANDIDATURE   Adressez-vous au camp pour obtenir un dossier de candidature.

✉ ***YMCA Camp - HC Box 35 - Pilot Knob, NY 12844 Tél. : (518) 656-9462 - Fax : (518) 656-9362 - Contact: Chris Gamble***

PENNSYLVANIE

## • Camp Lambec / Westminster Highlands

ACTIVITÉS     Camps de vacances pour enfants.

JOBS          Moniteurs, maîtres-nageurs, employés de cuisine : 15 postes pour le camp Lambec, 25 ou 30 pour le Westminster Highlands. Vous travaillez 6 jours par semaine, au minimum 8 heures par jour. Le camp dure de mi-juin à mi-août. Le salaire de base est de 100 $ la semaine, plus si vous avez une solide expérience. Vous êtes nourri et logé.

PROFIL        L'âge minimum est de 18 ans. Vous devez avoir une expérience préalable avec les enfants. Il est nécessaire que vous soyez chrétien et pratiquant.

CANDIDATURE   Adressez-vous en janvier directement aux camps.

✉ ***Camp Lambec / Westminster Highlands - 100 Venango Street - Mercer, PA 16137 - Tél. : (412) 662-4481 - Contact : Mrs. Ronald J. Eckstein***

ETAT DE WASHINGTON

## • Nor'Wester

JOBS          85 postes de moniteurs et d'instructeurs sont offerts chaque année. Ils concernent soit des activités sportives (varappe, tir à l'arc, cyclisme, équitation) ou artistiques (musique, théâtre), soit des postes plus généralistes de moniteurs. Vous travaillez de mi-juin à fin août, 6 jours par semaine, 12 heures par jour. Votre rémunération varie, selon votre fonction, entre 850 et 1300 $ pour la saison. Vous êtes nourri et logé. Prévoyez des vêtements pour tous les temps.

PROFIL          Vous devez avoir 18 ans au moins, un bon niveau d'anglais et une expérience préalable.

CANDIDATURE   Demandez un dossier de candidature en décembre. Retournez votre dossier avec trois références, accompagné d'un CV et des copies de vos diplômes si nécessaire.

 *Nor'Wester - Route One, Box 1700 - Lopez Island, WA 98261*
*Tél. : (206) 468-2225 - Fax : (206) 468-2472 - Contact : Paul S.*
*Henriksen ou Christa A. Campbell*

# Les parcs d'attraction

Au pays de Disney, il n'est pas surprenant que les parcs d'attraction soient d'excellents viviers à jobs. Les loisirs et les divertissements, ce que les Américains désignent sous le terme générique *entertainment*, marchent très fort outre-Atlantique. A la différence des Français, les Américains dépensent un argent fou dans les parcs.

On y trouve toutes les tâches classiques d'entretien, vente de glaces, boissons, pop corn, souvenirs, tee-shirts, préparation de sandwichs, caissier...

Des postes plus spécifiques de responsable d'animation peuvent être également vacants (*ride operators, game attendants*). Les parcs ont besoin d'opérateurs pour actionner les commandes des manèges ou des montagnes russes ! Les trois parcs de Disney, Disneyland (Californie), Disneyworld et Epcot Center (Floride) sont bien sûr les plus gros employeurs. Christophe a décroché un boulot vertigineux à Disneyland :

*"Lorsque le responsable du recrutement m'a demandé quels étaient mes hobbies, je lui ai répondu la varappe. Et il m'a embauché sur une des animations. Il s'agissait d'escalader une réplique du Mont Cervin, pour distraire les touristes. Le pied ! Je grimpais cinq heures par jour sous le soleil californien et les yeux ébahis de milliers de touristes."*

Sandrine, après des aventures au pair en Californie, a été recrutée depuis la France pour travailler au pavillon français d'Epcot Center, comme vendeuse dans une boutique de souvenirs. Elle met en garde les futurs candidats ; derrière les oreilles géantes de Mickey se cache beaucoup de travail.

*"La manière de travailler est différente. Les Américains sont plus vigilants, plus stricts. On travaille dur. Comme par hasard, trois pavillons posent problèmes : celui du Maroc, de l'Italie... et de la France. Les Français sont souvent désobéissants. Il faut dire que les règles de Disney sont assez strictes. Par exemple, les filles n'ont pas le droit d'avoir des boucles d'oreille en pendentif. Le travail est contrôlé en pemanence, par des supervisers en civil, surnommés spiders. Ils testent les employés. Lorsqu'on trouve de l'argent dans le parc, la règle veut qu'on*

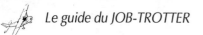

*le déclare au bureau des objets trouvés. Parfois, un superviser va donner de l'argent à un employé pour voir si celui-ci va effectivement le déclarer."*

Un passage chez Disney reste tout de même une très bonne expérience, reconnue par de futurs employeurs. A la fin de votre contrat, vous parlerez anglais couramment, vous aurez un carnet d'adresses international et surtout, vous aurez prouvé que vous pouvez vous conformer au management à l'américaine, l'un des plus rigoureux qui soit.

## • Disneyland, Disneyworld, Epcot Center

ACTIVITÉ          Le N°1 intergalactique des parcs de loisirs.

JOBS             Les filles occupent des postes de vendeuse ou serveuse. Les garçons travaillent comme serveur ou bus boy. D'autres postes sont offerts, mais en nombre plus restreint ; conférencier, portraitiste, musicien, chanteur… les contrats sont de 6, 9 ou 12 mois. Les employés sont payés entre 100 et 200 $ par semaine, avec la possibilité de faire des heures supplémentaires. Après 6 mois, les salaires sont augmentés. Le logement en chambre double est obligatoirement dans le village Disney prévu pour les employés. Le loyer est retranché du salaire. Le billet aller-retour est pris en charge par la compagnie (remboursement à l'arrivée).

PROFIL           Avoir un niveau minimal d'anglais, être enthousiaste, souriant, montrer que l'on est capable de vivre à l'étranger en toute indépendance.

CANDIDATURE      Ecrire aux Etats-Unis pour recevoir un dossier de candidature. Le recrutement pour Epcot Center a lieu en France mais c'est le siège en Floride qui vous indiquera comment et quand prendre contact avec les recruteurs.

> ✉ *En Floride pour Disney World (Epcot Center, MGM et Magic Kingdom) - Walt Disney World - International Staffing - PO Box 100-90 - Orlando, FL 32831*
>
> *En Californie pour Disneyland - Disney Company - 500 Buena Vista Street - Burbank, CA 91521*

Pour la grande majorité des parcs de loisirs, l'embauche se fait souvent par contact direct. Demandez à voir le *personnel manager*. Il y a dans la plupart des parcs un accueil spécial pour le staff. C'est là que vous pouvez commencer vos démarches.

# La vente et le commerce

Le secteur de la grande distribution et du commerce de détail est riche en opportunités. Si vous êtes dans des endroits peu touristiques, vous aurez peut-être plus de chances de trouver un boulot dans le supermarché local que dans les restaurants. Les jobs en grande surface : caissier, serveur, empaqueteur (*bag boy* ou *bagger*), pousseur de caddie entre le centre commercial et la voiture (*caddist*), magasinier… Pascale, traductrice free-lance, a trouvé un job de vendeuse dans une boutique Benetton à New York. Mireille, en échange universitaire, a été caissière chez Petrossian toujours à New York. Très instructive, l'expérience de Sébastien, qui a fait du porte-à-porte dans les centres commerciaux de Philadelphie :

*"Je frappais à toutes les vitrines : boutiques de jouets, fringues, bazars, ménageries... Je demandais à parler au responsable du magasin. A chaque fois, on me demandait de remplir un Application Form. J'ai fini par trouver, après quelques jours, un job dans un grand magasin de meubles et d'articles d'intérieur, appartenant à l'enseigne Linen market. J'ai été affecté à la gestion des stocks. Je devais réceptionner les marchandises, vérifier les linéaires, passer des commandes et assurer en camionnette les livraisons entre les différents magasins de la chaîne. On m'a fait confiance très rapidement. J'étais payé 6 $ de l'heure, en liquide, à la fin de chaque semaine."*

# Enseigner le français

La Commission franco-américaine d'échanges universitaires et culturels diffuse une note sur les postes d'assistant de français offerts par le Ministère de l'éducation nationale (niveau minimum : licence d'anglais) et par l'Amity Institute. Ces derniers s'adressent à des personnes entre 20 et 30 ans, titulaires d'un DEUG et étant disponibles pendant un semestre de l'année scolaire. Les étudiants aident les professeurs de français locaux (exposés sur la France, correction de devoirs, travail au laboratoire de langues...). Pour plus d'informations, contactez la Commission Franco-Américaine (adresse précédemment citée).

# Séjours au pair

Les séjours au pair aux Etats-Unis font l'objet d'une réglementation très stricte. Pour partir comme au pair, vous devez avoir entre 18 et 25 ans, bien parler anglais et posséder une bonne expérience des enfants. Mais ce n'est pas tout. La vue du tabac doit vous faire horreur, vous devez posséder le permis de conduire et, surtout, être disponible une année entière. La durée légale d'un séjour au pair aux USA est de douze mois minimum.

D'un autre côté, les avantages sont nombreux. A commencer par le voyage qui vous est entièrement payé. Seule contrainte : vous déposez une caution de 500 $. Si le mal du pays ou un chagrin d'amour vous forcent à rentrer avant les 12 mois, vous perdez la caution (et le voyage retour est à votre charge). Autre point positif, l'argent de poche s'élève à 100 $ par semaine. De quoi faire rêver plus d'une jeune fille (ou jeune homme) au pair en Europe... Enfin, vous suivez des cours d'anglais pris en charge à hauteur de 300 $ par an. Ce que les Américains nomment *tuition*.

Si l'assurance médicale est prise en charge par l'organisme américain, l'assurance responsabilité civile obligatoire ainsi que l'assistance rapatriement (facultative) sont à votre charge. L'organisme qui s'occupe de votre dossier se charge des formalités de visa (de type J-1). Mais c'est vous qui payez la facture.

La Commission franco-américaine d'échanges universitaires et culturels publie une liste des agences au pair habilitées à délivrer le visa J-1. Vous pouvez aussi vous reporter à notre chapitre sur les séjours au pair page 52.

Sur place, il est relativement facile de trouver des familles d'accueil en passant des annonces dans des journaux locaux. A New York, le *Village Voice*, le *New York Times* et *Irish* sont vivement recommandés. En Californie, Sandrine a trouvé une famille par voie de presse :

*"J'ai passé une annonce dans le journal local, à la rubrique "Child Care", indiquant : "non fumeuse, sérieuse, titulaire du BNS (l'équivalent américain est le CPR)". J'ai reçu une dizaine d'appels et j'ai trouvé un poste auprès d'une famille très sympa. Je devais m'occuper d'un petit bébé de 6 mois. je touchais 130 $ par semaine."*

## Jobs divers

Le simple fait de parler français peut être lucratif. Et pas seulement en donnant des petits cours. Mireille, pendant ses études à New York, prenait des cours de chant. Elle se rend un soir dans un piano-bar. Une soirée *open mike* était organisée : toute personne désirant chanter n'avait qu'à s'inscrire sur une liste pour monter sur scène. La chance lui a souri :

*"M'entendant chanter en français, l'une des personnes du bar m'indiqua l'Alcazar de Paris, qui venait d'ouvrir un cabaret sur Broadway. Ils recherchaient des serveuses capables de pousser la chansonnette en français. Et j'ai été embauchée. Ce furent mes grands débuts de "cocktail singing waitress" !"*

Manuel, étudiant, accapare deux heures par semaine les ondes d'une radio locale de Chicago. Il anime une émission de musique française. Il a aussi réussi à doubler en français des films d'entreprise américains (un boulot bien payé : 100 $ pour 4 heures de travail). Ses conseils pour faire comme lui : *"être sympa, dynamique, disponible et y aller au culot en contactant les radios locales, l'été de préférence"*.

Et puis il reste le vaste champ des jobs informels, qui n'ont pour seule limite que votre débrouillardise, votre bonne fortune… et la loi. Les équipées de Jobtrotters aux Etats-Unis prennent parfois des accents épiques. Sébastien a vendu des sapins de Noël à Berkeley avant de découvrir que la vente de fausses *green cards* était beaucoup plus rentable (et beaucoup moins légale !).

Un autre Sébastien, à court d'argent à San Francisco, s'est retrouvé à jouer de la flûte sur Market Street (*"Mais les Américains ne sont pas très généreux"*). Déçu par l'accueil réservé à sa musique, il enfile alors un costume de commercial pour vendre dans la rue des abonnements au *San Francisco Chronicle*. Là encore, le succès n'est pas au rendez-vous (*"Les habitants étaient déjà tous abonnés. J'en ai vendu deux en une semaine"*). Il finira par trouver son bonheur auprès d'une compagnie de bus, la Green Tortoise, qui assure des liaisons entre l'Alaska et le Mexique. Intégré au sein d'une ambiance très hippie, il creuse des égouts dans un camp d'hébergement et est logé, nourri et payé en billets de bus.

En Floride, dans les Keys, Catherine a donné libre cours à sa passion pour le cirque. Elle est devenue l'assistante de Catman, un Français qui a monté un numéro de dressage de félin... avec des chats.

## Bénévolat et volontariat

Entre la lutte contre le SIDA ou le harcèlement sexuel, l'entretien des parcs nationaux et le soutien aux homeless ou aux communautés indiennes, les actions de bénévolat ou volontariat ne manquent pas aux Etats-Unis. Si vous souhaitez vous rendre utile, trois possibilités s'offrent à vous :

- Contacter un organisme de chantiers en France (voir page 69). C'est la solution la plus simple. Tous développent des échanges avec les USA. Quelques exemples de chantiers en 1995 : cartographie et fouilles archéologiques dans un parc national de l'Ohio (Concordia), travaux d'entretiens et d'aménagement du parc Yosemite (Etudes et Chantiers), préparation de repas dans la communauté Emmaüs à Harlem (Jeunesse et Reconstruction).

Delphine, étudiante en LEA, est partie avec Jeunesse et Reconstruction, travailler dans un centre d'accueil pour homeless dans le Bronx, à New York. Une expérience marquante :

*"A mon arrivée, j'ai été accueillie par les responsables de l'association POTS (abréviation de Part Of The Solution). POTS agit en faveur des sans-abri. Dans leurs locaux, situés au cœur du Bronx, sur Webster avenue, ils hébergent 12 sans-abri, et servent chaque jour des repas à 300 personnes. Je préparais et servais la nourriture. J'ai fini ces deux semaines épuisée, physiquement et moralement. J'avais sympathisé avec une des volontaires de l'association, une noire de 35 ans, malade du SIDA. Elle s'occupait du programme anti-SIDA de POTS. Un jour, alors qu'on faisait une course dans la rue, elle m'a dit "je suis en train de mourir". J'ai tout de suite compris. Elle se sentait très seule. Je pense qu'elle était contente que je continue à lui parler."*

- Jeunesse et Reconstruction développe deux programmes de volontariat à long terme. ICYE (International Christian Youth Exchange Association) permet d'être volontaire pendant un an aux USA. CIP s'adresse aux personnes âgées entre 25 et 35 ans, possédant un bon niveau d'anglais et une expérience (et diplôme) dans les domaines de la santé, du travail social ou de l'éducation. Les missions durent 6 mois ou un an. Les frais d'inscription sont de 13 100 francs (sans le transport). Sur place, les volontaires sont logés, nourris et touchent une indemnité. Pour plus d'informations :

*Jeunesse et Reconstruction - 10, rue de Trévise - 75009 Paris*
*Tél. : (1) 47 70 15 88*

- Contacter directement les associations outre-Atlantique. Les Américains sont très sensibles aux actions d'éducation pour les enfants. Votre niveau d'anglais est déterminant. Autre particularité, l'importance accordée aux opérations de collecte de fonds (*fund raising*). Ce n'est plus alors du bénévolat. Si vous êtes amené à démarcher les particuliers, vous toucherez une commission sur les sommes collectées. Jean-Marc témoigne de son expérience de démarcheur pour la SUN, à Los Angeles :

*"Notre cheval de bataille était la loi Brady, qui vise à réglementer la vente d'armes à feu aux Etats-Unis. Je faisais du porte-à-porte dans les quartiers résidentiels de la classe moyenne, du côté de Brentwood ou Sunset Bvd pour récolter signatures et donations... Je recevais 60% des fonds levés. Le premier jour, j'étais loin du compte avec cinq maigres dollars. Après, mon discours était au point. Je gagnais en moyenne 220 $ par semaine.*

*L'accueil était très variable. Certains menaçaient de lâcher les chiens, d'autres donnaient signatures, argent et m'encourageaient à poursuivre cette œuvre utile à la communauté."*

Les associations américaines suivantes nous ont indiqué qu'elles accueilleraient favorablement les candidatures de Français très motivés.

## *Action sociale et de solidarité*

CAROLINE DU NORD

### • **National Society for Experiential Education**

ACTIVITÉ    Association à but non lucratif qui assure la promotion de nouvelles formes d'éducation et d'apprentissage : en particulier celle de l'"apprentissage actif" ou "apprentissage par expérience".

MISSIONS    Le contenu des missions varie en fonction des projets en cours et des compétences du volontaire. Il peut s'agir de rechercher, analyser et classer des informations à inclure dans la documentation du centre ; de réorganiser et d'informatiser la base de données ; de participer à la publication de rapports ou de brochures. Une durée minimale de 3 mois est la règle ; vous pouvez travailler à temps plein ou à temps partiel, au minimum 10 heures par semaine. Dans la plupart des cas, les volontaires ne sont pas rémunérés, mais une indemnité peut parfois être accordée.

PROFIL    Ouvert à tous mais en particulier aux jeunes diplômés. Une formation ou une expérience en pédagogie, documentation, journalisme, graphisme, marketing ou informatique est préférable.

CANDIDATURE    Adressez une lettre de candidature, un CV, des lettres de références et, le cas échéant, des exemples d'articles. Un entretien individuel (au téléphone) sera organisé.

*National Society for Experiential Education - 3509 Haworth Drive, - Suite 207 - Raleigh, NC 27609 - Tél. : (919) 787 3381 - Contact : Barbara Baker*

DISTRICT DE COLUMBIA

## • Children's Defense Fund

ACTIVITÉ — Association à but non lucratif chargée de défendre les droits des enfants, avec une priorité accordée aux enfants de milieux défavorisés.

MISSIONS — Le contenu et la durée des missions varient selon les besoins de chaque département : elles durent de 3 mois à 1 an. La plupart des postes ne sont pas rémunérés. Les tâches incluent assistance administrative, rédaction de rapports et réalisation de recherches approfondies.

CANDIDATURE — Chaque département conçoit régulièrement des descriptifs de stage en fonction de ses besoins. Pour les stages d'été, les candidatures doivent parvenir à l'association avant la fin février, pour les autres 1 mois au moins avant le début du stage. Adressez une lettre de candidature et un CV.

✉ *Children's Defense Fund - 25 E Street, N.W. - Washington, D.C. 20001 - Tél. : (202) 668-8787 - Fax : (202) 662-3520*

CONNECTICUT

## • American School for the Deaf

ACTIVITÉ — Centre d'éducation pour les sourds.

MISSIONS — Les volontaires assistent le personnel du centre dans les tâches d'enseignement et d'entretien du lieu de résidence. Le centre embauche 2 à 4 stagiaires par an (pour environ 10 à 12 candidatures). Vous travaillez entre octobre et mai, 30 à 35 heures par semaine et n'êtes pas rémunéré. Vous êtes logé et nourri.

PROFIL — Des connaissances en anglais sont nécessaires avec surtout un intérêt marqué pour les enfants et la communication par signes.

CANDIDATURE — Envoyez une lettre de candidature, un CV et 3 lettres de recommandation. Un entretien téléphonique suivra.

✉ *American School for the Deaf - 139 North Main Street - West - Hartford, CT 06107 - Tél. : (203) 727-1310 - Fax : (203) 727-1301 - Contact : Edward F. Peltier*

NEW YORK

## • Children's Creative Response to Conflict

ACTIVITÉ — Organise des ateliers éducatifs pour enfants afin de leur enseigner à résoudre leurs problèmes de manière non violente.

MISSIONS — 4 à 6 stages de 3 mois à 1 an sont offerts (pour 25 à 30 candidatures). Les stagiaires, qui peuvent dans certains cas être logés et recevoir une indemnité, participent à la préparation et au déroulement des ateliers. Ils sont également responsables, à mi-temps au moins, des tâches administratives. A la fin de leur emploi, les stagiaires doivent être capables de diriger sans problème un atelier. L'accent est mis sur la philosophie non violente de cette organisation.

PROFIL        Savoir travailler avec des enfants, accepter les théories non violentes, accepter une approche expérimentale de l'éducation des jeunes enfants, être convaincu de la nécessité d'une réforme non violente de la société.

CANDIDATURE   Adressez CV et lettre de candidature à l'organisation.

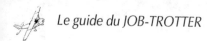 ***Children's Creative Response to Conflict - Box 271 - Nyack, NY 10960 - Tél. : (914) 358-4601 - Fax : (914) 358-4924 - Contact : Priscilla Prutzman***

## *Défense de l'environnement*

CALIFORNIE

### • **Los Angeles County Department of Arboreta and Botanic Gardens**

ACTIVITÉ      Ce service public s'occupe de la protection, de l'entretien et du développement de tous les espaces verts de la région.

MISSIONS      7 stages d'été en horticulture sont offerts par an (pour 30 à 40 candidatures). Les volontaires participent à l'entretien de tous les jardins botaniques sous la responsabilité du service. Les stages durent 10 semaines, sont des emplois à plein temps et sont rémunérés 5,75$ de l'heure.

PROFIL        Etudiant en première ou seconde année d'études universitaires dans les domaines de l'histoire naturelle ou de la biologie végétale. Une première expérience pratique d'horticulture est demandée.

CANDIDATURE   Votre CV et votre lettre sont à envoyer aux mois de mars ou d'avril, accompagnés de 3 lettres de recommandation.

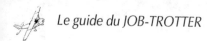 ***Los Angeles County Department of Arboreta and Botanic Gardens - 301 N. Baldwin Avenue - Arcadia, CA 91007-2697 - Tél. : (818) 821-3230 - Contact : Timothy L. Lindsay***

### • **Modoc National Forest**

ACTIVITÉ      Le programme de gestion des ressources du patrimoine des services forestiers américains est conduit sous l'impulsion d'archéologues et d'historiens.

MISSIONS      Les stagiaires ont pour rôle d'assister les managers du programme. Ils sont amenés à remplir des tâches extrêmement variées : recherches et fouilles archéologiques sur le terrain, documentation des sites historiques et préhistoriques, mise en catalogue des objets et des antiquités, photographies et croquis d'antiquités, recherches de données historiques, préparation des archives, saisie de données sur ordinateur... 15 à 25 volontaires sont recrutés chaque année par des services forestiers répartis sur l'ensemble du territoire.

Les postes sont à pourvoir entre le 15 avril et le 30 octobre chaque année. Des travaux en laboratoire et aux services d'archives sont pro-

posés le reste de l'année. Les stages comprennent 40 heures de travail hebdomadaire.

Leur durée est d'au moins 4 semaines, avec une moyenne de 15 semaines et des possibilités de rester plus de 6 mois.

Une indemnité est versée : entre 60 et 90 $ par semaine. Le logement est fourni par l'employeur.

PROFIL — Avoir plus de 18 ans. Un droit de préférence est accordé aux personnes expérimentées et aux étudiants en archéologie et en histoire.

CANDIDATURE — Pour postuler, il faut compléter un dossier de candidature que l'on se procure à l'adresse mentionnée ci-dessous. Il n'y a pas d'entretien de recrutement. Attention, pour la session d'été, la date limite de dépôt des dossiers est fixée au 15 mars.

✉ *Modoc National Forest - Heritage Resource Management Program - 800 West 12th Street - Alturas, CA 96101-3132 - Tél. : (916) 233-5811 - Fax : (916) 233-5817 - Contact : Gerry Gates, HMR Volunteer Coordinator*

## • Sierra Club

ACTIVITÉS — Chantiers de réhabilitation de l'environnement.

POSTES — Réfection de chemins, reforestation, nettoyage, chantiers archéologiques en Amérique du Nord et, une à deux fois par an, Sierra Club organise des voyages à l'étranger et y propose des activités de loisirs et d'intérêt général en relation avec la nature, en Europe, en Asie et en Amérique latine. La plupart des chantiers ont lieu l'été pour des durées de 7 à 10 jours. Quelques exemples de missions proposées en 1994 : préservation d'un site d'archéologie indienne dans le canyon de Chaco, au Nouveau-Mexique ; rénovation des sentiers pédestres du Glacier Park dans le Montana...

PROFIL — Toutes les nationalités peuvent postuler pour intégrer le Club. Il est préférable de parler un bon anglais, d'être en bonne condition physique et d'aimer pratiquer le camping. La nourriture et le matériel de camping sont fournis. Les chantiers aux USA coûtent en moyenne 260 $.

CANDIDATURE — Demandez le programme en écrivant à l'adresse ci-dessous.

✉ *730 Polk Street - San Fransisco, CA 94109 Tél. : (415) 923 5630*

DISTRICT DE COLUMBIA

## • American Hiking Society

ACTIVITÉS — Réhabilitation et entretien des parcs naturels et des forêts.

MISSIONS — Les 250 volontaires, principalement américains, travaillent durant l'été à la réfection et à l'entretien des chemins et sentiers aux USA. Une participation de 45 $ leur est demandée. Puisqu'ils campent sur leur lieux de travail, ils devront emporter leur propre équipement.

CANDIDATURE — Ecrivez à l'adresse ci-après.

*PO Box 20160 - Washington DC 20041-2160 - Tél. : (703) 255 9304 - Fax : (703) 255 9308 - Contact : Susan Henley, chargée du recrutement.*

*L'American Hiking Society publie aussi un annuaire proposant plus de 2 000 jobs de volontariat. Ecrivez à AHS Helping Out, à la même adresse, en joignant 7 $ pour en obtenir un exemplaire.*

## • Center for Marine Conservation

ACTIVITÉ        Protection de la faune et de la flore marines.

MISSIONS        Les stages ont pour sujet la protection des mammifères marins, des tortues de mer et la lutte contre la pollution. Ils ne sont pas rémunérés mais les coûts de transport entre votre logement et le bureau sont remboursés. Vous travaillez au moins 3 mois, de préférence à temps plein. Il s'agit surtout d'effectuer des recherches, de participer à la conception des publications du centre, de répondre aux questions du public, soit par téléphone, soit par écrit.

PROFIL          Il n'y a pas d'exigences précises en matière de formation, mais les stagiaires sont en général étudiants et doivent faire preuve d'un grand dynamisme et de fortes compétences à l'écrit. Des connaissances de base sur le milieu marin sont utiles mais pas indispensables.

CANDIDATURE     Adressez une lettre de candidature et un CV au moins 1 mois avant le début du stage.

*Center for Marine Conservation - 1725 DeSales Street, NW, - Suite 500 - Washington, D.C. 20036 - Tél. : (202) 429-5609 - Fax : (202) 872-0619 - Contact : Danise Thomas*

## • New Forests Project (NFP)

ACTIVITÉ        Protection et reboisement de la forêt.

MISSIONS        1 à 2 stages sont proposés par semestre (il y a plus de 70 demandes). Bien que les dates puissent changer, les stages débutent généralement en janvier, mai et septembre. Le travail s'effectue à mi-temps ou à temps complet (30 à 40 heures par semaine), sans rémunération. Le stagiaire est chargé de faire des recherches et d'écrire des projets, de répondre au courrier, d'aider dans différentes tâches administratives...

PROFIL          Ces stages s'adressent à des étudiants de tous niveaux et de toutes nationalités. Il faut toutefois avoir un intérêt pour l'étude de l'environnement aux niveaux régional et international. Il est recommandé de maîtriser le français ou l'espagnol.

CANDIDATURE     Les candidatures doivent être déposées 1 à 3 mois avant le début de chaque stage. Vous devez envoyer une lettre de motivation, votre CV, votre relevé de notes et des exemples de travaux écrits réalisés.

*New Forests Project - 731 8th Street, SE, - Washington, D.C. 20003 - Tél. : (202) 547-3800 - Fax : (202) 546-4784 - Contact : Jessica Goldberger*

NOUVEAU-MEXIQUE

## • Lincoln National Forest

ACTIVITÉ
Forêt nationale.

MISSIONS
La plupart des emplois impliquent des tâches physiques. 20 volontaires sont recrutés entre avril et novembre. Vous travaillez 5 jours par semaine, 8 heures par jour. Une indemnité est négociable avec un maximum de 25 $ par jour. Des logements sont parfois disponibles, mais le camping est la norme.

PROFIL
Un anglais de base, une bonne dose d'endurance et de force physique sont nécessaires.

CANDIDATURE
Adressez une lettre de candidature et un CV.

✉ *Lincoln National Forest - 1101 New York Avenue - Alamagordo, NM 88310 - Tél. : (505) 437-6030 - Contact : Judy Reynolds*

UTAH

## • Hawkwatch International

ACTIVITÉS
Hawkwatch est une association de protection des rapaces (aigles et faucons principalement). Elle organise des missions de recensement, d'observation des migrations, de baguage des oiseaux et d'éducation auprès de publics scolaires.

MISSIONS
L'association recrute une vingtaine de volontaires par an pour assister les scientifiques dans des tâches d'observation et de baguage, et de 2 à 4 volontaires pour les missions éducatives. Les travaux d'observation et de baguage se déroulent sur les périodes mars-avril et septembre-octobre. Les missions d'éducation ont lieu de septembre à juin. Les zones géographiques couvertes sont très variées : Utah, Montana, Nevada, Arizona... Il faut dans la plupart des cas emporter son matériel de camping, sa nourriture et être prêt à vivre au grand air, dans des conditions climatiques (parfois) difficiles. Les missions peuvent durer 1 jour, 1 semaine ou plus. Il n'y a aucun frais de participation.

PROFIL
Pour les postes d'observation et de baguage, le postulant doit savoir identifier les rapaces, être habile de ses mains et faire preuve d'une grande motivation en raison des conditions matérielles difficiles. Pour les postes éducatifs, une aisance orale et de bonnes notions en écologie sont nécessaires. Dans les deux cas, la connaissance de l'anglais est une condition sine qua non.

CANDIDATURE
Ecrivez à l'adresse ci-dessous, au moins 3 mois avant la date de travail souhaitée.

✉ *PO Box 660 - Salt Lake City, UT 84110-0660 - Tél. : (801) 524 8511 - Fax : (801) 524 8520 - Contact : Ann Pole*

SUR L'ENSEMBLE DU TERRITOIRE

## • United States Department of Agriculture - Forest Service

ACTIVITÉ
Office des forêts américain chargé de la protection des zones boisées aux Etats-Unis. L'office est divisé en 18 bureaux régionaux qui gèrent

au total 154 forêts nationales.

MISSIONS     Le Forest service recrute chaque année des centaines de volontaires sur tout le territoire pour assurer diverses tâches ; aménager les aires de camping, planter des arbres, accueillir les visiteurs, rénover des sentiers de randonnée, etc. Les volontaires travaillent 40 heures par semaine. Le logement et fourni, ainsi que les repas dans la mesure du possible. Les projets ont lieu l'été et durent 3 mois et plus.

Le Forest service précise que lorsqu'un poste a été trouvé, il peut mener les démarches nécessaires à l'obtention d'un visa J-1.

PROFIL     Tout le monde peut être volontaire. Les mineurs doivent avoir une autorisation écrite de leurs parents.

CANDIDATURE     Le recrutement des volontaires est délocalisé au niveau de chaque forêt. Commencez par contacter le bureau de la région qui vous intéresse ; il vous enverra la liste des forêts dont il est en charge ainsi qu'un dossier de candidature (expérience, études, motivation…) destiné à vous procurer un poste correspondant à votre profil.

Voici les adresses de quelques bureaux régionaux. Adressez votre courrier au *Volunteer Coordinator*.

*Forest service - Alaska Region - Federal Office Building - 709 West Ninth Street - PO Box 21628 - Juneau, AK 99802 - Tél. : (907) 586 8863*

*Forest Service - Pacific Southwest Region - 630 Sansome street - San Francisco, CA 94111 - Tél. : (415) 556 0122*

*Forest Service - Intermountain Research Station - 324 25th Street - Ogden, UT 84401 - Tél. : (801) 625 5412*

*Forest Service - Rocky Mountain Region -11177 West Eight Avenue PO Box 25127 - Lakewood, CO 80225 - Tél; : (303) 236 9431*

*Forest Service - Southern Forest Experiment Station - US Postal Service Building - 701 Loyola Avenue - New Orleans, LA 70113 - Tél. : (504) 589 6800*

## • US Fish and Wildlife service

ACTIVITÉ     Agence fédérale en charge de protéger la faune terrestre et aquatique américaine et d'informer le public sur les richesses animales du territoire.

POSTES     L'agence fait appel à des centaines de volontaires chaque année pour participer à ses travaux de conservation de la nature. Les volontaires remplissent des tâches très variées : recensement de populations animales, information des visiteurs, assistance dans des laboratoires de recherche, aménagement d'habitats naturels, photographies d'espèces animales et marines… La plupart des missions se déroulent en été, du 1er mai au 30 septembre. Il est possible de travailler sur l'ensemble du territoire américain.

A titre d'exemple, le bureau régional en Alaska recrute chaque année près de 250 volontaires. Ils sont nourris et logés (sauf rares exceptions). Les missions se déroulent dans des coins très sauvages et nécessitent une certaine résistance physique et un goût prononcé pour le camping et la vie en plein air. Les volontaires travaillent généralement 35 à 40 heures par semaine.

PROFIL   Tout le monde peut se porter volontaire à condition de savoir parler anglais, qui est bien sûr la langue de travail. Les mineurs doivent posséder une autorisation écrite de leurs parents.

CANDIDATURE   Demander un dossier de candidature au bureau régional qui vous intéresse. Adresser son courrier au *Volunteer Coordinator*. Les dossiers doivent être déposés en mars au plus tard pour une mission l'été suivant.

 *US Fish and Wildlife Service - East Side Federal complex - 911 NE, 11th Avenue - Portland, Oregon 97232 - (en charge notamment des Etats de Californie, Oregon et Hawaii)*

*US Fish and Wildlife Service - PO Box 1306 - 500 Gold Avenue, SW - Albuquerque, New Mexico 87103 - (en charge notamment des Etats du Texas, du Nouveau-Mexique et d'Arizona)*

*US Fish and Wildlife Service - Federal Building, Fort Snelling - Twin Cities, Minnesota 55111 - (en charge notamment des Etats de la région des Grands Lacs)*

*US Fish and Wildlife Service - Richard B Russel federal Building - 75 Spring street, SW - Atlanta, Georgia 30303 - (en charge des Etats du Sud incluant notamment la Louisiane, la Floride et Porto Rico)*

*US Fish and Wildlife Service - One Gateway Center, Suite 700 - Newton Corner - Massachusetts 02158 - (en charge des Etats du Nord-Est)*

*US Fish and Wildlife Service - PO Box 25486 - Denver Federal Center - Denver, Colorado 80225 - (en charge des Etats de la région des Rocheuses)*

*US Fish and Wildlife Service - 1011 East Tudor Road - Anchorage, Alaska 99503*

# Trouver un stage

## La notion de stage aux Etats-Unis

On pense souvent que pour trouver un stage aux Etats-Unis, il faut être pistonné. C'est sans doute vrai si l'on veut faire un stage dans une banque française à New York. Mais sachez que les Etats-Unis sont l'un des rares pays, avec l'Allemagne et la France, où la notion de stage étudiant (*internship*) soit répandue. La plupart des sociétés développent des programmes *internship*, généralement l'été, destinés à parfaire les connaissances des étudiants. Certes, comme le précise la Commission franco-américaine d'échanges universitaires et culturels "*il reste extrêmement difficile de trouver des stages aux Etats-Unis*". Mais contrairement à d'autres pays plus hermétiques, l'Australie par exemple, vous avez des raisons d'espérer. Avec un CV, et surtout une demande ciblée par rapport à vos études, les entreprises américaines se montreront intéressées par votre candidature.

Pour savoir comment rédiger un CV (*resume*) et une lettre de motivation (*cover letter*) à l'américaine, reportez-vous au chapitre "soignez votre candidature" page 75. Un ouvrage souvent recommandé par les professeurs est *Votre CV en anglais*, de Maud Texier, publié par Armand Colin.

Le problème concerne une fois de plus l'obtention d'un visa de travail. En effet, que votre stage soit rémunéré ou non, vous ne pouvez partir avec un simple visa de tourisme. A moins, précise le consulat, qu'il s'agisse seulement d'un stage d'observation, c'est à dire un stage au cours duquel vous ne touchez ni à un téléphone ni à un clavier d'ordinateur. Un cas de figure peu probable. Certaines entreprises, à partir du moment où votre stage n'est pas rémunéré, vous conseilleront de venir avec un simple visa touriste. Ne vous présentez pas à la douane en costume cravate.

Normalement, comme pour les jobs, vous devrez donc avoir recours à des organismes d'échanges spécialisés dans la délivrance de visa.

# Les organismes qui facilitent vos démarches

Pour plus d'informations sur les organismes d'échanges internationaux, reportez-vous à notre chapitre "Trouver un stage" :

- AIESEC, pour les étudiants en école de commerce (voir page 86).
- IAESTE, pour les étudiants ingénieurs (voir page 88).
- SESAME, pour les jeunes agriculteurs (voir page 86).

## Le Council on International Educational Exchange (CIEE)

Le Council développe un programme *Internship USA*, destiné aux étudiants de 18 ans et plus, inscrits dans une école ayant passé un accord avec le CIEE (note : si votre école n'a pas d'accord, cela peut se faire très rapidement, renseignez-vous). Il se déroule en deux phases :

- Si vous n'avez pas d'employeur, vous pouvez accéder à son centre de documentation. Ce centre propose des sessions d'orientation en petits groupes, des documents recensant des entreprises américaines et un entretien individuel pour mettre au point votre CV. Son coût d'accès est de 350 francs (non remboursables). Cette somme représente une pré-inscription à la deuxième étape du programme.

- Si vous avez trouvé une entreprise (grâce au centre de documentation ou par vous-même), le CIEE vous délivre le précieux formulaire IAP-66. Mais à une condition : la demande doit être faite par votre responsable de stage (professeur, directeur du bureau des stages ou des relations internationales...). Il s'agit donc nécessairement d'un stage d'études.

Les stages peuvent se dérouler à tout moment de l'année. Les dossiers, incluant bien sûr la lettre de votre employeur, doivent être déposés au moins 6 semaines avant le départ souhaité.

Les frais d'inscription (assurance comprise) sont fonction de la durée du stage : 2030 francs (1 à 2 mois), 2290 francs (3 à 4 mois), 2960 francs (5 à 8 mois) et 3660 francs (9 à 12 mois). Si vous avez déjà payé 350 francs, déduisez-les.

A noter que le Council peut rechercher une entreprise pour vous, moyennant un surcoût de 1950 francs.

Pour plus d'informations, contactez le CIEE.

✉ *Council on International Educational Exchange - 1, place de l'Odéon - 75006 Paris. Tél. : (1) 44 41 74 62*

## Le CEI/Club des 4 vents

Si vous avez trouvé un stage par vous-même, le CEI/Club des 4 vents peut aussi vous aider à obtenir l'IAP-66. Les conditions sont assez restrictives : vous devez être étudiant, votre stage ne doit pas dépasser 4 mois (de juin à septembre ou d'août à novembre), et il doit être rémunéré (montant suffisant pour vous loger et vous nourrir). Un délai de 2 mois est nécessaire pour obtenir le visa. Les frais sont de 2750 francs.

✉ *CEI/Club des 4 vents - 1, rue Gozlin - 75006 Paris - Tél. : (1) 43 29 60 20*

## L'Office des migrations internationales (OMI)

L'OMI a conclu des accords de partenariat avec deux organismes privés américains : l'AIPT (Association for International Practical Training) et la Chambre de commerce franco-américaine (CCFA). L'avantage par rapport aux organismes précédemment cités est double : les jeunes professionnels (et pas seulement les étudiants) peuvent en bénéficier et les partenaires américains peuvent vous aider à trouver une entreprise.

• Vous êtes jeune professionnel (18-35 ans) et désirez faire un stage :

- L'AIPT peut vous apporter une aide au niveau de l'obtention du permis de travail et de la recherche d'un employeur. Tous les secteurs d'activités sont concernés, avec une prédominance des secteurs hôtellerie, restauration, tourisme. Si vous êtes qualifié, l'AIPT diffusera votre offre dans une newsletter diffusée auprès d'entreprises partenaires. Si vous trouvez un employeur par vous-même, l'AIPT pourra vous obtenir un visa J-1. Les frais administratifs s'élèvent à 1000 $. L'AIPT précise qu'ils sont normalement pris en charge par les entreprises.

- Pour un stage en entreprise (surtout banque/assurance/finance), la CCFA peut vous aider à trouver un poste. Les frais, normalement assumés par l'entreprise, sont compris entre 800 et 1200 $ en fonction de la durée.

• Vous êtes étudiant (Bac+2 minimum) et avez trouvé un stage auprès d'une des entreprises membres de la Chambre de commerce franco-américaine : l'OMI vous aide à effectuer les formalités administratives. Si l'entreprise n'est pas membre de la CCFA, elle doit nécessairement adhérer pour que vous puissiez bénéficier de ce soutien. Les listes d'entreprises de la CCFA sont disponibles dans les bureaux de l'OMI.

Lorsque vous êtes en contact avec un employeur, incitez-le à se rapprocher des deux organismes cités ci-dessus, notamment pour résoudre d'éventuels problèmes administratifs.

✉ *AIPT - 10 Corporate Center, Suite 250 - 10400 Little Patuxent Parkway - Columbia, MD 21044-3510 - Tél. : (410) 997 2200*

✉ *French-American Chamber of Commerce in the United-States - 1350 Avenue of the Americas - Sixth floor - New York, NY 10019 - Tél. : (212) 765 4460*

Pour plus d'informations sur ces programmes, contactez l'une des délégations régionales de l'OMI (voir page 96).

A Paris :

✉ *OMI - Division emploi de la Maison des Français à l'étranger - 21 bis, rue La Pérouse - 75775 Paris Cedex 16 - Tél. : (1) 40 66 76 42*

## A Group, Students Travel

Cette association propose une aide personnalisée à la recherche de stages. Selon ses responsables, le taux de placement serait de 78% en 1994. Vous remplissez un dossier précisant votre demande et l'association vous transmet dans un délai de deux semaines des offres d'entreprises américaines correspondant à votre profil. A vous de les contacter. Coût de l'opération pour recevoir 15 offres : pour un stage d'un mois, 108 francs, pour un stage de deux mois, 208 francs... jusqu'à 1208 francs pour un stage de 12 mois. Pour recevoir une brochure et un questionnaire :

✉ *A Group, Students Travel - 76, rue Denis Papin - 41000 Blois - Tél. : 54 74 68 58*

# Trouver une entreprise pour votre stage

Nous vous indiquons ci-dessous les coordonnées d'employeurs américains recrutant de manière régulière des stagiaires. Les sociétés citées nous ont indiqué qu'elles étaient prêtes à accueillir des candidats français. La sélection se fera sur CV ou par entretien téléphonique. Ne vous faites pas d'illusions, pour tous ces stages, votre niveau d'anglais doit être excellent. Il est parfois possible

de négocier une indemnité de stage (modique), même lorsque l'entreprise précise qu'il n'y a pas de rémunération. A vous d'être persuasif...

## Communication, Médias et Journalisme

CALIFORNIE

### • Center for Investigative Reporting, Inc.

ACTIVITÉ — Centre de journalisme d'enquête, servant de base et de support à des journalistes qui effectuent des recherches approfondies sur des sujets polémiques. Les sujets sont ensuite utilisés en presse, radio ou télévision. Joue également le rôle d'un centre de formation pour de jeunes journalistes.

STAGES — Les stagiaires suivent le cours d'un projet d'enquête, contribuant parfois même aux recherches. On les encourage également à créer leurs propres sujets. 12 à 15 stagiaires sont recrutés chaque année et ont la possibilité de suivre des séminaires et des formations. En échange, vous devez répondre au téléphone à tour de rôle avec les autres stagiaires (1 à 2h par semaine). Ces stages durent environ 6 mois, avec un minimum de présence hebdomadaire de 12 à 20h. Vous recevez une bourse mensuelle de 100 $.

PROFIL — Votre niveau d'anglais est le premier critère à considérer. Le centre étudie favorablement les candidatures de non-étudiants. Vous devez démontrer votre vocation d'enquêteur.

CANDIDATURE — Adressez une lettre, un CV et des extraits d'articles publiés. Il arrive que des stagiaires qui n'ont encore rien publié soient également admis.

*Center for Investigative Reporting, Inc. - 568 Howard Street, Fifth Floor - San Francisco, CA 94105-3008 - Tél. : (415) 543-1200 Fax : (415) 543-8311 - Contact : James Curtis, Communications.*

### • Los Angeles Times

ACTIVITÉ — Presse quotidienne.

STAGES — Stages d'été de 11 semaines et demie. Le stagiaire travaillera à temps plein et recevra un salaire de 477 $ par semaine. Des stages sont proposés dans différents secteurs (reportage, journaliste photographe, secrétariat de rédaction, PAO...). Il est aussi possible d'effectuer un stage durant la période scolaire. Il durera alors 17 semaines et le stagiaire percevra une rémunération hebdomadaire de 166 $. De plus, une petite formation est assurée. Les postes et le lieu de travail varient en fonction de la période à laquelle vous effectuez votre stage.

PROFIL — Ce stage est destiné aux étudiants ou jeunes diplômés n'ayant pas encore entamé une carrière journalistique.

CANDIDATURE — Les dossiers doivent être déposés avant le : 1er octobre, pour la session de printemps ; 1er décembre, pour la session d'été ; 1er juin pour la session d'automne.

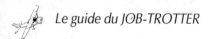
Vous pouvez écrire ou téléphoner pour plus de détails.

DIVERS            Le stagiaire doit disposer d'un véhicule en bon état de marche.

*Los Angeles Times - Times Mirror Square - Los Angeles, CA 90053 - Tél. : (800) 283 NEWS, Ext. 74487 - Contact : Rhonda McKoy, Editorial Internships.*

## • Lucasfilm Ltd

ACTIVITÉ          Créé par Georges Lucas, le réalisateur-producteur de la trilogie "La guerre des étoiles", le groupe Lucasfilm est devenu l'un des acteurs majeurs du cinéma hollywoodien. Deux compagnies composent le groupe :

- Lucasfilm Ltd est le pôle de production. La société a produit 6 des 12 plus grands succès de tous les temps (dont la série "Star wars" et les "Indiana Jones"). Elle gère en outre le merchandising et l'octroi de licences sur les héros de ses films, et commercialise le système sonore THX.

- Lucasdigital Ltd. est le pôle de création d'effets visuels et sonores. Cette division abrite notamment le studio ILM (Industrial Light and Magic), creuset d'artistes et de techniciens prodiges. C'est à ILM que l'on doit les effets spéciaux confondants de "Jurassic Park" et de "Forrest Gump".

STAGES            La société offre un éventail de stages très étendu. Tous les services ou presque peuvent accueillir des stagiaires : marketing, ressources humaines, informatique, finance-comptabilité, design et création graphique, techniques du son, vente et merchandising... Les stagiaires auront la possibilité de participer aux réunions entre grands pontes hollywoodiens, mais devront aussi accepter des tâches plus routinières (classement, saisie, photocopies...).

Seuls les stages d'été sont accessibles aux personnes étudiant à l'étranger. Ils se déroulent de juin à août. Ce sont des stages à plein temps, rémunérés 4,25 $ par heure. Entre 15 et 25 stagiaires sont ainsi recrutés chaque année.

PROFIL            Les candidats doivent être en cours d'études universitaires et dans une filière en relation avec le type de stage demandé. Une bonne maîtrise de l'ordinateur (Macintosh de préférence) est demandée.

CANDIDATURE       Envoyer formulaire d'inscription (à demander par courrier), CV, lettre de motivation, questionnaire de motivation (fourni avec le dossier d'inscription), relevé de notes et deux lettres de recommandation (de professeur ou d'employeur), au service des ressources humaines. Votre dossier doit parvenir avant le 30 mars.

*Lucasfilm Ltd - Human Resources, Intern Department - PO Box 2009 - San Rafael - CA 94912-2009 - Tél. : (415) 662-1800*

CAROLINE DU SUD
## • WCSC-TV Television Broadcasting

ACTIVITÉ    Chaîne de télévision.

STAGES    Possibilités dans différents départements : journalisme, production, promotion et ventes, technique. Une douzaine de stagiaires sont recrutés chaque année (pour moins de 20 candidatures).

Les stages se déroulent toute l'année, pour des périodes d'environ trois mois. La durée hebdomadaire de travail est de 20h.

Les stagiaires ne sont pas rémunérés.

PROFIL    Etudiants dans l'une des filières suivantes : journalisme, communication, gestion, techniques du son et de l'image.

CANDIDATURE    Le candidat doit fournir deux lettres de référence de son université ainsi qu'une convention de stage. Une interview par téléphone pourra être décidée le cas échéant.

*WCSC-TV-Television Broadcasting - PO Box 186 - Charleston, SC 29402 - Tél. : (803) 723-8371 - Fax : (803) 723-9764*
*Contact : Debbie Hiott*

COLORADO
## • KDVR-Fox 31

ACTIVITÉ    Station de télévision.

STAGES    Une dizaine de stages sont offerts chaque année dans les différents départements de la chaîne : production, promotion, ventes, etc. Ces stages ne sont pas rémunérés.

PROFIL    Chacun des 10 postes proposés présente des exigences particulières. Les qualités de base sont une immense disponibilité, le désir d'apprendre et beaucoup de patience et de sang-froid dans les moments de panique générale.

CANDIDATURE    Une convention de stage est indispensable. Vous devrez remplir un dossier de candidature que vous obtiendrez auprès de la station.

*KDVR-Fox 31 - 501 Wazee street - Denver, CO 80204*
*Tél. : (303) 595 3131*

DISTRICT DE COLUMBIA
## • National Journalism Center

ACTIVITÉ    Institut de recherche et de formation en journalisme.

STAGES    Une soixantaine de postes par an. Ces stages incluent de la recherche, des reportages, de la rédaction d'articles et un bon nombre de tâches administratives. Il s'agit d'un travail à temps complet d'une durée de 3 mois. Le stagiaire ne sera pas rémunéré mais recevra une indemnité.

PROFIL    Etudiants et diplômés du monde entier ayant un intérêt dans le journalisme et l'aptitude à lire et à écrire en anglais.

CANDIDATURE    Il faut remplir un dossier, y joindre un CV et des exemples d'articles.

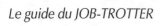

 *National Journalism Center - 800 Maryland Avenue, N.E. - Washington DC 20002 - Tél. : (202) 544-1333 - Fax : (202) 544-5368 - Contact : Mal Kline*

GÉORGIE

## • Turner Broadcasting System Inc.

ACTIVITÉ — TBS règne sur la télévision US.

STAGES — Stages non rémunérés de trois mois, quatre séries par an : tous les départements de TBS, y compris CNN, sont concernés.

PROFIL — Etudiants ou diplômés.

CANDIDATURE — Demander puis remplir un dossier. Joindre une lettre expliquant ce que vous apportera ce stage et décrivant vos intérêts professionnels, un CV, deux lettres de recommandation, dont l'une d'un professeur. Une copie de vos diplômes et de vos notes. A adresser 3 mois avant la date souhaitée de début de stage.

DIVERS — Possibilité d'effectuer son stage à Atlanta, Washington DC (contact : Tara Merkel , (202) 515-2916), New York (contact : Mary Lynn Streater, (212) 714-7819), Londres (contact : Pam Senters, (19.44) 71-637-6787), ou dans les bureaux locaux. S'adresser à Atlanta pour avoir la liste de tous les bureaux.

 *Turner Broadcasting System Inc. - One CNN Center, Box 105366 - Atlanta, GA 30348-5366 - Tél. : (404) 827-1700 - Contact : Jacqueline Trube, Internship Coordinator*

MARYLAND

## • Agora Inc.

ACTIVITÉ — Editeur de journaux spécialisés, type "newsletters".

STAGES — De 2 à 5 stages sont offerts par an, d'une durée de 3 à 6 mois. La société reçoit environ 40 candidatures. Votre tâche consiste à vérifier des informations, mener des entretiens au téléphone, rédiger des lettres et effectuer du classement. Vous travaillez de 25 à 40h par semaine.

PROFIL — Minimum de 2 ans d'études universitaires, facilités au téléphone en anglais, savoir dénicher l'information.

CANDIDATURE — Adressez votre lettre de candidature et votre CV : la société vous demandera le cas échéant des lettres de référence et fixera peut-être un entretien.

 *Agora Inc. - 824 East Baltimore Street - Baltimore, MD 21202 - Tél. : (410) 234-0515 - Fax : (410) 547-6572 - Contact : Kathleen Peddicord*

MASSACHUSETTS

## • Continental Cablevision

ACTIVITÉ — Chaîne publique et communautaire de télévision par câble : les habitants de cette région ont la possibilité de créer leurs propres programmes de télévision.

STAGES      Une quinzaine de stages d'assistants de production vidéo de durées variables sont disponibles chaque année, pour environ 100 candidatures. Il s'agit de postes à temps plein ou à mi-temps (selon les périodes), non rémunérés. Votre stage commence par une formation d'une à deux semaines durant laquelle l'entreprise et ses employés vous sont présentés et le fonctionnement d'un certain nombre d'équipements techniques expliqué.

PROFIL      Niveau d'anglais particulièrement solide. Vous devez être très intéressé par la télévision locale.

CANDIDATURE      Adressez votre lettre et votre CV : un entretien par téléphone sera organisé.

*Continental Cablevision - Local Programming Department - 71 Bradford St. - Northampton, MA 01060 - Tél. : (413) 586-6922 - Fax : (413) 586-5733 - Contact : Jim McKeever*

## • David R. Godine, Publisher

ACTIVITÉ      Maison d'édition.

STAGES      Stages d'assistant dans tous les départements de l'entreprise : de l'évaluation des manuscrits à la promotion des ouvrages, en passant par la fabrication, la relecture et quelques mailings. 15 stagiaires sont recrutés par an (pour 60 à 70 candidatures). Les stages ne sont pas rémunérés, durent quatre mois et débutent à l'automne, au printemps et en été. Vous travaillez environ 20 heures par semaine.

PROFIL      Faire preuve d'initiative, être prêt à travailler dans tous les domaines de l'édition, être capable de suivre de A à Z et de façon autonome un projet précis. Bien sûr, anglais parfait de rigueur.

CANDIDATURE      Adressez lettre de motivation et CV, incluant si possible des lettres de référence. Un entretien au téléphone suivra.

*David R. Godine, Publisher - 300 Massachusetts Avenue - Boston, MA 02115 - Tél. : (617) 536-0761 - Fax : (617) 421-0934 - Contact : Mark Polizzoti*

## • WCVB TV

ACTIVITÉ      Chaîne de télévision de la région de Boston.

STAGES      Les stages se déroulent sur un trimestre et ne sont pas rémunérés. Il y a environ 50 places de stagiaires.

PROFIL      Vous devez bénéficier d'une convention de stage. Les qualités demandées sont le sens de l'initiative et de la communication, d'excellentes compétences à l'écrit et de bonnes connaissances de l'actualité.

CANDIDATURE      Adressez-vous à la station pour obtenir un dossier de candidature.

*WCVB TV - 5 TV Place - Needham Heights, MA 02194-2303 - Tél. : (617) 449-0400 - Fax : (617) 449-0260 - Contact : Daphne Chuang Nichols*

## • Archive Films, Inc.

ACTIVITÉ     Agence fournissant des images d'archives (actualités télévisées, films muets et parlants, documentaires...) à des chaînes de télévision, des sociétés privées ou des centres d'enseignement.

STAGES     Trois types de stages proposés. Ils ont lieu toute l'année, leur durée variant de 6 semaines à 3 mois. Vous devez travailler au minimum 24h par semaine. Indemnité de stage négociable.

a. Recherche : vérification de données, recherches sur la base de données informatique, duplication de films. 25 stages sont offerts (pour 50 candidatures).

b. Technique : transfert de cassettes vidéo. 10 stages par an (pour 25 candidatures).

c. Commercial : recherche des films demandés par les clients, visionnage, mailings, administration. 4 stages par an (pour 10 candidatures).

PROFIL     a. Très bon anglais, études d'histoire ou de cinéma.

b. Bon anglais, sens de l'organisation, savoir travailler de façon autonome.

c. Excellent anglais, sens des contacts et de l'organisation.

CANDIDATURE     Adressez une lettre et un CV. L'agence répondra par courrier. Un entretien peut être organisé au téléphone.

✉     *Archive Films, Inc. - 530 W 25th Street - New York, NY 10001*
*Tél. : (212) 620-3955 - Fax : (212) 645-2137*

## • Broadcast News Networks

ACTIVITÉ     Société de production télé.

STAGES     Jusqu'à 40 stages sont offerts chaque année (pour 75 candidatures). Les stages se déroulent dans tous les domaines de la production télé, de la recherche de sujets au marketing. Ils ne sont pas rémunérés et durent trois mois.

PROFIL     Avoir le sens de l'humour, ce qui dans un contexte anglo-saxon signifie qu'il faut accepter avec le sourire le stress parfois agressif de ses collègues. Un très bon niveau d'anglais est nécessaire. Il faut être prêt à travailler sous pression, parfois à plein temps, en moyenne 20h par semaine.

CANDIDATURE     Contacter la société par courrier, téléphone ou fax avant la fin des mois suivants : avril, août, novembre. Un entretien, même au téléphone, est nécessaire.

✉     *Broadcast News Networks - 78 Church Street - Saratoga Springs,*
*NY 12866 - Tél. : (518) 899-6989 - Fax : (518) 899-5620 - Contact :*
*Martine Charles ou Tamara Valentine*

## • CMP Publications, Inc.

ACTIVITÉ       Editeur de magazines professionnels, de journaux, en particulier sur le tourisme et les voyages.

STAGES         8 stages offerts par an (200 candidatures). Les stages se déroulent en été dans des fonctions éditoriales : le stagiaire s'occupe des mailings, de répondre au téléphone et d'effectuer quelques travaux de secrétariat, mais il doit aussi mener des vérifications d'informations, des recherches, des entretiens. Le stage dure huit semaines, est à temps plein (40h par semaine) et est rémunéré à hauteur de 8 $ l'heure.

PROFIL         Les candidats doivent poursuivre des études d'anglais ou de journalisme et avoir une première expérience de journalisme au niveau local ou universitaire. L'anglais doit bien entendu être proche de la perfection.

CANDIDATURE    Vu le nombre de candidats et l'intérêt de ces stages, adressez votre candidature plusieurs mois à l'avance, en incluant un CV et des exemples d'articles publiés.

*CMP Publications, Inc - 600 Community Drive - Manhasset, NY 11030 - Tél. : (516) 562-5281 - Fax : (516) 562-5993*
*Contact : Therese Zetzsche*

## • The Kitchen

ACTIVITÉ       Centre culturel se consacrant à l'art contemporain sous toutes ses formes : de la littérature à la vidéo en passant par le théâtre et la danse.

STAGES         Les stages ne sont pas rémunérés et peuvent commencer quand vous le souhaitez ; vous pouvez également choisir la durée. Il s'agit d'assister un des 6 directeurs de département : administration, développement/finances, production/technique, publicité, distribution vidéo, expositions. En été, les postes offerts concernent surtout la recherche de financement.

PROFIL         Savoir vous servir d'un Macintosh. Par ailleurs une expérience dans les domaines convoités est nécessaire.

CANDIDATURE    Adressez une lettre et un CV et téléphonez pour vous assurer que votre candidature est bien arrivée.

*The Kitchen - 512 W. 19th Street - New York, NY 10011 - Tél. : (212) 255-5793 - Fax : (212) 645-4258 - Contact : Cat Domiano, Production Coordinator*

## • The MacNeil / Lehrer Newshour

ACTIVITÉ       Journal télévisé de très grande écoute diffusé sur la chaîne publique PBS.

STAGES         Deux programmes possibles :

a. Quatre stagiaires sont recrutés par trimestre. Les stages ne sont pas rémunérés. Vous travaillez au minimum 20 heures par semaine, durant trois mois. Les périodes de stage commencent en septembre,

293

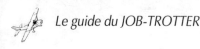

janvier et juin.

b. Pour les jeunes diplômés, une possibilité existe en tant qu'assistant de production. Quatre assistants sont recrutés deux fois par an et rémunérés pendant six mois à hauteur de 4,25 $ l'heure. Ce sont des emplois à temps plein demandant une présence de 8 heures par jour minimum.

PROFIL   Il faut avoir vu l'émission un assez grand nombre de fois pour être capable dans le cadre du dossier de candidature de donner un avis intéressant, voire de proposer des moyens de l'améliorer.

CANDIDATURE   Pour le programme (a), vous devez avoir une convention de stage. Une lettre de candidature, un CV et un dossier de candidature sont à adresser à l'émission au plus tard deux mois avant le début du programme.

*The MacNeil / Lehrer Newshour - 356 West 58th Street - New York, NY 10019 - Tél. : (212) 560-3139 - Fax : (212) 560-3102 - Contact : Marc A. Thomas*

## • Newsday

ACTIVITÉ   Le cinquième plus grand quotidien aux Etats-Unis, un des journaux de l'empire Murdoch. Tirage : 500 000 exemplaires.

STAGES   42 stagiaires sont recrutés par an. Postes proposés : rédacteurs, reporters, photographes, graphistes, documentalistes. Les stages, rémunérés, durent 10 semaines et commencent mi-juin.

PROFIL   Etudiants avec une passion pour le journalisme et un excellent anglais.

CANDIDATURE   Pour plus de renseignements et un dossier de candidature écrivez au journal. Il faut en général adresser son dossier avant fin décembre pour l'année suivante.

*Newsday - 235 Pinelawn Road - Melville, NY 11747-4250 Contact : Joye Brown*

## • Visual Studies Workshop

ACTIVITÉ   Visual Studies Workshop (VSW) est un studio de création graphique, qui édite des livres, des catalogues, des posters et des périodiques. VSW s'intéresse de près à l'art contemporain, à l'imagerie électronique et à la production indépendante de films vidéo. La société gère en outre une petite galerie d'exposition (photographique essentiellement) et un studio d'effets spéciaux visuels et sonores.

STAGES   Des stages sont offerts dans différents départements :

- Exposition : le stagiaire aide à la préparation des expositions, mène des tâches d'inventaire, participe à la promotion (rédaction des communiqués de presse par exemple), etc.

- Centre des médias : le stagiaire contribue à l'organisation de projections de films, de conférences... Il s'occupe entre autres de la réalisation des documents promotionnels et des relations avec la presse.

- Magazine "afterimage" : le stagiaire participe à l'élaboration de ce magazine consacré aux nouvelles formes d'expression visuelle. Tous les travaux d'édition sont envisageables : rédaction d'article, editing, mise en page, iconographie...

- Centre de recherche : le stagiaire est formé aux différentes techniques de rangement et de conservation de collections photographiques.

Les stages se déroulent à mi-temps et durent au moins un semestre. Ils ne sont hélas pas rémunérés et s'adressent par conséquent aux personnes fortement motivées par les métiers de l'édition et soucieuses d'acquérir leurs premières références.

PROFIL        Les candidats doivent savoir utiliser un Macintosh et/ou pouvoir justifier de travaux en matière d'écriture et de graphisme.

CANDIDATURE   Envoyer une lettre de motivation, un CV et le nom de deux références à VSW.

✉   *Visual Studies Workshop - 31 Prince street - Rochester, NY 14607 - Tél. : (716) 442-8676 - Contact : Joan Lyons, Coordinator*

## • WSKG Public Television and Radio

ACTIVITÉ      WSKG est un groupe de communication.

STAGES        Différents postes sont proposés dans les différents services du groupe : éducation, production, communication, marketing... Les stages se déroulent toute l'année. Ils doivent s'inscrire dans le cadre des études. Aucune rémunération n'est prévue. Jusqu'à présent, les stagiaires sont tous des étudiants de la région.

PROFIL        Etudiant ou jeune diplômé.

CANDIDATURE   Envoyer un CV et une lettre précisant le type de stage recherché. Si l'entreprise semble accueillante vis-à-vis de candidatures françaises, elle précise néanmoins qu'elle n'a aucun savoir-faire en matière de visa de travail.

✉   *WSKG Public Television and Radio - PO Box 3000 Binghamton - NY 13902 - Tél. : (607) 729-0100 - Fax : (607) 729-7328*

PENNSYLVANIE

## • WCAU TV-10

ACTIVITÉ      Chaîne de télévision.

STAGES        a. Vous travaillez dans le département chargé des bancs d'essai de produits et des questions de consumérisme : il s'agit de répondre aux appels du public se plaignant de tel ou tel produit, enquêter sur des sujets de reportages, générer des idées de reportages, accompagner les équipes de tournage, observer le montage. Ces stages ne sont pas rémunérés. Vous travaillez de 16 à 40h par semaine. 15 à 20 postes sont offerts par an. La société reçoit environ 50 demandes.

b. Vous travaillez dans le département des programmes et de la promotion. 12 postes proposés par an, pour 50 à 75 candidatures. Le temps de travail hebdomadaire est d'environ 12h, avec des horaires flexibles.

PROFIL     Etudiants intéressés par la télévision et le reportage. Excellent niveau d'anglais. Savoir communiquer au téléphone.

CANDIDATURE     Adressez un CV 6 mois à l'avance : vous serez contacté pour un entretien.

✉     *WCAU TV-10 - City Line Av. & Monument Rd - Philadelphia, PA 19131 - Tél. : a. (215) 668-5646 — b. (215) 668-5952 - Contact : a. Lisa Spinosa, b. Cindy Stover*

ETAT DE WASHINGTON

## • The Seattle Times

ACTIVITÉ     Presse quotidienne.

STAGES     Seulement 10 à 12 places sont attribuées par an, par conséquent, la compétition est dure. Le stagiaire travaille à plein temps et perçoit une rémunération. Différents postes sont à pourvoir : journalistes, photographes, responsables PAO…

PROFIL     Ces stages s'adressent aux étudiants en journalisme et aux personnes profondément motivées. Il est fortement recommandé d'avoir déjà une expérience en la matière et d'avoir un très bon niveau d'anglais.

CANDIDATURE     Candidature à adresser avant le 15 novembre. Pour tous les stages, vous devez envoyer : une lettre de motivation, votre CV, un essai d'une page (dactylographiée) exprimant, le mieux possible, l'intérêt que vous portez au journalisme, 5 exemples de travaux publiés.

Les candidats au poste de photographe n'ont pas besoin de rédiger un essai. Cependant, ils doivent envoyer 20 exemples de travaux publiés (coupures de journaux ou diapositives).

DIVERS     Les stagiaires doivent posséder une voiture.

✉     *The Seattle Times - Newsroom Intern Coordinator - P.O. Box 70 - Seattle, WA 98111 - Tél. : (206) 464-3274 - Fax : (206) 464-2261 - Contact : Molly Hendrickson*

## Musées

CALIFORNIE

## • Los Angeles Municipal Art Gallery

ACTIVITÉ     Musée d'art contemporain.

STAGES     Une quinzaine de stagiaires sont recrutés chaque année. Il s'agit de guider des groupes d'enfants dans le musée et de leur donner des cours sur l'art contemporain. Il faut aussi rédiger certains cours. La durée minimale du stage est de 3 mois et demi. Il y a trois programmes de stages par an, commençant en septembre, fin janvier et fin mai. Les stages ne sont pas rémunérés.

PROFIL     Un anglais courant est indispensable. Vous devez aimer travailler

avec les enfants, avoir de bonnes connaissances en matière d'arts plastiques et accepter de participer à une formation initiale.

CANDIDATURE    Vous devez remplir un dossier, y joindre un CV et une lettre de recommandation. Les candidatures doivent être déposées au plus tard deux mois avant le début du programme. Un entretien téléphonique sera organisé.

 ***Los Angeles Municipal Art Gallery - 4804 Hollywood Bvd. - Los Angeles, CA 90027 - Tél. : (213) 485-4581 - Fax : (213) 485-8396***

## • Museum of Contemporary Art, San Diego

ACTIVITÉ    Musée d'art contemporain.

STAGES    Le musée propose des stages dans ses différents départements : conservation (*curatorial*), éducation, enregistrement et catalogue (*registration*), développement et administration. Les stagiaires dans les départements conservation, éducation et enregistrement aident à la préparation des expositions par des travaux de recherche et de rédaction. Les stagiaires dans les autres départements ont essentiellement des tâches administratives et de gestion. Le travail est réparti sur deux sites : à La Jolla et dans le centre de San Diego. 10 à 15 stages sont offerts chaque année pour environ 25 candidatures. Les stages durent trois à quatre mois et se déroulent sur trois périodes dans l'année : septembre à décembre, janvier à mai et juin à août.

PROFIL    Les stages s'adressent de préférence à des étudiants en histoire de l'art, en muséologie ou en gestion. Les candidats doivent parler et écrire anglais couramment (bien que le conservateur du musée parle un français impeccable). Il n'y a pas de rémunération.

CANDIDATURE    Les étudiants doivent écrire ou envoyer un fax au musée pour recevoir un dossier de candidature.

 ***Museum of Contemporary Art, San Diego - 700 Prospect Street - La Jolla, CA 92037 - Tél. : (619) 454-3451 - Fax : (619) 454-6985 - Contact : Seonald L. McArthur***

COLORADO

## • Colorado History Museum

ACTIVITÉ    Le Musée d'Histoire du Colorado rassemble une large collection de documents et d'objets ayant trait à l'histoire, l'archéologie et l'ethnologie du Colorado et de l'ouest des Etats-Unis.

STAGES    Les stages proposés couvrent toutes les facettes du travail dans un musée. Recherches, constitution de catalogues et de répertoires, visites guidées, travaux administratifs, design, réalisation de publications et de brochures... 20 stagiaires environ sont recrutés chaque année. Ces stages ne sont pas rémunérés. Leur durée est variable. Ils peuvent se dérouler toute l'année.

PROFIL    Les candidats doivent poursuivre des études dans les domaines de l'histoire, l'anthropologie, l'éducation ou se destiner à des carrières dans les musées.

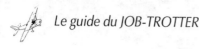

CANDIDATURE Les personnes intéressées doivent envoyer un CV et une lettre de motivation. Il n'y a pas d'entretien de recrutement.

*Colorado History Museum - 1300 Broadway - Denver, CO 80203-2137 - Tél. : (303) 866-3682 - Fax : (303) 866-5739*
*Contact : Katherine Kane*

DISTRICT DE COLUMBIA

## • **The Navy Museum**

ACTIVITÉ Le musée de la marine de Washington retrace l'histoire de la marine américaine.

STAGES Le musée propose des stages dans 4 domaines différents.

- Pour les étudiants en histoire ou en histoire de l'art, postes d'assistant du conservateur. Le stagiaire est en charge de la préparation des expositions temporaires et de la publication des programmes.

- Pour les étudiants dans les domaines éducatifs ou historiques, postes d'assistant du directeur des programmes éducatifs.

- Pour les étudiants en communication, poste d'assistant en relations publiques. Le stagiaire aura notamment pour mission de rédiger les communiqués de presse et de gérer les mailings du musée.

- Pour les étudiants en design et en graphisme, postes au sein du département design du musée : réalisation des maquettes, aménagement des vitrines et des stands, recherches typographiques, prises de vue photos...

La durée des stages est au minimum de 120h. Une petite indemnité de stage est envisageable, mais non garantie.

PROFIL Les stagiaires doivent a priori être étudiants mais un fort intérêt pour la marine américaine peut suffire. Les stagiaires au département design doivent en outre présenter un book de leurs travaux graphiques.

CANDIDATURE Les candidats pour les différents stages doivent remplir un dossier au moins deux mois avant la date de stage souhaitée.

*The Navy Museum - Washington Navy Yard, 901 M street SE - Washington, DC 20374-5060 - Tél. : (202) 433-4882 - Fax : (202) 433-8200 - Contact : Susan Silverstein Scott ou Edward Furgol*

ILLINOIS

## • **Chicago Children's Museum**

ACTIVITÉ Le Musée des enfants de Chicago est un espace de découverte et d'apprentissage pour les enfants de la ville. Le musée organise aussi des cours d'art l'été, pour les adolescents.

STAGES Le musée offre 8 possibilités de stages au sein de ses différents services : éducation, centre d'art recyclé (le stagiaire part en quête de matériaux à recycler et participe aux ateliers de création), exposition (élaboration et gestion journalière des expositions), département externe (accroître l'audience du musée, notamment auprès des écoles, des services sociaux et des populations défavorisées), alphabétisation (le stagiaire travaille en collaboration avec des équipes d'adolescents volontaires chargés de promouvoir la lecture auprès des jeunes), marketing et relations publiques...

Les stages ont une durée minimale de 3 mois et se déroulent toute l'année. 12 à 15 stages sont offerts. Le stagiaire effectuera 15 à 35h par semaine (il n'y a pas d'indemnité).

PROFIL
Les candidats doivent avant tout faire preuve d'une grande motivation.

CANDIDATURE
Contacter directement Kathleen Premer ou envoyer un CV.

*Chicago Children's Museum - North Pier Chicago - 435 East Illinois Street - Suite 370 - Chicago, IL 60611 - Tél. : (312) 527-1000 - Fax : (312) 527-9082 - Contact : Kathleen Premer*

INDIANA

## • The Children's Museum

ACTIVITÉ
Aider les enfants et les adolescents à découvrir la science et la culture d'une manière amusante.

STAGES
40 stages d'une durée minimum de 8 semaines sont proposés chaque année (pour 80 demandes). Ils sont très diversifiés :

Le stagiaire peut être placé dans le secteur "éveil" des tout petits, où il sera chargé de superviser et d'organiser des activités. Il peut aussi s'occuper du programme éducatif des adolescents, aider à la préparation de spectacles, servir de guide aux visiteurs, etc. La durée du travail est en moyenne de 40 heures par semaine, non rémunérées.

PROFIL
Ces stages s'adressent à des étudiants désirant travailler avec des enfants et dont l'école accepte de délivrer une convention de stage. Il faut être dynamique, enthousiaste, disponible...

CANDIDATURE
Vous devez envoyer votre candidature 3 mois avant la date de votre stage en y joignant un extrait de votre casier judiciaire, un CV et une lettre de motivation décrivant avec précision l'intérêt que vous portez à un tel stage. Si votre candidature est retenue, vous aurez un entretien avec un membre du personnel du Children's Museum. Une lettre de recommandation (professeur, conseiller en orientation, etc.) vous sera demandée à votre arrivée.

*The Children's Museum of Indianapolis - P.O. Box 3000 - Indianapolis, IN 46206 - Tél. : (317) 924-5431 Fax : (317) 921-4019*

MARYLAND

## • Baltimore Museum of Industry

ACTIVITÉ
Le Musée de l'Industrie de Baltimore permet de revivre la vie des ouvriers de Baltimore au temps de la révolution industrielle. Les visiteurs sont essentiellement des écoliers.

STAGES            Les stages proposés incluent des travaux d'archivage, de recherche historique, de constitution de bases de données sur ordinateur, de design, de documentation...

Le nombre de stagiaires n'est pas limité. Le stage n'est pas rémunéré et il n'y a pas de durée a priori.

PROFIL            Les stages sont essentiellement ouverts aux étudiants se destinant à des carrières dans l'éducation, l'histoire, la conservation de musée, le design, l'architecture intérieure et la documentation.

CANDIDATURE       Les candidats doivent envoyer CV et lettre de recommandation (d'un professeur par exemple).

 *Baltimore Museum of Industry - 1415 Key Highway - Baltimore, MD 21230 - Tél. : (410) 727-4808 - Fax : (410) 727-4869*
*Contact : Ann Steele*

MASSACHUSETTS

## • **The Children's Museum**

ACTIVITÉ          Musée pour enfants organisant des expositions et des activités éducatives.

STAGES            Deux "*Interpreter Programs*" sont offerts :

- stages de 10 mois commençant en août,

- stages de 2 mois commençant fin juin.

Le musée emploie ainsi 11 animateurs qui organisent les visites et les activités. Il s'agit d'un emploi à temps plein rémunéré 6,30 $ de l'heure. Le public du musée se compose d'enfants en maternelle, en école élémentaire ou d'enfants en difficulté. Le programme inclut une formation initiale de trois jours et des cours quotidiens.

PROFIL            Le programme s'adresse à de jeunes adultes intéressés par l'enseignement en général et qui désirent acquérir une expérience de l'enseignement à des enfants. Le fonctionnement spécifique d'un musée est bien entendu au centre de ce stage. Une des qualités principales est de savoir générer l'enthousiasme. Un grand nombre de formations universitaires sont acceptées.

CANDIDATURE       Adressez un CV, une lettre de candidature et trois lettres de référence. Précisez votre expérience de l'éducation des jeunes enfants et votre vision sur le rôle des musées dans l'éducation. Les candidatures doivent en général parvenir avant le 1er avril.

 *The Children's Museum - 300 Congress St. - Boston - MA 02210-1034 - Tél. : (413) 426-6500 (poste 224) - Contact : Loretta Moreo.*

MINNESOTA

## • **The Minneapolis Institute of Arts**

ACTIVITÉ          Musée d'arts plastiques.

STAGES            40 à 50 stages sont proposés par an. La durée des stages varie de 3 à 12 mois. Vous travaillez au minimum 20h par semaine, au maximum

38h. Vous participez à un projet spécifique dans un des départements : éducation, marketing, communication, développement, conservation. Vous assistez à un cours mensuel sur les différentes activités du musée. Il y a trois séries de stages, commençant en janvier, mai ou septembre.

PROFIL — A priori tous les candidats ayant une expérience, une compétence ou un intérêt dans la gestion d'un musée ont leurs chances. Toutefois, vous devez avoir une première formation artistique et démontrer d'excellentes compétences en matière de recherche et de rédaction.

CANDIDATURE — Vous devez remplir un dossier et y joindre un CV, une copie de vos diplômes et de vos notes et deux lettres de référence, trois mois avant le début du stage.

**The Minneapolis Institute of Arts - 2400 Third Avenue South - Minneapolis, MN 55404 - Tél. : (612) 870-3074**
**Contact : Sheila McGuire**

NEW YORK

# • Cooper-Hewitt Museum

ACTIVITÉ — Le Cooper-Hewitt National Museum of Design est le seul musée aux Etats-Unis exclusivement consacré à l'art du design passé et contemporain.

STAGES — Le Cooper-Hewit Museum offre 4 programmes de stages d'été :

- Stages non rémunérés : il s'agit d'un programme de 10 semaines au cours duquel les participants se familiarisent avec la vie du musée sous toutes ses facettes. 12 postes proposés.

- Stages "Peter Krueger" : les participants sont affectés aux services de conservation, d'éducation ou d'administration. Ils effectuent des recherches sur les projets d'exposition et contribuent aux travaux journaliers du musée. 6 stages sont proposés. La rémunération est de 2 500 $ pour 10 semaines. Ces stages s'adressent aux étudiants en histoire de l'art, design, conservation de musée et éducation.

- Stage "Mark Kaminski" : un stage est proposé aux étudiants en histoire architecturale, design ou critique de design, pour mener des travaux de recherche sur la très vaste collection de dessins architecturaux et d'archives du musée. Ce stage est rémunéré 2 500 $ pour 10 semaines.

CANDIDATURE — Les candidats doivent envoyer avant le 31 mars un CV, une lettre de leur école, deux lettres de recommandation (dont l'une au moins d'un professeur) et un essai d'une ou deux pages décrivant leurs objectifs de carrière et leur motivation. Il est possible d'être candidat à plusieurs programmes à la fois, à condition d'envoyer un dossier différent pour chacun.

**Cooper-Hewitt National Museum of design - 2 East 91st Street - New York, NY 10128 - Tél. : (212) 860-6977 - Fax : (212) 860-6909 - Contact : Kerry MacIntosh, Intern Coordinator**

## • Independent Curators Inc. (ICI)

ACTIVITÉ    Organisation à but non-lucratif qui réalise des expositions itinérantes d'art contemporain.

STAGES    2 à 5 stagiaires sont recrutés par an, pour 10 à 30 candidatures reçues. Vous travaillez, au moins 15 heures par semaine, dans un des trois départements principaux :

a. Administration.

b. Développement : vous participez à l'organisation de tous les événements servant à financer ICI. Vous aidez au planning, à la recherche et à l'approche de prospects.

c. Expositions.

PROFIL    A priori ouvert aux lycéens, étudiants et diplômés ayant un intérêt pour les arts plastiques et un excellent anglais à l'écrit comme à l'oral. Plus précisément :

a. expérience dans le travail de bureau dans une galerie ou un musée. Savoir taper en anglais avec précision. Formation artistique préférée.

b. bonnes connaissances informatiques, excellent sens de la communication, à l'écrit comme à l'oral.

c. expérience de travail de bureau, savoir taper à la machine, connaissance de traitement de texte.

CANDIDATURE    Adressez une lettre de candidature et un CV.

*Independent Curators Inc. (ICI) - 799 Broadway, Suite 205 - New York, NY 10003 - Tél. : (212) 477-8200 - Fax : (212) 477-4781 - Contact : Judith Richards, Associate Director*

## • The Metropolitan Museum of Art

ACTIVITÉ    Le musée s'applique à "demeurer un des plus grands musées d'art de la galaxie !".

STAGES    Plusieurs programmes de stages :

a. Stages de 10 semaines en été pour étudiants (10 places) : recherche et rédaction de rapports en liaison avec les expositions permanentes ou temporaires. Vous travaillez 5 jours par semaine, soit 35 heures. Le programme débute en général en juin. Rémunération : 2 500 $.

b. Stages de 10 semaines en été pour lycéens (14 places) : guides dans le musée, conseillers au centre d'information, assistant à l'administration. Vous travaillez 5 jours par semaine, soit 35 heures. Le programme débute par deux semaines de formation en juin. Rémunération : 2 200 $.

Ces deux programmes attirent 275 à 300 candidatures par an.

c. Il existe aussi des possibilités de stages non rémunérés de 2 à 9 mois, de septembre à mai, soit à plein temps, soit à temps partiel. Leur nombre varie selon les besoins.

PROFIL a. Etudiants ayant déjà au moins effectué une année d'université en histoire de l'art ou sujets connexes.

b. Ouverts uniquement aux lycéens ayant un fort intérêt dans l'histoire de l'art.

c. Ouverts aux lycéens, étudiants ou diplômés.

CANDIDATURE Avant fin janvier pour les programmes (a) et (b).

Vous devez adresser votre candidature comprenant un CV, deux lettres de références de vos professeurs, les copies de vos diplômes et de vos notes, une liste des cours suivis en histoire de l'art, vos connaissances en langues et un essai de 500 mots maximum décrivant vos objectifs de carrière, votre intérêt pour les musées et les raisons de votre candidature. Attention un entretien est obligatoire pour le programme (b). N'oubliez pas de mentionner les adresses et numéros de téléphone de votre domicile et de votre université.

*The Metropolitan Museum of Art - 1000 Fifth Avenue - New York, NY 10028-0198 - Tél. : (212) 570-3710 - Fax : (212) 570-3972 - Contact : Linda Komaroff*

## Arts : théâtre, danse, photo...

CALIFORNIE

## • San Francisco Camerawork

ACTIVITÉ Atelier cherchant à promouvoir la photographie contemporaine et les médias associés. Organise des expositions expérimentales de jeunes artistes et publie un magazine.

STAGES Rédaction de communiqués de presse, relecture d'articles, installation des expositions, gestion de la bibliothèque. Les stages durent 4 mois minimum, 12 mois maximum. En moyenne, les stagiaires travaillent un ou deux jours par semaine. Stages non rémunérés. 4 postes, 20 candidatures.

PROFIL Ouvert à toute personne intéressée par la photographie.

CANDIDATURE Envoyez une lettre de candidature et un CV.

*San Francisco Camerawork-70 - 12th Street - San Francisco, CA 94114 - Tél. : (415) 621-1001 - Fax : (415) 621-1082 - Contact : Robert Kelley, internship coordinator*

CAROLINE DU NORD

## • American Dance Festival

ACTIVITÉ Ecole de danse.

STAGES Les stages durent 2 mois (du 25 mai au 25 juillet) et sont rétribués par une indemnité de 950 $. Ils se déroulent sur le campus de l'université de Duke à Durham en Caroline du Nord. Ils sont très variés et concernent les domaines administratifs, financiers ou techniques. Le stagiaire pourra assister à un cours de danse par jour et à des confé-

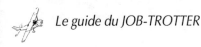

rences tenues par des célébrités.

PROFIL    Ouvert à tous ceux que la danse passionne et qui ont le sens de l'organisation et des responsabilités. Pour la plupart des stages, il est demandé d'avoir un minimum d'expérience dans différents domaines tels que : l'informatique, la comptabilité, le marketing, la dactylographie, les relations publiques, etc.

CANDIDATURE    Les dossiers de candidature sont à demander à l'adresse suivante :

*American Dance Festival - Art Waber, Intern Program - Box 90772, Duke University - Durham, NC 27708-0772 - Tél. : (919) 684-6402 - Fax : (919) 684-5459*

DISTRICT DE COLUMBIA

## • **The Kennedy Center**

ACTIVITÉ    Promouvoir les différents mouvements culturels.

STAGES    Ils ont lieu trois fois par an et durent entre 3 et 4 mois. Le stagiaire travaille à plein temps et reçoit une compensation de 500 $ par mois. Sa tâche est d'aider à la promotion et à la présentation du centre. Il participe à l'élaboration de projets et est aussi chargé de la communication, de la vente de programmes...

PROFIL    Ces stages sont destinés à tous les étudiants et jeunes diplômés (n'ayant pas arrêté leurs études depuis plus de 2 ans), intéressés par l'Art.

CANDIDATURE    Votre dossier doit être constitué : de votre CV, d'une lettre de motivation (mentionnant vos objectifs professionnels, si vous savez vous servir d'un ordinateur, et, par ordre de préférence, les 3 secteurs dans lesquels vous voudriez travailler), de 3 lettres de recommandation, de votre relevé de notes et d'extraits de travaux que vous avez effectués (articles de journaux, lettres commerciales, etc.). Les admissions se font jusqu'au 1er juin pour la session d'automne, au 1er novembre pour la session d'hiver, au 1er mars pour la session d'été.

*The Kennedy Center - Education Department - Washington, DC 20566 - Tél. : (202) 416-8807 - Contact : Darrell M. Ayers, Internship Program Coordinator.*

## • **Archive of Folk Culture, Library of Congress**

ACTIVITÉ    Archives nationales de musiques et chansons folkloriques.

STAGES    10 stages offerts par an (20 candidatures). Ils ont lieu à tout moment de l'année et durent trois mois au cours desquels le stagiaire ne percevra pas de rémunération. Il travaille 40 heures par semaine. Il accomplit des travaux bibliographiques, s'occupe du classement de documents...

PROFIL    Ce stage est ouvert à tous les candidats motivés. De bonnes bases en anglais sont recommandées, ainsi que des connaissances dans le domaine folklorique.

CANDIDATURE    Vous pouvez adresser votre candidature à n'importe quel moment de l'année, en joignant à votre CV une lettre de motivation et des lettres de recommandation. Un entretien est souhaitable.

*Archive of Folk Culture, Library of Congress - Washington DC 20540 - 8100 - Tél. : (202) 707-1725 - Fax : (202) 707-2076 - Contact : Joseph C. Hickerson, Head Archivist.*

FLORIDE

## • Florida Studio Theatre

ACTIVITÉ       Le Florida Studio Theatre (FST) comprend une salle de théâtre et un restaurant-cabaret qui produit des spectacles. Le FST est aussi très actif en matière d'éducation : il organise des camps de théâtre en été pour les enfants.

STAGES         Le FST offre des stages dans ses différents départements. Ces stages s'adressent à des acteurs, des musiciens (en particulier des pianistes), des dramaturges, des régisseurs, des techniciens de plateau, des designers et des gestionnaires.

Une quinzaine de stagiaires sont accueillis chaque année. Les stages se déroulent sur toute une saison, en général d'octobre à juin. Une indemnité de 40 $ par semaine est versée. Le logement est fourni.

PROFIL         Les candidats doivent être étudiants ou jeunes diplômés dans les domaines d'activités mentionnés ci-dessus.

CANDIDATURE    Remplir un dossier de candidature et joindre un CV et trois lettres de référence de professeurs ou de professionnels avec lesquels vous avez travaillé.

*Florida Studio Theatre - 1241 N. Palm Avenue - Sarasota, FL 34236 - Tél. : (813) 366-9017 - Fax : (813) 366-9017*

MASSACHUSETTS

## • Berkshire Public Theatre

ACTIVITÉ       Théâtre.

STAGES         12 stages sont proposés en administration, technique et production. 50 candidatures par an. Les stages durent au minimum 3 mois, à raison de 40 à 50h par semaine et ne sont pas rémunérés.

PROFIL         Avoir une connaissance des métiers du théâtre et une forte volonté d'apprendre.

CANDIDATURE    Adressez votre lettre de candidature et votre CV à l'*Internship Coordinator*.

*Berkshire Public Theatre - PO Box 860 - Pittsfield, MA 01202-0860 - Tél. : (413) 445-4631 - Fax : (413) 445-4640 - Contact : Michael Lichtenstein, Internship Coordinator.*

## • Jacob's Pillow Dance Festival, Inc.

ACTIVITÉ       Ecole de danse.

STAGES         Il s'agit de stages d'été allant du 30 mai au 31 août.

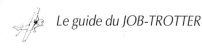

Le stagiaire travaille 50 heures par semaine. Il est nourri et logé gratuitement et reçoit une indemnité de 100 $ par mois. Sur les 250 candidatures, seules 18 sont retenues. Les stages concernent le secteur administratif (recherche, courrier...), le secteur marketing et publicité (promotion du festival, organisation d'interviews...) et le secteur technique et production théâtrale (réglage du son, des lumières...).

PROFIL     Ces stages sont ouverts à toute personne ayant des connaissances administratives et étant particulièrement intéressée par la production de spectacles.

CANDIDATURE     Envoyez votre CV, une lettre de motivation spécifiant le secteur dans lequel vous voulez travailler et 2 lettres de recommandation (avec numéro de téléphone).

 *Jacob's Pillow Dance Festival - Box 287 - Lee, MA 01238 - Tél. : (413) 637-1322 - Fax : (413) 243-4744 - Contact : Jackie Thomas, Resource Manager.*

## • Williamstown Theatre Festival

ACTIVITÉ     Grand complexe théâtral basé sur le campus de l'université de Williams, dans le nord-ouest du Massachusetts.

STAGES     Le WTF propose des stages dans tous les domaines liés à la vie d'un théâtre : design, mise en scène, publicité, régie, gestion...

Les stages se déroulent de juin à août et ne sont pas rémunérés. Les participants doivent s'acquitter de la somme de 400 $ pour être hébergés sur le campus universitaire.

PROFIL     Les postes s'adressent à toute personne possédant une forte motivation pour le théâtre.

CANDIDATURE     La sélection se fait sur CV (avec deux lettres de recommandation) et entretien. Ecrire au bureau à New York.

 *Williamstown Theatre Festival - 100 East 17th Street, 3rd floor - New York, NY 10003*

NEW YORK

## • Circle Repertory Theatre

ACTIVITÉ     Le Circle Repertory Theatre est l'un des théâtres new yorkais les plus actifs dans la programmation de pièces contemporaines américaines.

STAGES     La compagnie offre des stages aux services production et management. Les stages dans la production concernent des missions de coordination (relations entre les directeurs de plateau, les commerciaux, les décorateurs, les équipes en coulisses et sur scène, gestion de la salle de répétitions...) ou des tâches de technicien et designer (création des décors, costumes, éclairages, travaux de menuiserie...).

Les stages dans le management couvrent tous les aspects de la gestion d'un théâtre de New York (recherche de capitaux, analyses financières, comptabilité, marketing, publicité, relations publiques...).

Les stages ont lieu du 1er juin au 30 août. Des stages sur toute une année sont également possibles.

Une indemnité hebdomadaire de 65 $ pour les stagiaires production et de 55 $ pour les stagiaires management est prévue.

PROFIL        Ces stages s'adressent à des étudiants ou jeunes diplômés se destinant à une carrière dans les métiers du théâtre.

CANDIDATURE   Les postulants doivent demander un formulaire, et le retourner, avant avril pour les stages d'été, accompagné d'un CV, d'une lettre de motivation et de deux lettres de recommandation. Des entretiens individuels sont ensuite organisés au début du mois d'avril.

*Circle Repertory Theatre - 632 Broadway, 6th floor - New York, NY 10012 - Tél. : (212) 691-3210 - Fax : (212) 505-8520 - Contacts : Niclas Nagler, Jody Boese.*

## • Manhattan Theatre Club

ACTIVITÉ      Encourager les productions théâtrales.

STAGES        Les stages se déroulent en été, en automne et en hiver. Ils doivent durer 3 mois au minimum mais il est conseillé de faire une saison entière. Il s'agit d'un travail à temps complet non rémunéré (il se peut qu'une indemnité vous soit versée).

MTC offre différents stages. Le stagiaire peut choisir, en fonction de ses connaissances, un des secteurs suivants :

a. l'administration, qui regroupe la comptabilité, la préparation de contrats, les relations publiques...

b. le milieu artistique, qui regroupe la lecture de scripts, la recherche de nouveaux talents, les castings...

c. la production, qui gère la préparation et l'organisation des spectacles...

PROFIL        Il n'est pas nécessaire de suivre des études de théâtre pour postuler. Vous serez placé en fonction de vos connaissances et de vos qualifications.

CANDIDATURE   Votre dossier doit être déposé au plus tard le 15 mai pour les stages d'été, le 15 août pour les stages d'automne et le 30 octobre pour les stages d'hiver. Il doit se composer de votre CV et de 2 lettres de recommandation (professeurs, employeurs...). Vous serez ensuite contacté pour un entretien téléphonique.

*Manhattan Theatre Club - 453 West 16th Street - New York, NY 10011 - Tél. : (212) 645-5590 - Fax : (212) 691- 9106 - Contact : Jodi Simon Stewart, Internship Coordinator.*

## • New Dramatists

ACTIVITÉ      New Dramatists est une association dirigée par des professionnels du théâtre et destinée à fournir des conseils et à encourager les dramaturges américains les plus prometteurs.

STAGES        7 à 12 stagiaires sont recrutés chaque année pour prêter main forte

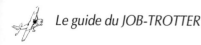 

aux salariés de l'association. Les stages sont les suivants :

- Département des relations publiques : communiqués de presse, articles de journaux, campagnes de mailings...

- Assistant du directeur littéraire : relation avec les auteurs membres, les compagnies théâtrales et les studios de production de films aux Etats-Unis.

- Administration : participation aux opérations de recherche de fonds (*fund raising*).

- Scène : assistant du régisseur pour les répétitions des œuvres des auteurs membres.

Une petite indemnité est prévue. Les stages se déroulent toute l'année.

PROFIL          La sélection s'opère surtout sur la motivation des candidats.

CANDIDATURE     La procédure consiste à remplir un formulaire (avec lettres de recommandation) puis à passer un entretien téléphonique.

 ***New Dramatists - 424 W. 44th street - New York, NY 10036 - Tél. : (212) 757-6960 - Contact : Internship Coordinator***

## • The Pearl Theatre Company, Inc.

ACTIVITÉ        Le Pearl Theatre Company joue des pièces du répertoire classique.

STAGES          Le théâtre recrute des stagiaires dans quatre départements :

- Administratif : marketing, ventes aux groupes, recherche de fonds... Le stagiaire doit savoir utiliser un ordinateur. 2 postes proposés. Période de stage : du 1er août au 15 mai ou du 15 mai au 15 août.

- Direction de la scène : assistant du régisseur et travail aux arrangements sons et lumières pendant les représentations. Le stagiaire doit posséder une expérience similaire. 2 postes proposés. Période de stage : du 1er août au 15 mai.

- Costumes : création et conservation des costumes des comédiens. Le stagiaire doit avoir des notions de stylisme : dessin, couture, travail du cuir, confection de chapeaux... 1 poste proposé. Période de stage : du 15 août au 15 mai. Une indemnité hebdomadaire de 75 $ est versée.

- Comédie : acteur dans 4 ou 5 pièces, participation à des auditions... Période du stage : de début août à mi-mai.

PROFIL          Tous ces stages s'adressent à des étudiants.

CANDIDATURE     Pour postuler, il convient d'envoyer un CV (+ photo pour ceux que la comédie intéresse) avec une lettre de motivation. Un entretien téléphonique s'ensuivra. Pour le stage de comédien, une audition sera organisée.

 ***The Pearl Theatre Company, Inc - 125 West 22nd street - New York, NY 10011 - Tél. : (212) 647-1796 - Fax : (212) 645-7709 - Contact : Mary Perez***

## • Theater for the New City

ACTIVITÉ    Le Theater for the New City (TNC), fondé en 1970, s'est donné une double mission : promouvoir l'œuvre des dramaturges contemporains américains et faciliter l'accès au théâtre dans le quartier du Lower East Side.

STAGES    Les stages peuvent se dérouler dans trois départements :

- Administration : assistant du directeur artistique et exécutif, relecture et classement des scripts, standard téléphonique...

- Production : gestion des costumes, des décors, contacts avec les designers ou les acteurs...

- Technique : assistant du directeur technique, nettoyage des instruments, maintenance, travaux de peinture, recherche de matériaux ou d'éléments du décor...

Des stagiaires au profil davantage commercial pourront participer aux opérations de recherche de capitaux.

25 stagiaires sont recrutés chaque année, sur une centaine de candidatures. Les stages peuvent se dérouler toute l'année.

Aucune rémunération n'est prévue mais les responsables du théâtre précisent que les stagiaires finissent souvent par être affectés à un spectacle et perçoivent ainsi un salaire.

PROFIL    Les stagiaires doivent être de préférence étudiants et posséder une forte motivation pour les métiers du théâtre.

CANDIDATURE    Remplir un formulaire de candidature et passer un entretien avec le directeur artistique du musée, Crystal Field.

 ***Theater for the New City - 155 First Avenue - New York, NY 10003 - Tél. : (212) 254-1109 - Contact : Internship Coordinator***

## *Sciences*

ILLINOIS

## • Chicago Botanic Garden

ACTIVITÉ    Jardin botanique.

STAGES    26 stages dans les différents départements du jardin sont offerts chaque année (pour une centaine de candidatures). Ils ont lieu tout au long de l'année et durent de 3 à 12 mois. Vous travaillez près de 40 heures par semaine et êtes rémunéré dans la plupart des cas, à hauteur de 5,75 $ l'heure. Vous recevez parfois une aide quant à votre logement. Les postes proposés se situent dans les domaines suivants : horticulture, pesticides, architecture paysagiste, éducation, écologie, relations publiques.

PROFIL    Ouvert aux étudiants ou jeunes diplômés en horticulture, botanique ou biologie végétale.

CANDIDATURE    Il faut adresser une lettre et un CV en général 3 mois avant le début du stage. Contactez le jardin pour recevoir un dossier d'inscription.

*Chicago Botanic Garden - P.O. Box 400 - Glencoe, IL 60022 - Tél. : (708) 835-8300 - Fax : (708) 835-1635 - Contact : Cynthia Baker*

OHIO

## • The Holden Arboretum

ACTIVITÉ    Centre d'horticulture, d'arboriculture, de recherche, d'enseignement et d'exposition en matière d'histoire naturelle.

STAGES      Une dizaine de stagiaires sont recrutés chaque année. Ils sont rémunérés (environ 5 $ de l'heure), supervisés et bénéficient d'une formation et de visites dans d'autres centres d'horticulture aux Etats-Unis et au Canada. Les domaines de stages sont l'entretien horticole, l'éducation et la thérapie, la conservation. La durée du stage varie en fonction du secteur choisi (de 3 à 12 mois).

PROFIL      Etudiants en fin de cycle d'études en horticulture, agencement de paysage, botanique, biologie végétale.

CANDIDATURE Adressez une lettre, un CV et trois lettres de recommandation.

*The Holden Arboretum - 9500 Sperry Road - Kirtland, OH 44060-8199 - Tél. : (216) 256-1110 - Fax : (216) 256-1655 - Contact : Bruce Cubberley*

## *Droit*

CONNECTICUT

## • State of Connecticut

ACTIVITÉ    Ministère de la Justice de l'Etat du Connecticut.

STAGES      Un très grand nombre de stagiaires, sont recrutés. Le Ministère a déjà accueilli un certain nombre de stagiaires français. Les stages varient de trois mois à un an, ne sont pas rémunérés mais incluent le remboursement de certains frais et une formation. La nature des postes offerts est très diverse : il s'agit principalement d'assister le personnel judiciaire dans ses contacts avec le public, les prévenus et les jeunes délinquants. Vous travaillez en moyenne 14 heures par semaine.

PROFIL      Sur l'ensemble des volontaires, 200 sont étudiants. Beaucoup suivent des études de droit, de sociologie ou de sciences politiques.

CANDIDATURE Contactez le Ministère pour obtenir un dossier de candidature.

*State of Connecticut - Judicial Volunteer Program - 2275 Silas Deane Highway - Rocky Hill, CT 06067 - Tél. : (203) 563-5797 - Fax : (203) 721-9474 - Contact : Claire F. Collins*

## *Lobbying*

DISTRICT DE COLUMBIA

## • Access

ACTIVITÉ    Organisation à but non-lucratif visant à publier des informations sur les relations internationales et la paix.

STAGES Les stages se déroulent dans un des trois secteurs suivants :

a. Recherche : identifier des sources d'information pour la revue et les enregistrer sur la base de données.

b. Promotion : promouvoir Access auprès des organisations internationales, répondre aux questions au téléphone, coordonner des conférences, participer à la conception des brochures de présentation.

c. Publication : actualiser les informations publiées dans de précédents dossiers, enquêter sur de nouveaux sujets et écrire certains articles.

Vous recevez une indemnité de stage de 50 $ par semaine. Vous pouvez travailler à temps plein ou à temps partiel et la durée minimum des stages est de huit semaines.

PROFIL Tous les candidats doivent avoir une première expérience de travail dans un bureau et des connaissances informatiques. Un intérêt pour les relations internationales est préférable. Les contacts générés par un tel travail nécessitent un très bon niveau d'anglais, en particulier au téléphone pour les départements (a) et (b). Pour le programme (c), un excellent anglais écrit est nécessaire.

CANDIDATURE Adressez une lettre, un CV et des exemples d'articles à l'organisation.

*Access - Security Information Service - 1511 K Street, NW Suite 643 - Washington, DC 20005 - Tél. : (202) 783-6050 - Fax : (202) 783-4767 - Contact : Susan Krutt*

## • CLEC Canvas Network

ACTIVITÉ Réseau américain de recherche de fonds pour des organisations et associations écologistes.

STAGES Deux types de stages sont possibles, ouverts toute l'année pour des périodes de trois mois minimum :

a. Terrain : il s'agit d'obtenir des signatures pour des pétitions ainsi que des contributions financières. Vous travaillez 40 à 45h minimum par semaine. Vous êtes payé 300 $ par semaine plus une prime.

b. Téléphone : convaincre les membres des associations de participer encore un peu plus à l'effort financier. Vous travaillez de 20 à 35h par semaine. Vous êtes payé 8 $ par heure, plus une prime.

PROFIL Toute expérience politique, associative et de recherche de budget est utile. Votre niveau d'anglais doit être suffisamment bon pour convaincre des personnes au téléphone.

CANDIDATURE Il faut s'adresser directement aux bureaux répartis sur tout le territoire. Vous obtiendrez les adresses au bureau central à Washington.

*CLEC Canvas Network - 2000 P. Street NW Suite 310 - Washington, DC 20036 - Tél. : (202) 775-0370 - Fax : (202) 828-0935 - Contact : Barbara Helmick*

## • Commission on US-Russian Relations

ACTIVITÉ    Commission d'étude sur les relations américano-russes.

STAGES    4 à 6 stages proposés trois fois par an (pour plus de 70 candidatures).

Ils commencent en janvier, mai et septembre et durent entre 3 et 4 mois.

Le stagiaire participe à l'élaboration de projets de la Commission, il effectue des travaux de traduction, accueille les Russes en visite à Washington DC, organise des réunions et des conférences...

Il s'agit de travaux à mi-temps ou à temps complet (30 à 40h par semaine), sans rémunération.

PROFIL    Ces stages s'adressent aux étudiants de tous niveaux et de toutes nationalités. Il faut cependant connaître l'économie, la politique et l'histoire de la Russie. Des connaissances en russe sont nécessaires.

CANDIDATURE    Les candidatures doivent être déposées 1 à 3 mois avant le début de chaque session. Vous devez envoyer une lettre de motivation, votre CV, votre relevé de notes et des exemples de travaux écrits réalisés.

*Commission on US-Russian Relations - 731 8th Street, SE, - Washington DC 20003 - Tél. : (202) 547-3800 - Fax : (202) 546-4784 - Contact : Jessica Goldberger*

## • Council for a Livable World

ACTIVITÉ    Association visant à empêcher la prolifération d'armes nucléaires.

STAGES    Des stages d'assistants de recherche et de rédacteurs de rapports sont offerts. Il s'agit avant tout de concevoir des fiches d'information concises et efficaces sur la situation dans le domaine des armes nucléaires. Les stagiaires répondent également au téléphone et au courrier et déposent des brochures au Congrès. Vous avez aussi l'occasion d'assister à des débats parlementaires et de rencontrer d'autres membres de lobby agissant dans le même but. Il arrive aussi qu'il faille rendre une aimable visite aux membres du Congrès qui ne seraient pas encore entièrement convaincus sur la position à prendre quelques minutes avant un vote : bien sûr, dans ce dernier cas, il est rare que l'organisation envoie des stagiaires au front. Vous travaillerez à temps plein et recevrez une petite indemnité.

PROFIL    Le sens de l'initiative est la première des qualités requises, avec un anglais apte à faire face aux défis de la politique américaine.

CANDIDATURE    Adressez un CV et une lettre de motivation.

*Council for a Livable World - 110 Maryland Avenue, NE Suite 409 - Washington, DC 20002 - Tél. : (202) 543-4100 - Fax : (202) 543-6297 - Contact : Ingrid Honaker*

RHODE ISLAND

## • Rhode Island State Government Internship Program

ACTIVITÉ    Gouvernement de l'Etat de Rhode Island.

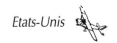
| STAGES | Stages de huit semaines en été pour étudiants (en particulier en droit). Il s'agit d'un emploi à temps plein en juillet et août, non rémunéré. Environ 160 postes chaque année pour 230 candidatures. |
| PROFIL | Stages destinés aux étudiants et jeunes diplômés. |
| CANDIDATURE | Adressez une lettre de motivation et un CV. |

*Rhode Island State Government Internship Program - 8AA State House - Providence, RI 02903 - Tél. : (401) 277-6782 - Fax : (401) 277-6142 - Contact : Robert W. Gemma*

## Tourisme et Hotellerie

DISTRICT DE COLUMBIA

### • Hostelling International

| ACTIVITÉ | La Fédération Internationale Américaine des auberges de jeunesse (AJ) regroupe 150 auberges aux USA. Son but : développer le réseau des auberges et augmenter le nombre d'adhérents. |
| STAGES | 20 stages rémunérés sont offerts chaque année (pour 150 candidatures). Les stagiaires sont logés gratuitement à l'auberge de Washington DC et reçoivent une indemnité hebdomadaire de 100 $ (en dessous de Bac+4) et de 150 $ (au dessus de Bac+4). Une prime de 200 $ est en outre versée à la fin du stage. Les stages s'effectuent à quatre périodes de l'année. |

Ils doivent durer au minimum 10 semaines, à raison d'un travail de 40h par semaine. Ils regroupent différents secteurs d'activité :

a. Marketing (prise de contact avec les nouveaux membres, recherche des moyens d'expansion et de promotion des AJ...).

b. Comptabilité.

c. Services hôteliers (cours de formation pour les directeurs d'auberges...).

d. Service d'expansion des auberges (fournir des moyens techniques favorisant les projets de développement).

e. Programme et Education (développer et assister les programmes à buts culturels ou touristiques).

| PROFIL | Ces stages s'adressent aux étudiants du premier au troisième cycle ainsi qu'aux jeunes diplômés titulaires d'une maîtrise. Les candidats doivent avoir de bonnes connaissances en anglais, un esprit d'équipe et le sens de l'initiative. Il est souhaitable d'avoir déjà voyagé et fréquenté des auberges de jeunesse. |
| CANDIDATURE | Les candidatures doivent être déposées au 1er août (pour la session d'automne), au 1er novembre (pour la session d'hiver), au 1er février (pour la session de printemps) et au 1er avril (pour la session d'été). |

Adressez une lettre de motivation montrant clairement l'intérêt que vous portez aux AJ en y indiquant le service où vous désirez travailler et les dates auxquelles vous êtes disponible. Joignez aussi un

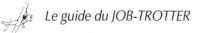
CV, votre relevé de notes et trois lettres de recommandation (professeur, ancien employeur, conseiller en orientation, etc.).

 **Hostelling International - 733 15th street NW - Suite 840 - Washington, DC 20005 - Tél. : (202) 783-6161 - Fax : (202) 783-6171 - Contact : Beth Rascoe, Internship Coordinator**

MARYLAND

## • National 4-H Council

ACTIVITÉ        Centre d'éducation et d'échanges internationaux.

STAGES        Ces stages se déroulent à 3 périodes de l'année (printemps, été, automne). Le stagiaire se verra attribuer différentes tâches telles que l'accueil des visiteurs sur le campus, la présentation d'exposés ou l'installation du matériel audiovisuel. En dehors du campus, il peut très bien travailler dans l'une des nombreuses succursales du Council ou être chargé d'informer et de renseigner les visiteurs.

PROFIL        A priori, ces stages sont ouverts à toute personne âgée de plus de 18 ans, ayant le contact facile et le sens de l'initiative.

CANDIDATURE        Vous devez écrire au Council qui vous fera parvenir un dossier de candidature.

 **National 4-H Council - 7100 Connecticut Avenue - Chevy Chase, MD 20815 - Tél. : (301) 961-2965 - Fax : (301) 961-2894 - Contact : Jennifer Shank.**

OREGON

## • Portland Oregon Visitors Association

ACTIVITÉ        Association touristique de l'Etat d'Oregon.

STAGES        Quatre stages offerts par an (8 candidatures), à raison d'un par saison. La durée de chaque stage est de trois mois. Le stagiaire doit pouvoir donner des informations et des statistiques aux touristes et aux professionnels du tourisme. Il est aussi chargé de la distribution de brochures, de photos, etc. Il doit aider les directeurs de tourisme à rassembler les informations concernant les expositions se tenant dans la région. Il assistera à la réunion mensuelle du Comité du Tourisme, et au petit-déjeuner des membres le jeudi.

La rémunération est de 700 $ pour 3 mois.

PROFIL        Il s'agit de stages conventionnés pour des étudiants en tourisme.

Le candidat doit être organisé et avoir le sens de l'initiative. Il doit posséder les bases nécessaires aux métiers du tourisme, être patient et courtois et avoir un bon sens de la communication.

CANDIDATURE        Adressez une lettre de motivation, un CV, ainsi qu'une lettre de recommandation.

**Portland Oregon Visitors Association - 26 S.W. Salmon, Portland, OR. 97204 - Tél. : (503) 275-9750 - Fax : (503) 275-9774 - Contact : Tiffany Block, Tourism Record and Research Clerk.**

# CANADA

Au Canada, vous aurez tout le loisir de jongler entre la langue de Shakespeare et celle de Victor Hugo. On compte 30% de francophones, dont près de 80% au Québec. La situation de l'emploi de ce côté-ci de l'Atlantique n'est pas très brillante : le taux de chômage dépasse 11,5%. Conséquence, les autorités sont très vigilantes sur les attributions de permis de travail. Heureusement, il existe des programmes d'échanges pour les jeunes. Ceux-ci sont certes contingentés, mais vous pourrez constater en lisant ce chapitre qu'il reste des places à prendre.

Enfin, même si le Canada est le pays des grands espaces (sa superficie est proche de celle de l'Europe pour seulement 27 millions d'habitants), oubliez vos rêves de bûcheron dévastateur : aujourd'hui au Canada, on plante amoureusement les arbres…

**Pour les taux de change, voir P.12**

# Des organismes pour vous aider

## L'ambassade du Canada

Une visite à l'ambassade s'impose, essentiellement pour y retirer un formulaire de demande d'autorisation de séjour temporaire (voir plus loin) et collecter au bureau d'accueil quelques brochures contenant les premières informations sur l'obtention de permis de travail et sur les représentations canadiennes en France (brochure *Canada en France*).

Son serveur minitel est très précis sur les formalités à remplir pour les visas et contient des informations sur le rôle et les services de l'ambassade. Possibilité de se faire adresser le formulaire de "demande d'autorisation de séjour temporaire".

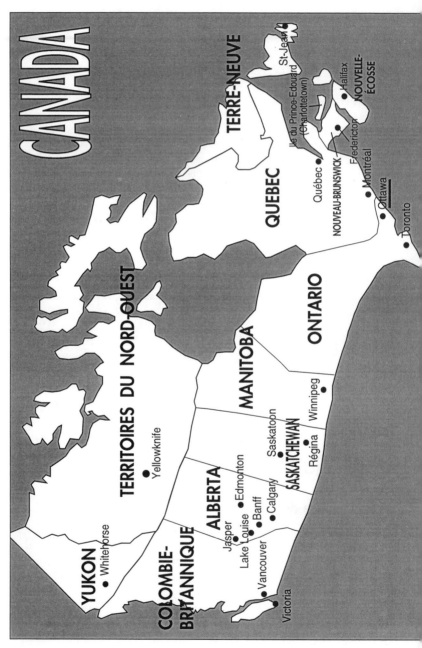

*Ambassade du Canada - 35, avenue Montaigne - 75008 Paris - Tél. : (1) 44 43 29 00 - Minitel : 3615 Canada*

*Service Immigration et Visas - 37, avenue Montaigne - 75008 Paris - Tél. : (1) 44 43 29 16*

# Les services culturels de l'ambassade du Canada

De nombreux ouvrages de référence (en particulier des annuaires professionnels, Kompass, Radar, Fraser's, CRIQ...), se trouvent à la bibliothèque des services culturels. Est aussi en consultation le *Répertoire des affaires franco-canadiennes* avec la liste des sociétés françaises implantées au Canada.

A la même adresse, vous trouverez une association à vocation culturelle, France-Canada. Dans son centre de documentation, vous pouvez y consulter une petite brochure intitulée *Stages et bourses au Canada* qui recense les différents programmes existants.

*Services Culturels de l'Ambassade Canadienne - 5, rue de Constantine - 75007 Paris - Tél . : (1) 45 51 35 73 - horaires de la bibliothèque : 13h30 à 17h30 du lundi au vendredi*

# La chambre de commerce France-Canada

Pour les annuaires professionnels, vous pouvez aussi vous rendre à la chambre de commerce France-Canada. Elle est normalement destinée à informer les professionnels, mais la consultation des annuaires d'entreprises et du *Répertoire des affaires franco-canadiennes* est possible, moyennant 120 francs. Il faut prendre rendez-vous un ou deux jours avant la date de visite. Les annuaires disponibles sont, entre autres, le Kompass, le Canadian Association Directory, le Connections d'Affaires, le Radar et le CRIQ (répertoire d'entreprises et de produits du Québec).

*Chambre de commerce France-Canada - 9, avenue Franklin Roosevelt - 75008 Paris - Tél. : (1) 43 59 32 38*

# La Délégation générale du Québec

Pour des informations sur le Québec, rendez-vous à la Délégation générale du Québec. Cet organisme est chargé de représenter les intérêts du Québec en France. Sa bibliothèque est d'accès libre tous les après-midi et la responsable, très efficace, vous guidera à travers les ouvrages de référence et les journaux. Le fonds documentaire contient des annuaires professionnels, en particulier sur tous les organismes associatifs, publics et parapublics au Québec.

*Délégation générale du Québec - 66, rue Pergolèse - 75016 Paris - Tél. : (1) 40 67 85 00*

## L'Office franco-québécois pour la jeunesse (OFQJ)

Le centre de documentation de l'Office franco-québecois pour la jeunesse est une véritable mine d'informations sur le Québec. L'accueil y est compétent et souriant. C'est l'adresse à conseiller pour quiconque souhaite préparer un séjour au Québec. Ouvert de 10h à 18h, il dispose d'ouvrages de références, de revues, d'annuaires professionnels, mais aussi de dossiers thématiques, de fiches pratiques sur l'art et la manière de trouver un stage et de très bonnes monographies par secteur d'activités réalisées par l'OFQJ (vendues symboliquement 10 francs pièce), de comptes rendus rédigés par les stagiaires de l'OFQJ, de la liste des entreprises et des organismes ayant accueilli des stagiaires. Les photocopies, à condition que leur nombre soit raisonnable, sont gratuites.

Le serveur 3615 OFQJ présente les activités de l'Office, les manifestations du Québec en France, les adresses utiles, une messagerie pour poser des questions et rassemble les offres d'emploi du journal montréalais *La Presse*.

✉ *Office franco-québécois pour la jeunesse - 5, rue de Logelbach - 75847 Paris Cedex 17 - Tél : (1) 40 54 67 67*

# Les joies de l'administration

## *Permis de travail et visas*

Pour un séjour touristique, les citoyens français n'ont pas besoin de visa pour se rendre au Canada ; un passeport fait l'affaire. Vous devez être en possession d'un billet retour et de suffisamment de fonds pour subvenir à vos besoins (budget mensuel minimal de 4000 francs environ). La durée de séjour accordée à votre arrivée par les services de l'immigration est variable. Elle peut aller jusqu'à six mois.

Il est bien entendu rigoureusement interdit de travailler si vous êtes entré sur le territoire en tant que touriste. Il n'est pas non plus possible de changer de statut sur place (de touriste à travailleur temporaire par exemple).

### La loi...

Si vous souhaitez travailler, les textes exigent que votre futur employeur s'adresse à un CEC, Centre d'Emploi du Canada, pour demander un permis de travail en votre nom. Ceci, quelles que soient la durée, la nature et la rémunération de cet emploi. Cette démarche se conclut le plus souvent par un refus, parce que les CEC vérifient qu'aucun Canadien ne peut occuper le poste auquel vous postulez. La procédure n'aboutit que pour des professions spécialisées ou très qualifiées. Il faut donc prouver que vos compétences sont recherchées au Canada.

Odile, 26 ans, cite l'exemple d'une de ses amies :

*"Elle a appelé des connaissances à Montréal et a commencé une petite enquête sur les métiers dont on manquait là-bas. Elle a trouvé un créneau : danseuse topless dans les bars ! Un job payé environ 1000 $ par semaine. Elle a fait sa demande et a obtenu son visa de travail..."*

## La voie royale...

Grâce aux accords bilatéraux entre le Canada et la France, il existe de nombreuses filières pour travailler au Canada sans passer par les CEC. En général, celles-ci concernent des emplois à court terme, de type jobs d'été ou stages. Ces filières sont contingentées, mais toutes ne sont pas saturées et vous pouvez envisager sereinement de décrocher une autorisation de travail temporaire. Plusieurs possibilités s'offrent à vous :

- En vous adressant directement à l'ambassade dans le cadre du **Programme d'emploi estival pour étudiant**. Ce programme fonctionne toute l'année, mais le quota de 400 permis par an est rapidement atteint, dès le mois de mai. Le permis de travail accordé est valable pour une période inférieure à trois mois, non renouvelable. Condition indispensable : présenter une proposition d'embauche d'un employeur (job ou stage) au Canada.

Le coût du permis est de 100 $. Le traitement de la demande peut exiger un délai de trois semaines. Lorsqu'une visite médicale est nécessaire, ce délai peut atteindre six semaines. Cette visite est demandée pour un travail dans les secteurs suivants : milieu hospitalier, restauration, activités liées aux enfants de moins de 15 ans (encadrement de camps de vacances notamment). Elle coûte de 500 à 800 francs.

Vous devez accompagner votre demande des pièces suivantes :

- demande de permis de travail temporaire,

- photocopie des six premières pages du passeport en cours de validité,

- deux photographies d'identité,

- certificat d'inscription comme étudiant régulier et/ou documents attestant l'éligibilité au stage concerné,

- copie de la proposition d'embauche mentionnant les conditions de travail (salaire, nombre d'heures de travail par semaine, durée de l'emploi...)

- Dans le cadre d'**accords bilatéraux entre deux universités**. Renseignez-vous auprès de votre établissement et mentionnez l'accord au moment de votre demande à l'ambassade.

- Dans le cadre de l'**OMI**. Cette procédure vous concerne si vous êtes un jeune professionnel et obtenez un contrat de stage au Canada dont la durée est comprise entre 3 mois et un an. (Voir la partie "Trouver un stage" en fin de chapitre).

- L'**OFQJ**, le **Council on International and Educational Exchange** (CIEE), l'**Association France-Québec** et **Canadien National** facilitent l'obtention de permis de travail pour les participants à leurs programmes. Les activités de ces organismes sont décrites plus loin.

### ... et les chemins de traverse

Partir en touriste et travailler au noir comporte beaucoup de dangers, pour votre employeur comme pour vous. En pratique, vous risquez l'expulsion, voire la prison assortie d'une amende et d'une interdiction de séjour de cinq ans. De plus, obtenir un permis de travail ou un visa de résident permanent vous sera par la suite quasiment impossible. Par ailleurs, si vous êtes victime d'un accident de travail, vous devrez assumer vous-même les frais médicaux très élevés au Canada. A titre d'exemple, une jambe cassée peut revenir à près de 60 000 francs.

De nombreux travailleurs étrangers au Canada s'en soucient peu, comme le prouve l'exemple de Miguel, barman à Marseille, parti 2 mois à Montréal :

*"La première chose que les employeurs me demandaient, c'était mon numéro de sécurité sociale. Je m'étais donc arrangé pour utiliser le numéro d'un Français qui quittait le pays après quelques mois comme manutentionnaire. Je pense que ce numéro était faux, mais il paraît que l'administration peut mettre jusqu'à 3 mois avant de réaliser que le numéro est erroné et signaler l'erreur à l'employeur... Quant au permis de travail, il ne m'était pas souvent demandé."*

Pratique complètement illicite et dont le jeu ne vaut vraiment pas la chandelle, puisque vous disposez de moyens tout à fait légaux pour travailler au Canada.

# Salaires, impôts et charges

Dans le cadre de jobs ou de stages rémunérés, votre employeur aura besoin d'un Numéro d'Assurance Sociale (NAS au Québec, Social Insurance Number ou SIN dans les régions anglophones) pour remplir votre fiche de paye. Ce numéro permet également d'effectuer les prélèvements automatiques d'impôts. Pour l'obtenir, vous devez vous présenter dans le CEC le plus proche de votre lieu de travail avec votre passeport et votre permis de travail. Cette carte est fédérale. Le numéro se compose de neuf chiffres. Celui des étudiants et des travailleurs temporaires étrangers commence par un 9.

L'impôt sur le revenu est prélevé à la source et le taux d'imposition est d'environ 20% (impôts fédéral et provincial réunis). Le revenu minimum annuel imposable avoisine 10 000 $. Il existe une possibilité de récupérer un trop-perçu par l'Etat ; renseignez-vous dans les centres des impôts (adresses dans l'annuaire).

A Montréal :

✉ *Impôts fédéraux - 305 Dorchester Ouest - Tél. : (514) 283 55 85*

*✉ Impôts provinciaux - 3 Complexe Desjardins - Tél. : (514) 873 26 11*

Les prélèvements sociaux amputés de votre salaire s'élèvent environ à 10%.

Si vous avez des questions concernant des problèmes pratiques, sociaux ou fiscaux au Québec, vous pouvez consulter un service d'informations téléphoniques qui vous orientera sur l'organisme pouvant vous répondre.
*✉ Centre de référence du Grand Montréal - Tél. : (514) 527 13 75*

# Santé

Pour la couverture de vos dépenses de santé, vous devez vous rendre dans la caisse d'assurance maladie de votre région et obtenir une carte provinciale. Au Québec, il s'agit de la Carte Soleil. Avec cette carte, les consultations médicales sont gratuites. En revanche, consulter un dentiste ou un ophtalmologiste reste payant et coûte environ 60 $ la visite. Les médicaments demeurent également payants, sauf s'ils sont administrés en hôpital.

# Ouvrir un compte en banque

Pour ouvrir un compte de non-résident, il suffit de présenter un passeport et de mentionner une adresse (celle d'un hôtel peut faire l'affaire). Il est difficile d'obtenir une carte de crédit avant de pouvoir justifier de revenus réguliers au cours des 6 derniers mois précédant la demande.

Les principales banques canadiennes sont la Banque Nationale du Canada, la Banque Royale du Canada, la Banque Nova Scotia et la CIBC. Au Québec, la Caisse Populaire Desjardins et la Banque de Montréal sont également renommées.

# Trouver un logement

## Les auberges de jeunesse

Le territoire canadien est parsemé de 83 auberges de jeunesse. Les prix varient de 9 à 19 $ la nuit. Vous pouvez en obtenir la liste en achetant le guide de la Fédération unie des auberges de jeunesse (voir page 414), ou, si vous êtes déjà au Canada, auprès de l'association suivante :

*✉ Hostelling International Canada - National Office - 1600 James Naismith Drive - Gloucester (Ottawa), Ontario K1B 5N4 - Tél. : (613) 748 56 38*

Au Québec, les auberges sont représentées par l'association :

*✉ Regroupement Tourisme Jeunesse - 4545, rue de Coubertin - Montréal H1V 3R2 - Tél. : (514) 252 31 17*

## Louer un appartement

Les témoignages concordent : il est relativement aisé de trouver un logement à prix abordable au Québec. Sylvie, 29 ans, responsable de Mobilitis, association d'échanges avec le Québec va plus loin :

*"Certains Québecois sont tellement contents de recevoir des Français qu'ils sont capables de les inviter chez eux pour quelques jours, voire quelques semaines, ou plus !"*

Une hospitalité dont il ne faut pas trop abuser…

Benoît, un franco-québecois de 26 ans, fait preuve également d'un bel optimisme :

*"Ces temps-ci, certains anglophones quittent Montréal pour Toronto, il y a donc de nombreux appartements vides sur le marché et il est assez facile de négocier : on obtient parfois 2 mois de loyer gratuits pour un an d'occupation. Les prix mensuels peuvent énormément varier en fonction du lieu : 400 $ pour un studio dans un quartier, 300 $ pour un trois-pièces dans un autre. Si vous partagez, c'est vraiment bon marché."*

Selon le consulat de France, il y aurait sur l'île de Montréal plus de 35 000 logements vacants. Le principe des mois de loyer gratuits est donc très répandu.

Surveillez les annonces affichées chez les commerçants du quartier, les journaux gratuits (*Voir* et *Hours* à Montréal, *Georgia Street* à Vancouver), les panneaux des universités, les journaux étudiants et la presse quotidienne. Les annonces débutent souvent par un chiffre : $1^{1/2}$, $2^{1/2}$, $3^{1/2}$... Le "1/2" signale une petite pièce type salle de bain ou vestibule. Quant aux chiffres principaux, vous en trouverez l'explication dans une brochure de l'OFQJ, *Se loger à Montréal et hébergement au Québec*. Par exemple, 1 et 2 correspondent à un studio ou un deux-pièces sans chambre fermée, 3 signale une chambre fermée. Beaucoup de logements sont meublés. Un $3^{1/2}$ à Montréal revient à 500 $ par mois toutes charges comprises, avec en général un réfrigérateur, une machine à laver, un sèche-linge et une cuisinière. On peut de toute façon meubler son appartement pour presque rien, en faisant les "ventes de garage". Il s'agit de marchés aux puces miniatures, organisés par des particuliers qui mettent en vente le contenu de leur grenier. Ces ventes ont lieu le samedi et sont généralement annoncées dans la presse. Dans les autres grandes villes, la conjoncture est moins propice et le loyer pour un $3^{1/2}$ à Toronto ou Vancouver se situe autour de 800 $.

Enfin, plusieurs collèges et universités canadiens offrent directement des logements sur leur campus durant les mois d'été. Vous pouvez leur écrire pour réserver une chambre. Les coordonnées de ces résidences sont disponibles aux services culturels de l'ambassade. Le prix d'une chambre se situe autour de 20 $ par nuit.

# Trouver un job

Les étudiants canadiens ont l'habitude de financer leurs études en travaillant. La concurrence peut donc s'avérer rude. En été, les régions touristiques sont prises d'assaut par des hordes d'étudiants à la recherche d'emplois saisonniers. L'année universitaire fonctionne par semestre, de septembre à décembre et de janvier à avril.

Le Canada demeure une destination très prisée par les voyageurs anglo-saxons, qui sont souvent les premiers à occuper les petits boulots. Mais dans les régions francophones, la langue française constitue un avantage très appréciable et la cote d'amour des Français y est au beau fixe.

## *Les organismes de jobs "clés en main"*

Malgré la crise économique, il n'est pas si dur de trouver un job d'été au Canada lorsqu'on est muni d'un permis de travail. Plusieurs organismes installés en France s'occupent de vous obtenir ce permis et parfois même un job.

### Le Council on International Educational Exchange (CIEE)

Le CIEE est le seul organisme à délivrer un Open Work Authorisation (permis de travail ouvert) dans le cadre du programme Work & Travel. Ce permis est réservé aux 18-30 ans, étudiants ou jeunes diplômés. Il permet de travailler au Canada, en étant rémunéré, avec la possibilité très intéressante de changer d'emploi et de zone géographique autant de fois que vous le souhaitez au cours de votre séjour. Ce permis est valable 4 mois, tout au long de l'année. Autre avantage, on ne vous demande pas, avant votre départ, de fournir une proposition d'embauche d'un employeur. Vous pouvez donc partir à l'aventure et prospecter les employeurs une fois sur place, ce qui est plus facile. En moyenne, seuls 20% des participants au programme obtiennent une proposition de job avant leur départ.

Outre l'attribution de l'Open Work Authorization, le CIEE vous guidera tout au long de la préparation de votre voyage : session d'orientation sur les conditions de travail et de vie au Canada, lettres-types et modèles de CV en anglais, liste d'employeurs au Canada. Le programme Work & Travel coûte 2290 francs, prix qui comprend l'assurance, deux nuits d'hébergement à l'arrivée et, sur place, l'aide de la Fédération canadienne des étudiants en cas de problème.

A savoir : le CIEE dispose d'un quota annuel de 200 permis, seule une centaine d'étudiants en profitent.

Selon les responsables du programme, les opportunités d'emploi se situent surtout dans l'Alberta, dans le secteur du tourisme, de l'hôtellerie et de la restauration, ainsi que dans les parcs nationaux. Les salaires moyens varient de 200 à 250 $ la semaine.

Olivier, 20 ans, étudiant en informatique, participant au programme Work & Travel, a passé 7 semaines à Banff, dans l'Alberta, première région touristique du pays. La concurrence d'étudiants québécois aux mois de juin et juillet lui a valu quelques jours de galère.

*"J'ai mis une semaine à trouver un boulot. J'ai pourtant essayé partout, visitant une vingtaine de restaurants, d'hôtels et de boutiques par jour. J'ai d'abord obtenu une place de déménageur pendant une journée et demie. J'ai gagné 100 $ et surtout… retrouvé le moral. Finalement, un restaurant italien m'a engagé comme plongeur. Je travaillais 5 jours par semaine de 16h à 23h et touchais 7 $ de l'heure, moins 20% d'impôts. Je conseille de partir de préférence en août, où il est plus facile de trouver un logement et un boulot. En juin et juillet, les étudiants québécois viennent dans les Rocheuses pour se faire un peu d'argent avant de partir en vacances. Excepté pour mon premier boulot, tout le monde m'a demandé un permis de travail."*

Des sessions d'orientation sont organisées régulièrement en province et à Paris.

✉ *CIEE - 1, place de l'Odéon - 75006 Paris - Tél. : (1) 44 41 74 99 - Minitel : 3615 Council*

# L'Association France-Québec

Si les "cousins" québécois ont vos faveurs, l'Association France-Québec propose plusieurs formules qui devraient faire votre bonheur. L'avantage de cette association est sa structure régionale, vous permettant, même si vous n'êtes pas parisien, de rencontrer ses spécialistes et, éventuellement, de passer un entretien de sélection dans l'une de ses 63 antennes régionales. Pour obtenir les coordonnées de votre antenne régionale, contactez le siège national. Pour tous ses programmes, France-Québec vous assiste auprès de l'ambassade pour les formalités d'obtention du permis de travail. Le transport vers Montréal reste à votre charge.

France-Québec dispose d'un quota total de 500 permis de travail. 480 Français en ont profité en 1995. Quatre programmes sont proposés.

## Programme d'échanges inter-municipalités et entre centres de plein air

Ce programme fonctionne sur le principe de la réciprocité et du jumelage entre des organismes français et québécois. Les emplois proposés sont soit des postes d'animateur-moniteur, en particulier dans des terrains de jeux, soit des postes d'employés municipaux (gardien de musée, bibliothécaire, jardinier…). En 1995, 107 personnes ont pris part à ce programme. Les jobs durent de 6 à 8 semaines, en été, et sont rémunérés entre 5,85 et 15 $ de l'heure (en moyenne de 6 à 8 $ de l'heure). La municipalité québécoise ou la régionale Québec-France s'occupe de vous trouver le logement, parfois à un prix assez faible. Le loyer et la nourriture restent à votre charge. En centre de loisir, les participants sont logés, nourris et perçoivent un salaire horaire de 5 $.

Pour poser votre candidature, vous devez être étudiant français, âgé de 18 à 30 ans. Les postes de moniteur-animateur requièrent le BAFA ou des lettres d'employeurs attestant d'une expérience en la matière. La sélection est régionale et s'effectue sur dossier et entretien : 70 à 80% des demandes sont satisfaites.

Les inscriptions débutent en février et se clôturent au 15 mars. Vous devez adhérer à l'association (environ 150 francs) et acquitter des frais de dossier, d'accueil et d'assurance (410 francs). L'association s'occupe de réserver le billet d'avion mais son coût est à votre charge (3200 francs A/R environ sur vol régulier). Les départs ont lieu obligatoirement en groupe.

Isabelle, 23 ans, étudiante en LEA en Lorraine est devenue employée municipale modèle le temps d'un été :

*"J'ai été recrutée par la mairie de Lachine, une commune à 30 km au sud de Montréal. J'appartenais à l'équipe des préposés aux espaces verts. On s'occupait d'entretenir les jardins publics et de planter quelques arbres. J'ai travaillé pendant 6 semaines, avec un salaire de 312 $ la semaine, le minimum légal. L'association s'est chargée de trouver mon logement, en famille, pour 125 $ la semaine."*

## Cueillette du tabac

N'imaginez pas la petite cueillette bucolique avec chapeau de paille et sourires attendris. La récolte du tabac est un job particulièrement éprouvant. C'est paraît-il, très efficace pour se dégoûter de la cigarette ! Vous travaillez courbé (déconseillé donc à ceux qui ont le dos sensible), il peut faire très chaud ou très… froid et vos mains sont rapidement recouvertes d'une pellicule caoutchouteuse noirâtre ! Certaines personnes développent même des allergies au tabac. 30 jeunes sont partis faire la récolte du tabac en 1995 dans le cadre de ce programme réservé aux étudiants français (garçons uniquement) de 18 à 35 ans. La cueillette se déroule de la mi-juillet à la fin septembre. L'hébergement se fait en dortoir, dans des conditions rudimentaires, et les repas, généralement financés par des cagnottes collectives, sont à la charge des participants. Le salaire, versé au rendement, s'établit en moyenne à 50 $ par jour. Les journées de travail débutent à 7h pour s'achever à 15h, et ce six à sept jours par semaine. Vous devrez emporter avec vous des bottes en caoutchouc, un imperméable et des vêtements usés… qui le seront définitivement en fin de saison. Ne pas oublier un sac de couchage ou des draps. Toutes les plantations sont situées dans la région de Joliette, sur la rive nord du Saint-Laurent. Les conditions d'inscription sont les mêmes que celles du programme précédent (départ en groupe notamment).

Didier, 24 ans, originaire du Sud-Ouest, avait déjà une bonne expérience dans l'agriculture et pourtant...

*"Côté accueil, c'était parfait. Le village de Saint-Paul, où mon groupe travaillait avait même organisé une réception. Mais le tabac a eu du retard : nous sommes restés 10 jours sans travailler. D'où l'intérêt de prévoir un peu d'argent de poche. Lorsque ça a débuté, il a fallu s'accrocher ! Je n'avais jamais fait de job aussi pénible : vous êtes assis sur un strapontin fixé sur le côté d'un tracteur et vous travaillez au niveau du sol. J'ai gagné en moyenne 290 $ par semaine."*

### Cueillette des pommes

La cueillette des pommes dure une vingtaine de jours à partir de la mi-septembre. Le logement, rudimentaire, est en dortoir et les repas sont à la charge des participants. Les horaires et les rythmes de travail sont comparables à ceux de la récolte du tabac. Le salaire est calculé au rendement, à la bin, en moyenne de l'ordre de 25 $ par jour, les plus productifs atteignant parfois 35 $. Les récoltes ont lieu dans les régions de Montérégie et d'Estrie. *"Il faut bien avoir à l'esprit que c'est difficile physiquement et que la date du début des récoltes n'est pas garantie. Il arrive que les jeunes restent une semaine sans travailler, et donc sans salaire"*, prévient Lucie Marada, chargée de programme. La cueillette est ouverte aux 18/35 ans (filles et garçons), avec les même conditions d'inscription que pour le tabac.

### Stages professionnels

Ce programme est destiné aux 18-35 ans qui ont trouvé par leur propre moyen un stage ou un job au Québec, avant leur départ. L'association se charge d'obtenir un permis de travail d'une durée de six mois non renouvelables. En 1995, plus de 250 personnes en ont bénéficié. Le dépôt des dossiers, accompagné d'une lettre de promesse d'embauche, doit s'effectuer deux mois avant la date de départ. Outre les frais d'adhésion, les frais de dossier sont de 360 francs.

✉ *Association France-Québec - Immeuble Verseau, Appt 107 - 24, rue Modigliani - 75015 Paris - Tél. : (1) 45 54 35 37 - Fax : (1) 43 95 52 88*

# Canadien National

La compagnie de chemin de fer, présente en France comme voyagiste, propose depuis 1966 des jobs de tabaculteur dans le sud de l'Ontario, autour de la petite ville de Dehli. Le programme se déroule de la fin juillet à la mi-septembre, sur environ six semaines. L'hébergement se fait dans des hangars, des granges ou des caravanes. Les repas sont en général financés par les agriculteurs mais organisés par les cueilleurs. La rémunération se fait soit à la journée (65 $) soit à l'heure (6,5 $). Les journées commencent à 6h30 et s'achèvent vers 13h, parfois sept jours par semaine. *"C'est pénible et fatiguant, il fait souvent très chaud, mais c'est une superbe expérience dans une belle région et la plupart des participants gagnent au total entre 10 000 et 13 000 francs"*, estime Pierre Bricout, directeur général de Canadien National France qui a participé au premier programme en 1966 et continue à le superviser.

CN dispose de 200 places pour l'Europe, dont 40 réservées aux étudiants français de 18 ans minimum. Avec près de 400 demandes par an, la priorité est accordée aux candidats de sexe masculin ayant une formation agricole, selon le principe du premier arrivé, premier servi. Les dossiers sont à déposer courant janvier, CN donnant sa réponse en mars. Le programme de Canadien National vous coûtera environ 4500 francs, voyage, assurance et accueil compris, mais sans tenir compte de votre rémunération. Pour un supplément de 150 $, les participants peuvent choisir la date de leur retour en France. Pour recevoir le dossier, écrire, sans envoyer de CV, à l'adresse suivante :

✉ *Canadien National - 1, rue Scribe - 75009 Paris - Tél. : (1) 47 42 76 50 - Fax : (1) 47 42 24 39*

# Les organismes utiles sur place

## Les Centres d'emploi du Canada (CEC)

Présents dans chaque localité, ils sont la première source d'information sur les jobs. Leurs coordonnées se trouvent dans les pages bleues de l'annuaire téléphonique. Avec un permis de travail en bonne et due forme, vous ne devriez pas avoir de problème pour vous faire recevoir par un conseiller. Mais les offres sont en libre-accès.

A Montréal, le CEC met à la disposition des chercheurs d'emploi des ordinateurs qui recensent les jobs disponibles. Les offres sont classées par zone géographique ou secteurs d'activité (restauration, tourisme, manutention, agriculture…). Il est possible d'imprimer les offres qui vous intéressent et de contacter directement l'employeur.

Dans le même bâtiment, deux étages plus haut, on trouve le Centre d'emploi étudiant (CEE) qui, comme son nom l'indique, est spécialisé dans les jobs étudiants. Les offres sont affichées sur des panneaux par type d'activités (restauration, baby-sitting…). L'accueil est très sympathique. Le CEE est ouvert d'avril à fin-juillet, de 9h à 16h30 du lundi au vendredi.

✉ *CEC Montréal - 1001, rue de Maisonneuve Est - Montréal H2L 4P9*

Au CEC de Banff, dans les Rocheuses, vous pouvez consulter les annonces affichées sur le mur, qui indiquent toujours le salaire et les coordonnées de l'employeur, et celles enregistrées sur ordinateur, en accès libre. La plupart des offres, à pourvoir immédiatement, concernent des postes en liaison avec l'activité touristique : Assistant-cuisinier à 8 $ de l'heure, vendeur à 8 $ de l'heure, guide touristique parlant anglais et japonais à 10 $, et même… cameraman maîtrisant le japonais et sachant bien skier à 15 $.

*✉ CEC Banff - 314 Marten Street - PO Box 1899 - Banff, Alberta - T0L 0C0 - Tél : (403) 762-4200 - Fax : (403) 762-5802 - Ouvert de 8h à 12h et de 13h à 16h30 du lundi au vendredi*

## La division de l'insertion au marché du travail

Il s'agit du service québécois spécialisé dans la recherche d'emploi des immigrants. Des offres d'emploi sont affichées en accès public, avec le profil requis, les conditions de travail et de salaire et le téléphone de l'employeur. La plupart proposent des rémunérations de 6-8 $ de l'heure et concernent des offres dans la restauration, le télémarketing, la vente et la garde d'enfants. Le service de documentation est très complet et comprend notamment des listes d'entreprises très détaillées. Il est accessible aux non-résidents, pourvu qu'ils en fassent la demande aimablement !

*✉ Division de l'insertion au marché du travail - 420, rue de la Gauchetière Ouest - Montréal - Tél : (514) 864-3811*

# Les journaux à consulter

Si vous cherchez un job sur place, n'hésitez pas (notamment s'il s'agit d'un job au pair ou de nourrice), à proposer vos services dans les petites annonces des grands quotidiens locaux. A Toronto, les quotidiens sont le *Toronto Star*, le *Globe and Mail* et le *Toronto Sun*. A Ottawa, on lit surtout le *Ottawa Citizen* ou le *Ottawa Sun*. En Alberta, existent l'*Edmonton Journal* et le *Calgary Herald*. A Vancouver, les petites annonces du *Vancouver Sun* et du *Province* contiennent une rubrique "*Domestic & Daycare Jobs*".

Au Québec, les quotidiens les plus lus sont *La Presse*, Le *Journal de Montréal*, Le *Journal de Québec* ou *Le Soleil*. Traditionnellement, le samedi est le jour du cahier emploi pour de nombreux journaux.

Mais souvent, les médias les plus efficaces pour trouver un job, un logement ou pour passer des annonces sont les gratuits ciblés sur les jeunes, à contenu avant tout culturel. A Montréal, lisez en priorité *Voir*, en français, et *The Mirror*, en anglais, dans lesquels vous pouvez passer un encart standard pour 10 à 15 $. Les journaux équivalents à Toronto sont le *Eye* ou le *Now*. A Vancouver, il s'agit du *Georgia Straight*.

# Les secteurs qui embauchent

## Hôtellerie, restauration et tourisme

Au Canada comme partout ailleurs, la réputation française vous ouvre les portes des restaurants et des hôtels. Epluchez les petites annonces qui sont une excellente source ou tentez le porte-à-porte, efficace pour ce type de recherche.

Sans permis de travail, ce sont plutôt les portes de service qui s'ouvriront, celles qui mènent aux cuisines, derrière les fourneaux ou au-dessus de l'évier : vos employeurs préféreront vous garder en coulisse. Quant aux grands établissements, ce n'est même pas la peine d'essayer, ils font l'objet de contrôles sévères et réguliers.

Au Québec, les places de serveur sont largement ouvertes aux Job-trotters. Grâce à son expérience de serveuse en France, Sonia, 25 ans, a trouvé rapidement du travail à Montréal.

*"J'ai pris un après-midi pour aller distribuer mon CV, bien vêtue, dans les bars sympas du quartier du Plateau. Parfois, on me demandait si j'avais un permis de travail. En fait, les patrons de bar s'en fichent souvent. Le lendemain, j'ai reçu un coup de fil. Au total, j'ai eu cinq propositions, sans relancer. J'ai accepté la première. On m'a fait faire un essai, avec un plateau dans les bras, 50 $ en monnaie et les cartes des boissons à distribuer. Ça a marché. A mes 5,5 $ de l'heure, s'ajoutaient environ 45 $ de pourboire pour 4 à 5 heures de travail deux soirs par semaine. J'ai aussi pris un autre job pour deux soirs, dans un bar très cool. Il y avait peu de pourboire, mais j'ai eu des responsabilités et l'ambiance était vraiment super."*

A noter, les bars et les pubs recrutent de nombreux serveurs en extra pour les soirées de fête, comme Halloween ou le 31 décembre. Ils sont payé 8 $ de l'heure en moyenne, parfois seulement au pourboire. A Montréal, sur la rue Crescent, les pubs anglophones permettent d'amasser 20 $ de l'heure en soirée, mais les serveurs doivent en reverser une partie.

En saison (juin-septembre plus décembre-mars dans les stations de ski), mettez le cap vers les régions touristiques, véritables gisements de jobs. Les Rocheuses, avec les stations de Banff et Jasper, ainsi que la Colombie-Britannique, à Vancouver, en montagne à Whistler, ou sur l'île de Vancouver, à Victoria ou à Tofino, sont parmi les régions les plus propices.

*"A l'exception du mois d'octobre, ici, on peut toujours trouver un travail*, assure Donna Hayes, conseillère emploi du CEC de Banff. *De mars à mai, nous recevons beaucoup d'offres pour l'été, et en août, le mur déborde d'annonces car les étudiants retournent en cours. Ici, il y a une réelle demande de guides de montagnes expérimentés, de chefs qualifiés ainsi que de personnes parlant japonais."*

Partie avec Council, Elisabeth, 25 ans, future professeur d'anglais a été employée deux mois et demi dans un petit complexe hôtelier ouvert l'été à Johnston Canyon Resort, près de Banff.

*"J'ai commencé comme femme de chambre. Une semaine après, j'ai été affectée à la cafétéria, puis au restaurant. Je travaillais environ 8 heures par jour, avec des horaires variables, établis chaque semaine. Au départ, je me sentais un peu exploitée. Mais l'ambiance était excellente et les patrons joviaux. J'étais*

## Le guide du JOB-TROTTER

*logée, nourrie et mon salaire (sur lequel était déduit 10 $ par jour pour le loge-
ment et la nourriture) était de 6,50 $ de l'heure, plus les pourboires."*

A Banff, vous pouvez tenter votre chance auprès du prestigieux Banff Spring
Hotel :

### • Banff Spring Hotel

ACTIVITÉ — Hôtel de luxe de 830 chambres.

JOBS — 300 emplois saisonniers s'ajoutent aux 850 emplois permanents.
60% concernent le "housekeeping" (ménage, vaisselle, entretien des
chambres). Recrutement sans expérience préalable. Une centaine de
jobs dans le service, avec expérience obligatoire. Les contrats sont
toujours pour une durée minimum de 6 mois. L'hôtel est intéressé
par des candidatures de cuisiniers français.

PROFIL — Etudiants et jeunes professionnels du tourisme, de la restauration et
de l'hôtellerie. Permis de travail en règle. Maîtrise de l'anglais. Le
japonais est un atout, ainsi que le cantonais et le mandarin.

CANDIDATURE — Ecrire à partir de janvier pour recevoir le formulaire de candidature.
Attention : le permis de travail doit être obtenu AVANT d'avoir le
job, sauf pour les cuisiniers qualifiés.

✉ ***Human resource department - PO Box 960 - Banff, Alberta - T0L
0C0 - Tél. : (403) 762-2211 - Fax : (403) 762-5755***

Arnaud, 20 ans, originaire d'Antibes et étudiant en informatique a effectué un
périple de trois mois en Amérique du Nord. Son passage à Victoria, en
Colombie Britannique, fut particulièrement rentable. Deux semaines de boulot
intensif lui ont payé trois mois de tribulations.

*"En arrivant à Victoria, j'ai vu une femme-sandwich. Elle se baladait dans la
ville avec, sur les épaules, deux affiches à l'enseigne d'un restaurant. Elle avait
obtenu son poste directement au restaurant. J'ai fait comme elle. J'étais payé
6 $ de l'heure. De plus, pour ne pas payer mes nuitées de 12 $ à l'auberge de
jeunesse, je travaillais aussi trois heures par jour à l'entretien et au nettoyage de
l'auberge."*

*"Mais ce qui a vraiment marché, c'est le "pédicab". Le principe est le même
que le cyclo-pousse. Vous êtes taxi, mais à vélo. Le client est assis derrière vous
dans son habitacle. Au début, vous avez droit à une formation de trois heures.
Vous louez le cab à la demi-journée pour 35 ou 40 $ et vous fixez vous-même
le tarif de vos courses. La règle, c'est 1 $ la minute. Le mieux c'est de tomber
sur des touristes qui demandent une visite de la ville. Ça dure une heure mais
vous gagnez 45 ou 50 $. En deux semaines, je connaissais tout le monde. En
tout, j'ai empoché environ 1100 $. Evidemment, il faut être en excellente
condition physique. Les débutants ne font normalement que deux ou trois
demi-journées par semaine. Un conseil : évitez les courses pour le château...
vous comprendrez là-bas."*

Outre les gains financiers, ce job apporte de nombreux contacts : parmi les

cartes de visite collectées par Arnaud, celle d'un sénateur américain !

L'entreprise de "pédicab" est :

✉ *Kabuki Kabs - 547 Discovery Street - Victoria , BC V8T 168*
*Tél. : (604) 385 42 43*

## Camps de vacances

Le gouvernement canadien insiste auprès des camps de vacances pour qu'ils embauchent en priorité des locaux. Mais si vous possédez certaines compétences (BAFA notamment), vous pouvez tenter votre chance en écrivant directement aux camps. Ceux-ci proposent des postes de *counsellors* (animateurs), de moniteurs (canoë, tennis…) et également des places pour des travaux d'entretien ou de cuisine. Tous les *counsellors* doivent passer un examen médical avant leur arrivée au Canada. Certains camps rémunèrent leurs animateurs, la plupart se contentent de leur offrir le logement et la nourriture.

La liste des camps d'une région peut être obtenue en écrivant à leur association provinciale. Voici leurs coordonnées :

✉ *Alberta Camping Association - Percy Page Center - 11759 Groat Road - Edmonton, AB, T5M 3K6 - Tél. : (403) 453 8570*

✉ *Association des Camps du Québec - 4545, avenue Pierre de Coubertin - Case Postale 1000, Succursale M - Montréal, PQ, H1V 3R2 - Tél. : (514) 252 3113*

✉ *British Columbia Camping Association - c/o Thunderbird Outdoor Center - 880 Courtney Street - Victoria, BC, V8W 1C4 - Tél. : (604) 386 7511*

✉ *Camping Association of Nova Scotia - Box 3243 South - Halifax, NS, B3J 3H5 - Tél. : (902) 865 3523*

✉ *Manitoba Camping Association - 194A Sherbrook Street - Winnipeg, MB, R3C 2B6 - Tél. : (204) 784 1134*

✉ *New Brunswick Camping Association - Regent Station, 4-403 Regent Street - Fredericton, NB, E3B 3X6 - Tél. : (506) 459 1929*

✉ *Newfoundland / Labrador Camping Association - P.O. Box 760 - Bishop's Falls, NF, A0H 1C0 - Tél. : (709) 258 5862*

✉ *Ontario Camping Association - 2-1806 Avenue Road - Toronto, ON, M5M 3Z1 - Tél. : (416) 781 0525*

✉ *Saskatchewan Camping Association - 25 22nd St. East - Saskatoon, SK, S7K 0C7 - Tél. : (306) 652 7515*

## Agriculture

Cueillettes, récoltes, reboisement… vous avez décidé de quitter le chahut des mégalopoles pour une expérience au grand air. La vallée de l'Okanagan (au cœur des Rocheuses), l'Ontario, le Québec et les immensités forestières vous attendent.

## *Cueillettes*

### Dans l'ouest canadien

De fin juin à mi-octobre, les cueillettes de fruits s'enchaînent dans la vallée de l'Okanagan en Colombie Britannique. Les contraintes : il faut se déplacer d'une région à une autre, accepter de ne rien gagner entre deux contrats et savoir prendre en compte les caprices du climat (les cueillettes peuvent être retardées, annulées...). Pour être recruté, il faut contacter les AES, *Agricultural Employment Services* qui centralisent les demandes des cultivateurs. Les offres sont en libre-accès, sur des panneaux d'affichage.

Parmi les différents AES, celui de Kelowna est particulièrement dynamique :

✉ *Agricultural Employment Services - 1517 Water street - Kelowna, BC - V1Y 1JB - Tél : (604) 880-8384 - Fax : (604) 860-6412 - Répondeur : (604) 860-8384 - Numéro gratuit (en BC seulement) : 1-800-779-2922 - Ouvert du lundi au vendredi de 7h30 à 16h.*

Mieux vaut avoir un permis de travail, comme nous le confirme un responsable d'AES :

*"Sans permis, rien n'est possible. Bien que nos offres soient affichées sur des panneaux accessibles à tous, les employeurs n'aiment pas prendre de risque. Les contrôles sont assez fréquents. Si vous êtes pris, vous risquez une expulsion sous 24 heures, voire un séjour derrière les barreaux."*

Murielle, étudiante, s'est décidée à travailler 6 semaines dans une grande exploitation agricole de l'Okanagan. Elle raconte les aléas de la vie du Job-trotter "clandestin" :

*"Un mois avant mon arrivée, il y a eu une descente de l'immigration. Le propriétaire a tout juste eu le temps de prévenir tous les jeunes en situation illégale, qui ont dû fuir dans la montagne ! Si l'on veut éviter les questions des inspecteurs, il ne faut pas montrer que l'on travaille dans une ferme. Quand on descend en ville, il faut s'habiller correctement et surtout avoir les mains propres, c'est la première chose qu'ils regardent. Pour les garçons, il vaut mieux porter un tee-shirt pendant la cueillette afin d'éviter la trace en forme de croix du panier sur le bronzage..."*

La saison commence en mai avec les soft fruits jusqu'à la mi-juillet, continue avec les poires en août et s'achève par les pommes, dont la cueillette démarre la première semaine de septembre. Bien sûr ces indications, fournies par un AES, sont sujettes à variation suivant la région et le climat. Les périodes de récolte sont présentées dans le tableau ci-après.

Pour les soft fruits, vous êtes payé de 6 à 8 $ l'heure. Pour les cerises, on compte en livres récoltées : 13 à 17 $ la livre. Les pommes et les poires se mesurent en bin (grand panier) de respectivement, 800 et 1000 livres chacune. Une bin de pommes est payée de 13 à 15 $. Comptez deux dollars de plus pour les poires. Un ouvrier récolte en moyenne 4 bins par jour.

| | | | |
|---|---|---|---|
| Cerises | fin juin | 2-4 semaines | Kelowna/ Winfield/Sud Okanagan |
| Pêches et abricots | fin juillet | 1-2 semaines | Penticton/Sud Okanagan |
| Tomates | mi-août | jusqu'à septembre | Penticton |
| Prunes | mi-aôut | 1-2 semaines | Sud Okanagan |
| Poires | fin août | 2 semaines | Vernon/Kelowna/ Sud Okanagan |
| Pommes | début sept. | 6 semaines | partout |
| Raisins | mi-septembre | 4-5 semaines | Kelowna/ Winfield/ Sud Okanagan |

**Au Québec**

Les agriculteurs québécois ont également besoin de main d'œuvre du printemps à l'automne, pour la plantation, le sarclage et la cueillette de fruits et légumes.

La saison démarre en juin avec les fraises, se poursuit l'été avec les framboises, les concombres et le tabac et s'achève en septembre-octobre avec les pommes, les brocolis, les céleris et autres légumes.

Là encore, les Services d'emploi agricoles (SEA, équivalents des AES) sont d'une aide précieuse. On en compte 14 au Québec. vous pouvez commencer vos recherches au SEA de Montréal.

☒ *SEA Montréal - 1001, rue de Maisonneuve Est - Suite 550 - Montréal H2L 4P9 - Tél. : (514) 529 0399*

Rappelons que deux organismes en France proposent des emplois d'été au Québec dans l'agriculture (cueilleurs de pommes et tabaculteurs). Il s'agit de l'association France-Québec et de Canadien National (voir pages 324 et 326).

## Reboisement de forêt

Les fantasmes écologistes atteignent leur paroxysme lorsque l'on mentionne les programmes de reboisement de forêts au Canada ; retapisser la planète dans le pays des grands espaces a de quoi séduire. Revenons aux dures réalités : c'est beau mais ça ne paie pas toujours. Joël, notre roi de la combine n'a pas pris goût à l'aventure :

*"Comme planteur d'arbres dans l'ouest canadien, il faut des mois d'expérience pour gagner sa croûte : mauvais plan à tous les coups."*

De plus, la conjoncture est particulièrement défavorable. Paul Roy, cadre de l'entreprise d'équipements forestiers Nova Sylva, au Québec, affirme que le marché du reboisement de cette région a atteint un plafond en 1991 et qu'il sera progressivement réduit de moitié dans les cinq années à venir. La situation est similaire en Ontario. Elle est peut-être un peu moins difficile en Colombie Britannique. Les entreprises de cet Etat passent, selon l'AES local, par les collèges et les universités pour recruter des planteurs, même inexpérimentés. Certains, plus rares, annoncent également leurs emplois vacants dans la presse.

Mais en général, sans expérience, les places sont très dures à décrocher. Si en plus vous êtes sans permis de travail, ça frise la provocation : les contrôles sont fréquents et là encore, les employeurs n'apprécient plus trop ce genre de risque. Vous insistez ? Selon Paul Roy, il faut au moins 3 à 4 semaines pour devenir performant et la première saison ne permet pas de s'enrichir, loin s'en faut. Vous êtes payé à la pièce, devez apporter votre propre équipement et avoir une santé de fer. Toujours partant ? Alors à vous de contacter les différentes compagnies de reboisement. A titre d'exemple, voici ce que propose l'une d'entre elles :

## • Brinkman & Associates Reforestation Ltd

ACTIVITÉ     Une des principales compagnies de reboisement du Canada, très implantée en Colombie-Britannique.

JOBS     800-900 planteurs chaque année. La saison débute en avril et se prolonge jusqu'à la fin de l'été. La compagnie organise un campement avec les repas et des douches chaudes. Vous devez apporter votre tente, des vêtements de travail (gants, chaussures, imperméable) et votre équipement (compter 20 $ minimum). Si vous n'avez pas d'expérience, une semaine de formation, non rémunérée, est à prévoir. Le salaire est de 6,5 $ de l'heure. Plus souvent, vous serez payé à l'arbre planté, entre 12 et 25 cents, suivant la difficulté. Selon les terrains et les espèces, on atteint entre 100 et 600 plants par jour. Aux dires de la compagnie, les planteurs gagneraient, en moyenne, 500 à 600 $ par semaine.

PROFIL     Aimer la vie au plein air, loin de tout, être robuste, déterminé, et prêt à travailler dur. Anglais de base nécessaire.

CANDIDATURE     Lettre plus CV en janvier-février. Préférable d'être sur place.

*Brinkman & Associates Reforestation Ltd - 520, Sharpe street - New Westminster, BC - V3M 4R2 - Tél : (604) 521-7771 Fax : (604) 520-1968*

Pour plus d'informations, vous pouvez vous procurer un magazine spécialisé sur le sujet, le *SCREEF* ainsi que le *Guide du débutant*, publiés par Pacific Reforestation Workers Association. Il sont en vente à la librairie de l'université McGill à Montréal.

*Université McGill - 1613, rue Saint-Denis - Montréal H2X 2K3 Tél. : (514) 843 8511*

Voici les adresses des ministères où vous pouvez obtenir la liste des reboiseurs régionaux.

✉ *Ministère de l'Energie et des Ressources - Secteur Forêts - 1410, rue Stanley, 11ème étage - Montréal, PQ H3A 1P8*

✉ *Ministry of Natural Ressources - Conservation Authorities - Whitney Block, Salle 5620 - 99, West Wellesley Street - Toronto, ON*

✉ *Department of Forestry, Lands and Wildlife - Information Center - Main Floor 9920 - 108th Street - Edmonton, AB T5K 2M4*

✉ *Ministry of Forests - 4595 Canada Way - Burnaby, BC V5G 4L9*

# Aide familial

La situation de jeune fille ou jeune homme au pair n'est pas prévue dans la législation canadienne. En revanche, il existe des postes d'"aides familiaux résidents" pour lesquels deux exigences principales doivent être satisfaites :

- être titulaire de l'équivalent du baccalauréat.

- avoir suivi pendant six mois à temps plein une formation liée à cet emploi (puériculture -Bac F8 par exemple-, pédiatrie, infirmier…)

Pour ce job, une visite médicale est nécessaire. Vous disposerez de plages horaires pour suivre des cours de langue. Pour 7 à 12 semaines de cours, prévoyez 200 à 300 $. Si vous êtes intéressé, vous pouvez adresser votre candidature aux agences suivantes.

## • Nannies Unlimited Inc.

ACTIVITÉ     Agence de placement d'aides familiaux.

JOBS     "Aide familial" à temps plein, chargé de s'occuper des enfants, de quelques tâches ménagères, de la cuisine et la lessive. L'agence pourvoit environ 100 places par an, tout au long de l'année. Vous restez en général 12 mois dans la famille, mais pouvez étendre votre séjour à 2 ou 3 ans. Vous êtes rémunéré 615 $ par mois, bénéficiez du logement et des repas dans la famille contre 9 heures 30 de travail par jour, 5 jours par semaine. L'assurance-maladie est prise en charge par la famille.

PROFIL     Vous devez avoir au moins 18 ans, une formation professionnelle spécialisée, une première expérience et parler anglais.

CANDIDATURE     Écrivez à l'agence en incluant un CV.

✉     *Nannies Unlimited Inc. - 350604 1 Street S.W. - Calgary - Alberta - T2P 1M7 - Tél. : (403) 265 32 87*

## • QC Personnel

ACTIVITÉ     Agence de placement d'aides familiaux.

JOBS     Travail à plein temps, 8 à 9 heures par jour, 44 heures par semaine. S'occuper des enfants, faire la cuisine et le ménage. Les contrats sont de 12 mois minimum. Le salaire horaire est de 6,70 $. Votre famille

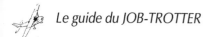 

déduit 11 $ par jour de votre salaire pour le logement et la nourriture et prend en charge votre assurance-maladie.

PROFIL          Vous devez avoir plus de 18 ans, un an d'expérience et une formation professionnelle spécialisée.

CANDIDATURE     Adressez directement votre candidature avec CV, photo, références et copies de vos diplômes.

✉  *QC Personnel - 21 King Street - Suite 108 - London, Ontario N6A 5H3 - Tél. : (519) 679 28 05*

## • Association Nationale Franco-Québecoise pour le Développement des Echanges Linguistiques et Culturels

ACTIVITÉ        Agence de placement d'aides familiaux au Québec.

JOBS            Disponibilité moyenne de 8 heures par jour, 5 jours par semaine. Durée maximum de travail hebdomadaire : 53 heures. Séjour minimum : 1 an. Salaire mensuel brut : 800 $. Deux jours de congés par semaine, ainsi que deux soirées. Deux semaines de congés payés par an.

PROFIL          Niveau Bac minimum, formation d'au moins six mois dans le domaine de la puériculture ou de l'aide familiale.

CANDIDATURE     Contactez l'agence. 100 francs d'adhésion, 800 francs de frais de dossier. Voyage à votre charge.

✉  *Association Nationale Franco-Québecoise pour le Développement des Echanges Linguistiques et Culturels. - 4, quai du Port - 94130 Nogent-sur-Marne - Tél. : (1) 43 24 34 66*

# Services

Les possibilités sont multiples, mais il faut une motivation sans limite, beaucoup d'idées et une flexibilité à toute épreuve. Voici quelques pistes.

- A la fin des semestres universitaires, les étudiants doivent rendre des mémoires tapés à la machine. Vous pouvez donc offrir vos services de frappe dans les journaux ou sur les panneaux devant les cafés de Montréal.

- Pour les voyageurs qui entretiennent de bonnes relations avec leur corps, il existe une piste qui ne manque pas de… charme. Odile, 26 ans, raconte :

*"Je fais de la sculpture et j'avais déjà posé à Paris dans des ateliers de dessin. J'ai décidé de proposer mes services de modèle en passant une annonce dans le journal Voir à Montréal. J'avais indiqué que j'acceptais de poser pour des peintres, des sculpteurs et des photographes. Les photographes, je déconseille vivement ! Ils étaient tous amateurs et glauques ; tout ce qu'ils proposaient, c'était du porno. J'ai finalement posé pour un atelier de dessin pour environ 40 $ l'heure."*

- Selon plusieurs voyageurs les jobs de rénovation et de décoration marchent bien. A 10 $ de l'heure, vous pouvez rentabiliser vos week-ends. N'hésitez pas à proposer vos services à votre propriétaire, qui pourra vous aiguiller vers

d'autres appartements.

- Les emplois de vendeurs à la sauvette fleurissent dans les rues de Montréal : des Indiens proposent des cigarettes de contrebande, des voyageurs confectionnent des tresses, des pseudo-artisans présentent leurs bijoux traditionnels... Les idées ne manquent pas.

- La distribution de journaux est un job à la portée de tous. Après la récolte du tabac, Didier, a terminé son séjour comme distributeur du Journal de Montréal :

*"J'ai lu une annonce dans le journal. Je me suis proposé, j'ai été pris tout de suite. La société m'a fourni un VTT et tous les matins, de 6h à 10h, je distribuais le journal aux abonnés. On passe à vélo devant les maisons et on jette le journal sur les pas de porte. J'étais payé 5,95 $ de l'heure."*

Pierre, 21 ans, s'est orienté vers la vente d'abonnements :

*"C'est en lisant les petites annonces que j'ai trouvé un boulot de vendeur de journaux à domicile. Je faisais du porte-à-porte pour placer des abonnements. J'étais commissionné 5 $ pour un abonnement d'une semaine. J'ai aussi travaillé dans le télémarketing, en particulier pour vendre des chandails au profit des sans-abri de Montréal. Je touchais 10 $ par chandail vendu. Il faut repérer les annonces dans les journaux qui précisent "payons comptant chaque semaine" ou mieux, "payons comptant chaque jour". Pour ces boulots, on m'a rarement demandé mon permis."*

- A Montréal, il est possible de donner des cours de français en passant une annonce dans les journaux gratuits comme *Voir* ou *The Mirror*. Demandez au moins 15 $ de l'heure.

- Arnaud a atterri sur l'île de Vancouver où la concurrence des locaux lui avait quasiment interdit tout emploi, sauf quelques maigres heures de baby-sitting :

*"L'île de Vancouver est une région très rurale où les seules opportunités sont dans l'agriculture et les forêts nationales. Mais les étudiants locaux occupent ces jobs d'été depuis des années et j'ai cherché deux semaines sans résultat. J'ai passé des annonces dans le journal local (5 à 7 $ l'annonce) pour proposer mes services de professeur de français : ça n'a rien donné. Après avoir laissé des affichettes un peu partout, le seul job que j'ai obtenu était du baby-sitting. Une famille cherchait un Français pour s'occuper de ses enfants pendant la journée. On m'a proposé 3 $ de l'heure, j'ai finalement obtenu 5 $."*

# Bénévolat et volontariat

Des organisations internationales sont implantées au Canada et offrent des possibilités de jobs intéressants.

## • Western Canada Wilderness Committee

ACTIVITÉ    Protection de la nature. Très impliqué dans la préservation de la *rainforest* de la côte Ouest.

JOBS    Construction de sentiers dans la forêt en été. Les conditions de travail

sont parfois difficiles. Les missions durent une semaine minimum, de mai à fin septembre. L'équipement et la nourriture sont fournis. Apporter sa tente et prévoir de bonnes chaussures de marche imperméables. Le programme est limité à 10 bénévoles par semaine. Tout au long de l'année, des bénévoles sont employés à des tâches administratives, ainsi que chargés de conférences dans les écoles et de la tenue de points d'informations dans les lieux publics.

PROFIL            18 ans minimum. Aucune qualification particulière requise si ce n'est la volonté de s'engager en faveur de la protection de la nature.

CANDIDATURE    Lettre plus CV, mais surtout, se rendre sur place au moins deux semaines avant la date souhaitée (indispensable pour la sélection des candidats à la construction de sentiers).

*Stephen Steckler, Volunteer coordinator - 20 Water street - Vancouver, BC - V6B 1A4 - Tél. : (604) 683-8220*
*Fax : (604) 683-8229*

## • **WWOOF-Canada**

ACTIVITÉ          Fermes biologiques.

JOBS              Tous types de travaux agricoles. 200 bénévoles sont recrutés chaque année. La meilleure période est du début du printemps à la fin de l'automne. Une manière polie de vous déconseiller l'hiver, mais si vous insistez vraiment, il y a aussi des postes pendant la saison froide. Chaque ferme diffère quant aux heures de travail : elles varient de 4 à 8 heures par jour, sur 5 ou 6 jours par semaine. Vous êtes logé et abondamment nourri, mais pas rémunéré. Emportez un sac de couchage. Si vous le souhaitez, vous pouvez ne rester qu'une ou deux semaines dans une ferme puis vous rendre dans une autre.

PROFIL            Age minimum 16 ans. Aucune expérience particulière n'est demandée. L'idée clef est que vous devez avoir "a good attitude", c'est-à-dire ne jamais rechigner à la tâche.

CANDIDATURE    Vous devez écrire directement, joindre 2 coupons réponses internationaux et 20 $. Vous recevrez une brochure et pourrez choisir la ou les fermes dans lesquelles vous souhaitez travailler.

*WWOOF - RR # 2 (Carlson Road) - S.18, C 9 - Nelson, BC - VIL 5P5 - Tél. : (604) 354-4417*

## • **Frontiers Foundation Inc.**

ACTIVITÉ          Organisation à but non lucratif visant à aider les communautés canadiennes, et en particulier indiennes, qui connaissent des difficultés économiques.

JOBS              Le programme "Opération Castor" emploie des bénévoles sur des chantiers de construction et de rénovation de maisons et de bâtiments publics. Vous travaillez 5 jours sur 7, 40 heures par semaine. La durée minimale de chaque projet est de 12 semaines (16 semaines pour les projets dans les Territoires du Nord-Ouest) mais les responsables du programme encouragent les participants à rester plus longtemps. Certains projets peuvent durer jusqu'à 18 mois. Pendant les 12 premières semaines, vous n'êtes pas rémunéré. Par la suite, vous avez droit à une indemnisation hebdomadaire de 35 $. Votre contrat comprend le logement, la nourriture et l'assurance pour vos déplacements au Canada.

PROFIL
Ce programme offre 80 à 100 postes par an et reçoit environ 350 candidatures. Les volontaires, âgés de 18 ans minimum, doivent être en bonne condition physique. Ceux qui ont des compétences techniques particulières (expérience dans la construction, l'aide sociale, l'architecture...) ont un avantage.

CANDIDATURE
Adressez-vous directement à la fondation en joignant deux coupons réponses internationaux. Il vous faudra fournir trois lettres de recommandation (parent, ami et professeur).

*Opération Castor - 2615 Danforth Avenue - Suite 203 - Toronto, Ontario - M4C 1L6 - Tél. : (416) 690-3930*

## • Royal Tyrrel Museum of Paleontology

ACTIVITÉ
Travaux de fouilles paléontologiques.

JOBS
Les volontaires participent aux travaux d'excavation entrepris dans différents sites de la province d'Alberta. 15 à 20 volontaires sont recrutés chaque année. Les stages durent trois semaines entre juin et août ; vous êtes formé sur le terrain et travaillez jusqu'à 7 jours par semaine, habituellement 8 heures par jour. Le chantier vous demande 500 $ par séjour pour couvrir les coûts de nourriture et vous devez apporter votre matériel de camping.

PROFIL
Avoir plus de 18 ans. Aucune expérience préalable n'est nécessaire.

CANDIDATURE
Ecrire au musée en février pour plus d'informations.

*Box 7500, Drumheller, Alberta -T0J 0Y0 - Tél. : (403) 823-7707 - Fax : (403) 823-7131 - Contact : Volunteer Coordinator*

Les **parcs nationaux canadiens** offrent également des postes de bénévoles. Une aubaine à saisir pour les amoureux de la nature. Chaque parc a son propre coordinateur qui recrute localement. "*Nous prenons beaucoup de bénévoles, et la plupart de ceux qui se présentent ici trouvent quelque chose dans leurs cordes : assistant au Banff Museum ou encore enquêteur pour un sondage auprès des visiteurs,*" explique Claudette Côté, au parc national de Banff, qui précise que si aucune question n'est posée sur le statut à l'égard de l'immigration, un certain niveau d'anglais est nécessaire. Dans certains cas, le logement est offert.

*Banff National Park - Maureen Peniuk - Volunteer coordinator - BOX 900 - Banff, Alberta - T0L 0C0 - Tél : (403) 762-1546 - Fax : (403) 762-3380*

Les demandes adressées depuis l'extérieur du pays son traitées par un service central qui les dispatche deux fois par an auprès des différents parcs. Si un parc est intéressé par votre CV, il vous contacte par lettre et vous devez alors obtenir un visa auprès de l'ambassade, ce qui normalement ne pose pas de problème. Les places pour ce programme de bénévole international sont limitées. Les candidats les plus susceptibles d'être retenus sont ceux qui ont des qualifications dans les domaines suivants : faune et flore sauvage, environnement et histoire, accueil des visiteurs. L'hébergement n'est pas garanti, sauf entre octobre et avril. Pour recevoir un formulaire, écrivez à l'adresse suivante :

✉ *Parks Canada - National Volunteer Program - Corinne Duguay - Coordinator Ottawa, Ontario - K1A 0H3*

Vous pouvez aussi contacter les organismes de chantiers internationaux en France (voir page 69). La plupart d'entre eux développent des actions sur le Canada.

# Trouver un stage

Les entreprises canadiennes ne sont pas du tout familières avec la notion de stage étudiant. Il semble donc plus facile de s'adresser aux filiales ou aux bureaux de représentation des sociétés françaises au Canada, dont vous pouvez consulter gratuitement le répertoire aux services culturels de l'ambassade du Canada ou à l'OFQJ.

En France, des organismes peuvent vous aider dans votre recherche de stage.

## L'Office franco-québécois pour la jeunesse (OFQJ)

L'OFQJ devrait être votre première étape si vous envisagez de faire un stage au Québec. Créé en 1968 à la suite du voyage du général de Gaulle au Québec, l'OFQJ a aidé 70 000 jeunes à voyager "utile" entre la France et le Québec. Compétent, disponible et souriant, son personnel vous aide à monter votre projet, parfois même financièrement. L'OFQJ a défini 9 secteurs prioritaires : commerce, communication, culture, droit international, environnement, intégration-insertion, management, sciences et technologies et tourisme.

Le personnel de l'OFQJ, dans chaque secteur, dispose d'une réelle expertise et de bons réseaux au Québec, souvent utiles pour décrocher un stage. Depuis le début de l'année 1995, l'OFQJ a mis en place une banque de stage, qui comprend des offres d'une durée minimum de trois mois, en principe rémunérées.

Une fois votre stage trouvé, pour bénéficier du Programme régulier, réservé aux 18-35 ans, vous devez déposer un dossier, avec une lettre de l'employeur trois mois avant la date du départ (en principe avant le 1er décembre, le 15 mars ou le 15 juin). 3000 dossiers sont déposés chaque année, 1000 sont sélectionnés.

*"Nous écartons les voyages d'agrément déguisés et privilégions ceux qui présentent une véritable logique dans le cadre d'un cursus de formation ou d'un parcours professionnel. Ce qui est important, c'est que le projet apporte vraiment quelque chose au candidat"*, explique Armelle Bodin, responsable du sec-

teur communication.

Si votre dossier est retenu, vous devrez payer 1800 francs, pour bénéficier du permis de travail, d'un billet Air France, d'une assurance rapatriement, de l'assurance-maladie québécoise, de l'accueil et de l'encadrement pour les deux premiers jours, avec une nuit d'hôtel, un guide du stagiaire et même un pot de bienvenue. Tout au long de votre séjour, vous pourrez bénéficier d'interlocuteurs au bureau OFQJ de Montréal.

Nadia, 25 ans, est "tombée en amour" avec le Québec en voyageant cinq mois au cours de l'été 1993. Avant d'envisager de s'y installer, elle décide de braver le froid hivernal en faisant un stage dans la communication à Montréal.

*"J'avais beaucoup de difficultés à trouver un stage depuis la France. J'ai appris l'existence de l'OFQJ qui m'a aidé à trouver un stage de trois mois à "Qui fait Quoi", la revue des professionnels de la communication au Québec. Je travaille aussi à la préparation d'un salon professionnel, "Corpovision". Ce stage me permet de prendre des contacts dans ce milieu."*

Le programme Mobilité des jeunes travailleurs, destiné aux 18-30 ans, permet l'obtention d'un permis de travail pour un emploi rémunéré d'une durée de 6 à 12 mois. Ce programme comprend 100 places.

Enfin, l'OFQJ peut vous aider pour des voyages d'études, des missions de prospection ou pour prendre des contacts, sans limite d'âge.

Sophie, 23 ans, étudiante dans une école de commerce, a ainsi réalisé avec deux camarades une étude de débouchés pour une entreprise française de pâtisserie industrielle qui cherchait un importateur au Québec. Il s'agissait d'une mission commerciale croisée, menée conjointement avec une association d'étudiants québécois qui menait la même opération dans le sens inverse.

*"L'OFQJ, en plus de l'aide logistique et des conseils, nous a versé une subvention pour le financement de notre voyage. Des membres de l'Office nous ont pris en charge à notre arrivée à l'aéroport. Ils nous ont fait visiter la ville et avaient organisé une rencontre avec un historien qui nous a fait un exposé sur l'histoire du Québec. Pendant nos trois semaines, nous avons mené à bien notre mission et avons même conclu un contrat d'un demi-million de francs avec une des 7 sociétés que nous avions contactées."*

*OFQJ - 5, rue de Logelbach - 75847 Paris Cedex 17 - Tél. : (1) 47 66 04 76 - Fax : (1) 42 67 68 76 - Minitel : 3615 OFQJ - Ouverture du centre de documentation de 10h à 18h. L'OFQJ bénéficie d'un réseau en province. Contactez le bureau à Paris pour connaître les coordonnées du correspondant le plus proche de chez vous.*

# Le Council on International and Educational Exchange

Le CIEE, déjà cité pour les jobs, propose un soutien logistique et administratif aux étudiants à la recherche d'un stage en entreprise. Pour en bénéficier, vous devez être inscrit dans un établissement de l'enseignement supérieur adhérent du Exchange Visitors Internship Program. Si votre établissement n'a pas encore de convention avec le CIEE, demandez à votre responsable de stage ou à votre directeur d'études de prendre contact avec eux. Cette démarche gratuite peut être très rapide. Le dossier d'inscription vous parviendra par l'intermédiaire de votre école.

Vous devez vous-même décrocher votre stage, d'une durée comprise entre 5 et 9 mois, à toute période de l'année (pour une durée plus courte, rabattez-vous sur le programme Work and Travel). En réglant une pré-inscription de 350 francs, vous avez accès au service de documentation. Un conseiller vous assiste dans vos recherches et vous fournit des listes d'employeurs potentiels. Après avoir obtenu une offre, le CIEE se charge d'obtenir le permis de travail moyennant la somme de 2800 francs (moins 350 francs si vous êtes pré-inscrit) pour un stage de 4 mois, assurance incluse. En principe, vous devez vous inscrire deux mois avant la date de départ.

## Les stages d'enrichissement professionnel de l'OMI

Les stages d'enrichissement professionnel de l'OMI ne s'adressent pas aux étudiants. En revanche, tout travailleur, âgé de 18 à 35 ans et désirant enrichir son expérience professionnelle et/ou linguistique au Canada peut, s'il a obtenu une offre de stage, s'adresser à l'OMI pour l'obtention d'un permis de travail. La durée des permis accordés est comprise entre 3 mois et un an, extensible pour une période de 6 mois. Le quota, de 200 places par an, est vite atteint. Selon l'OMI, il faut faire preuve de beaucoup de persuasion pour convaincre une entreprise canadienne d'embaucher un stagiaire. L'Office conseille notamment de bien préciser aux entreprises que le partenaire local pourra s'occuper rapidement du permis de travail.

✉ *Partenaire de l'OMI au Canada - Ministère des affaires étrangères et du commerce international - Direction de l'enseignement supérieur international - Programmes d'échanges internationaux - 125 Promenade Sussex - Ottawa - Ontario - K1A OG2 - Tél. : (613) 992 6142*

A Paris :

✉ *OMI - 34, rue La Pérouse - 75775 Paris Cedex 16 - Tél. : (1) 43 17 76 42 - Voir page 96 pour une liste des délégations régionales*

Enfin, reportez-vous au chapitre "Trouver un stage" pour avoir des infos sur les organismes suivants :

- AIESEC, pour les étudiants en école de commerce (voir page 86).

- IAESTE, pour les étudiants ingénieurs (voir page 88).

# AMÉRIQUE LATINE BLOC-NOTES

Les Job-trotters *gringos* ne sont pas légion en Amérique latine. On trouvera bien quelques baroudeurs qui iront chercher de l'or dans les jungles amazoniennes ou couper du bois dans l'enfer vert guyanais... D'autres, à peine moins téméraires, iront travailler quelques mois dans des bars locaux, pour des salaires de misère, ou tâcheront de mettre leurs talents linguistiques au service des riches touristes nord-américains. Mais les opportunités se situent plutôt dans le domaine du volontariat. Plusieurs solutions s'offrent à vous :

- Contacter les organismes de chantiers. Concordia, Solidarités Jeunesses ou Jeunesse et Reconstruction proposent régulièrement des actions dans des pays comme le Chili, la Bolivie, le Costa Rica ou le Mexique. Attention, il y a des frais de participation supplémentaires pour l'Amérique latine et le transport reste à votre charge.

- Partir un an comme volontaire dans le cadre du programme ICYE. Des actions sont possibles dans les pays suivants : Bolivie, Brésil, Colombie, Costa Rica, Honduras et Mexique (voir détails sur ce programme page 66).

- S'adresser aux associations directement sur place.

Pour les stages, pensez aux organismes d'échanges internationaux :

- AIESEC, pour les étudiants en écoles de commerce (voir page 86).

- IAESTE, pour les étudiants ingénieurs (voir page 88).

- SESAME, pour les jeunes agriculteurs (voir page 86).

Nous vous indiquons ci-après quelques pistes :

## *Travailler dans les bars*

Les bars et restaurants sont des sources d'emploi prometteuses pour les Job-trotters... dans le besoin. Catherine, bourlingueuse infatigable et fauchée, a servi des cocktails dans un bar au Brésil, sur l'île d'Algodoval. Axel, à peine plus fortuné, a travaillé dans un bar de Quito et financé ainsi son séjour dans la capitale équatorienne. Deux exemples de Job-trotters courageux que vous pouvez fort bien suivre. Pour cela, concentrez-vous sur les établissements les plus "branchés" ou les plus touristiques. Dans la plupart des cas, le manager fermera les yeux sur votre statut de touriste. De toute manière, un visa de travail pour l'Amérique latine est quasiment impossible à obtenir depuis la France, sauf pour quelques emplois très qualifiés. La nationalité française est souvent perçue comme un avantage. Simon a bossé dans différents bars et boîtes de Quito en Equateur :

*"Les Européens sont appréciés pour leur sérieux et la clientèle étrangère qu'ils peuvent attirer. Des gens venaient exprès pour me rencontrer."*

La meilleure technique là encore reste le porte-à-porte. Demandez toujours à voir le patron (l'*administrador* ou à défaut le *dueno*, voire l'*encargad*). S'il n'est pas là, revenez plus tard. Les serveurs auront tendance à vous répondre : *"désolé, il n'y a pas de place ici !"* Un minimum d'espagnol (ou de portugais), agrémenté de quelques notions d'anglais, facilitent les choses. Axel nous parle de sa recherche de job à Quito :

*"C'est simple, le quartier des bars est bien délimité, entre l'avenida Patria, l'avenida 10 de agosto et l'avenida Orellana. Je proposais mes services les vendredis et samedis soirs. Bien sûr, la plupart du temps, c'était la rengaine : "revenez tel jour... rappelez-moi". Mais il faut toujours garder à l'esprit la loi des probabilités : sur cinquante bars, il y en a toujours un qui acceptera. Et ça a marché. Après quelques soirs, j'ai été pris comme serveur au Kaoba, un restaurant-bar fréquenté par la jet set locale. Certains bars sont réputés pour embaucher des étrangers, le No Bar par exemple. Les amateurs de Bob Marley pourront tenter leur chance au Reggae bar..."*

Une expérience de serveur est souvent irremplaçable pour progresser en espagnol et vivre le quotidien des Sud-américains. Mais la rémunération n'est guère réjouissante. Axel gagnait l'équivalent de 80 francs par soir, en travaillant 8 heures d'affilée. Et c'était un bon salaire, la moyenne se situant plutôt autour de 30 francs... Un emploi de serveur permet donc tout juste de subvenir à ses besoins, avec l'obligation de mener un train de vie local.

# Musicien de jazz en Bolivie

Quelques plans pour les musiciens à La Paz, en solo ou en groupe. Vous pouvez être inclus au programme de certains bars, en les contactant directement, en approchant un groupe déjà au programme ou en repérant les annonces dans la presse locale. Vous jouerez en général les jeudis, vendredis et samedis pour des cachets variables : par soirée, 50 $ pour un guitariste solo, 20 $ pour un guitariste dans un groupe, 100 à 150 $ pour un groupe. Deux ou trois sets au programme de 23h à 1h30 ou 2h du matin. Quelques noms de bars : à La Paz, Le Montmartre (bar de l'Alliance Française) ; à Santa Cruz, Le Tapekoa (propriétaire suisse) ; à Sucre, le restaurant de l'Alliance. Les locaux de l'Alliance

Française vous permettront aussi de lier quelques contacts pour d'éventuels jobs.

# Opportunités dans le tourisme

Les régions qui voient débarquer en masse les vacanciers nord-américains constituent de bons terrains de chasse pour les Job-trotters. Certaines agences de tourisme locales aiment bien recruter des étrangers pour faire office de guide touristique. Rien de garanti bien sûr, d'autant que la concurrence des guides locaux s'intensifie, mais ça ne coûte rien de frapper aux portes. Jean-Yves, au cours de ses trois années vagabondes en Amérique latine, a travaillé comme guide au Vénézuéla :

*"Je me suis présenté sur l'île de Margarita, juste avant la saison touristique qui va de novembre à avril. J'ai été pris par un TO local qui recevait des touristes canadiens francophones. J'allais les chercher à l'aéroport et je les accompagnais lors des ballades dans l'île. En fait, on me demandait juste d'être sympa, d'avoir de l'humour… et de parler français. Mon salaire de base était très faible, 100 $ par mois, mais avec les excursions que je pouvais vendre, j'arrivais à la somme confortable de 1000 $. Malheureusement, le job est de plus en plus convoité et les places se font rares…"*

# Bénévolat

## Au Guatemala

De nombreuses associations humanitaires, souvent américaines, montent des projets d'aide aux populations indiennes. Ils se déroulent généralement dans la région de Petén, au nord du pays ou dans l'Altiplano. Ces associations peuvent faire appel à des volontaires étrangers recrutés sur place pour des durées allant de quelques semaines à 6 mois. Ils assurent des tâches d'alphabétisation, enseignent l'anglais ou travaillent dans des orphelinats. Si vous parlez bien espagnol, vous pouvez fort bien être embauché sur l'un de ces projets. Pour cela, rendez-vous à Antigua. La vieille ville coloniale est l'un des centres les plus actifs d'Amérique centrale dans l'enseignement de l'espagnol pour étrangers. Elle abrite une foule cosmopolite d'Américains et d'Européens. Les associations affichent dans les bars et les écoles de langue de la ville leurs offres de recrutement. Le Rainbow Bar par exemple, repère des Américains amateurs d'échecs et de country-rock, met des classeurs à la disposition des voyageurs. Ils recensent les principaux projets d'aide en cours avec le nom des personnes à contacter. Autre bonne adresse, le Dona Luisa. Un grand panneau d'annonces à l'entrée informe des projets ayant besoin de volontaires. Vous pouvez aussi vous rendre à Quezaltenango, la deuxième ville du pays. La plupart des écoles de langues développent des projets d'aide dans les villages indiens environnants. Elles ont recours à des volontaires. Présentez-vous directement dans les écoles. Vous en trouverez la liste auprès de l'office du tourisme. Ces écoles affichent aussi des annonces en tous genres. Vous pourrez peut-être tomber sur des offres de jeune fille ou jeune homme au pair dans une *finca*, ces grandes exploitations agricoles qui cultivent du café.

# Au Costa Rica

Le Costa Rica, petit joyau touristique en Amérique centrale, est particulièrement impliqué dans la préservation de son éco-système. De nombreuses possibilités de bénévolat se sont ainsi développées pour les voyageurs étrangers. Les associations recrutent sur place, la plupart du temps dans leurs locaux à San José. Nous vous signalons trois possibilités.

## • MIRENEM (Ministère des ressources naturelles)
*Servicio de los Parcos Nacionales*

ACTIVITÉ      Office gouvernemental en charge de recruter des volontaires pour les différents parcs nationaux du pays : Cabo Blanco, Braulio Carillo, Irazu, Guayabo, Tortuguero, Poas, Tapanti.

POSTES      Les volontaires sont affectés à des tâches de maintenance ou de promotion des activités du parc auprès des visiteurs, par exemple : monter la garde, réaliser des inventaires de la faune et la flore, défricher des sentiers, traduire des brochures… Les missions sont fonctions des qualifications de chacun et durent en moyenne un mois. Logement et nourriture sont fournis, contre une participation de 8 $/jour.

CANDIDATURE      Vous pouvez écrire à l'avance en précisant vos qualifications et vos dates de disponibilité ou vous présenter sur place.

✉      ***Mirenem - Servicio de los Parcos Nationales - Apartado postal 11384-1000 - San Jose - Tél. : (2) 57 0922 - Fax : (2) 23 69 63***

## • Jardin Gaia

ACTIVITÉ      Centre de protection des animaux et d'éducation à l'environnement. Situé sur la côte ouest, à quelques kilomètres seulement des plus belles plages du Pacifique, près du parc national de Quepos. Le centre recueille des animaux détenus de façon illégale par des particuliers ou des trafiquants (aras, félins, singes…) et les réhabitue à la vie sauvage.

POSTES      Le Jardin Gaia travaille régulièrement avec des volontaires (souvent des étudiants en biologie). Ceux-ci ont pour tâche de nettoyer les cages, préparer la nourriture, nourrir les animaux. L'après-midi, ils renseignent les visiteurs sur les activités du jardin et la vie des animaux. Les volontaires s'engagent à rester au moins un mois. Ils sont hébergés mais pas nourris. Un jour *off* par semaine leur est consenti.

PROFIL      Maîtrise de l'anglais et de l'espagnol, forte motivation pour la nature et l'environnement.

CANDIDATURE Se présenter directement au jardin Gaia.

*Jardin Gaia - PO Box 182 - 6350 Quepos*
*Tél. et fax : (506) 777 0535*

## • ANAI

ACTIVITÉ Association chargée de la protection des tortues Baula (tortues géantes).

POSTES L'association fait appel à des volontaires de toutes nationalités (quelques Européens, Sud-Africains et beaucoup d'Américains). Les volontaires sont chargés d'effectuer des patrouilles de nuit au moment de l'éclosion des tortues afin de les protéger des prédateurs et des braconniers. Certaines missions nécessitent également de marquer les tortues, de déblayer les nids ou de transvaser les œufs dans des endroits plus protégés. Les plages se situent non loin de la frontière avec le Panama, dans un endroit isolé, à l'écart de l'agitation touristique. L'association fournit le gîte et le couvert. Les volontaires restent entre 15 jours et quatre mois (la saison des pontes s'étale de avril à fin juillet).

PROFIL Toutes les bonnes volontés sont acceptées. Il est conseillé de parler un minimum d'anglais et/ou d'espagnol.

CANDIDATURE Se présenter directement au siège de l'association à San José. Des frais d'inscription modiques vous seront demandés.

*ANAI - PO Box 170 270 - Sabanilla - Montes de Oca*
*San Jose*

# Au Mexique

## • SETEJ

ACTIVITÉ Cette association de jeunesse organise des chantiers dans différentes régions du Mexique et peut vous renseigner sur les possibilités de volontariat dans le pays. La maîtrise de l'espagnol est indispensable.

*SETEJ - Hamburgo 301 - Col. Juarez*
*06600 Mexico DF*

# SMEBA VOYAGES
## LES VOYAGES ETUDIANTS

| | | | | | | |
|---|---|---|---|---|---|---|
| ANGERS | 41 20 82 77 | LAVAL | 43 56 17 05 | QUIMPER | 98 55 6 | |
| BREST | 98 47 24 29 | LE MANS | 43 39 90 20 | RENNES | 99 79 3 | |
| CHOLET | 41 71 81 86 | LORIENT | 97 37 59 35 | ST-BRIEUC | 96 33 6 | |
| LA ROCHE/YON | 51 36 12 60 | NANTES | 40 73 05 21 | VANNES | 97 54 1 | |

# AUSTRALIE

L'Australie est une terre de pionniers qui continue à faire rêver. Certes, les quotas d'immigration se réduisent comme une peau de chagrin et le chômage affecte sérieusement les jeunes. Mais la notion de job est ancrée dans la culture australienne, tout comme l'est celle de *backpacker* (littéralement voyageur sac à dos). A l'office du tourisme de Sydney, une section spéciale est chargée de développer le tourisme des *backpackers* étrangers. Quant aux étudiants australiens, ils prennent tous une année sabbatique à la fin de leurs études pour visiter le monde, l'Europe en tête (si vous faites un tour dans un pub à Londres, il y a de fortes chances pour que le barman qui vous serve ait un solide accent "aussie"). Cette mentalité est propice à la recherche de job. A vous d'en profiter, d'autant que le prix des billets d'avion a considérablement chuté (on trouve des allers-retours Paris-Sydney à 5500 francs) et que l'Australie est une escale incluse dans la plupart des billets "tour du monde". Mais un obstacle de taille se dresse sur la route du pays des wallabies : l'obtention d'un visa de travail.

**Pour les taux de change, voir P.12**

# Des organismes pour vous aider

## *Les adresses australiennes à Paris*

- **L'ambassade d'Australie** diffuse des notes d'information sur les différents visas que l'on peut obtenir pour aller en Australie (résident temporaire, touriste, étudiant, working holiday, occupational training...), ainsi que sur les possibilités d'études en Australie.

✉ *Ambassade d'Australie - Services d'immigration - 4, rue Jean Rey - 75724 Paris Cedex 15 - Tél. : (1) 40 59 33 00*

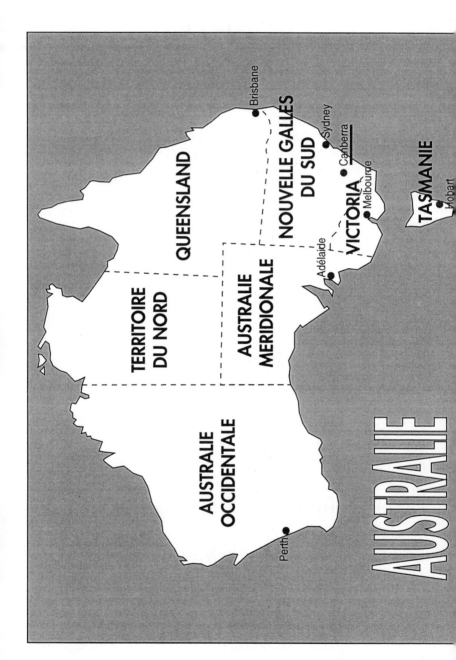

- A **l'office du tourisme** (Australian Tourist Commission), vous trouverez un grand choix de brochures sur les différentes régions d'Australie. L'office peut éventuellement se procurer des documents spécialement conçus pour les voyageurs à petit budget auprès du bureau de Londres. Il existe notamment un polycopié intitulé *Backpacker Australia*, qui est une mine d'informations.

Dans le hall d'accueil de l'ambassade, vous avez le loisir de consulter les principaux quotidiens locaux ainsi que l'annuaire des associations en Australie : *Directory of Australian Association.*

✉ *ATC (Australian Tourist Commission) - Centre d'information touristique - 4, rue Jean Rey - 75015 Paris - Tél. : (1) 45 75 80 44 - Fax : (1) 45 79 19 07*

A Paris, pour un avant-goût des ambiances des tavernes aussies, allez déguster quelques Foster's (principale marque de bière) au Café d'Oz, le premier bar australien de Paris. Le décor annonce la couleur. Des panneaux de signalisation *"Danger crocodiles, No swimming"* ou *"Kangaroos next 14 km"* accrochés aux murs. Derrière le bar, un poster d'Ayer's Rock. En hauteur, un authentique Digeridon (flûte aborigène en bois d'eucalyptus, vidée par les termites). Et des boomerangs un peu partout... Un deuxième Café d'Oz a ouvert dans le quartier des Halles. A inscrire également dans votre tournée, l'Outback…

✉ *Café d'Oz - 184, rue Saint-Jacques - 75005 Paris - Tél. : (1) 43 54 30 48*

# Les joies de l'administration

## *Permis de travail*

Avec la montée du chômage, les conditions pour pouvoir travailler en Australie sont de plus en plus strictes. Le taux de chômage des jeunes atteint 30%. Fini le temps où le gouvernement australien payait les immigrants européens pour qu'ils s'installent sur le sol austral. Mais cette montée du chômage ne touche pas trop les petits boulots, que les Australiens rechignent à effectuer chez eux. Il reste donc des opportunités.

Le problème principal est d'avoir un visa vous autorisant à travailler et à recevoir un salaire. Selon votre situation, vous pouvez obtenir plusieurs visas :

- Le plus facile à obtenir est **le visa touriste**, délivré pour des durées de 3 ou 6 mois. Mais l'ambassade prévient en lettres capitales sur son formulaire : *"Avec un visa touriste, il ne vous est pas permis de travailler en Australie"*. Un visa touriste, c'est vraiment pour les... touristes. En passant outre, vous prenez le risque le risque d'un retour expéditif vers la mère-patrie.

- **Le visa étudiant** vous est délivré si vous êtes inscrit dans une université ou dans une école de langue australienne et suivez au moins 25 heures de cours par semaine. Sa durée couvre celle des études, plus un mois. Avantage : les étudiants étrangers en Australie ont le droit de travailler 20 heures par semaine. Vous pouvez être serveur dans un restaurant le week-end sans aucune formalité supplémentaire. Une possibilité appréciable quand on sait que les frais de scolarité d'une année en université, s'ils restent moins chers qu'aux Etats-Unis, sont tout de même compris entre 30 et 40 000 francs.

D'autres types de visa peuvent être délivrés, sous la catégorie résident temporaire. Ces visas concernent des personnes aux profils spécifiques (sportifs, enseignants, journalistes...). Au sein de cette catégorie, deux visas peuvent vous intéresser :

**- Le visa Working Holiday** est le plus séduisant. Il s'adresse aux jeunes de 18 à 25 ans qui souhaitent voyager en Australie tout en accomplissant des petits boulots pour renflouer leurs finances. Le visa est valable 12 mois, avec comme seule contrainte, l'obligation de changer de job tous les 3 mois. Une superbe opportunité pour découvrir l'Australie sous toutes ses facettes. La raison d'être du Working Holiday est d'offrir à un jeune voyageur *"la possibilité de s'intégrer à la vie australienne"*.

Si vous êtes intéressé, vous devez répondre aux conditions suivantes : avoir un niveau d'anglais correct, être débrouillard, disposer de ressources suffisantes pour couvrir le billet d'avion retour et une grande partie de votre séjour et rédiger une lettre de motivation présentant votre projet de découverte de l'Australie.

Votre dossier est alors étudié par le service des visas de l'ambassade. Selon ses responsables, la grande majorité des dossiers sont acceptés, à partir du moment où vous aurez su prouver que vous pouvez réellement *"apporter quelque chose à l'Australie"*. La plupart des refus sont liés à des critères d'âge. L'ambassade dispose d'un quota de 200 places environ (variable selon les années).

Pour déposer une demande, vous devez écrire à l'ambassade en joignant une enveloppe timbrée à 6,70 francs. Vous recevrez en retour un formulaire à remplir. Il est conseillé de préparer votre demande 6 semaines avant la date de départ souhaitée. Les frais de dossiers sont de 560 francs. Ils ne sont pas remboursés si votre demande est rejetée.

**- Le visa Occupational Trainee** est délivré aux personnes qui ont trouvé des stages de plus de trois mois, rémunérés ou non. Avant de contacter l'ambassade à Paris, vous devez attendre que votre employeur en Australie ait accompli les démarches auprès de son bureau d'immigration le plus proche. Le dossier ne pourra aboutir que si l'employeur est capable de prouver que vous disposez d'une compétence qu'un jeune Australien ne possède pas. La maîtrise de la langue française est en général un argument suffisant... Dès que l'ambassade a reçu le feu vert du bureau d'immigration, vous pouvez déposer votre demande. Il faut compter au total plus d'un mois de délai.

Pour plus d'informations, vous pouvez contacter le service d'immigration de l'ambassade d'Australie (adresse précédemment citée).

## Le Job-trotter et les essais nucléaires

A l'heure où nous réactualisons ce guide, la reprise des essais nucléaires en Polynésie a sérieusement terni l'image de la France dans la région Pacifique, notamment en Australie. Les médias hexagonaux ont accordé une large audience aux démonstrations anti-françaises qui ont éclaté sur le continent austral : boycott des restaurants, fax d'insultes adressés au consulat de France, manifestations violemment francophobes... Un quotidien australien n'a pas hésité à titrer sur plusieurs colonnes "Pourquoi les Français sont-ils des c...?". Toute cette agitation est-elle de nature à perturber vos chances ? En fait, les Job-trotters sur le terrain ne semblent pas avoir été victimes d'ostracisme. Tout au plus faudra-t-il vous attendre à quelques boutades du style "désolé, je ne te serre pas la main, tu dois être radioactif". Que cela ne vous décourage pas à tenter votre chance au pays d'Oz.

# *Impôts*

Les impôts en Australie sont prélevés à la source. Pour bénéficier d'un taux de prélèvement plus clément, vous devez obtenir un numéro de sécurité sociale (*tax file number*). Avec ce numéro, votre salaire sera amputé d'environ 30% (au lieu de 47% sans numéro).

Le *tax file number* s'obtient dans les bureaux de poste ou dans les *tax offices*, sur présentation de votre permis de travail. Du moins en théorie, si l'on en croit le témoignage de Pascal, 29 ans, bourlingueur fou, qui a débarqué en Australie avec un visa touriste :

*"L'essentiel en Australie pour trouver du boulot est le tax file number. C'est la seule chose que demandent les employeurs. J'ai pu obtenir un numéro en me rendant dans une poste de quartier à Sydney et en remplissant tout simplement un formulaire de demande. L'employé de poste n'a pas vérifié si j'avais un visa de travail. Il a regardé mon passeport uniquement pour recopier l'Etat-Civil. Quelques jours plus tard, je recevais mon numéro par courrier à l'adresse que j'avais indiquée."*

Ce type de combine est révélateur d'une certaine mentalité rencontrée en Australie. L'une des phrases préférées des Australiens est *"Don't worry, Mate !"* La paperasserie administrative est parfois traitée à la légère. Mais nous vous mettons en garde contre une telle exploitation du système. Les cas d'Européens ayant été expulsés, pour avoir créé de toutes pièces des *tax file numbers* par exemple, sont plus fréquents qu'on ne le pense.

Pour plus d'informations, contactez l'Australian Taxation Office à Sydney.

⊡ *Australian Taxation Office - 299, Elizabeth Street - Sydney, NSW 2000*
*Tél. : (2) 286 7500*

## Santé

Il n'y a pas de convention bilatérale de sécurité sociale entre la France et l'Australie. Ne comptez donc pas sur la Sécu en France pour prendre en charge, au retour, vos dépenses de santé sur place. Un bon contrat d'assurance est nécessaire. Reportez-vous au chapitre "Voyage mode d'emploi" pour connaître les contrats les plus avantageux.

## *Ouvrir un compte en banque*

Une simple formalité. Il suffit de donner une adresse et présenter un passeport et vous voilà titulaire d'un compte bancaire. Deux banques à conseiller plus particulièrement : Westpac et ANZ.

# Trouver un logement

### *La location d'appartement ou de maison*

Le système des *roommates* fonctionne bien en Australie. Pour trouver un appartement à partager, consultez les annonces des quotidiens locaux, aux rubriques *Flats to let* ou *Share accomodation*. A Sydney, le *Sydney Morning Herald* contient énormément d'annonces de ce type.

Selon Anne-Fleur, 20 ans, qui a étudié l'anglais à Sydney, les universités sont aussi un très bon moyen de dénicher un appartement.

*"Il est très facile en milieu étudiant de trouver des share accomodations. Des panneaux de petites annonces sont installés dans les facs. A Sydney, il faut compter une dizaine de jours au grand maximum pour trouver un logement à partager avec des étudiants."*

Tout aussi efficaces, les panneaux d'annonces des hôtels bon marché (voir plus loin). Les personnes qui cherchent des *roommates* y affichent souvent des messages pour trouver de nouveaux co-locataires.

A Melbourne, une bonne adresse pour dénicher une chambre en appartement :
✉ **Enfield House Backpackers Hostel and Travellers Flats - 2, Enfield Street, St Kilda - Melbourne, VIC 3000 - Tél. : (3) 534 8159**

Concernant les loyers, vous pouvez sous-louer une chambre en appartement pour 70 à 100 A\$ par semaine. Plus vous êtes nombreux et plus la formule est avantageuse. A Sydney, une maison à partager entre quatre personnes peut revenir à 250 A\$ par personne et par mois. Pour le même prix, si vous êtes encore un peu plus nombreux (7 ou 8), vous pouvez louer une grande maison en bord de plage, du côté de Rosebay ou de Bondi (prononcez Bondaï). Les surfeurs apprécieront ! En général, le propriétaire vous demandera de verser deux mois de loyer d'avance, dont un à titre de caution.

## Les hôtels pour voyageurs

Comme le dit dans son introduction l'une des brochures de l'Australian Tourist Commission : "*si vous souhaitez dormir à la belle étoile, avec pour seul bagage un baluchon, et pour compagnons des animaux sauvages, c'est possible. Mais sachez que pour 15 A$, vous pouvez aussi dormir dans un lit confortable en plein centre-ville.*"

C'est vrai, l'Australie regorge d'hôtels conviviaux et bon marché. Il existe deux réseaux principaux : les auberges de jeunesse (Youth Hostels) et les hôtels indépendants pour backpackers, dont certains se sont récemment regroupés au sein d'une association concurrente des auberges de jeunesse : Backpackers Resorts of Australia (BRA).

Tous ces hôtels fonctionnent sensiblement sur le même principe. Vous logez dans des chambres simples, doubles ou en dortoir. Le prix d'une nuit tourne autour de 10 A$ en dortoir et 15 A$ en chambre simple. Les toilettes et les installations de cuisine sont collectives. Il y a un coin TV, un bar, une laverie automatique, parfois même une piscine... Et l'ambiance est toujours très sympa !

Pour dormir dans les auberges de jeunesse à moindre frais, n'oubliez pas la carte internationale des auberges de jeunesse, vendue en France par la FUAJ. BRA vend également une carte "VIP" qui permet d'avoir des réductions dans ses hôtels membres. Reportez-vous au chapitre "Voyage mode d'emploi" (page 415).

**Bon plan** : Dans la plupart de ces hôtels, si vous restez un certain temps (au moins une dizaine de jours), vous pouvez bénéficier de nuitées gratuites en échange de quelques heures de travail dans la semaine. Par exemple, pour assurer la réception ou faire le ménage. Cet échange de bons procédés est particulièrement courant en Australie.

Pour avoir les adresses des Youth Hostels ou des établissements membres de BRA, vous pouvez contacter les différentes fédérations :

✉ *Australian Youth Hostels Association - Level 3, 10 Mallett Street - Camperdown, NSW 2050 - Tél. : (2) 565 1699 - Fax : (2) 565 1325*

Chaque Etat possède son association d'auberges de jeunesse, gérée de façon autonome.

✉ *Queensland - 1st Floor, 154 Roma Street - Brisbane, QLD 4000 Tél. : (7) 236 1680*

✉ *Nouvelle-Galles du Sud - 422 Day Street - Sydney, NSW 2000 Tél. : (2) 261 1111*

✉ *Victoria - 205 King Street - Melbourne, VIC 3000 Tél. : (3) 670 7991*

✉ *Tasmanie - 1st Floor, 28 Criterion Street - Hobart, TAS 7000 Tél. : (002) 34 9617*

✉ *Australie Méridionale - 38 Sturt Street - Adélaïde, SA 5000*
*Tél. : (8) 231 5583*

✉ *Australie Occidentale - 65 Francis Street - Perth, WA 6000*
*Tél. : (9) 227 5122*

✉ *Territoire du Nord - Darwin Hostel Complex - Beaton Road - Berrimah -*
*Darwin, NT 0821 - Tél. : (89) 84 3902*

✉ *Backpackers Resorts of Australia - PO Box 1000 - Byron Bay, NSW 2481*
*Tél. : (18) 666 888*

*ou à Sydney*

✉ *8th floor - 428 George Street - Sydney, NSW 2000*
*Tél. : (2) 233 1624*

# Trouver un job

L'Australie n'est plus l'Eldorado d'il y a quelques années. Mais interrogez n'importe quel Australien sur les possibilités de jobs dans son pays. Il est peu probable qu'il soupire de découragement. Comme ailleurs, le chômage élevé n'affecte que dans une faible mesure la recherche de jobs. Et puis les Australiens sont réputés pour leur caractère franc et direct. Le système d'embauche est souple.

Votre recherche sera compliquée du fait de la concurrence des Anglais et autres anglophones voyageant avec un visa Working Holiday. Ce sont eux que vous croiserez dans les hôtels backpackers. Ils ont un avantage sur vous : la langue. D'un autre côté, vous pouvez jouer sur votre image exotique. Un Français qui cherche un job, ça ne court pas les rues en Australie.

Gardez en tête l'immensité du territoire australien. Mieux vaut ne pas disperser vos recherches. Selon les services de l'emploi australien, les grands centres urbains, Melbourne, Sydney, Brisbane, et dans une moindre mesure Adélaïde et Perth, sont les endroits les plus riches en petits boulots. La Gold Coast, une bande de plages de 35 km à la limite du Queensland et de la Nouvelle-Galles du Sud, en plein boum touristique, est également une région où vous avez de bonnes chances de décrocher un job.

## *Les organismes qui facilitent vos recherches en France*

### Le Council on International and Educational Exchange (CIEE)

Dans la lignée de ses programmes sur les Etats-Unis et le Canada, le Council développe un programme Work and Travel sur l'Australie. Il s'agit en fait de vous procurer un visa Working Holiday (conditions identiques à celles requises par l'ambassade), avec en plus le soutien d'un partenaire australien sur place qui pourra vous conseiller et vous fournir une *job list*. Une cinquantaine de places sont disponibles et les départs sont possibles à toute période de l'année. Le coût de participation est de 2290 francs (assurance et plusieurs nuits d'hôtel à l'arrivée incluses mais pas le transport).

✉ *CIEE - 1, place de l'Odéon - 75006 Paris - Tél. : (1) 44 41 74 99*

# Les organismes qui facilitent vos recherches sur place

## Les CES (Commonwealth Employment Services)

Les CES sont les équivalents de nos agences ANPE. Les étrangers ont accès à leurs services au même titre que les Australiens à condition d'être en possession d'un visa de travail en bonne et due forme. Les CES affichent des offres dans leurs locaux. Lorsqu'une offre vous intéresse, vous la sélectionnez avant de vous adresser à l'un des employés de l'agence. Les bureaux ouvrent tôt le matin, à partir de 6h en général. Soyez là dès l'ouverture car la règle est souvent celle du "premier arrivé, premier servi". La concurrence est rude dans les CES des centres villes, à Sydney notamment.

Il existe des CES destinés plus spécialement aux heureux bénéficiaires d'un visa Working Holiday. Ces agences proposent des boulots dans le tourisme, la vente, la manutention ou le travail de bureau (secrétariat, comptabilité, informatique...). Voici une liste des principaux bureaux :

✉ *CES Templine Services - 699 George street - City - Sydney, NSW 2000*

✉ *CES Job Centre - 128, Bourke Street - Melbourne, VIC 3000*
*Tél. : (3) 666 1222*

✉ *Casual Reference Center - 55, Currie Street - Adélaïde, SA 5000*
*Tél. : (8) 231 9999*

✉ *Templine - 1st floor - 186, St Georges Terrace - Perth, WA 6000*
*Tél. : (9) 322 6155*

✉ *Darwin CES Office - 40, Cavangh Street - Darwin, NT 0800*
*Tél. : (89) 46 4877*

✉ *Alice Springs CES Office - Cnr Gregory Terrace & Hartley Street*
*Alice Springs, NT 0870 - Tél. : (89) 59 7122*

✉ *Hobart CES Office - 175 Collins Street - Hobart, TAS*
*Tél. : (002) 20 5011*

Franck, muni d'un visa Working Holiday, s'est rendu dans un CES de Sydney spécialisé dans les petits boulots (Casual CES, 10, Quay Street). Il n'est pas resté oisif bien longtemps :

*"Les offres de job sont à pourvoir entre 7h et 10h. On m'a quasiment tout de suite proposé deux boulots de quelques jours. Il s'agissait de travaux de manu-tention, payés entre 10 et 12 A$ de l'heure. Après cela, l'agence m'a trouvé un travail de quatre semaines dans une entreprise d'horticulture : je transportais des sacs d'engrais sur des palettes, les enroulais de film, m'occupait du stockage. Rien de très exaltant, mais avec les heures supplémentaires, j'arrivais à bien gagner ma vie."*

## Les agences de travail temporaire

Elles sont d'une aide précieuse. Pour vous inscrire dans une temp agency, vous devez posséder un *tax file number*. Drake et Ecco sont deux des principales agences. Les opportunités se situent surtout dans le domaine du secrétariat, de la comptabilité et de la saisie sur ordinateur. Vous pouvez obtenir une liste complète dans les pages jaunes de l'annuaire ou trouver des adresses dans la revue *For backpackers by backpackers* (voir plus loin).

## Les hôtels pour backpackers

Mieux que les CES, mieux que les agences temporaires, voici le véritable filon pour trouver un job en Australie. Les hôtels pour backpackers sont des mines d'information. Le bouche à oreille fonctionne à cent à l'heure. En traînant en terrasse, en dégustant une bière avec le patron ou les clients de l'hôtel, en consultant les panneaux d'annonces bien remplis, vous serez vite au courant des bons plans en cours. Pierre, 25 ans, a bossé comme serveur à Sydney. Il est un ardent partisan des backpackers.

*"Pour moi, il n'y a pas de meilleure méthode. Si vous voulez trouver un job à Sydney, prenez une chambre dans un des hôtels bon marché sur Kings Cross. En quelques jours, vous connaîtrez tous les tuyaux et les adresses pour décrocher un boulot. Le système des petites annonces marche très bien. Aucun problème pour trouver un appartement à partager, une voiture d'occase à racheter, ou même proposer vos services : coiffure, vente de bijoux..."*

Nous avons déjà indiqué les coordonnées des fédérations des auberges de jeunesse et celles de Backpackers Resorts of Australia. Elles pourront vous envoyer la liste de leurs membres. Pour connaître les adresses des hôtels indépendants, vous pouvez consulter un guide comme le Lonely Planet, ou piocher dans la revue *For backpackers by backpackers*.

A Sydney, le couple qui tient le City Road Holiday Hostel nous a confirmé qu'il serait *"très heureux d'aider tout étudiant français débarquant dans la ville et cherchant un job."* Un autre hôtel pour backpackers s'est taillé une jolie réputation dans ce domaine, le Harbourside Hotel. Valérie, étudiante en LEA d'anglais, a eu l'occasion de le vérifier dès son premier jour en Australie :

*"Je venais à peine de défaire mon sac. Alors que je prenais un verre sur la terrasse, la sonnerie du téléphone a retenti. Le propriétaire de l'hôtel a décroché, puis a lancé aux quelques clients présents : "on a besoin de deux filles pour*

*coller des étiquettes sur des paquets de vêtements demain !" Je me suis portée volontaire et j'ai eu le job. Par la suite, j'ai compris que l'hôtel recevait sans arrêt des offres de jobs, au moins trois par jour."*

A Adélaïde, le Rucksackers International est prêt à vous donner des conseils sur la récolte de fruits dans la région et les jobs possibles pendant le Grand Prix de Formule 1 (l'hôtel vous offre même une réduction de 1 A$ sur le prix d'une nuit sur présentation de ce guide…). A Melbourne, la Enfield House (citée précédemment) dispose d'un large panneau d'annonces de jobs et sa manager précise : *"nous faisons notre possible pour aider les voyageurs de toutes nationalités à trouver du travail."* Cet esprit, vous le retrouverez dans une multitude d'établissements sur l'ensemble du territoire. Pas de doute. Ces hôtels sont bien les champions du monde de l'hospitalité pour le Job-trotter.

▣ *City Road Holiday Hostel - 94 City Road - Chippendale - Sydney, NSW 2008 Tél. : (2) 698 1195*

▣ *Harbour Side Hotel - 41 Cremorne Road - Cremorne point - Sydney*

▣ *Rucksackers International - 257 Gilles Street - Adelaïde, SA 5000*

## D'autres adresses utiles

Comme toujours, cherchez à diversifier tous azimuts votre recherche. Parlez-en autour de vous. Essayez de rentrer en contact avec les Français expatriés. Il existe un bureau d'accueil des Français à Sydney (Sydney Accueil), animé par des résidents de longue date. Les restos français, même s'ils n'ont pas de jobs sous la main, peuvent également donner des tuyaux précieux. Sur Castlereagh Street, le restaurant aux couleurs tricolores Le Chifley a longtemps été un vivier à tuyaux pour les Français de passage. Et il y a les pubs. Dans les régions désertiques du centre ou du Territoire du Nord, le pub fait office d'ANPE locale. Comme le résume le manager du Café d'Oz à Paris, qui sait de quoi il parle : *"Go straight to it. People in the pub know !"*

▣ *Sydney Accueil - 29, Kulgoa Road - Bellevue Hill - Sydney, NSW 2023 Tél. : (2) 327 6993*

# *Des journaux à consulter*

La presse quotidienne est un excellent filon pour trouver un job. Les suppléments emploi des quotidiens régionaux paraissent généralement le samedi, à l'exception notable du *Sydney Morning Herald* qui publie son *Job Market* le lundi. A Melbourne, parcourez les pages emploi de *The Age*. Les annonces concernent des postes de caissier, cuisinier, serveur, bartender, sandwich hand, coiffeur, vendeur…

Il existe également deux journaux gratuits qui contiennent plein d'infos sur l'hébergement et les bonnes adresses pour petit budget.

- *Aussie Backpacker, The Budget Travellers Newspaper*, bi-mensuel disponible dans les hôtels pour backpackers et dans les principales gares de train et bus.

- *For Backpackers by Backpackers,* bi-mensuel distribué dans les halls d'arrivée des aéroports, les gares de bus et train et les hôtels.

# Les secteurs qui embauchent

## Restauration, bars, pubs

C'est dans ce secteur que les opportunités sont les plus nombreuses. Comme partout ailleurs, direz-vous. Oui, sauf qu'en Australie, la cote des Français crève tous les plafonds. Jean-Pierre, 26 ans, électricien, a travaillé dans les cuisines d'un restaurant à Melbourne. Il témoigne :

*"En Australie, même si vos compétences culinaires n'ont jamais dépassé le plat de nouilles à la sauce tomate, vous serez considéré comme un chef émérite. C'est simple. Il suffit d'avoir en tête quelques recettes pour prétendre occuper un poste de chef-cuisinier. De toutes façons, les Australiens ne se prennent pas la tête avec la nourriture. C'est loin d'être une obsession comme chez nous."*

De même, vous serez d'emblée catalogué comme fin connaisseur de vin. Gênant si vous ne buvez que de l'eau minérale. Mais si vous savez distinguer un Bordeaux d'un Bourgogne (ou du moins faire semblant), vous voilà bien placé pour être sommelier. Le must est de pouvoir dire que vous avez bossé dans un restaurant à Paris. Surtout si vous pouvez montrer une attestation de votre employeur. Il n'y a pas de plus belle carte de visite. Stéphane, 22 ans, serveur à mi-temps dans un resto de Sydney, conseille de forcer le trait, mais jusqu'à un certain point seulement :

*"A la limite, c'est bien pour un Australien d'avoir un Français dans son bar. Lorsque je fais le service, je n'hésite pas à en rajouter un peu... à mettre des "Madame, Monsieur" à la fin de chaque phrase. Un Français, c'est exotique... alors je joue le jeu. Mais gare à la galanterie déplacée. Les féministes ici sont des dures à cuire. Elles vous remettent à votre place en un rien de temps."*

Dans un premier temps, vous avez quand même intérêt à faire le tour des restaurants français pour proposer vos services. Vous n'aurez pas l'obstacle de la langue. A Melbourne par exemple, il y a une quarantaine de restaurants/pâtisseries/cafés français. Une enseigne comme Delifrance, salon de thé à la française, accroît le nombre de ses établissements à un rythme impressionnant.

Pour trouver un job dans la restauration, en dehors des annonces des journaux, la méthode la plus efficace reste le porte-à-porte. Pierre, après avoir quitté les hôtels pour backpackers de Kings Cross pour emménager dans une maison à Rosebay, a choisi cette méthode :

*"Je venais de passer plusieurs mois en Amérique du Sud. J'ai donc délaissé les restos français pour me concentrer sur le quartier hispanique de Sydney. A chaque fois, je demandais à voir le patron et lui laissais un CV très simple, avec*

*mon nom et mon numéro de téléphone. A la fin de la première journée, je n'avais que des réponses négatives. Un peu dépité, je suis rentré chez moi. Là, le téléphone a sonné. Le patron d'une des tavernes espagnoles que j'avais visitées me proposait un job : un de ses barmen venait de partir."*

Bien sûr vous n'aurez pas forcément autant de chance, surtout si vous cherchez pendant les vacances scolaires (décembre-janvier). C'est l'époque où la concurrence estudiantine est la plus forte. De plus, les jobs de barman ne sont pas les plus faciles à assumer. Il faut du temps avant de maîtriser toutes les subtilités des bières australiennes... Des postes de serveur et d'aide-cuisine (*Larder/Kitchen Hand*) sont plus accessibles.

Pour augmenter vos chances, vous avez intérêt à faire le tour des quartiers les plus touristiques. A Sydney, les endroits branchés comme Paddington ou Darlinghurst sont à visiter. Certains restaurants se sont fait la réputation d'embaucher à tour de bras. A Kings Cross, vous entendrez peut-être parler de Madame Li, une Sud-Coréenne qui dirige un restaurant. Le taux de turn-over de ses garçons de salle est paraît-il si élevé qu'on dit qu'il y a toujours une place vacante chez elle !

Une autre méthode recommandée est de vous inscrire dans une agence de travail temporaire spécialisée dans la restauration. Olivier, 27 ans, donne les conseils suivants :

*"Les agences d'intérim proposent pas mal de boulots comme serveur ou en cuisine. Elles embauchent beaucoup de jeunes. Lors de l'entretien, l'important est de garder le sourire. J'ai répondu YES à toutes les questions du genre "vous avez de l'expérience ?" ou "vous savez faire la cuisine ?" Une question qui revient souvent est "savez-vous servir à l'anglaise (en V.O : Do you know silver service ?), c'est à dire savez-vous servir avec une grande cuillère et une fourchette dans la même main ?" Même si vous ne savez pas, répondez oui et entraînez-vous après chez vous..."*

Une fois que vous êtes inscrit dans une agence, vous êtes contacté chaque fois qu'un boulot se présente. Cela peut être pour des missions très ponctuelles... et même très mondaines. Olivier a ainsi assuré le service lors d'une grande réception organisée en l'honneur de la visite de la Reine d'Angleterre, en présence de tous les députés australiens. A Sydney, une agence conseillée par de nombreux Job-trotters est TROY'S.

✉ ***TROY'S - Suite 3/2, Grosvenor Street - Bondi Junction - NSW 2022 - Tél. : (2) 389 0455 - Fax : (2) 389 2617***

Les salaires proposés par les agences varient en fonction du poste occupé (*waiter, bar person, kitchen hand, 1st Chef, 2nd Chef...*), du lieu de travail (clubs, hôtels, restaurants, traiteurs...) et du jour de travail (les samedis, dimanches et jours fériés sont bien mieux payés). A titre d'exemple, les salaires horaires versés par TROY'S en semaine vont de 10,7 A$ pour un aide-cuisine en hôtel (le plus bas) jusqu'à 18 A$ pour un chef traiteur (le plus haut). Les jours fériés, vous pouvez empocher des sommes rondelettes. Olivier se souvient avec nostalgie de son service dans un resto franco-italien le jour de Noël.

*"Le 25 décembre, les Australiens ne veulent pas travailler. Les salaires font un bond énorme. Après le service de midi, où les tables étaient bien remplies, la salle est devenue très calme. Avec un ami, on a passé l'après-midi à essuyer quelques couverts et ajuster des verres par-ci, par-là. Bref, la glandouille... et pendant ce temps, le compteur tournait. On gagnait l'équivalent de 250 francs par heure. Le jackpot !"*

Si vous êtes employé directement dans un restaurant comme serveur, vous pouvez tabler sur un salaire horaire d'environ 12 A$, auquel il faut rajouter les pourboires.

La morale de l'histoire : on peut très bien vivre à Sydney avec un boulot dans la restauration.

## Tourisme

La Gold Coast, en particulier la ville de Surfer's Paradise (ses restos, son casino, sa trentaine de discothèques, ses parcs d'attraction...) attirent les Job-trotters pendant la saison estivale (décembre, janvier). Mais en Australie, il n'y a pas que la plage et le soleil. A partir de juin, débute l'hiver austral. Les stations de ski australiennes ouvrent leurs pistes. Les deux principaux reliefs pour skier sont les Snowy Mountains dans la Nouvelle-Galles du Sud et les Victorian Alps dans l'Etat de Victoria. Les stations sont de taille modeste, mais avec la neige, une multitude de petits boulots se créent, dans les hôtels, les magasins de ski, les restaurants, les discothèques... sans oublier les jobs de plombier. L'hiver, le froid fait exploser les tuyaux. Il y a toujours plein de fuites à réparer.

Dans les Victorian Alps, trois stations ont la faveur des skieurs : Falls Creek, Mt Hotham et Mt Buller. C'est là qu'il faut aller prospecter. Allez-y dès juin, même s'il y a encore peu de neige à cette saison. Les Français sont bien vus dans les stations. Les Australiens adorent les Alpes. Hélène, comédienne, a bossé à Mt Buller pour renflouer ses finances au cours de son tour du monde. Elle a reçu un accueil enthousiaste :

*"J'ai rencontré de nombreux Australiens qui avaient été en France pour skier. Ils connaissaient Avoriaz ou les Arcs, mais pas Paris. Les gens étaient vraiment très sympas. Le premier jour, j'ai démarché tous les hôtels, restos, discos et bars de la station. L'un des hôteliers avait passé plusieurs saisons de ski en France. Quand il a su que j'étais française, il m'a dit : désolé je n'ai pas de job pour vous, mais en revanche je peux vous loger sans problème. Et il m'a hébergée gracieusement dans son hôtel quatre étoiles."*

En fait, les difficultés pour trouver un boulot tiennent plus aux caprices de la météo. Certaines saisons, la neige se fait rare. Et sans neige, pas de touriste et donc pas de job. Xavier, étudiant en médecine, a eu la malchance de tomber sur une saison pourrie, l'hiver dernier :

*"C'était la plus mauvaise saison depuis trente ans ! Tous les restaurants me disaient : dès que la neige arrive, on aura du boulot pour vous. Mais les stations étaient vides. Au total, sur deux mois, j'ai pu bosser trois semaines seulement. Dans un magasin de location de matériel de ski, à la caisse d'un supermarché et dans un restaurant."*

En moyenne, la rémunération pour tous ces jobs tourne autour de 10 A$ de l'heure. Un bon plan : pensez à proposer vos services aux restaurants sur les pistes. Vous êtes sûr d'être logé-nourri compte tenu de leur relatif éloignement du centre de la station. Votre salaire sera en revanche un peu inférieur (9 A$/h).

# Agriculture

La cueillette agricole fournit traditionnellement de nombreux jobs en Australie. C'est l'une des activités préférées des voyageurs ayant un visa Working Holiday. Dans les vallées de Goulburn et Murray, dans l'Etat de Victoria, plus de 8000 travailleurs saisonniers, la plupart britanniques, cueillent des fruits chaque année. La rémunération dépend des saisons et des récoltes mais c'est souvent une activité rentable. Certains voyageurs vont ainsi cueillir des fruits pendant quelques mois avant de repartir en voyage, les poches bien remplies.

Malheureusement le secteur agricole pâtit de la crise depuis quelques années. Certaines fermes ont dû clore leurs portes et la concurrence avec les travailleurs locaux est de plus en plus forte.

Avant de partir à l'assaut des vignobles et vergers australiens, procurez-vous un livret distribué par le CES : *Harvest Table Australia*. Actualisé chaque année, il recense, région par région, les cultures ayant besoin de main-d'œuvre temporaire. Les dates de récolte et cueillette sont bien sûr indiquées. Vous pouvez le commander depuis la France en vous adressant à la Northern Victoria Fruitgrowers Association ou à la Victorian Peach and Apricot Grower's Association. Attention, le CES précise que les informations sont fournies à titre indicatif. Les dates de récolte varient en fonction des conditions climatiques. Vous n'êtes jamais sûr de trouver un emploi dans les régions indiquées.

✉ *Northern Victoria Fruit Growers Association - P.O Box 394 - Shepparton Australia 3630 - Tél. : (58) 21 5844*

✉ *Victorian Peach and Apricot Grower's Association - P.O Box 39 Cobram - Australia 3644 - Tél. : (58) 72 1729*

Les principales régions agricoles sont situées le long des côtes du Queensland, de la Nouvelle-Galles du Sud et de l'Australie Occidentale. La Tasmanie offre également des possibilités de cueillette de pommes (voir en encart les principales opportunités selon la Harvest Table ).

## Nouvelle-Galles du Sud
Ville

| Janvier | Abricots, pruneaux, pêches | Griffith |
|---|---|---|
| Février-mars | Pruneaux | Young |
| | Raisin | Griffith, Leeton |
| | Cerises | Forbes |
| | Pêches | Forbes |
| Février-avril | Pommes | Orange |
| | Poires | Forbes |
| Février-mai | Pommes | Forbes |
| Mars-avril | Pommes | Batlow |
| | Haricots | Forbes |
| | Courgettes | Forbes |
| | Pois | Forbes |
| Mars-juin | Coton | Wee Waa |
| Septembre-avril | Oranges | Griffith |
| Octobre-décembre | Asperges | Cowra, Forbes |
| Novembre-décembre | Cerises | Young |
| Novembre-janvier | Coton | Wee Waa |
| | Cerises | Orange |
| Novembre-février | Coton | Moree |
| Novembre-mars | Oignons | Griffith |
| Novembre-avril | Tomates | Forbes |
| Décembre-mars | Oranges | Leeton |

## Victoria

| Janvier-mars | Poires, pêches | Shepparton, Ardmona, Tatura, Kyabram, Invergordon, Cobram |
|---|---|---|
| Janvier-avril | Raisin | Sunraysia, Robinvale |
| Février-avril | Tomates | Shepparton, Ardmona, Tatura, Kyabram, Echuca, Rochester |
| Février-mars | Raisin | Nyah district, Swan Hill, Lake Boga, Robinvale, |

| | | |
|---|---|---|
| | . . . . . . . . . . . . . . . . . . . . | Sunraysia |
| <u>Janvier-avril</u> | Tabac . . . . . . . . . . . . . . . . . | Ovens, vallées de |
| | . . . . . . . . . . . . . . . . . . . . | King et Kiewa |
| <u>Mars-avril</u> | Pommes . . . . . . . . . . . . . . | Red Hill, Main Ridge |
| <u>Septembre-novembre</u> | Asperges . . . . . . . . . . . . . . | Dalmore |
| <u>Octobre-décembre</u> | Fraises . . . . . . . . . . . . . . . . | Echuca, Kyabram, |
| | . . . . . . . . . . . . . . . . . . . . | Silvan |
| <u>Novembre-février</u> | Cerises et baies . . . . . . . . . . | Wandin, Silvan, |
| | . . . . . . . . . . . . . . . . . . . . | Healesville |
| <u>Novembre-décembre</u> | Tomates . . . . . . . . . . . . . . | Echuca, |
| | . . . . . . . . . . . . . . . . . . . . | Ronchester, |
| | . . . . . . . . . . . . . . . . . . . . | Tongala |

## Queensland

| | | |
|---|---|---|
| <u>Janvier-février</u> | Raisin . . . . . . . . . . . . . . . . . | Stanthorpe |
| <u>Février-mars</u> | Poires . . . . . . . . . . . . . . . . . | Stanthorpe |
| | Pommes . . . . . . . . . . . . . . | Stanthorpe |

## Australie Méridionale

| | | |
|---|---|---|
| <u>Février-mars</u> | Fruits secs . . . . . . . . . . . . . . | Riverland |
| <u>Septembre-novembre</u> | Tabac . . . . . . . . . . . . . . . . . | Mareeba |

## Tasmanie

| | | |
|---|---|---|
| <u>Février-avril</u> | Poires, pommes . . . . . . . . . | Berridale |
| <u>Février-mai</u> | Pommes . . . . . . . . . . . . . . | Eastern Shore |
| | . . . . . . . . . . . . . . . . . . . . | Bicheno, Tasman |
| | . . . . . . . . . . . . . . . . . . . . | Peninsula |
| <u>Mars-avril</u> | Pommes, poires . . . . . . . . . | Vallée de Huon |

## Australie Occidentale

| | | |
|---|---|---|
| <u>Mars-juin</u> | Pommes . . . . . . . . . . . . . . | Manjimup, |
| | . . . . . . . . . . . . . . . . . . . . | Pemberton, |
| | . . . . . . . . . . . . . . . . . . . . | Donnybrook |
| | Orge, avoine, blé . . . . . . . . | Merredin, Northam |
| <u>Avril-juin</u> | Orge, avoine, blé . . . . . . . . | Wagin, |
| | . . . . . . . . . . . . . . . . . . . . | Gnowangerup, |
| | . . . . . . . . . . . . . . . . . . . . | Katanning, |
| | . . . . . . . . . . . . . . . . . . . . | Williams, |
| | . . . . . . . . . . . . . . . . . . . . | Narrogin, West |
| | . . . . . . . . . . . . . . . . . . . . | Arthur, région de |
| | . . . . . . . . . . . . . . . . . . . . | Geraldton |
| | Avoine, blé . . . . . . . . . . . . | Bindoon, Lower, |

|  |  |  |
|---|---|---|
|  | . . . . . . . . . . . . . . . . . . . . . . | Chittering, Moora |
| Avril-novembre | Melons d'eau . . . . . . . . . . . | Coorow |
| Mai-juin | Avoine, blé . . . . . . . . . . . . . | Salmon gums, |
|  | . . . . . . . . . . . . . . . . . . . . . | Grass Patch |
| Mai-septembre | Courgettes, courges, melons . | Kununurra |
| Juin-décembre | Tomates, melons, poivrons . . | Carnavon |
| Septembre-décembre | Mangues . . . . . . . . . . . . . . | Kununurra |
| Octobre-décembre | Avoine, orge, blé . . . . . . . . | Merredin |
| Octobre-janvier | Avoine, blé, orge . . . . . . . . | région de |
|  | . . . . . . . . . . . . . . . . . . . . . | Geraldton |
| Novembre-décembre | Avoine, blé, orge . . . . . . . . | Albany |
|  | Blé, orge . . . . . . . . . . . . . . | Moora, Northam |
| Toute l'année | Bananes . . . . . . . . . . . . . . | Kununurra |

Source : Extraits tirés de Harvest Table Autralia 1993/1994 (Commonwealth Employment Service).

La région de Victoria est l'une des principales régions productrices de fruits. Au départ de Sydney, vous pouvez vous rendre à Sheparton et Cobram. Ce sont de bons points de départ. Le gros de la saison s'étend de janvier à avril. Cela commence avec la récolte de poires et pêches, destinées essentiellement à la mise en conserve, et s'achève avec les pommes en avril. Pour trouver un job, vous pouvez contacter la Northern Victoria Fruits Growers Association (adresse précédemment citée).

L'Australie Occidentale est également une région agricole prospère. Selon l'un des managers du département d'Agriculture de la région : *"pendant la saison des cueillettes, qui couvre quasiment toute l'année, il y a beaucoup de travail disponible, pour les Australiens comme pour les jeunes Français"*.

Dans des régions plus isolées, en Australie Méridionale notamment, il est indispensable de posséder sa propre voiture. L'idéal est d'avoir un camping-car, car le logement est rarement fourni. A défaut, prévoyez une tente (il est facile de racheter du matériel de camping en consultant les petites annonces des hôtels pour *backpackers*). Les CES conseillent fortement de vous renseigner sur les offres d'emploi dans leurs bureaux avant de vous déplacer dans des zones comme le Queensland, l'Australie Méridionale et la Tasmanie. Dans des régions plus fréquentées, comme Victoria, il est assez usuel de bénéficier de logement, en caravane par exemple.

Comme tout travail de plein air en Australie, la récolte de fruits n'est pas toujours une partie de plaisir. Vous risquez de travailler sous un soleil de plomb. L'air est sec, chargé de poussière. Certaines récoltes sont plus pénibles que d'autres. En tête des labeurs les plus éprouvants : la récolte de tabac. La cueillette de pommes ou de tomates est physiquement moins épuisante mais les journées sont longues. Pour gagner sa vie, il faut compter 8 à 9 heures de cueillette par jour.

Lorsque vous arrivez dans une région, allez faire un tour dans le CES local pour savoir quelles sont les fermes qui embauchent. Mais comme toujours en Australie, les meilleures infos sont celles fournies par les Youth Hostels ou les hôtels pour *backpackers*.

Un mot pour conclure sur les rémunérations. Elles varient en fonction des récoltes et surtout de votre rendement. En moyenne, toutes cultures confondues, le salaire oscille entre 8 et 10 A\$ de l'heure. Comme la paye dépend de votre efficacité, l'expérience joue un rôle prédominant. Si vous cueillez des pommes, vous commencerez à vous sentir à l'aise au bout d'une semaine. A titre d'exemple, la Northern Victoria Fruit Growers Association rémunère les cueilleurs au nombre de paniers (bins) remplis. Le salaire est de 20 A\$/bin. Vous pouvez raisonnablement espérer remplir entre 2 et 4 bins par jour, pour 9 heures de travail.

Si votre but est tout simplement d'expérimenter la vie dans une exploitation agricole, vous avez aussi la possibilité de travailler bénévolement dans une ferme de culture biologique. Ces fermes bannissent l'usage de produits chimiques au cours de la récolte. Pour plus d'informations, contactez :

### • WWOF (Willing Workers on Organic Farms)

JOBS       Plus de 2000 volontaires recrutés chaque année pour donner un coup de main dans des fermes organiques et des vergers. Des tâches de reforestation peuvent aussi être proposées. Le volontaire doit être âgé de plus de 16 ans. Aucune qualification nécessaire. Il est simplement recommandé de parler un minimum l'anglais. Le volontaire est logé dans la ferme et nourri. Il travaille 5 à 6 jours par semaine. La durée minimale d'un séjour est de 2 nuits. Les frais d'adhésion à la WWOF sont de 25 A\$ (incluant une assurance élémentaire). Pour recevoir un dossier, il est conseillé d'adresser un coupon réponse international.

 *Willing Workers On Organic Farms (WWOOF) - Mt Murrindal Co-op - Buchan, VIC 3885 - Tél. : (51) 550 218 - Contact : Lionel Pollard*

# Opportunités dans l'arrière-pays

L'Australie est une terre de grands espaces. Sorti des villes côtières, vous pénétrez dans l'outback, l'arrière-pays. Les intrépides et les durs à cuire ne manqueront pas d'opportunités pour retrousser leurs manches.

## *Bosser dans un ranch*

Dans les régions du Territoire du Nord, de l'Australie Méridionale et de l'Australie Occidentale, les éleveurs et les fermiers ont besoin des services de mécaniciens, soudeurs, cuisiniers et autres cavaliers pour leur donner un coup de main.

Attention, vous risquez de vous retrouver dans un coin isolé de tout. Il faut avoir les nerfs solides pour tenir plusieurs semaines dans un village peuplé de fermiers issus tout droit du casting de Crocodile Dundee, avec pour seul loisir des bières descendues cul sec dans le pub local. Mais si vous ne craignez ni le soleil cognant ni la poussière des déserts ni les serpents... allez-y. C'est l'occasion rêvée de découvrir un des visages authentiques de l'Australie.

La plupart des offres d'emploi circulent par le bouche à oreille. Allez faire un tour dans les pubs. Consultez les annonces des journaux régionaux ou spécialisés comme le *Queensland Country Life*. En Nouvelle-Galles du Sud, l'agence Stablemate s'est spécialisée dans le recrutement de personnel pour les ranchs. Elle fournit des jobs pour des garçons d'écurie, des cavaliers, des instructeurs et des managers d'écurie. Les salaires varient entre 100 et 150 A$ par semaine, logé, nourri. Vous devez présenter un CV détaillé avec toutes vos expériences ainsi qu'une lettre de référence au moins.

✉ *Stablemate - 156 Pitt Town Road - Kenthurst, NSW 2156 - Tél. : (2) 654 9733*

## Chercheur d'or

Au milieu du siècle dernier, l'Australie a connu sa ruée vers l'or. Aujourd'hui, les filons taris, la fièvre est retombée. Les mines désertées sont visitées par les touristes. Mais l'image du prospecteur partant avec sa mule tamiser le lit des rivières continue de frapper les imaginations. Si vous êtes tenté vous aussi, pourquoi pas ? Mais faites le plus pour l'amour de l'aventure que dans l'espoir d'être millionnaire. Pierre raconte l'anecdote suivante alors qu'il était barman dans sa taverne espagnole :

*"J'ai vu un matin un américain débarquer. Il devait être 9h. Le type avait le visage buriné, cramé par le soleil. Il commande un rhum, le descend aussi sec. Puis une bière, qu'il avale aussi prestement. Il remet ça une deuxième fois, puis une troisième... Après trois rhums et trois bières, il commence à se sentir mieux. Nous engageons la conversation. Il était de New York. Ça faisait 20 ans qu'il venait en Australie. Il avait arpenté le pays de long en large, creusé dans les endroits les plus paumés pour mettre la main sur une pépite d'or. Et il n'avait jamais rien trouvé !"*

En revanche, vous pourrez peut-être travailler pour l'une des compagnies d'exploration minière. Dirigez-vous du côté de Kalgoorlie-Boulder, en Australie Occidentale. Cette petite ville de 30 000 habitants, située sur la voie de chemin de fer de l'Indian Pacific (qui assure la liaison Sydney-Perth), est le centre de la principale région aurifère du pays. 70% de l'or australien provient de cette région. Vous avez là sous vos pieds les mètres carrés de terrain les plus chers du monde. En traînant dans l'un des nombreux bars de la ville, vous saurez rapidement quelles sont les compagnies qui embauchent. Beaucoup de petites sociétés ont besoin de main d'œuvre pour quelques semaines. La plupart des tâches (extraction, forage, échantillonnage…) ne requièrent pas de qualification et peuvent être assimilées en une semaine ou deux. Attention, le travail est dur physiquement et l'ambiance plutôt "sauvage" : serveuses dénudées dans les bars et bières à foison le soir après le boulot.

## Séjours au pair

Curieusement, alors que les séjours au pair marchent très fort en Grande-Bretagne ou aux Etats-Unis, ils demeurent à un stade embryonnaire en Australie. Pourtant, la demande existe. De nombreuses familles, la plupart du temps franco-australiennes ou francophiles, cherchent des jeunes filles au pair françaises. Sans grand succès pour le moment. La raison est simple : il est impossible d'obtenir un visa de travail pour un séjour au pair. Soames International a ainsi été contraint d'arrêter son programme sur l'Australie. Quelques agences proposent une formule combinant cours d'anglais et séjours demi-pair, qui permet aux jeunes filles de bénéficier d'un visa étudiant, et donc de pouvoir travailler. Mais les frais de participation sont élevés. ICO propose ainsi des séjours de 3 mois (25 heures de cours d'anglais, 20 heures d'au pair, pension complète, argent de poche de 50 à 100 A$ par semaine) pour un coût de 11 500 francs (hors billet d'avion et assurance).

Une solution alternative : chercher sur place une famille d'accueil, via les petites annonces des journaux.

## Enseignement et occupations diverses

Bon, soyons francs. On ne peut pas dire que l'apprentissage du français préoccupe les Australiens. S'il est possible de donner des cours particuliers, vous aurez du mal à en vivre. Les pistes sont classiques : déposer des annonces dans les universités, dans les Alliances Françaises et crier sur les toits que vous désirez enseigner. Anne-Fleur a donné des petits cours pendant ses loisirs à Sydney :

*"Je me suis créée des contacts essentiellement par le biais du consulat et des coopérants. Les infos circulent vite. J'ai commencé par enseigner à des enfants australiens dont le père devait travailler en France. Il me payait 40 A$/h, incluant les transports. Ensuite, j'ai donné des cours collectifs à des employés débutants du consulat du Canada, pour 25 A$/h. Mais le plus relax, c'étaient les cours de conversation que je donnais à l'attaché commercial de l'ambassade des Etats-Unis. Il me versait 25 A$/h, pour parler de la pluie et du beau temps."*

Il existe cinq Alliances Françaises en Australie, à Canberra, Adélaïde, Melbourne, Perth et Sydney. Pour vous procurer leurs adresses, reportez-vous au chapitre "Enseignement" page 44.

A Sydney :
✉ *Alliance Française - 257 Clarence Street - Sydney, NSW 2000 - Tél. : (2) 267 1755*

A part l'enseignement, les boulots de vendeur que l'on trouve ordinairement dans les grandes villes sont à votre portée. Joël, notre roi de la combine, a découvert que le marché de la voiture d'occasion de Sydney pouvait être une affaire qui roule :

*"Très simple. J'achetais des voitures aux enchères ou récupérées dans des saisies pour les revendre ensuite aux touristes sur Victoria Street, une des rues qui grouille de backpackers. C'est vrai, je devais souvent attendre plusieurs jours avant d'avoir un client, mais bon, il m'arrivait de faire la doublette sur le prix d'achat. La meilleure période, c'est Noël. Plein de touristes débarquent et sont intéressés par l'achat d'une "poubelle" à 500 A$ pour voyager. Les meilleurs clients : les Scandinaves, les Allemands et les Suisses."*

Les pistes de boulots ne manquent pas. Il suffit parfois de faire preuve d'imagination. Virginie, étudiante en gestion, a eu une idée originale pour proposer ses services :

*"J'ai photocopié à 2000 exemplaires une feuille sur laquelle j'avais écrit : personne sérieuse, cherche ménages, repassages, gardes d'enfants. Références sur demande. Le message était conclu par le numéro de téléphone de l'amie chez qui je logeais. Je l'ai distribuée dans les boites à lettre d'un quartier très chic, dans le sud-est de Melbourne. Quelques jours après, une mère de famille me contactait. Elle cherchait quelqu'un pour garder ses enfants. Ça a marché. Je me suis retrouvée dans une maison de 350 m2. Le luxe ! J'étais payée 10 A$/h. J'ai également reçu pas mal d'appels d'hommes d'affaires qui voulaient que je fasse des ménages ou du repassage pour eux."*

Si vous n'avez pas peur de passer des coups de fil en anglais, essayez aussi les boîtes de marketing téléphonique. Hélène, après les pistes de ski de Mt Buller, a regagné Sydney. Comme elle avait fait des enquêtes par téléphone en France, elle décide de tenter sa chance.

*"Je m'étais procurée la liste des 10 principales compagnies, à partir des pages jaunes, rubrique Market research. L'une d'elles m'a rapidement embauchée. Comme en France, le job consistait à faire des enquêtes par téléphone. Je devais par exemple appeler des mères de famille le soir pour savoir si elles se souvenaient de telle ou telle pub TV. C'est assez simple car l'on dispose d'un questionnaire tout prêt. J'ai eu une seule mauvaise expérience. Une enquête s'adressait aux paysans australiens qui avaient fait des emprunts bancaires. Je ne comprenais rien aux réponses remplies de termes techniques : taux d'intérêt, escompte, agio... J'ai dû appeler ma responsable en désespoir de cause. Mais c'est une excellente école pour améliorer son anglais. Et le rythme de travail est plutôt cool. Il y a des pauses régulièrement et l'ambiance est décontractée."*

Côté finance, le job est très intéressant. A raison de plus de 12 heures par jour, rémunérées au salaire horaire de 12 A$, Hélène a pu économiser en cinq semaines la coquette somme de 3000 A$. De quoi envisager la suite de son voyage en Asie du Sud-Est plus sereinement.

# Bénévolat et volontariat

Les Australiens sont extrêmement préoccupés par tout ce qui touche à l'environnement. Symbole de ce phénomène : le groupe de rock Midnight Oil dont le chanteur Peter Garrett est président de la Fondation Ecologique Australienne et siège dans l'équipe dirigeante de Greenpeace. Les relations entre la France et l'Australie sont actuellement tendues en raison des essais nucléaires français dans le Pacifique. Si vous débarquez en Australie avec des velléités écologiques, vous serez peut-être accueilli avec une pointe d'étonnement... ou de sarcasme.

Les organismes de chantiers français proposent peu de programmes sur l'Australie. Le Service Civil International organise un ou deux chantiers par an. Le programme ICYE, géré par Jeunesse et Reconstruction en France, propose des postes de volontaire d'un an en Australie (cf. page 66). Pour des missions plus courtes, vous devez donc vous rabattre sur des associations australiennes. Celles citées ci-dessous sont prêtes à accueillir des volontaires français (à condition qu'ils parlent anglais couramment).

Si vous êtes étudiant en sciences dans des domaines comme la biologie marine, l'étude de la faune ou la botanique, nous vous conseillons d'aller faire un tour dans les centres scientifiques des universités. Vous aurez éventuellement la chance d'être intégré à un projet de recherche, à titre bénévole. La responsable d'un département de recherche marine de l'université de Queensland nous a ainsi précisé qu'il lui arrivait de prendre au cas par cas des étudiants qui se présentent sur place pour proposer leurs services.

## • Involvement Volunteering

ACTIVITÉ     Involvement Volunteering est une association à but non lucratif qui organise des actions dans les domaines de l'environnement et de l'aide sociale en Australie, Californie, Iles Fidji, Europe (dont Lettonie), Hawaï, Inde, Indonésie, Malaisie, Nouvelle-Zélande et Thaïlande.

MISSIONS     En Australie, plusieurs missions sont proposées. Leur durée est comprise entre 2 et 12 semaines :

Pour les personnes sans qualification particulière : lutte contre l'érosion des sols (logé dans une ferme), participation aux activités quotidiennes d'un parc national, entretien de jardins historiques, animation et entretien dans un camp de vacances pour enfants défavorisés.

Pour les personnes ayant des compétences particulières (en rapport avec les activités proposées) : assistant dans un parc ornithologique, enseignant dans des écoles pour enfants défavorisés, chercheur dans des parcs animaliers dans le Territoire du Nord.

(Remarque : d'autres activités sont proposées pour les groupes qui contactent l'association).

Les volontaires individuels sont en général logés et nourris (en fonction des projets). Verser une indemnité à la personne qui vous héberge est conseillé.

PROFIL          Niveau d'anglais correct. Aucune qualification demandée pour bon nombre d'activités. D'autres projets sont réservés aux personnes ayant des qualifications ou une expérience professionnelle. Une petite indemnité est alors parfois versée.

CANDIDATURE     Les volontaires individuels peuvent postuler toute l'année. Il est demandé 100 A$ à l'inscription, puis 350 A$ lorsque vous acceptez le projet. Contactez l'association pour recevoir une feuille d'inscription, une description des programmes et un exemplaire de la newsletter.

DIVERS          L'association souhaite accueillir des Français au sein de ses différents projets mais a été un peu déçue par ses contacts jusqu'à présent. Comme pour toute mission de bénévolat, il est entendu que le billet d'avion reste à la charge des participants. Ceci ne doit pas occulter les apports d'une telle expérience, qui sont, aux dires des responsables *"la chance d'acquérir une expérience professionnelle, de découvrir la vie locale, de vivre sans beaucoup dépenser et de rencontrer des volontaires du monde entier"*. L'association a accueilli plus de 2000 personnes en 1994.

✉          *Involvement Volunteering - P.O box 218 - Port Melbourne, VIC 3207 - Tél. : (3) 9646 9392 - Fax : (3) 9646 5504*

## • Australian Trust For Conservation Volunteers (ATCV)

ACTIVITÉ        L'ATCV est une association à but non lucratif qui entreprend des actions de défense de l'environnement sur l'ensemble du territoire australien.

MISSIONS        Les tâches sont variées : plantation d'arbres, lutte contre l'érosion, réhabilitation de sentiers, plantation de semences... Des centaines de volontaires participent chaque année à ces travaux. Une contribution de 20 A$ par jour est demandée pour couvrir l'hébergement, les repas et les transports.

PROFIL          Anglais courant et forte motivation.

CANDIDATURE     Ecrivez à l'ATCV pour des informations sur les programmes en cours.

✉          *Australian Trust For Conservation Volunteers (ATCV) - World Travellers Network - 14 Wentworth Avenue - Sydney 2010 Tél. : (2) 264 2477 - Fax : (2) 264 7477*

# Trouver un stage

Au risque de passer pour des rabat-joie, sachez qu'il est beaucoup plus difficile de trouver un stage qu'un job en Australie. Principale raison : la notion de stage n'est pas reconnue comme telle. Et la concurrence est féroce. L'Australie est une terre convoitée qui n'accueille que peu d'élus. Selon le service études de

l'ambassade d'Australie, *"si vous faites un mailing aux entreprises en Australie, vous aurez peut-être une réponse positive... sur 200 lettres envoyées !"* De quoi refroidir les plus motivés.

# La notion de stage en Australie

Les étudiants australiens n'ont pas de stage obligatoire à faire pendant leurs études. Il existe bien des programmes de stage mais ils s'adressent avant tout à de jeunes professionnels.

- Les Traineeships sont des stages d'un an destinés aux 16-18 ans (15-19 ans exceptionnellement). En plus de son stage, le jeune doit suivre des cours dans un TAFE (Training And Further Education), l'équivalent de nos BTS.

- Les Apprenticeships s'adressent aux jeunes qui viennent de quitter l'école et correspondent à des contrats d'apprentissage.

# Des organismes pour vous aider

La méthode la plus sûre est de passer par l'intermédiaire d'un organisme d'échange international. Reportez-vous au chapitre "Trouver un stage" pour avoir des informations sur les organismes suivants :

- AIESEC, pour les étudiants en écoles de commerce (voir page 86).

- IAESTE, pour les étudiants ingénieurs (voir page 88).

- SESAME, pour les jeunes agriculteurs (voir page 86).

# Chercher par soi-même

Nous n'avons pas de recette miracle à vous offrir. Voici néanmoins quelques conseils :

## Soignez votre candidature

Si vous souhaitez envoyer un mailing aux entreprises australiennes, vous pouvez utiliser un modèle de CV américain ou anglais (voir page 73).

Les études supérieures en Australie suivent grosso modo le modèle français. Nos premiers cycles universitaires correspondent à des *undergraduate studies*, nos seconds cycles à des *post-graduate studies*. Voici, afin de rendre plus explicite votre CV, les principales équivalences de diplômes (source : service études de l'ambassade d'Australie) :

- Associate diploma, obtenu dans les TAFE ou les collèges privés, correspond à un BTS ou un DUT,

- Bachelor degree, délivré par une université sur une durée de 3 à 6 ans (variable selon les cours), correspond à une licence,

- Graduate diploma, délivré par une université, correspond à une maîtrise,

- Masters degree, délivré par une université, correspond à un 3ème cycle (DEA ou DESS).

## Ciblez les entreprises

Entre les entreprises françaises implantées en Australie, trop sollicitées et les entreprises australiennes, qui n'ont jamais entendu parler de stage, il existe peut-être un juste milieu. C'est en tout cas le conseil donné par Olivier, étudiant à l'ESCP, qui a effectué son stage dans un cabinet d'audit à Sydney :

*"Les grands cabinets d'audit anglo-saxons basés en Australie, contrairement aux sociétés locales, sont bien rodés au système des stagiaires. Ils ont donc plus de chance de vous répondre positivement."*

Le raisonnement peut être élargi à l'ensemble des multinationales originaires de pays comme les Etats-Unis ou l'Allemagne, chez qui les stages sont une formule bien assise.

Si vous souhaitez contacter les entreprises françaises, voici quelques adresses qui peuvent vous être utiles :

- Les délégations régionales de l'OMI mettent à votre disposition la liste des entreprises françaises en Australie, rédigée par les PEE (voir page 96).

- Il y a trois Postes d'expansion économique en Australie, à Sydney, Canberra et Melbourne. A Sydney :

✉ *French Trade Commission - 35th floor - St Martins Tower - 31 Market Street - Sydney, NSW 2000 - Tél. : (2) 264 2711 - Fax : (2) 264 5988*

- Il existe une Chambre de commerce et d'industrie française à Melbourne :

✉ *French Chamber of Commerce - 4th floor - 90 William Street - Melbourne, VIC 3000 - Tél. : (3) 9600 0000 - Fax : (3) 9600 0005*

# NOUVELLE-ZÉLANDE

*All Black is beautiful* ! La Nouvelle-Zélande couvre en superficie la moitié de la France et abrite 62 millions de moutons pour 3,3 millions d'habitants, que tous les Anglo-Saxons appellent "Kiwis". La Nouvelle-Zélande est le paradis du plein air et des sports d'aventure. Comme en Australie, on y parle non de *travellers* mais de *backpackers*. L'agriculture et le tourisme recrutent l'essentiel des travailleurs saisonniers : pensez aux moutons, aux différentes récoltes et à la restauration dans les stations de ski. Mais, à cause de la crise économique, les autorités néo-zélandaises n'apprécient pas trop que des touristes étrangers concurrencent les locaux sur le marché de l'emploi. Il est donc extrêmement difficile d'obtenir un visa de travail de France. Pas de panique, vous vous débrouillerez sur place.

Les relations avec la France restent entachées d'un passé politique délicat. L'atoll de Mururoa et ses essais nucléaires donnent des boutons aux écologistes néo-zélandais. Rassurez-vous, l'hospitalité Kiwi n'a que faire de la politique. La Nouvelle-Zélande est aussi une porte ouverte sur la région Pacifique et le Sud-Est Asiatique. L'esprit d'entreprise et les compétences y sont toujours bienvenus. Moralité : les antipodes, c'est le pied !

# Des organismes pour vous aider

- Pour vous renseigner sur les modalités de séjour, adressez-vous à l'ambassade. Vous pouvez également y consulter différents journaux néo-zélandais.

✉ *Ambassade et consulat - 7 ter, rue Léonard de Vinci - 75116 Paris Tél. : (1) 45 00 24 11 - Minitel : 3614 NZKIWI*

- Il n'y a pas d'office du tourisme en France. L'ambassade pourra vous communiquer quelques brochures mais la plupart des renseignements intéressants sont à glaner auprès des offices du tourisme en Grande-Bretagne et en Allemagne.

✉ *New Zealand House - Haymarket - London SW1Y 4TQ - Royaume-Uni - Tél. : (171) 930 84 22*

✉ *Office du tourisme (pour l'Europe) - New Zealand Government Tourist Office - Friedrichstrasse 10-12 - 60323 Francfort/Main 1 - Allemagne - Tél. : (69) 97 121 10 - (Accueil en français)*

# Les joies de l'administration

- Aucun problème pour entrer chez les Kiwis si vous ne restez que trois mois et faites du tourisme. Vous n'avez pas besoin de visa. Munissez-vous simplement de votre passeport. Vous devrez prouver que vous avez assez de fonds pour subvenir à vos besoins : le plancher est de 4000 francs par personne et par mois. Il vous suffit de présenter des chèques de voyage, du liquide ou une carte de crédit. Vous devez également montrer votre billet retour ou un billet vers un pays pour lequel vous possédez un visa d'entrée.

Ce permis de tourisme ne vous autorise pas à travailler. Si vous ignorez cette interdiction, vous risquez l'expulsion assortie d'une interdiction de séjour. La Nouvelle-Zélande ne délivre pas de visa pour les jobs d'été aux Français.

- Si vous voulez travailler ou partir en stage en Nouvelle-Zélande, vous devez obtenir une offre avant votre départ. Elle devra être visée par les autorités locales de l'immigration sur demande de votre employeur. Si celles-ci acceptent, elles avertiront l'ambassade à Paris. Vous pourrez alors obtenir un permis de travail temporaire. Coût : 420 francs. Vos chances sont faibles.

- Sur place il est possible de passer d'un statut de touriste à celui de travailleur temporaire. Les conditions sont identiques et vous devez vous adresser aux services de l'immigration. Ms Des Fitzgerald dirige l'auberge Rosemere Backpackers à Wellington et semble avoir une longue expérience des jobs d'été.

*"Les voyageurs qui désirent travailler en Nouvelle-Zélande doivent posséder un permis de travail et un numéro fiscal (tax code number). La plupart des employeurs ne demandent pas le permis de travail mais exigent le numéro fiscal. Notre hôtel peut aider les voyageurs dans leurs démarches. Deux Français actuellement chez nous ont obtenu un emploi et un permis une semaine après leur arrivée. La plupart des emplois temporaires en ce moment sont dans la restauration et la construction : nous pouvons fournir quelques contacts auprès de ces employeurs potentiels."*

✉ **Rosemere Backpackers Wellington - 6 MacDonald Crescent - Wellington - New-Zealand - Tél. : (4) 384 30 41**

- Pour les autres questions administratives, vous pouvez contacter l'ambassade de France.

✉ **Ambassade de France - Robert Jones House - 14th floor - 1-3 Welleston St. - Wellington - Tél. : (4) 720 20 01 - Fax : (4) 384 52 98**

# Trouver un logement

- L'Office du tourisme à Londres dispose d'une brochure qui répertorie 135 logements peu chers pour les *backpackers*. Cette brochure, gratuite, donne un descriptif de chaque auberge et attribue une note à chacune d'entre elles (*Backpackers Accomodation*, publié par Budget Backpackers Hostels NZ Ltd).

• Pour les auberges de jeunesse, vous pouvez obtenir une liste gratuite (The *Good Bed Guide*) auprès de la fédération néo-zélandaise (cette liste est également-ment disponible à l'office du tourisme à Londres) :

✉ *YHA of New Zealand Inc - PO Box 436 - Christchurch 1 - Tél. : (3) 3799 970*

# Trouver un job

## Les journaux à consulter

Un hebdomadaire gratuit néo-zélandais, *New-Zealand News UK*, publié en Grande-Bretagne, contient un grand nombre d'informations pour les Kiwis au Royaume-Uni mais également pour les voyageurs vers l'hémisphère sud. Il publie chaque mois un dossier, New-Zealand Update contenant des données pratiques sur la situation en Nouvelle-Zélande : prix du "panier de la ménagère", annonces immobilières et informations sur l'emploi. Vous pouvez le consulter à la New Zealand House à Londres (adresse citée précédemment) ou le commander :

✉ *New-Zealand News UK - PO Box 10 - Berwick-upon-Tweed - Northumberland - TD 15 1BW - Tél. : (1289) 30 66 77*

• Les principaux journaux néo-zélandais sont :

> The New-Zealand Herald,
> The Evening Post,
> The Press,
> The Otago Daily Times,
> The Dominion.

La plupart sont en consultation soit à l'ambassade à Paris, soit à la New-Zealand House à Londres.

# *Les secteurs qui embauchent*

## Tourisme

Les stations de ski néo-zélandaises offrent des opportunités comme moniteurs ou employés d'hôtels et de restaurants. Les stations les plus populaires sont Mount Hutt et Coronett Peak dans les Southern Alps et Mount Ruapehuan dans les Northern Alps.

# Agriculture

Les régions agricoles où se concentrent les travailleurs saisonniers sont Nelson/ Motueka, pour la récolte des pommes, Tauranga et Napier, pour les kiwis et Kerikeri, pour les citrons. La seule solution pour obtenir un poste saisonnier pour les différentes cueillettes de fruits est le démarchage direct.

Pam Williams, responsable de l'auberge Hideaway Lodge à Kerikeri, accueille des travailleurs saisonniers et donne quelques conseils sur les saisons idéales :

*"Nous logeons surtout des personnes qui effectuent des jobs d'été. Nous ne pouvons pas garantir un emploi mais il existe en général quelques opportunités. Les propriétaires de vergers nous téléphonent lorsqu'ils ont besoin de main-d'œuvre. Les mois les plus actifs sont mai et juin. Trouver un job y est presque automatique, notamment pour la récolte de kiwis. Les mois les plus difficiles sont ceux de janvier à mars. Je conseille alors aux candidats de partir vers le sud, en particulier vers Napier, Nelson, Blenheim ou Motueka."*

✉ *Hideaway Lodge - Wiroa Road - PO Box 330 - Kerikeri - Tél. : (9) 407 97 73*

Bien entendu, les moutons sont inévitables. Vous pouvez vous adresser directement aux éleveurs et dénicher un job, soit pour les tondre... soit pour leur donner le lait ! Olivier, 23 ans, raconte :

*"Ma cousine était prof à l'université d'Auckland. C'est par elle que j'ai trouvé ce boulot. J'étais là-bas fin août-début septembre, à l'époque où les brebis mettent bas. Les moutons sont particulièrement stupides. Par exemple, lorsqu'un agneau ne reconnaît plus sa mère, il arrête de se nourrir : cela arrive très souvent. J'étais chargé de leur mettre un tuyau dans la bouche pour qu'ils boivent du lait. Il existe un marché pour les agneaux de 3 à 5 semaines, surtout vers la Grèce : les Grecs en font des gyros ! Avant qu'on vienne les chercher pour les abattoirs, il fallait aussi les peser : une vraie panique ! J'étais nourri et logé, mais pas payé. Vu ma productivité, c'était plutôt normal."*

# Bénévolat et volontariat

## • WWOOF (Willing Workers On Organic Farms)

| | |
|---|---|
| ACTIVITÉ | 400 fermes biologiques réparties sur l'ensemble du pays. |
| MISSIONS | Les jobs répondent à tous les besoins d'une ferme : semailles, récoltes, travaux en cuisine, etc. Vous pouvez poser votre candidature tout au long de l'année et les emplois durent d'une semaine à plusieurs mois. Vous travaillez 4 à 6 heures par jour, 5 à 7 jours par semaine. Vous recevez logement et nourriture en retour de votre travail. Emportez votre sac de couchage. |
| PROFIL | 2000 personnes sont recrutées chaque année. Aucun critère de sélection particulier, sauf une bonne dose de motivation. Adressez directement votre candidature avec vos coordonnées. L'inscription coûte 20 NZ$. Vous obtiendrez un permis de travail avec la confirmation de votre job. |

***WWOOF (Willing Workers On Organic Farms) - PO Box 1172 - Nelson - New Zealand***

## • Involvement Volunteers Association

ACTIVITÉ    Cette association australienne à but non lucratif organise des actions dans les domaines de l'environnement et de l'aide sociale. Pour plus de détails, reportez-vous au chapitre sur l'Australie page 371.

MISSIONS    La plupart des actions sur la Nouvelle-Zélande sont à but écologique. Il s'agit par exemple de protéger une réserve naturelle abritant des arbres centenaires et des oiseaux rares. Un des arbres, âgé de 1200 ans, est classé monument historique. Vous devez entretenir les sentiers, les pelouses et les jardins.

CANDIDATURE    Contactez l'association pour recevoir la liste des projets. Les frais d'inscription sont de 100 A$, puis de 350 A$ lorsque vous acceptez un projet.

***Involvement Volunteers Association - PO Box 218 - Port Melbourne - Victoria 3207 - Australia - Tél. : (3) 9646 9392***

Le programme d'un an dans le cadre du ICYE (voir page 66) accueille des volontaires âgés de 17 à 24 ans et parlant anglais. Tous les placements commencent par trois mois chez un éleveur de moutons ou dans une laiterie. Les autres travaux se déroulent soit dans des centres pour enfants, soit dans des associations comme, par exemple, Amnesty International et Greenpeace. La plupart des volontaires vivent dans une, deux ou trois familles au cours de leur séjour. Beaucoup de travaux agricoles sont également concernés.

# Trouver un stage

Reportez-vous au chapitre général "Trouver un stage" pour avoir des informations sur les organismes suivants :

- AIESEC, pour les étudiants en école de commerce.

- IAESTE, pour les étudiants ingénieurs.

- SESAME, pour les jeunes agriculteurs.

# *JAPON*

Le Japon est loin d'être une destination facile pour le Job-trotter. De prime abord, la société japonaise paraît hermétique (les panneaux de rue sont en Kanji, l'alphabet adapté des idéogrammes chinois), le coût de la vie très élevé et l'économie donne ces temps-ci d'inquiétants signes de faiblesse. Mais l'Occidental, même s'il est surnommé *gaijin* (terme péjoratif signifiant étranger), bénéficie d'une très bonne image. Des milliers d'anglophones s'expatrient ainsi sur l'archipel du soleil levant pour enseigner l'anglais, pendant 6 mois ou un an, attirés par des salaires élevés : un professeur d'anglais, logé et nourri, peut gagner plus de 2000 $ par mois. Pour nous Français, c'est plus dur. Mais nous avons déjà un atout : la France a la cote. Merci Louis Vuitton, Chanel et Alain Delon (prononcez Alann Delonn !).  Alors si vous avez des bases en japonais et une bonne maîtrise de l'anglais, votre charme français suffira peut-être à faire la différence.

Pour les taux de change, voir P.12

# Des organismes pour vous aider

- **L'office du tourisme japonais** à Paris est pauvre en brochures touristiques. Quelques documents vous seront utiles :

- *Economical Travel in Japan* (en anglais) et *Japon pas cher.* Conseils pour voyager avec un budget serré au Japon.

- *Youth Hostels, Map of Japan.* Carte des Auberges de Jeunesse au Japon.

- *Hospitable and Economical Japanese Inn Group.* Liste d'hôtels bon marché.

✉ *Office du tourisme du Japon - 8, rue Sainte-Anne - 75001 Paris*
*Tél. : (1) 42 96 20 29*

Le centre culturel et d'information de l'ambassade du Japon dispose d'annuaires d'entreprises japonaises (*Trade Index*), en consultation libre.

✉ *Centre culturel et d'information de l'ambassade du Japon - 7, rue de Tilsitt - 75017 Paris - Tél. : (1) 47 66 02 22*

# Les joies de l'administration

L'obtention d'un permis de travail est l'obstacle majeur pour trouver un job au Japon. Voici quelles sont les formalités consulaires à accomplir.

- Pour des séjours touristiques de moins de trois mois ou des stages non rémunérés de moins de trois mois, vous n'avez pas besoin de visa.

- Pour des études au Japon, ou des stages rémunérés, c'est à l'université ou l'entreprise au Japon de faire les démarches auprès du bureau d'immigration local. Dès que l'organisme d'accueil a pu se procurer un *certificate of eligibility* il est possible d'obtenir un visa d'études ou de travail.

Officiellement, il n'est pas autorisé de changer son statut sur place (passer d'un visa touriste à un visa de travail). Si vous trouvez un employeur qui souhaite "sponsoriser" votre demande de visa de travail, vous devrez quitter le pays pour faire régulariser votre situation. Pas besoin de rentrer en France. Les formalités peuvent s'effectuer depuis un consulat japonais dans une autre métropole asiatique (la Corée du Sud étant l'option la plus économique).

Un mot sur le travail au noir. S'il était relativement toléré il y a quelques années, il fait désormais l'objet d'un contrôle de plus en plus strict. La plupart des offres d'emploi dans les journaux précisent désormais en toutes lettres : permis de travail obligatoire. Ça devient dur d'être illégal au Japon.

Pour en savoir plus :

✉ *Ambassade du Japon - Services consulaires - 7, avenue Hoche - 75008 Paris Tél. : (1) 47 66 02 22*

*A Lyon*
✉ *51, rue Deleuvre - 69004 Lyon - Tél. : 78 30 75 75*

*A Marseille*
✉ *70, avenue de Hambourg - 13008 Marseille - Tél. : 91 73 45 55*

*Au Havre*
✉ *58, rue de Mulhouse - 76600 Le Havre - Tél. : 35 26 41 61*

*A Strasbourg*
✉ *Tour Europe - 20, place des Halles - 67000 Strasbourg - Tél. : 88 75 98 00*

# Trouver un logement

Comme chacun sait, les loyers à Tokyo sont hors de prix. A titre d'exemple, un minuscule studio de 15m$^2$ situé dans le centre de Tokyo coûte plus de 5000 francs par mois. Difficulté supplémentaire : le ticket d'entrée est très élevé. Un système complexe de cautions, dépôts et loyers d'avance multiplie par 4 ou 6 le loyer initial à payer.

Le plus économique consiste à loger au sein d'une famille. Les formules de "Homestay" sont assez répandues. Pour des adresses, faites un tour dans les centres internationaux pour étrangers (*kokusai center*), présents dans toutes les grandes villes. Vous trouverez également des annonces sur les panneaux d'affichage des collèges.

Autre possibilité : résider dans les *gaijin houses*. Il s'agit de guesthouses qui louent aux étrangers des chambres à la semaine ou au mois. Le loyer mensuel s'élève à 30 000 Y dans les maisons les moins chères. Les gaijin houses ne sont pas d'un confort à toute épreuve. Vous partagez votre chambre avec d'autres Occidentaux. La propreté est souvent douteuse. Les douches rarement en nombre suffisant. Mais voyez le bon côté des choses. Les clients sont en majorité des Job-trotters. Vous collecterez plein d'infos sur les bons plans en cours à Tokyo.

Pour trouver des adresses de *gaijin houses*, vous pouvez vous renseigner au Tourist Information Center (TIC) de Tokyo. Consultez également l'excellent guide Lonely Planet sur le Japon.

✉ ***Tourist Information Center - Kotani Bldg - 6-6, Yurakucho 1-Chome -Chiyoda Ku - Tokyo - Tél. : (03) 3502 1461***

En attendant de trouver un logement, vous devrez vous résoudre à prendre une chambre d'hôtel. Les auberges de jeunesse sont les plus économiques. Une nuit à Tokyo coûte environ 2500 Y. N'oubliez pas votre carte internationale des auberges de jeunesse. Vous pouvez aussi rester dans un Ryokan. Il s'agit d'hôtels conçus sur le modèle des maisons traditionnelles japonaises. Sol en natte de paille (tatami), fenêtre coulissante en papier (shoji), matelas à même le sol (futon), table basse et coussins... Les Ryokans sont un peu plus chers que les auberges de jeunesse. Comptez au moins 4000 Y pour une nuit.

# Trouver un job

L'expression japonaise pour les petits boulots est "arbeit" (prononcez alubayto !).

## *Les secteurs qui embauchent*

### Enseigner une langue étrangère

Le Japon a longtemps été l'Eldorado des voyageurs américains qui souhaitaient renflouer leurs finances l'espace de quelques mois, avant de vadrouiller en Asie. C'était simple. Il leur suffisait de frapper aux portes des écoles et des universités pour être embauchés comme professeurs d'anglais. L'afflux d'anglophones a un peu tué la poule aux œufs d'or. Aujourd'hui la concurrence s'intensifie. Les candidats sans le TEFL (Teaching English as a Foreign Language) partent avec un handicap de taille. Mais la demande reste fournie. Malgré tous leurs efforts, les Japonais ne brillent pas par leur niveau d'anglais. A tel point que les mauvaises langues comparent l'engouement des Japonais pour la langue de Shakespeare à celui pour les sacs Vuitton. Un simple phénomène de mode. Il y a donc encore du pain sur la planche pour les enseignants. Le problème pour nous, malheureux francophones, est de réussir à empiéter sur les plates-bandes anglo-saxonnes. Les écoles privilégient les professeurs dont la langue maternelle est l'anglais (*native speakers*).  Même eux ne sont pas tous traités sur un pied d'égalité. Selon Michael, de New York, qui enseigne dans l'un des plus grands instituts de langue, Aeon Corp, à Fukuoka : "*Ces jours-ci, la préférence des écoles va par ordre décroissant, aux Américains, Canadiens, Néo-Zélandais, Australiens, Britanniques... Alors un Français, c'est vraiment très difficile.*"

Mais pas impossible. Barbara l'a prouvé en enseignant dans une petite école privée de Tokyo. Elle donne quelques conseils :

"*Je parlais anglais couramment puisque j'avais séjourné plus d'un an aux Etats-Unis. La personne qui m'a fait passer l'entretien de recrutement parlait en revanche très mal. J'étais obligée de bien articuler. Elle a surtout insisté sur mon expérience et mes diplômes. Si vous mentionnez les diplômes, essayez de montrer l'équivalence avec le système américain. Avoir étudié à la Sorbonne est un gros avantage. C'est la seule université française qu'ils connaissent. Enfin, soignez votre look. Les Japonais sont toujours très bien sapés. C'est vrai que certains profs américains ont le style cheveux longs, boucle d'oreille et chemise bariolée tombant sur les genoux, mais c'est plutôt mal vu. Préférez le costume-cravate ou la jupe-collant... même s'il fait 40° à l'ombre.*"

Les cours collectifs d'anglais sont rémunérés environ 2000 Y/h. Cela permet de vivre convenablement, même à Tokyo.

Pour trouver des adresses, vous n'avez que l'embarras du choix. Il existe plusieurs centaines d'écoles de langues à Tokyo. Certaines passent des annonces de recrutement dans le *Japan Times* (édition du lundi). Autrement, faites votre sélection dans l'annuaire en anglais (*City Source, English Telephone Directory*). Privilégiez les écoles privées de petite taille. Elles sont moins sollicitées et accepteront plus volontiers des Français. Mais attendez-vous à être moins bien payé.

Si votre niveau d'anglais ne vous permet pas de rivaliser avec un *english native speaker*, il vous reste l'enseignement du français. Pour un Japonais, ça fait très chic de connaître quelques mots de français. De plus en plus, les enseignes de restaurants ou de boutiques de mode emploient des termes et des expressions de notre langue. Pas toujours avec bonheur d'ailleurs. Un exemple particulièrement cocasse : près de l'ambassade de France à Tokyo existait un restaurant nommé "Au petit coin" ! Il y a même une ligne de vêtements qui a failli s'appeler "baise-moi". Heureusement, un jeune Français a orienté le service marketing de la compagnie vers quelque chose de plus poétique. On revient de loin !

Les grandes écoles de langues privées disposent toutes de quelques classes de français. Un institut comme Nova, qui possède une centaine d'écoles dans le pays, recrute ainsi des Français pour enseigner. Laurent, après une coopération à Tokyo, a été pris dans l'une des écoles de Nova à Osaka :

*"J'avais repéré une annonce dans le Japan Times. Au cours de l'entretien, on a surtout insisté sur mon cursus. Mon niveau Bac+4 a fait la différence. Il faut en effet un certain niveau d'études pour espérer obtenir un permis de travail. Le contrat était d'un an renouvelable, payé 12 000 francs par mois, pour 35 heures minimales de cours par semaine. L'école a sponsorisé ma demande de visa mais ça a mis du temps, plus de 5 mois."*

Anne, après ses études à l'INALCO, a été enseignante dans deux Alliances Françaises, à Sendai, au nord de Tokyo, et à Nagoya. Pour elle, *"les Français qui restent suffisamment longtemps au Japon ont de bonnes chances de trouver un poste car la concurrence est moindre que pour l'anglais"*. Elle finira même par décrocher une place particulièrement convoitée. *"La perle pour un professeur, c'est de travailler dans une université. Au cours de mon séjour, un poste s'est libéré dans deux universités et j'ai été recrutée. Je gagnais 400 000 Y par mois, pour seulement 12 heures de cours par semaine."*

La France participe depuis quelques années au programme JET (Japan Exchange and Teaching), à l'origine réservé aux jeunes de langue anglaise.

## • Programme JET

ACTIVITÉ
Ce programme permet à des jeunes Français de travailler au Japon dans des administrations locales (Secteur I) ou des établissements scolaires publics ou des comités éducatifs départementaux (secteur II).

MISSION
Le rôle du participant consiste notamment à assurer un soutien linguistique en français aux employés ou enseignants japonais, animer des clubs de Français, assister des activités d'échanges internationaux...

La durée du contrat est fixée à un an. Le salaire annuel est de 3 760 000 Y (avant impôt). Les organisateurs précisent que *"ce montant est normalement suffisant pour couvrir les dépenses ordinaires d'une personne"*. Le voyage est payé par l'organisme d'accueil.

PROFIL
Principales conditions : avoir moins de 35 ans, posséder au minimum une licence de japonais (ou avoir un niveau en langue équivalent), avoir une très bonne maîtrise du français standard contemporain et de l'anglais pratique. Une formation en FLE est bienvenue mais pas indispensable. L'entretien suivant la réception de votre dossier décidera de votre affectation à un secteur.

CANDIDATURE
S'adresser au service culturel de l'ambassade du Japon (tél. : (1) 48 88 63 78). Les dossiers doivent être déposés en février au plus tard (date exacte indiquée au retrait du dossier).

Si vos recherches échouent, il reste la solution des cours particuliers. Cela marche très bien et ça paye beaucoup plus. Mais il faut assurer de nombreux cours pour pouvoir en vivre. Stéphanie, étudiante à Langues O, explique sa méthode pour trouver des élèves :

*"Je racontais à tout le monde dans les bars, les restaurants, que j'étais enseignante. Je savais dire en japonais "je suis professeur d'anglais". Et je laissais des cartes de visite. Au bout d'un mois, j'ai reçu les premiers appels de Japonaises qui étaient intéressées. Je ne demandais que 3000 Y/h, ce qui n'est pas très cher. J'ai aussi donné quelques leçons de français à des touristes qui voulaient visiter Paris."*

Pour donner des cours particuliers, allez faire un tour à l'Institut Franco-Japonais de Tokyo. Vous pouvez normalement déposer des petites annonces pour proposer vos services.

✉ *Institut Franco-Japonais - 15, Funagawara-cho - Ichigaya - Shinjuku-ku - Tokyo - Tél. : (35) 261 3933*

## Hôtellerie et restauration

C'est traditionnellement le secteur où il y a le plus de possibilités de petits boulots. Au Japon, ce n'est pas facile. De nombreux Indiens, Népalais, Sri Lankais ou Bangladeshis arrivent toutefois à trouver des jobs dans les restaurants. Leur secret ? Ils se débrouillent pour apprendre très vite le japonais. Un exemple à suivre. Avec un bon niveau d'anglais et des bases de japonais, vos chances sont déjà meilleures. Si vous prospectez auprès des restaurants français, gardez à l'esprit qu'ils s'adressent souvent à une clientèle haut de gamme. Soignez votre présentation. Vous aurez peut-être plus de chance dans les "coffee-shops" accueillant une clientèle étudiante. Barbara, qui parle bien japonais, a trouvé du boulot en distribuant ses cartes de visite sur un salon international de vins et spiritueux à Tokyo :

*"J'ai été rappelée quelques jours plus tard pour être serveuse dans un restaurant un peu spécial. L'endroit, situé en sous-sol, était le repaire d'une clientèle de mafieux et Yakuzas. Le style grisonnant en costard à rayures et pompes blanches et noires, avec l'escorte de gorilles derrière. Le resto servait de la viande de Kobé, une viande de bœuf vendue à un prix astronomique. Les bœufs sont nourris à la levure de bière et massés. Coût du dîner : 2000 francs par tête. Je me suis vite habituée à l'ambiance. Le job était bien payé. Je gagnais 6000 Y par soirée."*

Béatrice, qui étudiait le japonais à Yokohama, a répondu avec succès à une annonce de recrutement pour un poste de serveuse.

*"Il s'agissait d'un bar américain tenu par des Japonais. Lors de l'entretien, le manager a juste testé mon niveau de japonais. J'étais la seule serveuse étrangère. L'ambiance était décontractée. Nous portions un uniforme - jean, chemise Levi's et boots. Les clients étaient un peu surpris de me voir, mais très sympas*

*avec moi, surtout quand ils découvraient que je n'étais pas américaine..."* A raison de quatre soirs par semaine, Béatrice gagnait environ 6000 francs par mois.

Les hôtels peuvent également fournir des jobs. Beaucoup de grands hôtels à Tokyo emploient des *gaijins* pour des jobs de réceptionniste (Front Desk). C'est très bien payé. Cédric, a travaillé (grâce au bureau des stages de l'ESSEC), dans un hôtel de luxe à Hiroshima :

*"J'étais groom. Le travail était très strict : se tenir droit, ne pas croiser les mains derrière le dos et faire des courbettes à tout bout de champ devant le client. J'étais payé 120 000 Y/mois, logé, nourri. Je pense que ce type de boulot est accessible à un gaijin. La clientèle de luxe japonaise est très flattée d'être servie par un Européen. Des candidatures spontanées peuvent donc faire mouche. Mais n'hésitez pas à présenter le plus de références possibles. Les Japonais ne vous prendront pas pour ce que vous êtes, mais pour ce que vous représentez."*

## Hôtesse dans des bars

Il s'agit là d'un concept typiquement japonais, qui commence à se répandre dans d'autres pays d'Asie (Hong Kong, Singapour...). Les bars recherchent des occidentales pour converser avec les hommes d'affaires japonais qui viennent prendre un verre. Le rôle d'une hôtesse est celui d'une dame de compagnie. Pour les clients, c'est une façon de suivre des cours d'anglais dans un cadre plus agréable qu'une salle de cours. De nombreux bars exigent par conséquent des anglophones *"native speakers"*. Parler japonais est aussi un plus. Mais des Françaises arrivent à trouver des places.

Une hôtesse travaille généralement de 19h à 2h du matin. Le job est payé au minimum 2000 Y/h, parfois 4000 Y et même dans certains bars 6000 Y.

Pour être hôtesse, le physique a peu d'importance. L'essentiel est d'être souriante, sympathique, d'avoir de la conversation et surtout du caractère. Les hommes d'affaires éméchés après quelques verres d'alcool se comportent parfois de façon peu galante. L'hôtesse doit savoir repousser leurs avances avec fermeté. De tels problèmes naissent surtout dans les bars du quartier de Roppongi.

Pour trouver des adresses de bars, vous pouvez consulter les annonces du lundi dans le *Japan Times*. Voici à quoi ressemble une annonce type :

> *"Hostesses wanted by Club. Pay Y4000/hour, including 10% tax. European/American/Australian/Canadian preferred. Some japanese speaking ability. 7:00 p.m - 11.45 p.m. Proper visa required. Please call (03) 3456 2566."*

Vous pouvez aussi faire du porte-à-porte dans les quartiers de bars, comme Ginza, Akasaka ou Roppongi. Vous aurez également beaucoup de tuyaux dans les *gaijin houses*, où vivent de nombreuses hôtesses.

# Mannequin et figurant

Le look occidental fait vendre au Japon. Sans prétendre aux cachets des stars du cinéma américain (Schwarzenneger et Stallone se font payer plusieurs millions de dollars), vous pouvez gagner des sommes tout à fait honnêtes en posant pour des pubs TV ou magazine. Une des mannequins les plus connues au Japon est française (Julie Dreyfus). Elle a commencé dans l'émission d'enseignement du français sur NHK, avant de signer un contrat mirobolant pour poser sur les campagnes d'affichage de la banque Sakura.

Pour postuler, il suffit de vous inscrire auprès d'une agence de casting (frais : environ 1000 Y). Un press-book n'est pas obligatoire mais fortement conseillé : certains castings s'effectuent uniquement sur sélection de photos. Pour les hommes, il est préférable de mesurer plus de 1m80. Le japonais n'est pas obligatoire. Dans ces agences, on parle anglais et souvent français, italien ou espagnol.

Les salaires varient entre 15 000 Y et 400 000 Y par contrat, la moyenne se situant autour de 80 000 Y. Le paiement est effectué généralement un mois après le travail.

Il est difficile d'en vivre car vous n'avez aucune assurance d'être pris pour d'autres pubs. Stéphane, 19 ans, étudiant à Tokyo, a été sélectionné dans deux castings publicitaires :

*"Il faut mettre sa timidité au fond de sa poche. Les interviews se déroulent parfois devant plus de 100 personnes. Certains ne sont pas des amateurs. Pour décrocher régulièrement des contrats, tout se joue sur l'impression que l'on donne à l'inscription. S'ils vous trouvent sympathiques, ils penseront à vous plus souvent et vous donneront plus d'auditions. Ma première pub était pour Sega. On me voit sur tous les packagings, brandissant le nouveau pistolet laser de la marque. La seconde était une pub magazine pour Casio, sur laquelle on me voit jouer au basket."*

Laurent, ancien étudiant à Langues O et fin connaisseur du Japon, a travaillé un peu par hasard pour l'agence Inagawa Motoko, à Tokyo. Il sympathise rapidement avec la directrice qui le fait participer à plusieurs émissions de TV. Un traitement de faveur ? Pas forcément...

*"Le problème : la télévision japonaise est vraiment DEBILE ! Je me suis retrouvé dans un tas d'émissions toutes plus dramatiques les unes que les autres. Une émission de la chaîne NHK, à vocation culturelle, consistait à mesurer le taux d'acidité de différents plats nationaux. J'étais placé devant un public de jeunes écolières complètement déchaînées, avec une ventouse dans la bouche reliée à un long tuyau, dans l'obligation de saliver face à un plat de groseilles afin que les jurés puissent mesurer, au bout du tuyau, le taux d'acidité contenu dans ma salive !"*

Selon Laurent, la figuration paie bien à partir du moment où l'on accepte ce type d'humiliations suffisamment longtemps, entre 6 mois et un an. Après, on peut se voir confier des rôles plus intéressants, dans des sitcoms notamment.

Vous trouverez une liste d'agences dans l'annuaire, à la rubrique *Modelling Agencies*.

## Divers

- On croise à Tokyo des étrangers qui vendent des bijoux à la sauvette ou distribuent des tracts, pour des écoles de langues notamment. Ils gagnent généralement bien leur vie. Un Américain rencontré avouait qu'il pouvait amasser jusqu'à 10 000 francs par mois, sans parler un mot de japonais. Le gros problème : les réseaux de vente à la sauvette sont contrôlés par des mafias. Les emplacements de rue sont très "protégés". Ne vous installez pas sur un bout de trottoir qui appartient à quelqu'un d'autre. Barbara, avait improvisé un jour une exposition photo dans la rue. Elle a été délogée assez rapidement par "*des types surgis de nulle part*". Si toutes ces activités paraissent un peu louches, elles ne sont pas illégales. Les vendeurs de rue sont rarement inquiétés par la police.

- La correction de manuscrits (*proof reading*) est également un des jobs classiques pour *gaijin* au Japon. Les petites boîtes d'édition ont besoin d'étrangers bilingues (français/anglais) pour relire et corriger des textes traduits du japonais (des notices de médicaments ou des manuels d'utilisation de logiciels par exemple). Des annonces paraissent régulièrement dans le *Japan Times*. Le job est payé environ 700 Y pour une page dactylographiée.

- Il existe deux magazines mensuels en anglais, vendus dans les librairies de Roppongi, le *Nippon View* et le *Tokyo Journal*. On y trouve toutes sortes de bons plans et d'adresses sur les jobs, les logements et les restos. Ces magazines embauchent en permanence des étrangers pour vendre des espaces publicitaires. Les salaires varient entre 150 000 et 450 000 Y par mois.

## Bénévolat et volontariat

Pour être volontaire au Japon, le plus simple est de passer par un organisme de chantiers en France. Ils ont ont régulièrement des programmes d'échange. C'est une solution économique puisque vous êtes logé-nourri pendant la durée de votre séjour. Laurence, 18 ans, est partie trois semaines avec Jeunesse et Reconstruction. Outre les frais d'inscription (890 F), elle n'a eu à payer que l'aller/retour Paris-Tokyo. Elle raconte comment s'est déroulé son chantier :

*"Notre chantier était situé au pied du Mont Fuji, à Fujinomiya une ville de 200 000 habitants (un village au Japon). J'étais en compagnie de huit autres volontaires européens et de sept Japonais. La première semaine, nous avons travaillé dans des champs de thé. Il s'agissait de collecter de l'engrais naturel, à base de soja, de le transporter en camion, et de le déverser dans les champs. Nous aidions un agriculteur très attaché à la culture "bio". La deuxième semaine, nous étions logés sur le terrain d'un hôpital psychiatrique. Nous faisions des matchs de volley avec les patients, des malades légers, et avons monté une pièce de théâtre, en japonais. L'après-midi était consacré à la*

*découverte de la culture japonaise : Aïkido, méditation Zen dans un monastère, cérémonie du thé... Enfin, la troisième semaine a été consacrée à la rénovation d'une auberge de Jeunesse perdue au milieu des champs de thé."*

Si vous souhaitez vous investir plus longtemps, et découvrir la vie quotidienne au Japon, vous pouvez aussi participer au programme ICYE (International Christian Youth Exchange Association). Il permet d'être volontaire pendant un an au Japon. Reportez-vous page 66 pour plus de détails.

# Trouver un stage

La plupart des étudiants qui trouvent un stage au Japon passent par leur bureau des stages internationaux. Il est rare de trouver un stage en contactant les entreprises japonaises depuis la France. En revanche, la prospection sur place peut porter ses fruits. Les salons professionnels fournissent de très bonnes occasions de rentrer en contact avec les Japonais. N'oubliez surtout pas de vous munir de cartes de visite (*Meishi*). Les cartes avec votre nom en Katakana (traduction phonétique des noms étrangers en alphabet japonais) au recto et en anglais au verso sont un must. N'hésitez pas à les distribuer généreusement autour de vous. Vos interlocuteurs seront également sensibles à un CV, même succinct, en japonais. Christophe, étudiant en école de commerce, conseille même de continuer ses recherches le soir dans les bars :

*"Une belle déclaration sur votre envie de travailler au Japon, quelques mots en japonais, quelques verres, et vous avez la carte de l'industriel nippon dans votre poche. J'ai raccompagné un soir à sa voiture un chef d'entreprise très connu qui avait un peu abusé de la boisson. Il m'a donné sa carte et m'a invité à le rappeler si j'avais besoin de son aide. Le surlendemain, c'est lui qui m'appelait à mon hôtel pour savoir si tout allait bien. Les Japonais sont comme ça."*

## *Des organismes pour vous aider*

- La **Société franco-japonaise des techniques industrielles** (SF-JTI) publie, avec le Ministère des affaires étrangères et le Ministère de l'enseignement supérieur et de la recherche, un petit livret intitulé *Passeport pour le Japon*. Il recense la plupart des programmes de coopération technologique avec le Japon. Un programme de la SF-JTI concerne en particulier les stages de fin d'études pour ingénieurs. Ils durent de 4 à 12 mois et se déroulent dans les services recherche et développement d'entreprises japonaises. 20 à 30 stagiaires partent chaque année. Pour plus d'informations (et recevoir gratuitement le *Passeport pour le Japon*), contactez :

✉ **SF-JTI - 17, rue Hamelin - 75116 Paris - Tél. : (1) 47 27 29 58/47 27 21 67**

- La méthode la plus sûre est de passer par l'intermédiaire d'un organisme d'échange international. Reportez-vous à notre chapitre général "Trouver un stage" pour avoir des infos sur les organismes suivants.

- AIESEC, pour les étudiants en école de commerce (voir page 86)

- IAESTE, pour les étudiants ingénieurs (voir page 88)

- SESAME, pour les jeunes agriculteurs (voir page 86)

# ASIE BLOC-NOTES

En dehors du Japon, l'Asie n'offre pas énormément de possibilités de jobs. Les filières les plus classiques : l'enseignement de l'anglais (Taiwan et la Thaïlande sont deux bonnes destinations ; à Bangkok, les guesthouses sur Kao San Road affichent régulièrement des offres) ou les boulots d'hôtesse ou mannequin à Hong Kong et Singapour. Les possibilités de volontariat sont en revanche un peu plus nombreuses. Nous vous indiquons ci-dessous quelques pistes à explorer.

## Hong Kong

### Mannequinat

De nombreuses agences à Hong Kong sont à l'affût de nouvelles têtes occidentales pour des castings ou du mannequinat. Pas besoin d'avoir une taille de top-model pour postuler. Tout le monde a sa chance, à condition de faire preuve de caractère. Les Chinois aiment bien les personnes un brin exubérantes.

Pour rentrer dans le catalogue des agences, il faut prévoir 2 ou 3 bonnes photos. Ensuite, si vous êtes sélectionné, l'agence vous enverra participer à des castings pour des pubs (TV, magazine…), de la figuration dans des films ou des défilés de mode. Là, c'est à vous de jouer. Les castings sont souvent intimidants car ils se déroulent en présence de tous les prétendants.

Une fois le rôle décroché, à vous la vie de star. Le job est très bien payé : en moyenne 3000 HK$ par jour.

Pour vous renseigner sur les bons plans en cours, une adresse incontournable : **Chungking Mansions** (sur Nathan Road). Cet immense building délabré est le repaire de tous les backpackers fauchés de Hong Kong. Une vraie bourse aux tuyaux pour tout ce qui touche aux jobs.

L'agence Irene's Model nous a fait part de ses besoins en recrutement.

#### • Irene's Model

| | |
|---|---|
| JOBS | L'agence recrute des mannequins et des figurants pour tourner dans des pubs TV, des films de cinéma, poser pour des pubs magazine ou participer à des défilés de mode, des parades, des séminaires, des conférences… Le boulot peut se dérouler à Hong Kong ou dans d'autres pays d'Asie. L'agence précise qu'elle recrute environ 500 personnes par an, pour 1000 candidatures reçues. La rémunération varie entre 3000 et 7000 HK$. |
| PROFIL | Une expérience est préférable mais pas indispensable. Il faut pouvoir |

se débrouiller en anglais.

C<small>ANDIDATURE</small> Vous pouvez postuler sur place ou depuis la France en envoyant un CV avec votre portfolio, si vous avez déjà de l'expérience, ou plus simplement des photos de vous si vous n'en avez pas. Les meilleures périodes sont avril/juin et septembre/novembre.

 *Irene's Model Booking Service Ltd - 115 Wanchai Road - 22E Tak Lee Comm building - Wanchai - Hong Kong Tél. : 891 7667 - Fax : 838 4840*

Une Job-trotteuse nous a signalé les deux agences suivantes, paraît-il très réputées :

✉ *Calcarrie's - 7th floor - Kewalram Building - 71 Wyndham street - Central*

✉ *Solar Images & Production - Suite 3202, 32F - Central plaza - 18, Harbour Road - Wanchai*

## La tournée des bars

Il est possible de décrocher des jobs de serveurs ou barmen dans les bars branchés de Kong Kong. La rémunération n'est pas très élevée (30 HK$/h en moyenne) mais peut vous dépanner en attendant de reprendre la route. Pour l'heure, les employeurs ferment les yeux sur l'absence de permis de travail. Ça risque bien sûr de changer avec le retour de la colonie dans le giron de la Chine populaire en 1997. Pour trouver une place, rien ne vaut le porte-à-porte. Faites la tournée des bars du côté de Wanchai, Central et Causeway Bay. Le cocktail gagnant : un bon niveau d'anglais, une tenue soignée, un sourire facile, un numéro de téléphone où l'on peut vous joindre… et de la chance. Ne dites pas que vous êtes un voyageur mais que vous vivez à Hong Kong. Proposez vos services au manager en personne. Les employés vous répondront toujours : *"il n'y a pas de job ici"*.

# Inde

## Stagiaire chez Tata...

L'Inde fait actuellement les yeux doux aux investisseurs étrangers. Dans cette optique, les grands conglomérats indiens sont à la recherche de stagiaires occidentaux. Tous les secteurs d'activités sont accessibles. Prenez un groupe comme TATA. Si vous avez voyagé en Inde, vous connaissez certainement ses camions, ils ont dû manquer de vous écraser au moins une dizaine de fois... Mais TATA est aussi présent dans l'aéronautique, la chimie, la pharmacie, les cosmétiques, l'hôtellerie... (au total le chiffre d'affaires du groupe représente 2% du PNB indien !). Une candidature en direct à l'une des branches du groupe aurait de bonnes chances d'aboutir.

Guillaume, étudiant en commerce, à trouvé un stage dans une entreprise de logiciels, grâce à la Chambre de commerce franco-indienne de Bombay :

*"Mon travail consistait à préparer les bases d'une étude de marché que je devais ensuite réaliser en France. Mon sentiment est qu'il n'est pas dur de trouver un stage dans une société indienne, à condition de ne pas être regardant sur le salaire. J'étais payé 2000 roupies par mois (400 francs). C'est très insuffisant pour vivre dans une ville comme Bombay. Un conseil, lorsque vous envoyez une candidature spontanée, adressez deux lettres : l'une au directeur du personnel, l'autre au service où vous voulez travailler. Une lettre se perd si vite en Inde..."*

Guillaume précise que la Chambre de commerce franco-indienne peut vous aider à trouver un stage en Inde, en vous indiquant notamment les adresses des principales sociétés indiennes.

✉ *Indo-French Chamber of Commerce and Industry - Bakhtawar, 2nd floor - Nariman point - Bombay 400021 - Tél. : (22) 202 7950 - Fax : (22) 202 35401*

# Movie star à Bombay

L'Inde est le premier producteur de films au monde, loin devant Hollywood. La moitié des long-métrages indiens sont tournés dans les studios de Bombay. Vous pouvez participer au tournage d'un film comme figurant. Pour cela, nul besoin d'avoir suivi les cours de l'Actor's studio. Le plus simple : loger dans les locaux de l'armée du salut (Salvation Army, sur Merweather street). Tous les matins des agences de casting s'y rendent pour proposer de la figuration aux touristes étrangers. Le salaire est de 200 roupies par jour et le repas de midi est payé. Les tournages durent entre un jour et une semaine. Bien sûr, ça ne marche pas à tous les coups. Il faut être là au bon moment.

Christelle, qui avait posé son sac à dos quelques jours à Bombay, a eu la chance de côtoyer l'une des plus grandes stars indiennes du moment, Sharuk Khan.

*"Un matin, un dénommé Johny m'a accosté dans le hall pour me proposer un rôle de figuration. Il s'agissait de jouer une cliente dans un restaurant parisien. J'ai dit OK. Nous étions une cinquantaine de figurants. Pour faire plus authentique, les décorateurs avaient collé une grand poster de la tour Eiffel sur le mur du fond. On m'a fourni un costume, une infâme robe rayée à col roulé, et le tournage a commencé. C'était une scène de danse, avec Sharuk Khan dans le rôle du jeune premier. Pour nous figurants, la direction d'acteur était simple. Nous devions sourire et donner l'impression que nous passions une magnifique soirée. C'était vraiment très sympa. J'ai hâte de voir le film lorsqu'il sortira en vidéo."*

Si vous rêvez vous aussi de faire vos premiers pas au cinéma, vous pouvez contacter l'agence de casting suivante (demandez Jonhy ou Leo D'Souza, le patron).

✉ *The Agency, Tél. : 43 60 320*

# Bénévolat

L'image du volontaire occidental secourant les populations faméliques des bidonvilles est devenue l'un des clichés les plus marquants de l'Inde. Cette image est trompeuse. La plupart des associations humanitaires indiennes peuvent fort bien se passer de volontaires. Certaines nous ont fait part de leur méfiance vis à vis des bonnes âmes étrangères qui arrivaient sans réelle compétence ni motivation. A Calcutta, les missions de la charité de Mère Teresa acceptent des volontaires étrangers. Mais c'est, à la limite, plus pour leur rendre service, en leur donnant le sentiment d'être utile, que parce qu'elles en ont vraiment besoin.

## Les missions de la charité de Calcutta

Ces missions sont universellement connues grâce au charisme de leur fondatrice, Mère Teresa. Virginie a passé 6 mois dans plusieurs de ces missions. Elle raconte son expérience :

*"A peine arrivée à Calcutta, je me suis rendue à la Salvation Army sur Sudder street. J'étais dans un dortoir pour filles, à 20 roupies la nuit. Il y avait là pas mal de routards, qui ne faisaient rien de leurs journées, mais aussi des volontaires qui travaillaient, soit pour Mère Teresa, soit pour Doctor Jack, le médecin des rues de Calcutta. C'est là que je suis restée pendant tout mon séjour. Le lendemain, je suis allée à la maison-mère des missions de la charité. J'y ai rencontré la sœur en charge des volontaires. Je lui ai simplement dit "voilà, je suis à Calcutta pour quelques mois, je veux me rendre utile...". Elle m'a donné une liste des centres accueillant des volontaires et m'a demandé de choisir où je voulais aller. A Calcutta, trois missions principales sont ouvertes aux volontaires étrangers. "Premdan" est un dispensaire qui accueille des gens de la rue, des handicapés ou des malades. "Shischu Bhrawan" est un centre d'accueil des enfants. On y reçoit des orphelins ou des enfants malades de la tuberculose ou de la polio. Enfin, "Kali Ghat" est le mouroir. C'est la mission la plus connue et celle qui compte le plus de volontaires. Ça tourne même parfois à l'usine, entre les volontaires qui restent une journée et les groupes de touristes qui débarquent pour prendre des photos.*

*"J'ai choisi de travailler le matin à Premdan et l'après-midi à Shischu Bhrawan. Quand on arrive, les sœurs sont très peu directives. C'est à chacun de se prendre en main. Ma tâche consistait à donner des bains, servir les petits déjeuners ou encore faire la lessive. A Premdan, il y avait environ 300 patients, hommes et femmes. J'y allais tous les matins, par tous les temps, même sous les déluges de la mousson.*

*A Shischru Bhrawan, nous nous occupions des enfants abandonnés ou handicapés. Il fallait jouer avec eux ou leur donner à manger. Personnellement, j'ai passé beaucoup de temps avec les enfants handicapés. C'était une expérience plus intime. Il y avait peu de volontaires.*

*Le contact avec les patients était très gai. On ne les traite pas du tout comme des malades. C'est vrai que beaucoup souffrent... mais ce que je retiens surtout, ce sont les fous rires que j'ai eus avec eux. J'avais appris quelques mots de bengali. Ça les faisait beaucoup rire. Les malades appellent les volontaires "Aunty" ou "Uncle". J'ai su que j'avais franchi une étape lorsqu'ils ont commencé à m'appeler "Aunty Virginie". J'étais adoptée."*

## • Involvement Volunteers Association

ACTIVITÉS   Cette association australienne organise des chantiers à vocation sociale dans le monde entier. Pour plus de détails, reportez-vous au chapitre sur l'Australie, page 371.

MISSIONS   L'un des projets en Inde se déroule à Calcutta dans un hôpital de rue qui soigne des enfants atteints de tuberculose ou de lèpre. Les volontaires assistent les docteurs à temps plein.

CANDIDATURE   Contactez l'association pour recevoir la liste des projets. Les frais d'inscription sont de 100 A$, puis de 350 A$ lorsque vous acceptez une mission.

*Involvement Volunteers Association - PO Box 218 - Port Melbourne- Victoria 3207 - Australia*
*Tél. : (3) 9646 9392 - Fax : (3) 9646 5504*

## • Joint Assistance Center

ACTIVITÉS   Association dont la vocation est d'offrir une meilleure connaissance de l'Inde à travers des activités bénévoles.

MISSIONS   JAC propose de très nombreuses activités. Les chantiers ont pour thèmes la plantation d'arbres, l'aide dans des orphelinats, la rénovation de villages... Ils se déroulent dans tout le pays. D'autres actions sont possibles si vous restez un minimum de 3 mois : enseigner l'anglais dans une école près de Delhi, organiser des expositions sur la santé, la protection de l'environnement, la lutte contre les désastres naturels, travailler dans une bibliothèque, etc. L'association organise aussi divers cours sur le yoga ou le développement rural.

JAC reçoit environ 200 volontaires étrangers par an. Les chantiers se déroulent toute l'année et durent au moins 4 semaines. Les frais de participation sont de 700 francs pour un mois (dont 100 francs de frais d'inscription). Vous êtes logé et nourri (nourriture végétarienne).

PROFIL   Tous les bénévoles de plus de 18 ans sont acceptés. La connaissance de l'anglais facilite les choses.

CANDIDATURE   Pour les chantiers, vous pouvez soit passer par Jeunesse et Reconstruction en France, soit envoyer votre candidature en Inde, soit postuler directement sur place, à condition de vous présenter au moins 30 jours avant le début du chantier.

*Joint Assistance Center - G-17/3 DLF Qutab Enclave Phase 1 - Gurgaon - 122 002 - Haryana*
*Tél. : (124) 352141 - Fax : (124) 351308*

## • Youth Charitable Organization

ACTIVITÉS    Association agissant en faveur du développement rural en Inde.

MISSIONS    Participation à des actions de reboisement, alphabétisation, etc. Les missions proposées dépendent des qualifications des volontaires (par exemple informatique...). En raison du climat, il n'y a pas de mission entre mars et juin. La durée varie de 15 jours à 6 mois. Vous devez payer entre 3 et 5 $ par jour pour votre logement et nourriture.

PROFIL    Cet organisme est particulièrement intéressé par des personnes ayant un savoir-faire dans les domaines de l'industrie forestière, de l'éducation des enfants et de la santé.

CANDIDATURE    Ecrire à l'adresse ci-dessous pour plus d'informations.

*Youth Charitable Organization - 20/14 Urban Bank Street - Yellamanchili 531 055 - Visakhapatnam Dt. - Andhra Pradesh - Contact : M. Prem Kumar - Tél. : (8924) 51122 ou 51077*

# Bénévole au Sri Lanka

## • Lanka Jathica Sarvodaya Shramadana (INC)

ACTIVITÉS    Cette organisation gère des camps, des programmes d'échanges de jeunes, des programmes éducatifs.

MISSIONS    20 postes d'assistants sont offerts chaque année. Les volontaires viennent du monde entier. Ils aident au fonctionnement de chaque programme. Vous pouvez commencer n'importe quand dans l'année. Les missions peuvent durer d'une semaine à six mois. Certains volontaires restent un an. Les volontaires payent l'hébergement et les repas mais le coût est modique.

PROFIL    Des connaissances de base en anglais. Avoir plus de 18 ans. Etre prêt à vivre sans confort moderne.

CANDIDATURE    L'inscription est payante mais son prix est faible et négociable. Envoyer une lettre de candidature en anglais détaillant votre profil et vos motivations.

*Lanka Jathica Sarvodaya Shramadana (INC) - 98 Rawatawatta Road - Moratuwa - Tél. : (1) 647159 ou 6475255 ou 647 194*

## • Samasevaya-Sri Lanka

ACTIVITÉS    Organisation humanitaire en milieu rural.

MISSIONS    Participation à des chantiers de construction. Vous êtes logé et nourri contre la modique somme de 3 $ par jour. Une dizaine de volontaires par an.

PROFIL    Un brin d'expérience et un bon anglais.

CANDIDATURE    Envoyer un dossier de candidature en anglais à l'organisation au moins deux mois à l'avance. Il doit comprendre notamment des copies de vos diplômes ou certificats d'employeur, deux coupons réponse internationaux et une photographie.

*Samasevaya-Sri Lanka - Anuradhapura Road - Talawa NCP - Tél. : (25) 6266 - Contact : Samson Jayasinghe*

# Bénévole au Bangladesh

## • Bangladesh Work Camps Association (BWCA)

ACTIVITÉS    Organise des chantiers.

MISSIONS    Participation à la construction de routes, d'écoles, plantation d'arbres... BWCA recrute en général 40 à 60 volontaires par an. Les chantiers se déroulent d'octobre à février et sont de courte durée, de 1 à 2 semaines.

PROFIL    Avoir entre 18 et 35 ans et parler anglais.

CANDIDATURE    S'adresser aux organisations de chantiers français. Mais vous pouvez également écrire directement, en envoyant un CV. Les frais d'inscription, incluant logement et nourriture, sont compris entre 100 et 250 $.

 *Bangladesh Work Camps Association (BWCA) - 289/2 Work Camp Road - North Shajahanpur - Dhaka-1217 - Tél. : (2) 863797*

# PROCHE-ORIENT/AFRIQUE BLOC-NOTES

## Israël : volontaire en kibboutz

L'idéal communautaire du kibboutz continue d'attirer de nombreux volontaires étrangers. En tête, les Britanniques : ils sont 2000 chaque année à travailler quelques semaines avec les habitants des kibboutzim (pluriel de kibboutz). Si l'aventure vous tente, voici ce que vous devez savoir avant de retrousser vos manches.

### Qu'est ce qu'un kibboutz ?

En hébreu, kibboutz signifie "regrouper". Les kibboutzim sont des villages collectivistes nés au début du siècle sous l'impulsion d'agriculteurs juifs d'Europe de l'Est. Dans un kibboutz, tout le monde travaille pour la collectivité. Les besoins de base - nourriture, santé, éducation - sont pris en charge par le groupe. Il n'y a pas de circulation d'argent.

Il existe actuellement près de 300 kibboutzim en Israël, comptant entre 40 à 1000 membres (la moyenne se situe autour de 400). Bien qu'ils ne rassemblent que 3% de la population, les kibboutzim jouent un rôle non négligeable dans l'économie nationale. Ils fournissent 40% de la production agricole et 7% de la production industrielle.

### Les kibboutzim aujourd'hui

La plupart des kibboutzim ont désormais une activité industrielle et non plus seulement agricole. Ils couvrent des secteurs extrêmement variés : plastique, textile, électronique, papier, produits pharmaceutiques...

L'esprit des kibboutzim subit actuellement de profondes transformations, dues à la crise économique. Certains s'ouvrent au tourisme et proposent des chambres d'hôtes. Quant aux kibboutznik (habitants d'un kibboutz), ils disposent de plus en plus d'autonomie pour gérer individuellement leurs besoins dits "superflus", comme la culture ou les voyages. Ces besoins étaient autrefois gérés par le groupe.

Cette conjoncture a une influence directe sur les relations entre kibboutznik et volontaires étrangers. Les familles pensent d'abord à boucler leurs fins de mois.

Le kibboutznik a tendance à regarder les nouveaux arrivants d'un œil un peu blasé. C'est à vous de vous intégrer et de faire le premier pas.

# Le travail des volontaires

Sachez que les kibboutzim peuvent très bien fonctionner sans volontaires. Si vous partagez la vie d'un kibboutz, il faudra travailler dur à des tâches parfois répétitives. C'est une des règles fondamentales : *"dans un kibboutz, la valeur de l'homme ne correspond pas à la valeur de son travail"*. Voici quelques exemples de boulots proposés :

- Agriculture : cueillette de pommes, amandes, poires...

- Elevage industriel : les kibboutzim élèvent des moutons, des dindes, des oies (une partie du foie gras commercialisé en France est produit dans les kibboutzim) et même des autruches. On peut par exemple vous confier la vaccination des dindons.

- Industrie : essentiellement des travaux de surveillance, car la majorité des kibboutzim sont automatisés.

Vous passerez aussi une ou deux semaines consacrées à la cuisine et au nettoyage des salles à manger.

Vous l'avez compris : être volontaire n'a rien à voir avec des loisirs. Simon, étudiant en marketing, a récolté du coton à Hanita, dans le nord d'Israël :

*"Les ouvriers agricoles se lèvent à 6h du matin et travaillent 8 heures par jour, 6 jours par semaine. Il ne faut pas espérer passer des vacances à bronzer. Il faut aimer bosser."*

Les volontaires français ne passent pas pour les plus performants. Mihal Gans, déléguée du mouvement kibboutsique en France, constate : *"Les Français ont la réputation d'être paresseux. Ils ont surtout la fâcheuse manie de demander "pourquoi ?" chaque fois qu'on leur confie une tâche. Les kibboutznik prennent cela assez mal. Ça finit par créer des tensions"*. Pour vous consoler, sachez que les volontaires anglais jouissent d'une réputation tout aussi médiocre : leur amour immodéré de la canette n'est pas bien vu.

# La vie dans un kibboutz

L'ambiance est très rurale. On circule généralement à pied ou à vélo. Le nombre de volontaires par communauté varie de 10 en période creuse à 100 en été durant la cueillette des pommes. L'atmosphère jeune et cosmopolite est l'un des grands attraits de la vie en kibboutz. La langue parlée est l'anglais.

Vous serez hébergé dans une chambre de 2 ou 3 lits. Les repas sont pris dans une salle à manger commune. De plus en plus, les volontaires bénéficient de loisirs pendant leur séjour. Vous aurez trois jours chômés par mois, que vous pourrez consacrer à des excursions touristiques. Vous recevrez par ailleurs un peu d'argent de poche : autour de 45 $ par semaine.

## Comment être volontaire ?

Si vous voulez expérimenter cette vie en commun "hors du commun", posez votre candidature auprès d'Objectif Kibboutz. Les volontaires doivent avoir entre 18 et 32 ans et passent un entretien de sélection. Selon Dan Ouri, responsable du mouvement de jeunesse juif Hachomer Hatzaïr, "*cet entretien vise à connaître les motivations du candidat mais aussi à le décourager, en insistant sur les conditions de vie très dures qui l'attendent.*" La durée du séjour peut varier entre 2 et 6 mois.

Si vous êtes sélectionné, vous devez remplir un dossier d'inscription très détaillé (dont un extrait de casier judiciaire et un test HIV). Les frais d'inscription sont de 4200 francs incluant le billet d'avion aller/retour et une nuit à Tel Aviv. Il est conseillé de commencer les formalités au moins un mois et demi avant la date de départ souhaitée.

Une quinzaine de volontaires français partent chaque mois (de septembre à juin). L'été est la période la plus chargée. Si vous partez en juillet-août, vous serez intégré dans un groupe d'une quarantaine de personnes. Pour plus d'informations :

✉ *Objectif Kibboutz - 15, rue Béranger - 75003 Paris - Tél. : (1) 42 77 96 11*

✉ *Hachomer Hatzair - 10, rue Saint-Claude - 75003 Paris - Tél. : (1) 48 04 08 66 - (Pour vous renseigner sur l'histoire et l'esprit du kibboutz)*

## Etre volontaire sur place

Il est possible de trouver une place en kibboutz directement à Tel Aviv, pour un séjour d'au moins deux mois, en contactant le service volontaire (*Volunteer Department*) du Kibbutz Program Center. Un impératif : éviter les mois de juin à août. L'été, les kibboutzim organisent leurs propres programmes de volontaires et il n'y a plus de places disponibles. Les frais d'inscription sont de 50 $. Vous devez posséder un certificat médical attestant que vous êtes en bonne santé, une assurance et un billet d'avion retour. Pour plus d'informations, contactez :

✉ *Kibbutz Program Center - Volunteer Department Takam-Artzi - 124, Hayarkon Street - P.O.B 3167 - 63573 Tel Aviv - Tél. : (3) 5221325 / 524 6156*

## Votre stage d'études en kibboutz

Si vous devez effectuer un stage étudiant obligatoire à l'étranger, pensez au kibboutz. L'association Hagchama peut vous aider à trouver une mission qualifiée en rapport avec vos études. De nombreux secteurs d'activités sont envisageables : agriculture, recherche agronomique, électronique, etc.

Les stages doivent durer de 6 semaines à 3 mois. Sur place, vous aurez un tuteur (un kibboutznik) qui assurera votre formation et votre intégration.

Important : votre stage doit impérativement se dérouler en dehors des mois d'été. De plus, le placement n'est pas garanti à 100 %.

Pour postuler, vous devez être étudiant, présenter un CV et une lettre de motivation (en anglais) et parler anglais (ou hébreu !) couramment.

L'inscription coûte 1600 francs et inclut les frais de dossier et le placement. Il vous reste à payer le billet d'avion et l'assurance. Si vous êtes intéressé, contactez :

✉ *Hagchama - 15, rue Béranger - 75003 Paris - Tél. : (1) 42 77 40 99*

# Afrique

Continent oublié, l'Afrique n'offre pas un vaste champ de possibilités. Côté jobs vous pouvez décrocher quelques postes d'accueil dans les hôtels 5 étoiles du Kenya ou de Tanzanie, vendre vos talents d'œnologues en Afrique du sud (on en recherche pour les vignobles) ou, si vous avez la fibre commerciale, acheminer des Peugeot d'occasion depuis la France pour les revendre au Niger. Pour les stages, pensez à l'AIESEC (voir page 86), qui a déjà envoyé des étudiants dans des pays anglophones comme le Ghana. C'est le volontariat qui offre le plus d'opportunités. Reportez-vous à notre chapitre sur le sujet (voir page 64) pour connaître les organismes ayant des projets sur l'Afrique. Nous vous signalons ci-dessous des associations africaines que vous pouvez contacter directement.

## *Kenya*

### • **Kenya Voluntary Development Association**

ACTIVITÉ    Association non-gouvernementale qui met en œuvre des projets de développement et d'éducation dans les zones rurales du Kenya.

MISSIONS    Les volontaires, de toutes nationalités, sont généralement affectés à des tâches de rénovation ou de construction d'ouvrages communautaires : écoles, cliniques, système d'adduction d'eau... Les missions prennent place pendant les vacances scolaires (avril, juillet-août et décembre) et durent de 2 jours à 3 semaines. La langue de travail est l'anglais et le swahili. Les volontaires sont logés (de manière rudimentaire) et préparent leur propre nourriture à partir des mets locaux. Une participation aux frais est demandée ; elle s'élève à 330 $ pour un chantier en juillet-août.

PROFIL    Avoir plus de 18 ans et une compréhension correcte de l'anglais.

CANDIDATURE    Ecrire à l'adresse ci-dessous pour recevoir une liste des chantiers à venir. Il est demandé de s'inscrire au moins 8 semaines à l'avance.

✉ *Kenya Voluntary Development Association - PO Box 48902 - Nairobi - Kenya - Tél. : 225 379*

# *Maroc*

## • **Les Amis des Chantiers Internationaux**

ACTIVITÉ      Organisation de chantiers.

MISSIONS      Participation aux différents projets de l'organisation : aide aux handicapés, aux déshérités, aménagement d'espaces verts, rénovation de bâtiments dans les villages... Chaque chantier regroupe environ 25 volontaires, de nationalités différentes. Ils travaillent 25 heures par semaine. Les postes sont offerts en juillet et août pour des durées de 3 semaines (avec la possibilité de prolonger le séjour). Les volontaires sont logés et nourris.

PROFIL      Avoir au moins 18 ans.

CANDIDATURE      L'organisation reçoit en général les volontaires recrutés par ses partenaires en France : SCI, Compagnons Bâtisseurs, Concordia et Solidarités Jeunesses. Il est toutefois possible d'envoyer directement votre CV. Les frais d'inscription sont alors de 260 francs.

> *Les Amis des Chantiers internationaux - Maison des Jeunes*
> *Boumaère-Meknès - BP 8 VN - Meknès - Maroc*
> *Contact : Abdallah Bouazza et Driss Bidane - Tél. : 53 56 51*

# *Togo*

## • **Frères Agriculteurs et Artisans pour le Développement au Togo (FAGAD)**

ACTIVITÉ      Coopérative d'agriculteurs et d'artisans, organisant également des chantiers de volontaires.

MISSIONS      Places de volontaires offertes pour des durées allant d'une semaine à plusieurs années. Les frais de participation sont fonction de la durée : 150 $ pour un mois, 230 $ pour 2 mois. Vous habitez dans une famille et travaillez aux cultures, à l'élevage ou aux travaux communautaires et sociaux.

PROFIL      Avoir une formation ou une expérience dans l'agriculture, surtout tropicale, en artisanat, en gestion ou en alphabétisation. Des candidates particulièrement sensibilisées aux problèmes des droits de la femme sont aussi très recherchées.

CANDIDATURE      Pour tout renseignement, écrire à l'organisation en joignant 4 coupons réponses internationaux. Vous recevrez un descriptif des activités de cette coopérative.

> *FAGAD - BP 229 Kpalime - Togo - Tél. : 410029*
> *Contact : Ayeh Kossi*

# *Ouganda*

## • Ugandan Voluntary Development Association

ACTIVITÉ     Aide aux communautés défavorisées (orphelins surtout).

MISSIONS     Les chantiers durent 2 à 3 semaines et commencent la première semaine des mois de décembre, avril, juillet et août. Les frais d'inscription sont de 150 $ pour un camp et de 200 $ si vous enchaînez juillet et août. Travaux de construction, jardinage, entraide. 60 à 80 volontaires sont recrutés chaque année en provenance principalement d'Italie, d'Allemagne ou des Etats-Unis.

PROFIL     Avoir plus de 18 ans et faire preuve de maturité.

CANDIDATURE     UVDA va probablement travailler en collaboration avec le Service Civil International et Jeunesse et Reconstruction. Mais vous pouvez aussi les contacter directement en envoyant un CV et une lettre ou leur rendre visite si vous passez dans la région. Quelques cadeaux pour les orphelins seront très appréciés.

*Ugandan Voluntary Development Association - PO Box 5110 - NATHU Building - Ben Kiwanuka Street - Kampala*
*Contact : Rogers Kamwasi*

# euROLines

## *Voyagez Malins, payez moins!*

**Au départ de Paris, Tarif A/R -26 ans**

| | | | |
|---|---|---|---|
| Amsterdam : | 360 F | Londres : | 510 |
| Barcelone : | 865 F | Prague : | 680 |
| Berlin : | 650 F | Madrid : | 890 |
| Budapest : | 770 F | Milan : | 610 |
| Bratislava : | 720 F | Moscou | 1350 |
| Bristol : | 510 F | Munich : | 495 |
| Bruxelles : | 290 F | Rome : | 760 |
| Cologne : | 370 F | Rotterdam : | 360 |
| Copenhague : | 720 F | Stockholm : | 1180 |
| Cracovie : | 810 F | Valencia : | 1185 |
| Dublin : | 990 F | Varsovie : | 810 |
| Faro : | 1195 F | Viana : | 995 |
| Florence : | 730 F | | |
| Francfort : | 450 F | | |
| Hambourg : | 595 F | | |
| Heidelberg : | 450 F | | |
| Lisbonne : | 995 F | | |

*Et plus de 1180 autres destinations s... toute l'Europe...*
*Départs possibles de province, nous consulter.*
Prix valable jusqu'au 31.03.95

### Gare Internationale de Paris-Gallieni

BP 313, 28 Avenue du G. de Gaulle 93541 Bagnolet cedex

Métro : Gallieni

## Tel : 49 72 51 51

*et 3615 Eurolines*

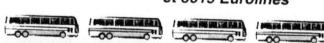

## L'EUROPE AU QUOTIDIEN

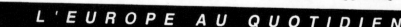

Je désire recevoir, gratuitement, votre catalogue sur l'ensemble de vos destinations.

Nom : ......................................., Prénom : ...................................
Adresse : ....................................................................................

Coupon à renvoyer à Eurolines, service clientèle, 22 rue Malmaison 93177 Bagnolet cedex

Le Job-trotter aime l'aventure… pas les galères. La vie à l'étranger est pleine d'aléas. Difficile de prévoir le pickpocket qui va s'approprier votre sac à dos dès votre arrivée à Rio ou la piqûre de guêpe qui va s'infecter. Mais si vous avez eu la prévoyance de glisser dans votre poche un bon contrat d'assurance et quelques travelers chèques, le pire devrait être évité. Une bonne préparation est le secret des voyages réussis. Pour partir l'esprit tranquille, nous vous livrons ci-après un certain nombre de conseils qui vous économiseront du temps, des tracas et même de l'argent. Un Job-trotter averti en vaut deux.

## Pour les étudiants : la carte ISIC

La carte ISIC (International Student Identity Card) est le seul document à vous reconnaître le statut d'étudiant à l'étranger. Elle offre de nombreux avantages dans plus de 70 pays : réductions sur l'hébergement, les transports, les loisirs... Elle permet en outre d'accéder plus facilement aux services réservés aux étudiants locaux, par exemple les services emplois et stages des universités.

Pour l'obtenir, vous devez présenter une pièce d'identité, votre carte d'étudiant français et une photo. Elle coûte 60 francs. Vous pouvez l'acheter dans les endroits suivants :

⌧ *Les bureaux OTU*
*38 points en France. A Paris : 39, avenue Bernanos - 75005 Paris*
*Tél. : (1) 44 41 38 50*

⌧ *SEM vacances - A Paris :  54, boulevard Saint-Germain - 75006 Paris - Tél. : (1) 44 41 74 44*

⌧ *AJF - 119, rue Saint-Martin - 75004 Paris - Tél. : (1) 43 54 95 86*

⌧ *Council Travel Service - 22, rue des Pyramides - 75001 Paris*
*Tél. : (1) 44 55 55 44*

⌧ *FUAJ - 27, rue Pajol - 75018 Paris - Tél. : (1) 44 89 87 24*

## L'argent à l'étranger

La vie à Londres ou à New York coûte cher, les stages ne sont pas toujours rémunérés, certains individus interlopes aimeraient bien vous soulager de vos devises… L'argent en voyage est une denrée précieuse qui nécessite quelques précautions d'usage. Certains Job-trotters prennent un malin plaisir à débarquer dans un pays avec 500 francs en poche et une solide foi dans leur débrouillardise. La galère est souvent au rendez-vous. Le mieux est de prévoir de quoi tenir au moins un mois, le temps de trouver un premier job. Nous vous livrons quelques conseils qui vous aideront à voyager mieux et plus longtemps...

## Comment ouvrir un compte en banque ?

L'ouverture d'un compte en banque se justifie dès lors que vous restez suffisamment longtemps dans le pays. En deçà de cinq mois, vous pouvez normalement vous en passer. Si votre employeur vous paie par chèque, il est souvent possible de l'encaisser dans la banque émettrice, même sans y avoir de compte. C'est le cas par exemple aux Etats-Unis.

Les procédures pour ouvrir un compte diffèrent selon les pays. Nous vous les détaillons dans les chapitres concernés. D'une manière générale, les banques françaises à l'étranger sont avant tout des banques d'affaires, tournées vers les entreprises. Mieux vaut s'adresser aux banques du pays. Pour mettre tous les atouts de votre côté, adressez-vous au partenaire local de votre banque en France et tachez de vous procurer une lettre de recommandation (dans la langue du pays) de votre agence et, sur place, de votre employeur.

Une fois titulaire d'un compte, vous pourrez normalement bénéficier de cartes bancaires locales, mais il s'agira, au début, de cartes de retrait.

## Votre employeur vous paie en liquide...

Dans de nombreux secteurs, la restauration en tête, vous serez payé en liquide à la fin de chaque semaine ou quinzaine. A priori pas de problèmes... sauf au moment où vous déciderez de poursuivre votre voyage. Il est en effet peu prudent de voyager avec une trop grande somme en cash sur vous. La solution : convertir vos espèces en travelers chèques. Cette opération se réalise normalement sans accroc dans une banque ou un établissement spécialisé dans le

## Gardez l'œil

Lorsque vous payez par carte, pensez à bien contrôler le montant qui figure sur la facturette, surtout si vous n'êtes pas coutumier de certaines devises : pas question de vous faire payer des US$ à la place de HK$, ces derniers valant beaucoup moins chers. Ça vaut le coup de vérifier deux fois plutôt qu'une. Au besoin, n'hésitez pas à inscrire vous-même les initiales de la monnaie sur la facturette. Et assurez-vous que c'est bien votre carte qu'on vous rend...

change, de type Thomas Cook. Aux Etats-Unis, les bureaux de AAA (American Automobile Association) réalisent cette opération.

Rappelons que les travelers chèques sont gages de sécurité car ils doivent être signés de votre main, devant le commerçant ou le banquier qui assure la transaction, pour pouvoir être encaissés. Lors de leur délivrance, on vous remet des bordereaux dont les numéros correspondent aux chèques. Conservez les soigneusement à l'écart des chèques eux-mêmes.

En cas de perte ou de vol, les travelers chèques sont normalement remplacés en moins de 48 heures, sur simple appel téléphonique à l'organisme qui les a émis (American Express, Thomas Cook et Visa principalement).

### Vous désirez recevoir de l'argent depuis la France...

Le plus simple dès lors que vous possédez un compte en banque dans le pays est d'avoir recours à un virement bancaire. Il s'opère par le biais d'un système électronique de transfert de fonds (SWIFT) et vous êtes crédité en 72 heures au plus tard. Il y a bien sûr des frais de transferts, variables selon les banques. L'opération ne se justifie que pour des sommes importantes.

Pour faciliter le transfert, recommandez à la personne en France qui va l'effectuer de bien préciser : votre nom, le nom de votre banque à l'étranger, votre numéro de compte, le numéro de guichet de votre banque et son adresse postale.

Si vous ne disposez pas de compte bancaire, la situation se complique. Le **mandat postal** est une solution fiable, mais les délais sont longs (15 jours minimum) et ça ne marche pas dans tous les pays (notamment en Asie et en Afrique). Deux prestataires de services se sont spécialisés dans le transfert de fonds en cas d'urgence.

**Thomas Cook** propose deux formules :
- Le transfert télégraphique : un de vos proches en France se rend dans un guichet Thomas Cook (10 points en France) avec la somme en liquide ou en carte bancaire qu'il veut vous transférer. Vous récupérez l'argent dans les 48 heures, auprès de la banque du réseau Thomas Cook la plus proche. Le coût de ce service dépend du transfert. Par exemple, 250 francs pour un transfert de 1500 $.

En Afrique ou en Amérique latine, les délais peuvent être plus longs.

- Money gram : un transfert encore plus rapide, puisque la somme transite en une dizaine de minutes. Vous retirez l'argent chez le correspondant Thomas Cook du pays (procurez-vous la liste avant de partir). La commission est fonction du transfert. Par exemple : 20 $ pour un transfert de 400 $. Seuls 4 bureaux à Paris réalisent cette opération.
(Renseignements : Thomas Cook. Tél. : (1) 47 42 46 52).

**Western Union** : votre proche en France paie en espèces dans l'un des points de change du réseau. Vous retirez l'argent deux minutes après dans l'agence Western Union du pays. Le montant de la commission dépend de la somme transférée. A titre indicatif, il est de 7 % pour une somme de 3500 francs. Il existe 15 points "Western Union Money Transfer", à Paris et sur la Côte d'Azur. (Renseignements au (1) 43 54 46 12).

## Pour voyager vraiment tranquille

Posséder au moins une carte bancaire internationale, en complément d'espèces et de travelers chèques, est un gage de tranquillité à l'étranger. Les principales cartes internationales sont soit des cartes de retrait, par exemple Mozaïc*, soit des cartes de retrait et de paiement, comme Eurocard MasterCard ou Visa.

Les cartes Eurocard MasterCard et Visa International permettent à la fois de retirer de l'argent dans les distributeurs automatiques de billets (DAB) ou aux guichets des banques affiliées et de régler vos achats ou services, l'hôtel par exemple, à l'étranger.

### - Retrait

Votre carte permet de retirer en général jusqu'à 3000 francs par période de 7 jours dans les DAB. Repérez les logos "MasterCard", "Eurocard" ou "Cirrus" pour les cartes Eurocard MasterCard et Mozaïc, et le logo "Visa" pour la carte Visa. Comme en France, vous tapez votre code confidentiel à 4 chiffres (en anglais PIN, Personal Identification Number). Certains distributeurs peuvent vous demander un code à 6 chiffres. Ne vous en préoccupez pas. Tapez simplement vos 4 chiffres et validez. Attention, vous n'avez droit qu'à trois essais. Si votre mémoire est défaillante, n'insistez pas au-delà du deuxième essai.

---

(*) Mozaïc est une carte de retrait internationale, du réseau Eurocard MasterCard, proposée par la majorité des caisses régionales de Crédit Agricole. Elle permet de retirer de l'argent dans les distributeurs automatiques de billets affichant le logo Eurocard MasterCard en France comme à l'étranger. Cette carte destinée aux jeunes est accessible aux mineurs (selon les caisses régionales de Crédit Agricole, la limite d'âge varie : renseignez-vous dans une agence). Pour les moins de 18 ans, un plafond de retrait est fixé conjointement par le titulaire, ses parents et le conseiller du Crédit Agricole (jusqu'à 3 000 francs à l'étranger, par tranches de 100 francs). Elle donne droit en outre à un service d'assistance, à une assurance perte et vol, ainsi qu'à des services d'information, de réservation de spectacles et à un grand nombre de réductions. Un serveur minitel et une ligne téléphonique permettent d'interroger l'équipe Mozaïc du lundi au samedi (3615 Mozaic, 1,29 francs/minute).

## Des cartes qui assurent...

Les trois cartes internationales Eurocard MasterCard, Mozaïc et Visa Classic vous font bénéficier de services d'assurance et d'assistance souvent méconnus.

• Un service d'assistance (médicale et rapatriement) qui vous couvre durant les 90 premiers jours de votre séjour à l'étranger. La mise en œuvre et l'exécution de vos garanties sont assurées 365 jours par an, 24 heures sur 24. Si vous êtes titulaire d'une carte Eurocard MasterCard ou Mozaïc, ce service vous couvre également en France, prend en charge l'envoi de médicaments indispensables à l'étranger, les frais de secours sur piste de ski...

• Avec Eurocard MasterCard et Visa Classic, vous bénéficiez d'une assurance à condition que votre titre de transport ait été payé au moins en partie avec votre carte (train, avion, bateau, voyage ou location de voiture...).

Les services d'assistance et d'assurance varient suivant les cartes. Par exemple, la carte Mozaïc donne droit à une assurance en cas de perte ou vol de vos papiers d'identité et de vos clés (s'ils ont été perdus ou volés avec votre carte). Lisez attentivement votre contrat ou renseignez-vous auprès de votre agence. N'oubliez pas d'emporter avec vous le n° de téléphone à contacter pour toute demande d'assistance, et le n° de téléphone et l'adresse pour l'assurance.

Aux guichets des banques, vous pouvez retirer jusqu'à 6000 francs par période de 7 jours (variable selon les établissements), sur présentation de votre carte et d'une pièce d'identité. Attention, certaines banques, notamment aux Etats-Unis, exigent en plus un chéquier pour délivrer de l'argent.

**- Paiement :**

Contrairement à ce qui se pratique aujourd'hui en France, vous n'aurez jamais à composer votre code confidentiel chez un commerçant à l'étranger (la carte à puce est une exclusivité française). Vous vous contentez de signer une facturette libellée dans la monnaie du pays.

Attention, soyez vigilant. Lors d'une transaction, ne quittez pas votre carte des yeux. En Asie du Sud-Est, l'une des arnaques classique consiste à passer discrètement votre carte deux fois dans la "machine à repasser". La première facturette correspond à votre achat. La deuxième sera utilisée ultérieurement par le commerçant escroc, qui n'aura qu'à imiter votre signature, pour encaisser le montant qu'il aura lui-même inscrit.

A savoir : les achats réglés en devises avec votre carte seront débités sur votre

**A savoir**

## Une carte sans (mauvaise) surprise

Une carte bancaire internationale est un sésame à l'étranger à condition de respecter quelques précautions d'usage.

• Vérifiez bien la date d'expiration de votre carte avant de vous engager pour un voyage au long cours. Au besoin, demandez à votre banque un renouvellement anticipé.

• En France, retirer de l'argent avec sa carte ne coûte rien. Il n'en est pas de même à l'étranger. Vous payez des commissions élevées à chaque retrait (15 francs en moyenne, quel que soit le montant). A vous de trouver le bon équilibre entre la somme que vous désirez retirer (ni trop ni pas assez) et la commission que vous payez à chaque fois.

• A l'étranger, l'utilisation de cartes bancaires peut être moins courante qu'en France, même dans des pays limitrophes. Assurez-vous que le commerçant ou l'hôtelier accepte un paiement par carte (repérez les logos). Pour savoir si votre carte est bien acceptée dans le ou les pays où vous vous rendez, interrogez votre agence ou contactez sur minitel (1,29 francs/mn) :
- 3615 et 3616 EM pour les cartes Eurocard MasterCard et Mozaïc.
- 3616 CBVISA pour la carte Visa.

• Le fait de payer par carte majore parfois le prix de certains articles (l'essence aux Etats-Unis par exemple). Sachez utiliser votre carte à bon escient.

**CA**

compte bancaire au taux de change du jour de traitement de la facture par le centre international (et non au taux du jour de l'achat).

# Assurance : voyagez couvert

Vous êtes victime d'une insolation dans le désert australien ? Vous vous luxez une épaule dans un camp de reboisement au Canada ? Vous n'êtes jamais à l'abri d'un coup dur. Songez à vous protéger avant le départ par le biais d'un contrat d'assurance et d'assistance voyage.

## Assurance vs Assistance

On a souvent tendance à confondre assurance et assistance voyage. En fait, ces deux termes recouvrent deux domaines distincts :

- La **compagnie d'assurance** agit toujours a posteriori. Elle ne fait que rembourser, suite à un incident, des dépenses que vous avez effectuées à l'étranger : dommages causés à un tiers, frais d'hospitalisation, etc.

- La **compagnie d'assistance**, elle, agit en temps réel, sur le terrain, au moment même où vous lui signalez vos difficultés. Un contrat d'assistance aux personnes inclut principalement votre rapatriement en France si vous êtes malade ou blessé à l'étranger, la remise d'un billet d'avion à l'un de vos proches pour qu'il puisse vous rendre visite si vous êtes hospitalisé et une assistance juridique si vous avez maille à partir avec la justice locale.

Dans la pratique, la frontière entre assisteur et assureur est de moins en moins claire. Pourquoi ? Toutes les compagnies dites d'assistance incluent au moins une clause d'assurance dans leurs contrats : la garantie des frais médicaux à l'étranger.

## Santé : qui paye la note à l'étranger ?

- Si vous êtes employé par une entreprise étrangère et payez des cotisations sociales, vous relevez normalement du régime de sécurité sociale local. La situation dépend de chaque pays. Renseignez-vous auprès du :

✉ *Centre de sécurité sociale des travailleurs migrants - 11, rue de la Tour-des-Dames - 75436 Paris Cedex 09 - Tél. : (1) 45 26 33 41*

- Si vous êtes assuré auprès de la sécurité sociale ou d'une mutuelle en France, vous pouvez bénéficier d'une couverture à l'étranger de vos frais médicaux, sans cotiser sur place. Mais, les prestations varient selon les pays :

- Pour les pays de l'Union européenne (hors Grande-Bretagne), pas de problème. Il suffit de vous munir du formulaire E111 avant de partir. Avec ce formulaire, le remboursement de vos dépenses médicales est effectué par l'organisme d'assurance maladie du pays d'accueil. Vous serez remboursé sur la base des tarifs applicables dans ce pays et en monnaie locale. Le E 111 est à retirer auprès de votre caisse d'assurance maladie ou de votre mutuelle étudiante.

- En Grande-Bretagne, vous n'avez pas besoin de formulaire E 111 puisque les soins sont gratuits. Seule condition : s'adresser à un médecin du National Health Service de votre quartier.

- Pour les autres pays, la situation se corse. Normalement, seuls les frais occasionnés par des maladies ou des accidents à caractère "inopiné" peuvent faire l'objet d'un remboursement. Mais les caisses de sécurité sociale en France gèrent vos demandes chacune à leur manière. Certaines sont souples, d'autres très tatillonnes. Une chose est sûre, pour espérer recevoir de l'argent, il faut avoir conservé les factures détaillées et traduites des sommes payées. Même si vous obtenez le remboursement de vos frais, il aura lieu sur la base des tarifs français et non étrangers. Une hospitalisation de quelques semaines aux Etats-Unis peut coûter jusqu'à 200 000 francs mais ne vous sera remboursée qu'à hauteur de 10% à votre retour en France.

Sans vouloir pousser à la consommation, il est donc souvent judicieux de souscrire un contrat complémentaire, dit d'assurance des frais médicaux maladie-accident. Un tel contrat doit garantir la prise en charge quasi-intégrale de votre facture médicale à l'étranger. Comme nous l'avons déjà souligné, cette garantie est incluse dans les contrats d'assistance "classique". Mais tous les contrats ne sont pas identiques. Un point est à étudier attentivement : le montant des frais médicaux couverts. La fourchette sur le marché oscille ainsi entre 35 000 et 2 000 000 francs ! En fait, une garantie de 30 000 francs reste suffisante pour la plupart des pays. Exceptions : les Etats-Unis, le Japon et le Canada. Pour ces pays où les frais d'hospitalisation sont exorbitants, une garantie de 200 000 francs n'est pas superflue.

Pour plus d'informations, vous pouvez consulter le service Relations internationales de votre caisse primaire d'assurance-maladie ou de votre mutuelle étudiante.

✉ *CPAM (à Paris) - 173-175, rue de Bercy - 75586 Paris Cedex 12 - Tél. : (1) 40 19 53 00*

# Les autres assurances du voyageur

En plus de la couverture de vos dépenses de santé à l'étranger, il existe d'autres garanties pour vos voyages.

- L'assurance annulation de voyage vous permet d'être remboursé de votre billet d'avion ou de votre séjour organisé si vous êtes contraint de renoncer à votre voyage peu de temps avant le départ.

- L'assurance responsabilité civile couvre tous les dommages matériels ou corporels causés à un tiers.

- L'assurance multirisques bagages vous protège contre les vols et les dommages de vos bagages.

- L'assurance individuelle accident permet le versement d'une indemnisation forfaitaire en cas d'incapacité permanente ou de décès.

# Choisir sa compagnie en toute assurance

## *Vous êtes déjà assisté sans le savoir*

De très nombreux contrats d'assistance sont inclus dans des biens ou services que vous achetez. Par exemple, les cartes bancaires internationales (cf. encart), la carte internationale d'étudiant (ISIC) ou les billets d'avion de certains voyagistes comme Look Charters. Attention, ces contrats en inclusion restent limités. Les frais médicaux sont souvent plafonnés à 30 000 francs. Pour les Etats-Unis ou le Canada, cette somme est insuffisante.

- Si vous partez à l'étranger avec un organisme d'échanges, vous bénéficiez généralement d'une assurance comprise dans les frais d'inscription. Par exemple le CIEE (Council on International Educational Exchange) inclut dans ses programmes une assurance spéciale pour les USA (gérée par AVI International).

- Si vous n'êtes pas couvert, vous avez intérêt à souscrire un contrat spécifique auprès d'une compagnie d'assurance-assistance. Il en existe une quinzaine et leurs prestations sont souvent comparables : difficile de faire son choix.

### Quelques conseils pour choisir

- Pour une même destination comparez le montant des plafonds d'assurance, le nombre et la nature des garanties et le montant des franchises à payer (part du dommage restant à votre charge en cas d'intervention de l'assureur).

Au cours de notre recherche, nous avons relevé cinq compagnies offrant un bon rapport qualité-prix : AVI International, AVA, ISIS, MNEF (Contrat Interstage) et SMEREP (Contrat World pass).

Ces compagnies proposent des "contrats" incluant l'assistance rapatriement (donc l'assurance frais médicaux) et un certain nombre d'autres clauses : individuelle accident, responsabilité civile, interruption d'études... Repérez les contrats les plus complets, adaptés à votre séjour et faites jouer la concurrence.

Ces "contrats" coûtent environ 700 francs, pour une durée de trois mois, avec une validité dans le monde entier.

☒ *AVI international - 90, rue de la Victoire - 75009 Paris - Tél. : (1) 44 63 51 04*

☒ *AVA - 26, rue de La Rochefoucauld - 75009 Paris - Tél. : (1) 40 82 92 20*

☒ *ISIS - En vente dans les bureaux OTU. Demande de contrats par correspondance : 6-8, rue Jean Calvin - 75005 Paris - Tél. : (1) 43 36 80 47*

☒ *MNEF - 16, av. Raspail - BP 100 - 94252 Gentilly Cedex - Tél. : (1) 42 45 35 35*

☒ *SMEREP - 54, Bld St-Michel - 75006 Paris - Tél. : (1) 44 41 74 44*

Si vous souhaitez en savoir plus contactez le CDIA (Centre de documentation et d'information sur l'assurance). Il ne vous conseillera pas une société plutôt qu'une autre mais pourra répondre (par courrier uniquement) aux questions d'ordre général que vous vous posez.

☒ *CDIA - 2, rue Chaussée-d'Antin - 75009 Paris - Minitel : 3614 CDIA*

# Quelques conseils de santé

En Amérique du Sud, en Afrique et en Asie, vous devrez faire face à des conditions d'hygiène et d'alimentation auxquelles vous n'êtes pas habitué. Avant votre départ, il est indispensable de consulter un centre médical de conseils aux voyageurs.

## Les vaccinations à effectuer

Selon les pays, vous serez amené à vous faire vacciner contre la fièvre jaune, la typhoïde, la méningite, l'hépatite A, l'hépatite B et la rage. Le cas du choléra est particulier. Le vaccin existant est peu efficace. L'Organisation mondiale de la santé déconseille même son utilisation. Mais certains pays d'Afrique sont susceptibles de l'exiger à leurs frontières. Dans ce cas, mieux vaut être vacciné avant le départ.

## Un cas particulier : le paludisme

En Amérique latine, en Afrique et en Asie, les risques de paludisme (maladie parfois mortelle transmise par certaines espèces de moustiques) sont importants. Il n'existe pas de protection médicale efficace à 100%. Un médecin spécialisé vous indiquera la prophylaxie recommandée dans le pays où vous vous rendez. Sur place, évitez dans la mesure du possible tout contact avec les moustiques (dormez sous moustiquaire, utilisez des crèmes répulsives).

## Un risque mondial : le SIDA

Quelle que soit votre destination, soyez responsable ! Emportez des préservatifs norme NF (les marques locales ne sont pas toujours fiables). En outre, les risques de contamination par voie sanguine sont considérables en Afrique. Evitez si possible toute transfusion sanguine sur place. En cas de nécessité absolue de traitement, assurez-vous que les aiguilles et les seringues sont directement tirées d'un emballage stérile.

## Les centres de vaccination en France

Il existe près de 80 centres de vaccination en France. Vous pouvez vous procurer la liste complète auprès de la Direction générale de la santé.

✉ *Direction générale de la santé - 1, place de Fontenoy - 75350 Paris 07 SP Tél. : (1) 46 62 40 00*

*A Paris et région parisienne (liste non exhaustive) :*
✉ *Centre de vaccination Air France - Aérogare des Invalides - 2, rue Esnault-Pelterie - 75007 Paris - Tél. : (1) 43 23 94 64*

✉ *Hôpital de l'Institut Pasteur - 209, rue de Vaugirard - 75015 Paris Tél. : (1) 40 61 38 00*

# Se loger à l'étranger

## Les auberges de jeunesse internationales

6000 auberges de jeunesse dans le monde offrent un hébergement de qualité et bon marché. Elles sont fédérées sous le label Hostelling International.

Pour en profiter, vous devez normalement posséder la carte internationale des auberges de jeunesse, vendue 100 francs (70 francs pour les moins de 26 ans) par la Fédération unie des auberges de jeunesse (FUAJ). Sans cette carte, l'accès aux auberges reste parfois autorisé, mais vous paierez plus cher. La carte donne aussi droit à des réductions sur les repas dans les restaurants, la location de voiture, l'achat de billets de train et d'avion. La FUAJ vend deux guides recensant l'ensemble des auberges dans le monde (45 francs chacun) ainsi que les avantages offerts par la carte.

✉ *FUAJ - 27, rue Pajol - 75018 Paris - Tél. : (1) 44 89 87 27 - Minitel : 3615 FUAJ*

# Les YMCA

Les YMCA (Young Men Christian Association) sont des centres d'hébergement économiques présents dans 90 pays. Longtemps réservés aux seuls garçons, les "Y's" (prononcez "Ouaille's") sont désormais presque tous mixtes. Les tarifs sont en moyenne un peu plus élevés que dans les auberges de jeunesse.

Vous pouvez vous procurer l'annuaire des YMCA dans le monde auprès de Rencontre et Voyage. Prix : 35 francs (+ 12 francs de frais de port).

✉ *Rencontre et Voyage - 5, place de Vénétie - 75013 Paris - Tél. : (1) 45 83 62 63*

# VIP Backpackers Resorts International

Le dernier-né des réseaux d'hôtels bon marché. Venue tout droit d'Australie, cette chaîne d'hôtels se veut spécialement conçue pour les backpackers. La chaîne fédère des hôtels essentiellement sur la région Asie-Pacifique ainsi que la Grande-Bretagne et l'Amérique du Nord. Vous pouvez acheter la carte VIP pour 25 A\$ (environ 100 francs). Elle donne droit à des réductions sur le prix des chambres ainsi que dans de nombreuses boutiques, bars, restaurants, etc. Pour plus d'informations, adressez-vous en Australie :

✉ *VIP Backpackers Resorts International - P.O Box 1000 - Byron Bay NSW 2481 - Tél. : (18) 666 888 - Fax : (66) 847 100*

# Louer un appartement

A moyen terme, c'est la solution la plus économique. Dans de nombreux pays anglo-saxons le principe des *roommates* est couramment pratiqué. Il est facile d'y trouver un appartement à co-louer ou à sous-louer. Nous vous indiquons dans les parties par pays le montant des loyers dans les principales villes ainsi que les journaux de petites annonces à consulter.

# Logé gratis !

*Troquer un studio à Paris contre un deux-pièces à Manhattan*

Formule proposée par deux organismes spécialisés dans l'échange de logements : Intervac et HomeLink. La réussite du système repose sur la confiance réciproque.

- **Intervac** gère des habitations dans plus de 40 pays. Contre une cotisation annuelle de 695 francs, vous avez le droit de passer une annonce dans trois catalogues internationaux recensant l'ensemble des offres d'échange de logements. Ensuite, libre à vous de contacter directement les propriétaires dont les annonces vous intéressent.

✉ *Intervac - 230, bd Voltaire - 75011 Paris - Tél. : (1) 43 70 21 22*

- **HomeLink** fonctionne sensiblement sur le même principe. Pour une cotisation annuelle de 600 francs, vous passez une ou plusieurs annonces dans les cinq catalogues internationaux qui paraissent dans l'année. 50 pays sont couverts.

✉ **HomeLink - Le Bel Ormeau - 409, avenue J-Paul Coste - 13100 Aix-en-Provence - Tél. : 42 38 42 38**

## Loger dans la maison du bon Dieu

Si vous êtes vraiment dans le besoin, faites le tour des lieux de culte : église, monastères, temples... Il serait surprenant qu'ils vous laissent dormir à la belle étoile. S'ils ne peuvent vous héberger, ils vous indiqueront au moins l'adresse de l'Armée du Salut locale. En Inde, les temples Sikhs offrent l'hospitalité à tout voyageur ne restant pas plus de trois nuits. Les monastères bouddhistes d'Asie du Sud-Est peuvent également fournir un abri aux voyageurs égarés.

## Squatter

Dans la plupart des grandes villes, il existe des réseaux de squatters plus ou moins organisés. A Londres par exemple, l'association baptisée Advisory Service for Squatters a pignon sur rue (voir chapitre Grande-Bretagne) et peut vous indiquer les adresses des immeubles à squatter... en toute illégalité. Si vous préférez être free-lance, vous pouvez aussi faire un tour sur les campus universitaires. En période de vacances scolaires, de nombreux bâtiments sont désertés. Trouver un coin où dormir n'est pas trop difficile.

## Monnayer vos services

Dans les auberges de jeunesse ou les guesthouses, il est possible de consacrer quelques heures de travail à l'établissement en échange d'un lit gratuit. Le système est particulièrement bien rodé aux Etats-Unis, au Canada ou en Australie. Quelques exemples de boulot : assurer la réception, faire le ménage, nettoyer les douches, laver les draps. La seule condition est que vous restiez suffisamment de temps dans l'auberge (au moins une dizaine de jours).

## Vous faire boucler

C'est la solution extrême. Si vous n'avez pas peur de passer pour un vagabond, rendez-vous au commissariat local et voyez s'il ne reste pas une cellule libre où passer la nuit ! C'est ce qui est arrivé à Marc dans un petit village d'Autriche :

*"Je venais de descendre du train, en pleine nuit. J'ai croisé des policiers et leur ai demandé où je pouvais passer la nuit. Ils m'ont proposé une des deux cellules du commissariat. Je pense qu'elles ne devaient pas trop servir. Sauf à coffrer quelques poivrots le samedi soir. Ce n'était pas très confortable, juste une planche, mais au moins j'étais au calme. Il n'y a qu'une chose qui me tracasse. Je n'arrive pas à me souvenir s'ils avaient fermé le verrou derrière moi ou pas."*

# Téléphoner à l'étranger

## Pour obtenir un numéro à l'étranger depuis la France :

- Composer le 19 en automatique + Indicatif du pays
- Composer le 19.33 pour passer en manuel + Indicatif du pays
- Pour certains pays, l'indicatif diffère selon que l'on appelle en automatique ou en manuel. L'indicatif indiqué dans le tableau correspond à un appel automatique.

## INDICATIFS TÉLÉPHONIQUES DES PAYS

| Pays | Indicatif |
|------|-----------|
| Afrique du Sud | 27 |
| Algérie | 213 |
| Allemagne | 49 |
| Angola | 244 |
| Arabie Saoudite | 966 |
| Argentine | 54 |
| Australie | 61 |
| Autriche | 43 |
| Bahrain | 973 |
| Bangladesh | 880 |
| Belgique | 32 |
| Bolivie | 591 |
| Brésil | 55 |
| Bulgarie | 359 |
| Burkina Faso | 226 |
| Cameroun | 237 |
| Canada | 1 |
| Centrafrique | 236 |
| Chili | 56 |
| Chine | 86 |
| Chypre | 357 |
| Colombie | 57 |
| Congo | 242 |
| Corée du Sud | 82 |
| Côte d'Ivoire | 225 |
| Danemark | 45 |
| Egypte | 20 |
| Emirats Arabes Unis | 971 |
| Equateur | 593 |
| Espagne | 34 |
| Etats-Unis | 1 |
| Finlande | 358 |
| Gabon | 241 |
| Ghana | 233 |
| Grande-Bretagne | 44 |
| Grèce | 30 |
| Guadeloupe | 590 |
| Guatemala | 502 |
| Guinée | 224 |
| Guyane | 594 |
| Hong Kong | 852 |
| Hongrie | 36 |
| Inde | 91 |
| Indonésie | 62 |
| Irak | 964 |
| Iran | 98 |
| Irlande | 353 |
| Islande | 354 |
| Italie | 39 |
| Japon | 81 |
| Jordanie | 962 |
| Kenya | 254 |
| Liban | 961 |
| Libéria | 231 |
| Libye | 218 |
| Liechtenstein | 41 |
| Luxembourg | 352 |
| Madagascar | 261 |
| Malaisie | 60 |
| Mali | 223 |
| Malte | 356 |
| Maroc | 212 |
| Martinique | 596 |
| Mexique | 52 |
| Namibie | 264 |
| Népal | 977 |
| Niger | 227 |
| Nigéria | 234 |
| Norvège | 47 |
| Nouvelle-Calédonie | 687 |
| Nouvelle-Zélande | 64 |
| Ouganda | 256 |
| Pakistan | 92 |
| Paraguay | 595 |
| Pays-Bas | 31 |
| Pérou | 51 |
| Philippines | 63 |
| Pologne | 48 |
| Polynésie française | 689 |
| Portugal | 351 |
| Réunion | 262 |
| Roumanie | 40 |
| Russie | 7 |
| Sénégal | 221 |
| Seychelles | 248 |
| Singapour | 65 |
| Somalie | 252 |
| Soudan | 249 |
| Sri Lanka | 94 |
| St-Pierre et Miquelon | 508 |
| Suède | 46 |
| Suisse | 41 |
| Syrie | 963 |
| Taiwan | 886 |
| Tanzanie | 255 |
| Tchad | 235 |
| Tchéque (république) | 42 |
| Thaïlande | 66 |
| Togo | 228 |
| Tunisie | 216 |
| Turquie | 90 |
| Uruguay | 598 |
| Venezuela | 58 |
| Vietnam | 84 |
| Yémen | 969 |
| Zaïre | 243 |
| Zimbabwe | 263 |

# Allons donc à London

# INDEX
## (des organismes cités dans le guide)

# Le guide du JOB-TROTTER

421

# Le guide du JOB-TROTTER

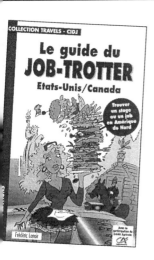